家庭でできる

監修
医学博士 中 村 丁 次
医学博士 山 ノ 内 愼 一

食事療法事典

新星出版社

はじめに

日本人の平均寿命が延び続ける一方で、がん、心臓病、脳卒中などの生活習慣病にかかる人の数も増え続けています。これらの病気になるかどうかは、その人のふだんの食生活と密接な関係があることが統計的に実証されています。

ところで私たちは、一生の間に何回、食事をするのでしょうか。80歳まで生きるとして単純に計算すると1日3食×365日×80年＝8万7千600回となります。「そんなに多く！」と思うか、あるいは「たったそれだけ？」と思うかは人によって異なるでしょうが、この毎日の食事が、私たちの健康状態を直接左右するきわめてたいせつなものなのです。逆にいえば、毎日ほんの少し気をつかうだけで、誰もが健康で快適な生活を送ることができる身近な健康法、それが食事なのです。

本書は大きく4つのパートに分かれています。「症状編」では、さまざまな不快な症状を緩和する食事を紹介し、「病気編」では、いろいろな病気ごとに治療や予防に役立つ食事を紹介しています。また「女性編」では、妊娠や出産、更年期などといった女性特有の体の変化にあわせた食事について説明し、「子ども編」では、成長期の子どもに必要な食事と食習慣について具体的に説明しています。

ますます高齢化社会に向かって、私たちの一番の関心事は〝健康〟についてであるに違いありません。本書が、一人でも多くのかたがたの健康を手助けするものであれば、これにまさる喜びはありません。

なお、本書で紹介している献立や食材の分量などは、私たちの先輩が実際に体験してきたもので、一つの経験的な分量です。まったくこの通りにするほかに、個人個人の症状や病状にあわせて、加減したり工夫をして欲しいと思います。

もくじ

病気編

子ども編

本書の特徴と使い方

●4つのパートの特徴

症状編

病気というほどではないけれども体に現れるさまざまな不調を取り上げ、まず、その原因や対処のしかたについて解説。そして、不快な症状をやわらげる食材とその取り方についてイラストで紹介しています。

病気編

糖尿病や高脂血症など、慢性的な病気に対応する食事療法を紹介。病気についての解説とモデルとなる献立をまとめました。また、朝昼夜の各メニューのうち一品と差しかえられるバリエーションも入れました。

女性編

病気編と同様、女性に特有のからだの変化や病気に対する食事の取り方の基本を解説したうえで、モデルとなる献立を紹介しています。

子ども編

成長期にある子どもにとって必要な食生活上の注意と、子どもに見られるさまざまな症状をやわらげるための食材とその取り方について解説しています。

●本書の効果的な使い方

本書は、もくじとさくいんを十分に活用することで、より効果的に使うことができます。

「頭痛がする」「食欲がない」など、具体的な症状についての対処法を知りたい場合には
→もくじから

「糖尿病のための食事を知りたい」「痛風のひとが食べてはいけない食品は?」など、病気について知りたい場合には
→もくじから

どういう食材がどのような症状や病気に用いられるかについて
→さくいんから

また、「病気編」ではそれぞれの病気について「食品選びの目安」を示してあります。モデルとして紹介した献立とあわせて活用してください。

なお、料理について、塩分や鉄分、カロリーなどが掲載されているものは、それぞれの食材のg数をもとに計算しています。½個などと個数が記されているものは、おおよその目安としてお考えください。

料理制作/ダイエットコミュニケーションズ　撮影/大前信明　スタイリスト/小町谷麗　デザイン/吉谷正美、風間正江　イラスト/田中経子、佐藤加奈子、木野本由美、川名晶子、赤瀬久美子、佐藤ひろこ、斉木のりこ、飛鳥幸子　執筆協力/ダイエットコミュニケーションズ、田中巳義、茂木繁、藤原裕美、関谷庸一、新沢滋子、原川康司、草野光恵　写真提供/全通フォトサービス

症状編

コンディションづくりの食事

コンディションづくりの食事

食事療法の意味

現在、日本人が亡くなる原因の約7割が、がん、心臓病、脳卒中のいわゆる三大成人病によって占められています。このほかに高血圧、糖尿病、肝臓病なども成人病ですが、こうした病気は、その発症に生活習慣が大きく関与していると考えられています。また、ここ数年は、若い人の発症も増えてきたことから、「生活習慣病」とよぶようになってきています。

睡眠や運動などさまざまな生活習慣のなかでも、もっとも重要なのが食事です。私たちが病気になったとき、その治療や再発防止に薬はつきものですが、副反応などの問題もあり、むやみに使用することはできません。よく、医食同源といわれますが、できれば薬を使わずに、食事で治したいとは誰もが思うことです。

成人病の発症には遺伝的な体質も影響しているといわれますが、たとえ成人病にかかりやすい体質でも、食生活に注意することで病気を予防することができるのです。これが食事療法の基本的な考えかたです。

健康をつくる食生活の基本

健康をつくる食生活の基本は、第一に必要な量を過不足なく食べること。とくに食べ過ぎないことです。

食べ過ぎ、つまりエネルギーのとり過ぎは、肥満をまねきます。肥満は、高血圧、高脂血症、糖尿病、痛風、脂肪肝などをまねき、さらに動脈硬化や腎臓病、心臓病、脳卒中を引き起こすきっかけにもなります。

また、食事の量とともに肥満をまねく要因として、食べ方があります。

たとえば生活が不規則で食事の回数が減ると、一度にたくさんの量を食べるため体に脂肪がつきやすく、太りやすいことがわかっています。また、お腹が減っているので食べるスピードも速くなりがちです。その結果、つい食べ過ぎてしまうのです。

同様に、夕食が遅かったり、夜食をとったりするなどの夜型の食事の場合も、太りやすくなります。

したがって、健康な食生活の基本は、毎日規則正しい時間に、適正な量を、ゆっくりよく嚙んで食べることといえます。

「1日30品目」を目安に

厚生省が発表する「健康づくりのための食生活指針」によると、現在の日本人の平均的食生活においては、脂肪、糖分、塩分は取り過ぎの傾向にあり、ビタミン、ミネラル（カルシウム、鉄分など）、食物繊維は不足しているとされています。

脂肪や糖分、塩分の取り過ぎは、肥満、高血圧、動脈硬化、心臓病、脳卒中などを引き起こします。一方、ビタミンやミネラル類はがんや心臓病の予防に効果があります。また食物繊維は糖分や脂肪の吸収を遅らせたり、便通をよくしてコレステロールや発がん性物質の排泄をうながしたりします。

こうしたことから、厚生省の指針では、主食や副菜を含めて1日に30品目の食品を摂取すれば、必要な栄養素を自然にバランスよくとれるとしています。ただし、食べ過ぎが厳禁であることはいうまでもありません。

パセリのオムレツ

①卵を割りほぐし、パセリのみじん切りと牛乳を加えて混ぜる。
②フライパンにバターをひき、卵液を入れ、焼く。
③しめじは石づきを取り、小房に分けサラダ油をひき、ソテーする。きゅうりは薄い輪切り、セロリは色紙切りにして、プチトマトは半分に切る。レモン汁と塩をふりかけ、②に添える。

ヨーグルト入りコーンフレークス

①牛乳とヨーグルトを混ぜる。
②コーンフレークスにレーズンを加え、①をかける。

フルーツ

①半分に切ったグレープフルーツに、ミントの葉をのせる。

ミルクティー

①紅茶をいれる。
②温めた牛乳を①に入れる。

パセリのみじん切りは、まな板や包丁にくっついて意外と厄介。そんなときは、洗ったパセリをビニール袋に入れて冷凍してしまえば簡単。袋ごと軽くもめばパセリは粉々になって、きれいなみじん切りのできあがりです。

朝食

材料（1人前）

パセリのオムレツ	
卵	1コ(50g)
パセリのみじん切り	大さじ1
牛乳	大さじ1
バター	小さじ1
しめじ	30g
サラダ油	小さじ½
きゅうり	20g
セロリ	20g
プチトマト	2コ(40g)
レモン汁	¼コ分(10g)
塩	少々
ヨーグルト入りコーンフレークス	
コーンフレーク	40g
ヨーグルト	½カップ
牛乳	½カップ
レーズン	15g
フルーツ	
グレープフルーツ	½コ(124g)
ミントの葉	適宜
ミルクティー	
紅茶	½カップ
牛乳	½カップ

TOTALエネルギー588kcal/塩分2.0g

昼食

材料(1人前)

カレー味の鶏のから揚げ	
鶏もも肉(皮なし)	80g
Ⓐ カレー粉	1g
Ⓐ しょう油	小さじ⅙
Ⓐ 塩	少々(0.5g)
Ⓐ 溶き卵	4g
Ⓐ 片栗粉	小さじ2
揚げ油	
サラダ菜	2枚(14g)
ラディッシュ	1コ

春雨のサラダ	
にんじん	10g
きゅうり	40g
キャベツ	25g
もやし	25g
春雨	4g
Ⓐ しょう油	小さじ1
Ⓐ ごま油	少々(1g)
Ⓐ 酢	大さじ½
Ⓐ からし	少々
Ⓐ 砂糖	少々

おにぎり(小2コ)	
ごはん	220g
梅干	小1コ(2g)
かつおぶし	大さじ1(5g)
しょう油	小さじ⅙
のり	適宜

スープ	
卵	⅓コ(16g)
ワカメ(乾)	1g
ねぎ	10g
ごま	少々(0.5g)
中華スープの素	小さじ¼
湯	150cc
塩	1g
こしょう	少々

TOTALエネルギー625kcal/塩分3.9g

カレー味の鶏のから揚げ

①鶏肉はひと口大に切り、あわせたⒶにしばらく漬け込む。
②①を油でカラッと揚げ、サラダ菜とラディッシュを添える。

春雨のサラダ

①きゅうり、キャベツは千切りにする。にんじんは千切りにして、ゆでておく。もやしもゆでておく。
②春雨はゆでてもどし、10㎝くらいの長さに切る。
③Ⓐをあわせ、①と②を和える。

おにぎり(小2コ)

①梅干としょう油で味つけしたかつおぶしのおにぎりを作る。
②①にのりを巻く。

スープ

①湯を入れたなべに中華スープの素を入れ、煮立たせる。
②水でもどしたワカメをひと口大にして、①に入れ、小口切りのねぎ、塩、こしょう、ごまを加える。
③②に溶き卵を加えて、煮立ったら、火を止める。

イカとクレソンのエスニック炒め

①イカは片面に5㎜の斜め格子の切り目を入れ、ひと口大に切り、塩と酒で下味をつける。
②にんにくはみじん切り、マッシュルームは薄切りにして、クレソンは5㎝長さに切り、赤唐辛子は小口切りにする。
③フライパンにサラダ油を熱し、イカの切り目が開く程度にさっと炒め、皿などに取り出しておく。
④②をよく炒め、③を加え、イカが温まる程度に炒めたら、調味料を回し入れて手早く炒める。

ベイクドポテトチーズソース

①じゃがいもは洗って、皮つきのまま電子レンジで加熱する。
②カッテージチーズとピクルスをあわせ、①にかける。

ペンネのトマトソース

①玉ねぎはうす切りにする。
②フライパンにオリーブ油をひき、赤唐辛子、薄切りにしたにんにくを炒め、①を加えて、よく炒める。
③②につぶしたトマトを入れ、こしょうをふり入れ、中火で10分煮る。
④ゆで上がったペンネに③をあわせ、粉チーズとみじん切りパセリをかける。

ビーンズスープ

①野菜は1㎝角の色紙切りにする。
②なべに湯とコンソメの素を入れて煮立て、野菜と大豆を加え、火がとおったら塩で味をととのえる。

20〜30代の人の場合、外食をする機会が多いもの。しかし外食では、栄養バランスやカロリー、塩分のコントロールが難しくなります。

とくにサラリーマンの昼食などは、手っ取り早く麵類や丼ものの単品料理で済ませてしまうことも多いはず。これらはほとんど野菜不足で、多くの場合、高カロリーです。せめて野菜やスープ、ごはんがついた定食類を注文するようにしましょう。

たまに外で食事をするという程度なら神経質になる必要はありませんが、昼はどうしても外食に頼らざるをえないという場合は、毎日同じ時間に規則正しく取る、外食は1日1食にとどめる、野菜などの不足分を朝食と夕食で補うという3つの点を心がけてください。

夕食

材料（1人前）

イカとクレソンのエスニック炒め	
イカ	90g
塩	少々(0.5g)
酒	小さじ½
クレソン	15g
マッシュルーム	2コ(18g)
にんにく	¼片(2.5g)
赤唐辛子	¼本
しょう油	小さじ½
砂糖	小さじ½
酒	小さじ½
塩	少々(0.5g)
サラダ油	小さじ1

ベイクドポテトチーズソース	
じゃがいも	小1コ(100g)
カッテージチーズ	30g
みじん切りピクルス	10g

ペンネのトマトソース	
ペンネ	60g
玉ねぎ	50g
トマト水煮(ホール)	80g
オリーブ油	小さじ1
にんにく	1片
こしょう	少々
赤唐辛子	¼本
パセリ	1g
粉チーズ	少々(2g)

ビーンズスープ	
コンソメの素	¼コ
大豆水煮(缶)	30g
にんじん	20g
ピーマン	1コ(25g)
玉ねぎ	20g
湯	150cc
塩	0.5g

TOTALエネルギー640kcal/塩分3.7g

バリエーション いわしのオーブン焼き

①いわしは三枚おろし。マスタードをぬる。マッシュルームは薄切り。玉ねぎとピーマンは千切りにして、油で炒める。②耐熱皿に玉ねぎ⅔量を敷き、いわしを並べ、残りの野菜をのせる。Ⓐをふり入れ、アルミ箔をかけ、200℃に温めたオーブンで焼き、レモン汁をかける。

材料（1人前）

いわしのオーブン焼き	
いわし	大1尾（60g）
マスタード	小さじ1
玉ねぎ	¼コ（60g）
ピーマン	½コ（13g）
赤ピーマン	½コ（13g）
マッシュルーム	1コ（9g）
Ⓐ タイム	少々
Ⓐ バジル	少々
Ⓐ セージ	少々
レモン汁	小さじ1
サラダ油	小さじ½

TOTALエネルギー180kcal/塩分0.7g

40〜50代の食事

月見納豆

①納豆はよく練り、しょう油と小口切りの万能ねぎを加え、卵黄をのせる。

ほうれん草ときのこのお浸し

①ほうれん草は熱湯でゆで、水に取り、水気をしぼり、3cm長さに切る。
②半分に切ったえのきたけをさっとゆでる。
③だしとしょう油をあわせ、少量をほうれん草にかけて、軽くしぼる。
④残りのだしとしょう油でほうれん草とえのきたけを和え、かつおぶしを盛る。

お吸物

①なべにだし汁を煮立て、焼きふ、塩、しょう油を入れ、味をととのえる。
②①に溶きほぐした卵白を糸のように流し入れ、卵白に火がとおったら、みつ葉を散らす。

納豆をはじめとする豆製品は、良質なタンパク質の宝庫。とくに40〜50代の人のタンパク源には最適です。豆腐、生揚げ、おからなどさまざまな形で口にすることができますから、毎日の食卓に必ず一品欲しい材料です。

朝食

材料(1人前)

月見納豆	
納豆	40g
卵黄	1コ分(20g)
万能ねぎ	5g
しょう油	小さじ⅓
ほうれん草ときのこのお浸し	
ほうれん草	100g
えのきたけ	25g
だし	小さじ½
しょう油	小さじ½
かつおぶし	1g
お吸物	
卵白	1コ分(35g)
みつ葉	20g
焼きふ	3g
だし汁	150cc
塩	0.5g
しょう油	小さじ⅙
ごはん	
ごはん	165g
焼きのり	
焼きのり	0.2g
みかん	
みかん	1コ(100g)

TOTALエネルギー504kcal/塩分1.9g

昼食

材料（1人前）

スナギモの豆板醤炒め	
スナギモ	85g
ワカメ（乾）	2g
レタス	20g
みじん切りにんにく	1g
豆板醤	少々（1g）
ごま油	2g
しょう油	小さじ1
酒	小さじ½
砂糖	1g
赤唐辛子	少々

なめこそば	
そば（乾）	45g
なめこ	50g
長ねぎ	25g
青じその葉	2枚（2g）
だし汁	1½カップ
塩	小さじ⅕
しょう油	小さじ⅔
酒	小さじ½
みりん	小さじ⅙

ヨーグルト（市販）	
ヨーグルト（加糖）	100g
ミントの葉	適宜

TOTALエネルギー373kcal/塩分2.7g

スナギモの豆板醤炒め

①スナギモはよく洗い、水気をふき取る。
②ワカメは水でもどし、ひと口大に切る。レタスは手でちぎっておく。
③なべにごま油を熱し、にんにくと豆板醤を炒め、スナギモを加えて、火がとおったら調味料と赤唐辛子で味をととのえ、②を添える。

なめこそば

①そばはたっぷりの湯でゆで、水気をきる。
②長ねぎは輪切りにしてなめこはザルに入れ、ざっと洗う。
③なべにだし汁と調味料を入れて火にかけ、なめこと長ねぎを入れ、さっと煮る。
④器にゆでたそばを入れ、③をかけ、千切りにした青じその葉を添える。

忙しいときに手軽に食べられる麺類は昼食の人気メニュー。一般に、中華そばやスパゲティよりも、日本そばやうどんなど和風のほうがエネルギーは低めです。しかし単品だけでは野菜不足になりがちですから、必ずもう一品以上を添えたいものです。

40～50代の人がとくに気をつけたいのは塩分の取り過ぎ。つゆを全部飲むのは避けましょう。

タラのさらさ蒸し

①タラに塩と酒をふり、しばらくおく。昆布は水でもどす。
②さやえんどうはすじを取り、しょうがは千切りにする。にんじんは型ぬき。生しいたけは石づきを切る。
③耐熱皿に昆布を敷き、タラ、野菜をのせ、蒸し器で7～8分蒸す。
④調味料をあわせ、蒸した魚や野菜にかける。

チンゲン菜の炒めもの

①チンゲン菜はさっとゆで、5cm長さに切る。しめじは根もとを切り、小房に分ける。長ねぎとしょうがはみじん切りにする。
②なべに油を熱し、長ねぎとしょうがを香りが出るまで炒め、しめじを入れて炒める。
③②にゆでたチンゲン菜を加え、調味料を入れて、炒めあわせる。

みぞれ和え

①さつまいもは1cm角に切り、水につけてアクをぬく。
②さつまいもの水気をふき取り、油でカラリと揚げる。
③いちょう切りにしたりんごと②を大根おろし、塩、レモン汁で和える。

菜めし

①大根の葉はみじん切りにする。
②なべに油を熱し、大根の葉を炒め、酒としょう油で味をととのえる。
③炊きたてのごはんに②とごまを混ぜる。

モロヘイヤのみそ汁

①モロヘイヤは軸のかたい部分を除き、3cm長さに切る。
②なべにだし汁を入れて火にかけ、みそを溶き入れてから①を加えて、煮立ったら火を止める。
③器に盛り、溶き辛子を添える。

ごはん自体は高カロリーな食品ではありませんが、食べすぎには注意を。でも混ぜごはんや炊き込みごはんといった料理なら、ボリュームはそのままでごはんの量だけを減らせます。

ただし、ごはんとあわせる材料は、野菜、豆類、きのこ類など、ごはんより低カロリーなものを中心に。鶏肉などを多く使うと、かえってエネルギー量が増えてしまいます。

夕食

材料（1人前）

タラのさらさ蒸し	
生タラ	110g
昆布	10cm
しょうが	5g
にんじん	10g
生しいたけ	1枚(15g)
さやえんどう	3枚(6g)
塩	0.5g
酒	小さじ1
しょう油	小さじ5/6
レモン汁	小さじ1
ごま油	小さじ2

チンゲン菜の炒めもの	
チンゲン菜	75g
しめじ	25g
長ねぎ	3g
しょうが	3g
オイスターソース	小さじ½
しょう油	小さじ½
酒	小さじ½
サラダ油	小さじ½

みぞれ和え	
さつまいも	65g
りんご	30g
大根おろし	60g
塩	0.3g
揚げ油	
レモン汁	小さじ1（6g）

菜めし	
大根の葉	20g
ごはん	165g
ごま油	小さじ½
薄口しょう油	小さじ⅔
酒	小さじ½
炒りごま	小さじ1

モロヘイヤのみそ汁	
モロヘイヤ	30g
だし汁	150cc
みそ	10g
溶き辛子	少々（2g）

TOTALエネルギー620kcal/塩分4.5g

①しらたきはさっとゆでて、食べやすい大きさに切る。長ねぎは斜め切り。白菜の葉は斜め切りにして、軸はそぎ切りにする。えのきたけは根もとを切り、Ⓐは適当な大きさに切る。

②牛肉と野菜類を湯に通し、Ⓑを薬味にして、ポン酢しょう油でいただく。

材料(1人前)	
しゃぶしゃぶ	
牛もも薄切り	100g
しらたき	50g
長ねぎ	30g
白菜	100g
えのきたけ	¼束(25g)
Ⓐ 生しいたけ	1束(15g)
Ⓐ 春菊	30g
豆腐(木綿)	¼丁(75g)
Ⓑ 大根おろし	50g
Ⓑ 七味唐辛子	少々
Ⓑ 万能ねぎ	5g
ポン酢しょう油	小さじ2
ゆずのしぼり汁	小さじ2

TOTALエネルギー221kcal/塩分1.5g

高齢者の食事

朝食

材料（1人前）

かぼちゃのポタージュ	
かぼちゃ	100g
牛乳	½カップ
固形スープの素	¼コ
水	⅓カップ
塩	少々(0.5g)
こしょう	少々
パセリ(みじん切り)	少々(0.5g)
ブロッコリーとにんじんのサラダ	
ブロッコリー	50g
にんじん	10g
フレンチドレッシング	小さじ1
フレンチトースト	
食パン	4枚切り1枚(60g)
卵	½コ(25g)
牛乳	½カップ
砂糖	小さじ1
バター	小さじ1
メイプルシロップ	小さじ2
フルーツ	
キウイフルーツ	½コ(50g)
バナナ	⅓本(33g)

TOTALエネルギー552kcal/塩分2.4g

かぼちゃのポタージュ

①かぼちゃは皮と種を取り、ひと口大に切る。
②固形スープの素と水でスープをつくり、①を煮て、やわらかくなったら、牛乳といっしょにミキサーにかける。
③②をなべに移して温め、塩、こしょうで味をととのえ、器に盛り、パセリを散らす。

ブロッコリーとにんじんのサラダ

①ブロッコリーは小房に分け、にんじんは1㎝角に切る。
②①をゆでてからフレンチドレッシングをかける。

フレンチトースト

①食パンは耳を落とし、三角形に切り、卵、牛乳、砂糖の液につけ、バターで焼く。
②メイプルシロップをかけていただく。

昼食

材料（1人前）

焼きビーフン		
ビーフン(乾)		70g
豚もも肉(赤身)		60g
もやし		40g
ピーマン		½コ(17g)
赤ピーマン		½コ(17g)
玉ねぎ		⅙コ(18g)
Ⓐ	しょう油	小さじ1
	塩	少々
	こしょう	少々
サラダ油		大さじ1
白炒りごま		少々(1g)
野菜の酢じょう油和え		
レタス		40g
きゅうり		25g
プチトマト		6個(120g)
玉ねぎ		20g
Ⓐ	しょう油	大さじ½
	酢	小さじ1
	ごま油	小さじ¼
	練り辛子	少々(1g)
さやえんどうと豆腐のスープ		
豆腐(絹ごし)		40g
さやえんどう		2枚(4g)
にんじん		5g
鶏ガラスープ		150cc
塩・こしょう		各少々
しょう油		小さじ⅓
片栗粉		小さじ1
水		大さじ1

TOTALエネルギー588kcal/塩分3.4g

焼きビーフン

①ビーフンは熱湯でもどし、10㎝長さに切る。ピーマンと玉ねぎは千切りにする。
②中華なべに油を熱し、ひと口大に切った豚肉を入れ、色が変わったら野菜とビーフンを入れ、Ⓐを加え混ぜる。炒りごまをふる。

野菜の酢じょう油和え

①レタスは手でちぎる。きゅうりは輪切りにして、プチトマトはくし形に切る。
②みじん切りの玉ねぎを水にさらし、Ⓐと混ぜ、①を和える。

さやえんどうと豆腐のスープ

①なべに鶏ガラスープを入れ千切りにしたにんじんを少し煮て、2㎝角の豆腐とすじを取って千切りにしたさやえんどうを入れる。
②味つけをして、水溶き片栗粉を入れ、とろ味をつける。

夕食

カレイの煮つけ

①カレイは下処理して、表側に十文字の包丁目を入れる。
②なべに水と調味料を入れて煮立たせて、①を入れ、紙ぶたをして煮る。
③カレイに火がとおったら、5cm長さにした長ねぎを加えて、少し煮る。

キャベツとアスパラのごま酢和え

①キャベツはゆでて、ひと口大に切る。アスパラもゆでて、5cm長さに切り、それを半分に切る。
②Ⓐをあわせて、①と混ぜる。

大根のゆかり和え

①大根は5cm長さのたんざく切りにして、塩をふってから5分ほどおく。
②①の水気をきって、ゆかりとレモン汁を加えて、さっと和える。

みそ汁

①ワカメは水でもどし、ひと口大に切り、なすは半月切り、えのきたけは根もとを切って半分にする。
②なべにだし汁を煮立たせてから、なすとえのきたけを加えて少し煮て、ワカメを加え、みそを溶き入れる。

材料（1人前）

カレイの煮つけ	
カレイ	中1尾（165g）
長ねぎ	¼本（35g）
水	⅓カップ
酒	大さじ¼
みりん	大さじ¼
しょう油	大さじ½
砂糖	小さじ½
キャベツとアスパラのごま酢和え	
キャベツ	70g
グリーンアスパラガス	40g
Ⓐ 白すりごま	8g
Ⓐ 砂糖	小さじ1
Ⓐ 酢	大さじ½
Ⓐ しょう油	小さじ½
大根のゆかり和え	
大根	50g
塩	少々
ゆかり	5g
レモン汁	小さじ½
ごはん	
ごはん	110g
みそ汁	
なす	½コ（25g）
えのきたけ	20g
ワカメ（乾）	1g
だし汁	150cc
みそ	10g

TOTALエネルギー484kcal/塩分4.2g

食材別・長所と調理方法の注意

緑黄色野菜

緑黄色野菜にとくに多く含まれるカロチン（ベータカロチン）は、体内でビタミンAに変わり、私たちの目や肌、歯、骨などの健康を保つのに重要な役割をはたします。またその他のビタミン・ミネラル類も豊富ですから、毎日の食事のなかで100g程度は緑黄色野菜を取るようにしたいものです。

にんじんはビタミンCの破壊酵素を含むが、加熱すれば大丈夫。ほうれん草は軽くゆでてアクをぬいてから調理する。トマトは生食以外にも洋風煮ものなどに幅広く使える。

グリーンアスパラガス、ブロッコリーの根もとや茎のかたい部分は皮をむいて。いんげんは塩ゆで、ピーマンは油炒めがあう。いずれも緑色が濃いものほど新鮮。

かぼちゃの煮ものはやわらかくなってから味つけをする。にらは長く保存しないほうが味がよく、栄養価も高い。小松菜はアクが少ないので生食もＯＫ。

いも類

いも類は、デンプンなどの炭水化物を多量に含んでいるのが特徴。炭水化物（糖質）は、私たちのエネルギー源となる重要な栄養素です。年中出まわっていて、保存もしやすく、さまざまな味つけや調理が可能。主食、副食、間食と応用範囲が広いのもいも類の魅力です。

さつまいもは甘味成分が豊富で、間食にも適している。甘味をよく出すには、加熱に時間をかけるとよい。なお、寒気に弱いので冷蔵庫での保存は禁物。

じゃがいもは、調理方法が多彩な野菜のひとつ。ビタミンCとカリウムを多く含み、とくにじゃがいものビタミンCは加熱してもこわれにくいのが長所。

山いもは、デンプンの分解酵素であるアミラーゼを含むので、消化がよく、ほかの食品の消化も助ける。アミラーゼは熱に弱いので、とろろなど生食がよい。

いも類のなかでもっとも低カロリーなのが里いも。ナトリウムの排出をうながすカリウムを多く含むので、塩分の取り過ぎをおさえる効果もある。泥つきのほうが味がよい。

食物繊維の宝庫・ごぼうの皮は包丁の背でこそげ取る。玉ねぎ、長ねぎは長く加熱するほど甘味が出る。なすは油料理にあう。もやしは酒で炒めるとくさみが抜ける。

かぶの皮は厚めにむいたほうが食感がよい。白菜は冬場のビタミンC源として幅広く利用できる。レタスは生食のほか、加熱するとかさが減って多く食べられる。

淡色野菜

緑黄色野菜ほどビタミンやミネラルが豊富ではないものの、できるだけ多くの種類を組み合わせて、毎日200g程度は食べたいのが淡色野菜です。サラダや漬けものにも適していますが、たくさん食べるには火を通してかさを少なくするのがコツです。

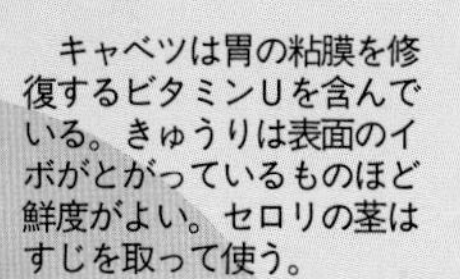

キャベツは胃の粘膜を修復するビタミンUを含んでいる。きゅうりは表面のイボがとがっているものほど鮮度がよい。セロリの茎はすじを取って使う。

大根に含まれる消化酵素の働きをよく発揮させるには大根おろしなど生食がよい。たけのこは皮ごと米のとぎ汁でゆでてアクをぬく。れんこんは切ったら水（酢水）にさらすと変色しない。

きのこ類

きのこ類の最大の特徴はノンカロリーであることです。また種類によって食物繊維やビタミンB群、鉄分、カルシウムなどの大切な栄養素をそれぞれに含んでいます。いずれも日もちがしないので、乾物や缶詰、びん詰なども多く出まわっています。

●ワンポイント●

野菜は生で食べるのが一番!?

野菜に含まれるビタミン類が熱に弱いからといって、生食にかたよるのも考えもの。たいていの野菜は、加熱すればかさが減って量を多く食べられるので、かえって多くのビタミンを摂取できることもあるからです。逆にサラダなどの生食では、ドレッシングの塩分や油分を取り過ぎてしまう可能性もあるのです。

生のきのこ類は日もちがしないので、早めに使うように心がける。泥などを水洗いするときはできるだけ短時間ですばやく。調理方法は歯ざわりを残す程度に加熱するのがよい。

肉類

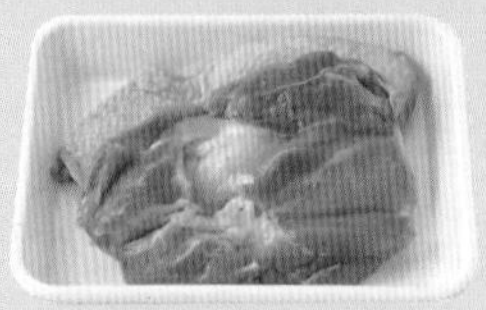

鶏肉は淡泊でクセがなく、皮を除けば脂肪分は半分に。ビタミンAを多く含む。

豚肉の濃厚なうまみは脂肪分。ビタミンB_1を多く含んでいるのも特徴。

牛肉はすぐれた風味が特徴。部位によっては火をとおし過ぎるとかたくなる。

肉類のカロリー量を左右する脂肪分は、肉の部位によって含まれる量が大きく異なります。その部位に適した調理が、肉類をおいしく健康に食べるコツです。

肉加工品

ハムやソーセージといった肉加工品の長所は、日もちがすることと手軽に使えること。短所は塩分が多いことです。調理のときには塩をひかえめにします。

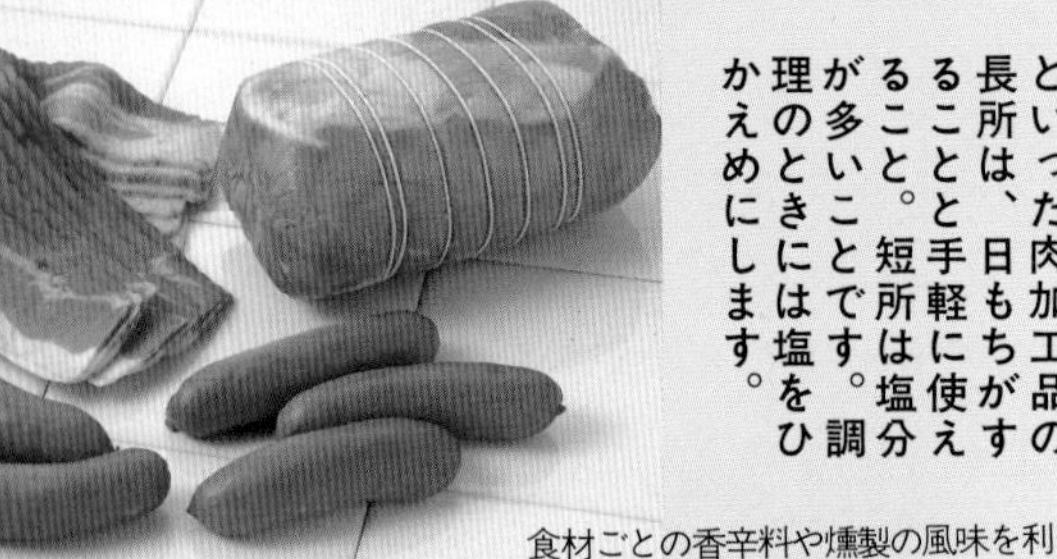

食材ごとの香辛料や燻製の風味を利用した調理をするとおいしい。

魚介類

種類が多く、新鮮さや季節感を味わえるのは魚介類ならではの長所。タンパク質はもちろん、不飽和脂肪酸やビタミン類なども多く含んでいます。

イカはローカロリーで、善玉コレステロールを増やすタウリンも多く含む。

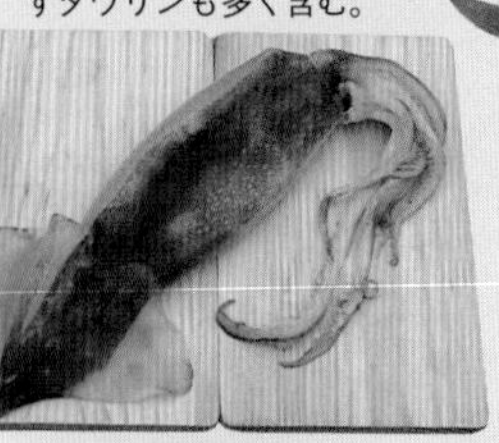

まぐろを味わうには刺し身が一番。トロは脂肪分が、赤身はミネラルが多い。

カレイは低カロリーで淡泊な白身魚。骨離れがよいが、煮くずれしやすい。

さばはビタミンやミネラルを豊富に含む。いたみやすいので鮮度に注意。

アサリは、殻つきのまま調理したほうがうまみや風味を逃がさない。

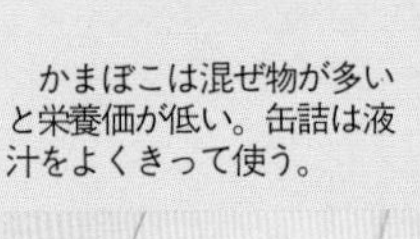

魚介加工品

かまぼこ、はんぺんなどの練り製品、油漬けや水煮の缶詰からは、魚介類の良質なタンパク質を手軽に取れますが、塩分・油分がやや気になる面もあります。

かまぼこは混ぜ物が多いと栄養価が低い。缶詰は液汁をよくきって使う。

たこは加熱し過ぎるとかたくなるが、里いもと煮るとやわらかく仕上がる。

アジなどの干物類は、カルシウムなどのミネラルは豊富だが塩分が多め。

海藻類

海藻類はビタミン、ミネラルが豊富で、食物繊維も多く、しかもノンカロリーというすぐれた食材。乾燥品なら長期保存もきき、台所に常備しておきたい食材です。

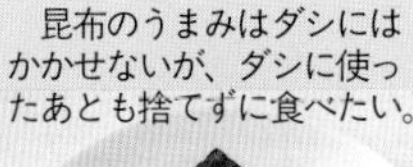

昆布のうまみはダシにはかかせないが、ダシに使ったあとも捨てずに食べたい。

のりには高級品もあるが、安価なものでも栄養価はほとんど変わらない。

ワカメのビタミンは野菜なみでミネラルも豊富。塩蔵品はよく塩抜きする。

ひじきは食物繊維とカルシウムが多い。乾燥品は8～10倍にふくらむ。

乳製品

牛乳・乳製品はタンパク質、カルシウム、ビタミンB_2を多く含んだ食材です。とくに不足しがちなカルシウムを取るのに適しており、さまざまな料理にも活用できます。

乳製品を調理に使うと、まろやかな味になる、生臭みを消すなどの効果がある。

卵・卵製品

卵は必須アミノ酸をバランスよく含み、その吸収率もよい食材です。卵黄はタンパク質と脂肪が主成分ですが、卵白はタンパク質のみで脂肪を含みません。

卵白の起泡性、卵黄の乳化性というそれぞれの特性をいかした調理法も。

豆・豆製品

豆類は、タンパク質と脂質を多く含み、乾燥品なら保存も容易。とくに大豆はビタミン、ミネラルも豊富で、またさまざまな加工品としても親しまれています。

枝豆は大豆の未成熟な種子だが、大豆には含まれないビタミンCを含む。

●ワンポイント●

大豆は「畑の肉」

栄養価の高い大豆ですが、吸収がよくないのが難点。しかし豆腐、納豆などの豆製品は吸収がよく、栄養素によっては大豆よりも豊富なものもあります。淡泊でくせのない味なので、どんな調理法も可能。肉に負けないタンパク源として、またカルシウムや鉄分の供給源として、常食を心がけたい食材です。

くだもの

くだものは野菜と同様にミネラル、食物繊維が豊富ですが、糖分も多いのがくせもの。いちご・グレープフルーツ・オレンジなどは毎日でも取りたいもの。キウイ・ぶどう・りんごなどは食べる量に注意します。そしてバナナ・ナシ・モモなどはできれば控えたいくだものです。

りんごは食物繊維が豊富。キウイ・メロンは少しやわらかくなったら食べごろ。

バナナは冷蔵するといたみが早い。パイナップルは肉の消化を助ける。

オレンジなどの柑橘類はビタミンＣの宝庫。いちごもビタミンＣが多い。すいかには利尿作用がある。

主食

主食となる米や麦などの穀類は、人間にとってもっとも重要な食糧。淡泊で飽きのこない味で、炭水化物が主成分の、私たちのたいせつなエネルギー源です。

精白米より玄米のほうが栄養価が高い。精白米はよくといで炊きあげる。

うどんの乾めんは長期保存が可能だが、製造後１年以内に食べたほうがよい。

パンは小麦胚芽入りのものが栄養価が高く、ライ麦パンは食物繊維が多い。

コーンフレークの原料はとうもろこし。塩分が意外に多いので注意。

スパゲティをゆでるときは、必ず湯に塩を入れる。そのほうが食感がよい。

そばは動脈硬化を予防するルチンを含むが、水に溶けやすいのでそば湯も飲む。

調味料

調味料も大事な食材ですが、塩分や糖分、脂肪分などのかたまりでもあります。ノンオイルドレッシングやぽん酢しょう油などは大丈夫ですが、オイスターソース、ケチャップなどはほどほどに。マヨネーズ、バター、塩などはできるだけ少量にとどめるよう心がけましょう。

写真左から焼き肉のたれ、めんつゆ、ソース、オイスターソース、ケチャップ

写真前列左からみそ、バター、砂糖、塩、後列左からマヨネーズ、生クリーム、ごまだれ、ドレッシング

写真前列左からぽん酢しょう油、タバスコ、マスタード、後列左から減塩しょう油、ノンオイルドレッシング

清涼飲料水

手軽で飲みやすい清涼飲料水はつい口にしがちですが、心配なのはカロリー。砂糖大さじ1杯で35キロカロリーなのに、ソフトドリンク類は1缶で100キロカロリーを超えるものも少なくありません。1日に何杯も飲むのは、ちょっと考えものです。

缶コーヒーは無糖タイプがおすすめ。ジュースはものによるが、サイダーは1杯で100キロカロリーは確実。

アルコール

アルコール類はその製法によって、清酒やビール、ワインなどの醸造酒、焼酎やウイスキーなどの蒸留酒、リキュールなどの混成酒に分類できます。いうまでもなく飲み過ぎは厳禁。ほどほどにたしなむ程度で、体を温めてリラックスさせる効果を利用しましょう。

ワインや清酒を料理に使うと、材料をやわらかくし、風味が出る。

●ワンポイント●

塩分、糖分をおさえる調味法

健康のために塩分や糖分をひかえたいが、料理が味気なくなるのは……という場合、酸味や辛味、うまみを加えることで、塩気や甘味をおさえることができます。また、塩をなめたあとに砂糖をなめるととくに甘く感じることからわかるように、料理ごとにさまざまな味つけを心がければ、少量の塩や砂糖ですむわけです。

漢方・生薬の基礎知識

漢方薬と生薬

漢方医学（東洋医学）における薬を漢方薬といい、漢方薬を処方するための個々の薬剤を生薬（しょうやく）と呼びます。生薬には、植物の根、茎、樹皮や果実から動物の皮膚や内臓、さらに菌類、貝殻、果ては粘土や化石などの鉱物類までさまざまな天然物質があり、その数は約1000を数えるそうです。

ほとんどの生薬は天日で干すなどして乾燥させた状態で保存され、病気や症状に合わせて数種類が処方されます。そして、漢方薬として、煎じて飲むなどの方法で利用されます。

したがって、漢方薬の処方とは、どのような人がどのような状態のときにどの生薬をどれだけ組み合わせればいいか、という理論の体系です。それぞれ異なった薬効をもつ複数の生薬を、さまざまな条件に応じて組み合わせ、最大限の効果を引き出すもの、それが漢方薬というわけです。

生薬の利用法

生薬を処方して漢方薬をつくるのは、家庭ではできませんが、生薬はそれ自身薬効をもつ天然素材です。体にもたらす作用も、いわゆる化学薬品よりはおだやかなものがほとんどですから、食材のひとつとして利用したいものです。

ヨモギ（艾葉）・冷えからくる頭痛、腰痛に効くほか、血行をよくする作用があるので、動脈硬化も防ぐ働きがある。

もちろん、1000種類もある生薬をすべて使いこなそうというわけではありません。またなかには高価なものや入手や保存が難しいものもあります。

しかし、生薬といっても、たとえばしょうが、にんにく、さんしょうなどのように香辛料として日常的に使われているものも少なくありません。そのほか、菊の花やヨモギ、あるいはローズマリーやコリアンダー、クローブ、ミントなどのハーブ類も、利用する機会が少なくないはずです。

それぞれの種類と効果を知ったうえで、上手に利用してください。

入手と保存の注意

生薬の大部分は、一般の漢方薬局などで入手できます。種類によっては、長期の保存で効果が落ちるものや、かびやすいものもあります。購入するときは、使う分だけ買うようにします。

保存するときは、密閉容器に入れて、乾燥した涼しい場所に置きます。冷蔵庫に入れておくのがもっとも良いでしょう。保存期間の目安は約1年間です。ただし、生薬の種類によっても異なりますので、購入時に薬局のかたに確認しましょう。

なお、生薬を煎じて使う場合は、金属製の容器だと化学反応をおこすことがあるため、土鍋やほうろう鍋を使います。また、その際も1回に使う分だけ煎じるようにします。3回分、2日分などとまとめて煎じたものを保存しておくと、効果が落ちたり変化したりすることがあるからです。

ちなみに、有効期間が切れた生薬は、入浴剤に利用できます。

みかんの皮（陳皮）・胃の働きを活発にする健胃薬として知られるほか、せき止め、たん切りにも効力がある。

ハッカ（薄荷）・芳香成分のメントールに発汗作用があってかぜに効き、精油成分がストレス、イライラに効果。

症状編

ちょっとした体の不調は、症状に合わせて、体が本来もっている自然治癒力を助ける食事で。ただし過信は禁物。不快な症状が緩和されないときは、必ず医師の診断を。

食事で不快な症状をやわらげる

病気というほどではないけれど、ちょっとした体の不調、頭痛や発熱、腰痛や食欲不振、便秘、肌荒れなどなど。これらのさまざまな不快な症状は、食事によってやわらげることができます。

私たちの体には、自然治癒力といって病気、けがからひとりでに回復しようとする力があります。不快な症状をやわらげる食事は、栄養状態を良好にするとともに体力を補って、人体のもつ自然治癒の能力を存分に発揮できるようにするものです。

たとえば熱があるときには、私たちの体は自然に汗をかきます。これは、発汗によって体内の熱を放散させようという自然治癒力の働きによるものです。

このとき、その働きをさらに助けるには、発汗によって失われた水分を補給したり、さらに発汗をうながすような食べものを取ったりするのが効果的です。また、発熱による栄養の損失を補い、体力の消耗を防ぐために安静に保つことも、自然治癒の働きを大きく助けてくれます。

ばくぜんとした体の不調

一方、はっきりとした症状はないけれど、ばくぜんとした体の不調を訴える人も増えています。なんとなく体がだるい、疲れやすい、肩がこる、食欲がない、便秘がちであるといったケースですが、その原因は、病気というよりも運動不足やストレス、疲労などであることが多いようです。

したがって、まずバランスのとれた食事を取ることはもちろんですが、規則正しい生活、じゅうぶんな睡眠、そして適度な運動がたいせつなのです。こうした生活習慣は、不快な症状を緩和するだけでなく、それ以外のさまざまな病気の予防にもつながるのです。

ふだんから正しい食生活を

私たちが体に不調を感じたときには、症状に適した食事を取ることによって、不快な症状をやわらげることができます。しかし、食事は症状に直接作用する特効薬というわけではありません。

たとえば、同じ発熱の症状であっても、その原因はさまざまです。原因となる病気の程度や種類、あるいは本人のそのときの体調などによって、自然治癒力だけでは及ばない場合も考えられます。その際は、薬などの医学的な治療手段が必要になりますから、たとえば高熱や微熱が長く続くようなときは、かならず医師の診断を受けるようにしてください。

とはいえ、どういう病気であっても、それに打ち勝つ基本となるのは、あくまでもわたしたちの体が本来もっている基礎体力と自然治癒の力です。いざというときに、それを最大限に発揮させるためには、ふだんの食事や規則正しい生活習慣がもっとも重要なのです。

体が不調をおぼえる前に、ふだんから、健康に注意した食生活をしましょう。

発熱

熱は病気を知らせるシグナル。体を温めて、まずは安静を保つ

水分と栄養の補給がたいせつ

発熱の原因はさまざまですが、多くはかぜやインフルエンザなど、細菌やウイルスによる感染症です。ただし、白血病やがん（悪性腫瘍）、膠原（こうげん）病などによって熱が出ることもありますので、油断は禁物。熱の出方や、それにともなう症状などをよく観察することがたいせつです。とくに高熱や微熱がいつまでも続くようなときは、かならず医師の診察を受けてください。

発熱に気づいたときは、体力の消耗をできるかぎり食い止めるため、安静を第一に保つことが必要です。急に高熱が出て、悪寒やふるえがあるような場合には、布団にくるまって体を温めます。

また、熱が出ると、発汗の働きによって熱を放散させようとするため、体内の水分が失われてきます。したがって、ぬるま湯や果汁、牛乳などで水分を補給することがたいせつです。同時に、発熱によって栄養の損失も激しくなりますので、季節の野菜やくだものをはじめ、クズ湯やスープなど、消化吸収がよく、栄養価の高いものを食べて、ビタミン・ミネラル類やタンパク質を補給することも必要です。

知っておきたい One Point

発熱時の水分補給にスポーツドリンク

高熱が出たときや熱がなかなか下がらないときには、汗となって体から失われた水分を十分に補給する必要があります。このような場合の水分としては、水道水、ぬるま湯、薄めのお茶、果汁などを考えるのが一般的ですが、最近では市販のスポーツドリンクを利用するひとも増えています。

スポーツドリンクのメリットは、成分構成が体液にほぼ等しいため吸収が早く、さらに汗とともに失ったミネラルの補給にもなるという点です。

食事の取り方

栄養価が高く発汗・解熱作用のある食べものを利用する

熱が出たときには、安静が一番ですが、水分や栄養の補給をはかりながら、発汗・解熱作用のある食べものを食べて、熱の苦しさを早めに緩和することが必要です。

長ねぎやしょうが、梅、れんこんなどのように発汗・解熱作用のある食べもの、また、トマトやすいかなどのように、解熱作用とともにビタミンやミネラル類も取れる野菜やくだものもあります。

長ねぎ

長ねぎスープ

長ねぎ特有の香り成分である硫化アリルには、すぐれた発汗・解熱作用があります。かぜの初期で、悪寒がして、汗が出ないようなときには、あつあつの長ねぎスープが特効薬になります。

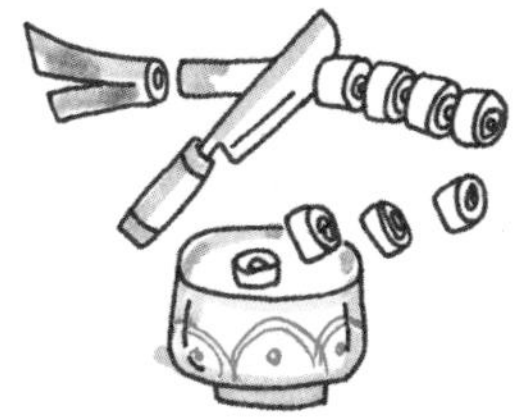

長ねぎ１本分の白い部分を小口切りに細かくきざんで、湯のみなどに入れます。

小さじ１杯弱ほどのみそを加え、熱湯をそそいで飲みます。

１日数回飲むと体のしんから温まり、発汗がうながされて熱が下がります。ただし、高熱となって、すでに汗が出ているような場合にはあまり効果がありません。

しょうが

しょうが湯

しょうがの独特な芳香成分には、発汗・解熱作用があります。しょうが湯は、寒けや鼻づまり、全身のだるさなど、かぜの初期症状にとくによく効きます。

しょうが１片約10ｇをすりおろし、それに熱湯をそそいで飲みます。飲んだら床に就いて、発汗を待ちます。

れんこん

れんこんのしぼり湯

れんこんのしぼり汁は、ビタミンCを含みます。それを熱湯で割ったしぼり湯は、体を温めて発汗をうながし、悪寒をともなう初期のかぜ熱によく効きます。

新鮮なれんこんをひと節分皮ごとすりおろし、ガーゼに包んでしぼります。しぼり汁にハチミツを少し加え、熱湯をそそいで飲みます。

みかん

焼きみかん

焼きみかんは、カビがはえたり虫がついたりせず、保存がききます。発汗をうながし、ひきはじめのかぜ熱に効果を発揮します。

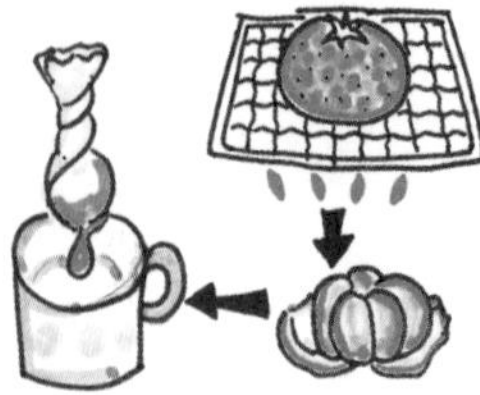

みかんは水洗いしたあと、水気をきり、皮ごと弱火で網焼きにします。皮全体が黒っぽくなったら、熱い果汁をしぼって飲みます。皮をむいてそのまま食べてもよいでしょう。

梅

梅干しの黒焼き

梅干しには有機酸の働きによる殺菌・抗菌、疲労回復、発汗・解熱作用などの薬効があります。黒焼きにすると保存するのにも便利です。

梅干し1～2個をアルミホイルに包んで中火であぶって黒焼きにし、カップなどに移して熱湯をそそいで飲みます。梅も食べます。

にんにく

にんにくの煎じ汁

強壮作用で知られているにんにくにも、体を温めて発汗させる働きがあります。これは強力なにおい成分であるアリシンの作用によるものです。また、ビタミン・ミネラル類も豊富です。

にんにく3～4片、しょうが1片をなべに入れ、水200㎖を加えます。

これを半量まで煎じて、ハチミツなどを加え、熱いうちに飲みます。

にんにくが苦手なひとは、量を少し減らしてみてください。

にら

にらスープ

にらは、ビタミンA、B_2、Cを含むとともに、体のなかを温め、血液の循環をよくする働きがあります。にらスープは発汗をうながして、熱を下げます。

にら4～5本を細かくきざんで、少量のしょう油を加え、熱湯をそそいで、熱いうちに飲みます。唐辛子をふり入れてもよいでしょう。

トマト

トマトジュース

トマトはビタミン・ミネラルなどの栄養素をバランスよく含むうえ、水分が多く、体のなかを冷やす働きがあります。熱やのどの渇きに最適です。

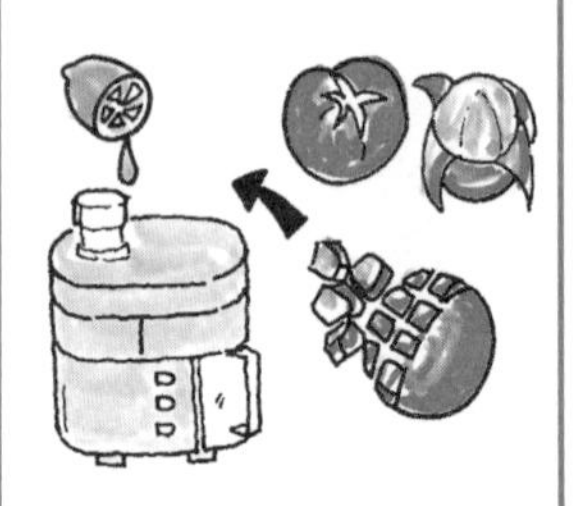

トマト2個の皮をむき、種をのぞいてざく切りにし、レモン汁1/2個分を加えてジューサーにかけます。

ツユクサ

ツユクサの煎じ汁

ツユクサ（露草）は、野原や道ばたでよく見かける1年草です。開花期に全草を刈り取って天日干しにしたものには、すぐれた解熱作用があります。

乾燥したツユクサ15ｇほどを600mℓの水で半量まで煎じ、1日3回に分けて飲みます。

しそ

しその葉の煎じ汁

しその葉に含まれる精油成分が、体を温め、発汗をうながして、体のなかの熱を取りのぞきます。また、ビタミンA、C、カルシウムなども含んでいます。

しその葉6～10枚を水200mℓで半量まで煎じ、これを1日量として数回に分けて飲みます。少量のしょうが汁を加えると効果的です。

クズ

クズ湯

クズ（葛）には、発汗・解熱作用のほかに、肩や首すじのこりや痛みをやわらげる働きもあります。漢方で有名な葛根湯（かっこんとう）の主成分は、乾燥させたクズの根です。

あらかじめ温めておいたカップなどに、市販のクズ粉（吉野葛がよい）小さじ1杯ほどを入れ、少量の水で溶きます。

さらにカップ1杯の熱湯をそそぎ、透明になるまでよくかきまぜます。

少量の砂糖やおろししょうがを加えても結構です。体が温まり、かぜの初期症状に効果を発揮します。

覚えておくと便利

発熱のときの手当て

発熱時は、体を温めて、安静を保つことが第一です。発熱によるエネルギーの消耗をできるだけ少なくして、病気との闘いにそなえるためです。

また、発熱の原因はさまざまですので、脈拍や呼吸の状態、食欲、皮膚の状態（発疹など）、便や尿の状態など、発熱にともなうそのほかの症状をよく観察することもたいせつです。発熱以外に気になる症状がいくつかある場合は、すぐに医師に相談して、適切な処方を受けてください。

なお、高熱のあとなどには、汗がたくさん出ます。このような場合は、そのままにせず、タオルなどで体をふいて、清潔な肌着に着替えることが必要です。そのとき注意することは体を冷やさないように手早くすること。気分がすっきりします。

頭痛

頭痛は日常的によく起こる。ただし、吐き気をともなう急激な頭痛には要注意

解熱、発汗をうながす食べものを取る

頭痛が起こる原因の大半は、かぜ、インフルエンザ、扁桃炎などです。ほかに、二日酔い、睡眠不足、ストレスなども頭痛を引き起こす原因になります。痛む場所は、頭全体、前頭部、側頭部などさまざまで、痛みの程度も、ズキズキ痛い、なんとなく頭が重いなど、ひとによっても違います。ただし、突然の、吐き気をともなう激しい頭痛の場合は、脳出血などの重病が疑われます。至急に医師の診察が必要です。

一般に、かぜなどが原因である頭痛は、かぜの症状が軽くなれば痛みは自然にやわらぎます。また、二日酔いなどで頭痛がする場合も、体外にアルコール分が排出されていくにしたがって痛みがおさまってきます。そのほか、睡眠不足からくる頭痛は、十分な休養を取ることで痛みを解消できます。

こうした頭痛に効く食べものには、ねぎをはじめ大根、梅干しなどがあります。これらの食べものに含まれている成分には、解熱、発汗作用があり、かぜや二日酔いなどからくる頭痛をやわらげます。

知っておきたい One Point

ご注意！ ストレスも頭痛の原因になる

心因性の頭痛が増えています。いわゆるストレスがその原因です。パソコンなどのOA機器操作、職場の人間関係などからくるイライラや悩み、不安などがストレスとなり、精神に疲労をあたえます。

このストレスが体の抵抗力を弱め、自律神経の変調をまねき、頭痛を引き起こすのです。

ストレスから起こる頭痛の予防には、日ごろからスポーツ、趣味などで気分転換をはかり、ストレスをためないことがかんじんです。

食事の取り方

頭痛には、解熱、発汗、鎮痛作用のある食べものが効果的

慢性的な頭痛、冷えからくる頭痛、偏頭痛など、かぜ以外の頭痛に効く食べものには、うど、ヨモギなどがあります。これらの食べものに含まれている成分には、すぐれた鎮痛作用があり、こうした不快な頭痛をやわらげてくれます。

このほか、ハッカ、菊、サフラン、べに花なども頭痛に効きます。

ハッカ

ハッカ湯

ハッカ（薄荷）は、しそ科の多年草です。独特の芳香成分メントールには発汗作用があり、かぜにともなう頭痛などに効果があります。

採取したハッカの葉を乾燥させ、細かくきざみます。この葉を茶さじで大盛り２～３杯分を湯のみに入れ、熱湯をそそいで飲みます。なお、ハッカの葉は漢方薬局でも購入できます。

菊

菊花茶

菊は頭痛やめまいなど、おもに頭部の不快な症状によく効きます。また、血液の循環をスムーズにする働きもあり、高血圧ぎみのひとの頭痛にも効果があります。

水気をよく取ってから天日干し

食用菊の花５個をよく洗い、花びらをむしり取り、軽くゆがきます。ゆがいてから冷水にさらして、ふきんやガーゼなどで水気を取ります。

そのあと広げて十分乾燥させます。これをひとつまみ湯のみに入れ、熱湯をそそいで飲みます。
飲みにくい場合は、ハチミツを少量加えるとよいでしょう。

しょうが

しょうが湯

しょうが独特の香りと辛みの成分には、発汗作用や解熱効果があります。とくに、体の冷えからくる頭痛、かぜのひきはじめの頭痛に効果があります。

皮をむいたしょうが約10ｇを、おろし金などですりおろして湯のみに入れ、熱湯を200mℓ程度そそいで飲みます。

ねぎ

ねぎとにんにくの煎じ汁

ねぎの白い部分を、生薬では葱白（そうはく）といい、鎮痛、発汗などの作用があります。また、にんにくにも発汗作用がありますので、かぜのひきはじめにともなう頭痛に効果的です。

ねぎは白い部分だけを20ｇ、にんにくは10ｇ、これを細かくきざみ、600mlの水が半量になるまで煎じ、これを適宜飲みます。

ヨモギ

ヨモギの煎じ汁

ヨモギ（蓬）は、健胃効果以外に、頭痛にも効果があります。とくに冷えからくる頭痛には抜群の効きめがあります。

乾燥させたヨモギひとつかみを、600mlの水で半量まで煎じます。これを１日量として、お茶がわりに飲みます。

梅

梅干しの黒焼き

梅干しには、抗菌作用、発汗作用があるので、かぜにともなう頭痛解消にはおすすめです。黒焼きにすると、虫がついたりカビがはえたりせず、保存がききます。

梅干し１～２個をアルミホイルに包んで、中火で黒く色がつくまであぶります。これを湯のみに入れ、熱湯をそそいで飲みます。実もいっしょに食べます。

アケビ

アケビのつるの煎じ汁

アケビは、秋に楕円形の実をつける、つる性の山野草です。このつるを乾燥させたものを生薬では木通（もくつう）といい、鎮痛効果にすぐれ、頭痛に効きます。

10月ごろに採取したアケビのつるを乾燥させ、２～３cmに切ったもの10～15ｇを水100mlで半量まで煎じます。これを１日分として３回に分けて飲みます。

うど

うどの煎じ汁

うどは、生薬名を独活（どっかつ）といい、自生うどの根茎を乾燥させたもので、鎮痛効果にすぐれています。常飲すれば慢性の頭痛に効果的です。

秋ごろ採取したうどの根茎の皮をむいて、水に浸してから乾燥させます。このうどの根茎10ｇを600mlの水で半量になるまで煎じます。これをガーゼなどでこしたものを１日分として、３回に分けて食前、または食間に飲みます。
なお、自生うどの根茎は、漢方薬局でも手に入ります。

ヘチマ

ヘチマ水

ヘチマ水は、一般に化粧水として利用されることが多いのですが、頭痛にもすぐれた効果があります。

9月ごろに、ヘチマの茎を地上60～100cmのところで切ります。根のついているほうの茎をびんに入れ、にじみ出てくる液をためます。ためた液90mℓほどを温めて飲みます。

サフラン

サフランティー

サフランは、昔から薬用、染色、観賞用などで広く親しまれています。サフランのめしべには発汗をうながす成分が含まれ、冷えからくる頭痛や生理痛など、女性特有の痛みに効果があります。

10～11月ごろに花を採取し、花の先の赤いめしべだけを取ります。これを風通しのよい日かげで乾燥させます。このめしべ5～10本を1日量として湯のみに入れ、熱湯をそそいで飲みます。

なお、経通作用が強いので妊娠中のひとは飲んではいけません。

覚えておくと便利

頭痛のためのマッサージや湿布

ズキズキする頭痛は、こめかみや額を指でしばらく軽く押しているとラクになります。

また、首や肩のこりをともなう頭痛には、首すじの筋肉をほぐすマッサージ、熱湯に浸したタオルなどでの温湿布が効果的です。

さらに、大根おろしや梅干しの果肉の湿布などは昔から利用されています。

大根おろし湿布は、大根おろしのなかにガーゼを浸したり、ガーゼに塗ったりして頭にあてます。大根のもつ消炎作用などが痛みをやわらげます。

梅干しの果肉貼りは、種子を取った梅干しの果肉を適当な大きさに切って、こめかみに貼ります。梅のもつクエン酸などの作用が、痛みを緩和します。

べに花

べに花湯

べに花（紅花）には、血行をさかんにする働きがあります。とくに生理不順など、婦人病からくる頭痛に効きめがあります。

乾燥べに花2gに、180mℓの熱湯を入れて冷ましてから、うわ澄みを飲みます。

吐き気・嘔吐

病気によるものかどうかを判断する。あとは滋養のある食事で体力回復を

吐き気や嘔吐に効く食べものは二とおりある

嘔吐は、胃のむかつきや不快感、すなわち吐き気をともなって起こります。おもな原因としては、食中毒の場合と、胃・十二指腸潰瘍など、消化器のなんらかの病気で食べたものが胃から吐き出される場合とが考えられます。

吐き気や嘔吐が起きたとき、病気によるものか、その心配のないものかを判断する必要があります。食べ過ぎや飲み過ぎ、食あたりによる吐き気は、食べたものを嘔吐してしまったほうが、不快感が消えてラクになります。乗りもの酔いやつわりなど、病気の心配のない場合は、吐き気をやわらげる食べものを取って症状をおさえます。

しかし、吐き気や嘔吐以外に激しい腹痛や頭痛、発熱、めまいなどをともなうときは、腸閉塞や胃がん、肝炎などの病気の可能性がありますので、早めに医師の診察を受けてください。

吐き気や嘔吐に効く食べものとしては、吐き気や不快感をおさえるものと、逆に嘔吐させてしまうものとの二とおりがあります。原因を正しく判断して、それにあった食べものを取ることがたいせつです。

食べ過ぎや食あたりは、塩水で吐き出す

知っておきたい One Point

吐き気は、その原因によっては、嘔吐してしまったほうがよい場合があります。

食べ過ぎや飲み過ぎは、食べものや飲みものが胃に入り過ぎて消化できない状態なので、嘔吐したほうが胃や体に負担がかかりません。また食あたりの吐き気は、有害物質を体の外へ出そうとする生理から起こるのですから、嘔吐することで体を守ることになります。

吐き気があるのになかなか吐き出せないときは、塩水を飲むと吐き出すことができます。

食事の取り方

吐き気の原因にあわせて、抑制作用のあるもの、催吐作用のあるものを食べる

吐き気や嘔吐にもちいる食べものは、つぎの二とおりに分けられます。

食べ過ぎや飲み過ぎなどの吐き気やそれにともなう不快感をおさえる食べものとしては、梅、しょうが、みかんの皮、リンドウ、カラスビシャクなどがあげられます。また、食あたりなどにもちいる、吐き気をうながす作用のあるものとしては、あずき、ナンテンなどがあります。

吐き気・嘔吐
食あたり
食べ過ぎ

梅

梅干しの煎じ汁

梅は有機酸が豊富で、病原菌に対して強力な抗菌力をもっていますので、食中毒や嘔吐に高い効力があります。また整腸作用もありますので、下痢をともなう吐き気にも効きます。

梅干し１個を400mlの水に入れ、半量になるまで煎じて飲みます。梅干し１個をほぐして熱湯をそそいで飲むだけでも効果があります。

リンドウ

リンドウの根の煎じ汁

リンドウの根は、生薬では龍胆（りゅうたん）といいます。健胃作用で知られていますが、吐き気をしずめる働きがあります。漢方薬局でも入手できます。

天日干しにしたリンドウの根（龍胆）15ｇを、水400mlで半量になるまで煎じ、１日３回に分けて飲みます。

しょうが

しょうがエキス

しょうがの辛み成分のジンゲロン、油性ショウガオールには、強力な殺菌の作用があり、吐き気をおさえ、食欲を増進させます。とくに、つわりや乗りもの酔いに効果を発揮します。

生のしょうが10ｇをすりおろし、水400mlで半量になるまで煎じて、冷まします。１日に１～２回、スプーン１～２杯ずつ服用します。

➡ 飲みにくい場合は、ハチミツを加えます。新しょうがより、ひねしょうがのほうが効果的です。

カラスビシャク

カラスビシャクの煎じ汁

カラスビシャクは里いも科の植物で、根茎に薬効があります。生薬では半夏(はんげ)といい、嘔吐、下痢、せき、動悸をしずめます。妊娠中のつわりにともなう嘔吐にもよく効きます。

カラスビシャクの球根を掘り出し、塩水で洗って皮を取ってから、天日干しにします。
乾燥したカラスビシャク5gと、しょうが5gを水600mlで半量になるまで煎じます。これを1日3回に分けて飲みます。

生のカラスビシャクが入手できない場合は、漢方薬局で乾燥したもの（半夏）を買い求めることができます。

あずき

あずきの煎じ汁

あずきには、催吐作用のあるサポニンが含まれています。食べ過ぎや飲み過ぎなど、吐き出したほうがラクになるような症状のときに、もちいます。

あずき10gを水200mlに入れ、半量になるまで煎じ、カスをのぞきます。これを1日2～3回に分けて飲みます。

みかん

みかんの皮のハチミツ煮

みかんの皮を干したものを、生薬では陳皮（ちんぴ）といい、古いものほど薬効があるとされています。胃腸をととのえ、吐き気を止めます。

細かくきざんだ陳皮10gに水600mlを入れ、半量に煮つめ、ハチミツ小さじ1杯を加えて3回に分けて飲みます。

にら

にらの三汁飲方

にらには、栄養の吸収率を高め胃腸をととのえる硫化アリルが含まれており、胃腸が冷えたときの嘔吐に効果を発揮します。下痢、腹痛にも効きます。

にらの汁茶さじ2杯としょうが汁茶さじ1杯、牛乳さかずき3杯を火にかけて、温めて飲みます。

ナンテン

ナンテンの葉の煎じ汁

ナンテン(南天)の葉は、生薬では南天葉（なんてんよう）といい、食中毒など食べたものをすぐに吐かせるのに有効です。生の葉をかんでも同じ効果があります。

生の葉9枚を細かくきざみ、水200mlに入れて沸騰させ、数秒したら火を止めます。これをこして、温かいうちに飲みほします。

ナギナタコウジュ

ナギナタコウジュの煎じ汁

しそ科の植物ナギナタコウジュは、生薬では香薷(こうじゅ)と呼ばれ、成分の精油に薬効があります。嘔吐や下痢を解消するほか、発汗、利尿にも効果があります。

9～11月の花の咲く時期に、花のついているものを取ってかげ干しにし、ビニール袋に入れて保存します。

5～15gを1日分として、400～500mℓの水で、半量になるまで煎じて飲みます。嘔吐の症状がひどい場合は、煎じ汁を冷ましてからすこしずつ飲みます。

えんどう豆

えんどう豆の水煮

えんどう豆は、ビタミンAとCを多く含み、整腸や健胃の働きがあります。胃腸が弱く、下痢や嘔吐の多いひとに適しています。

乾燥えんどう豆160gに水600mℓと塩少々を加え、弱火でやわらかくなるまで煮ます。これを1日に1カップほど食べます。

覚えておくと便利

嘔吐後は早めに体力回復を

吐き気・嘔吐の場合、腹痛をともなったり頭痛があったり、また、めまいがしたりするようなときは、病気によるものではないかと疑ってみる必要があります。

また嘔吐は、本人やまわりの人が想像する以上に体力を消耗するものです。ですから、嘔吐後は、体力が弱ってかぜにかかりやすく、ときには心臓病や肝臓病などを併発してしまうこともあります。体の弱いひとや老人は、とくに注意が必要です。

嘔吐後の注意としては、第一に栄養価の高い食事を取り、体力をつけることです。吐いたあとは、まず安静にして、ものが食べられるようになったら、スープ、牛乳、みそ汁など、滋養のある食べものを取り、できるだけ早く体力の回復をはかります。

にんにく

にんにく焼き

にんにくは栄養価が高く、体を温めたり、殺菌や整腸の働きをします。急性胃炎による嘔吐に効果を発揮します。ただし、刺激が強いので、潰瘍のあるひとは避けてください。

にんにく1片をフライパンでよく焼いてから食べます。食べにくいときはハチミツをかけてもよいでしょう。

めまい

まずは安静を保つこと。予防には日ごろから十分な栄養補給を

ビタミン、カルシウムをたっぷりとる

めまいの原因はさまざまですが、大別すると、耳の病気による場合と、それ以外の病気による場合との2つに分けることができます。耳の病気によるめまいは、内耳など体の平衡感覚をコントロールする器官に、病気やなんらかの異常があるために起こります。代表的な病気はメニエール病で、ストレス、自律神経の不安定などの誘因がからみあって起こると考えられています。

耳の病気以外のめまいは、おもに血圧の異常で脳への血液量が減少することによって起こります。これは日常的にみられるもので、特定の病気とかならずしも直接つながるものではありません。ただし、睡眠不足や過労、体質的な低血圧、貧血などがあると起こりやすくなります。さらに、更年期障害や自律神経失調症からも起こります。

めまいが起きたときは、まずは安静を保つことです。予防としては、心身の疲労をため込まないようにし、日ごろからビタミン類、カルシウムを十分に取ることが必要です。また、ナツメやサフランなどの鎮静作用を利用した、めまいの解消法も効果的です。

知っておきたい One Point 日常生活のなかでのめまい防止法

めまいを起こしやすいひとは、急に立ち上がったり、急に頭を動かしたりするような動作を避けることが必要です。とくに脳貧血によるめまいを起こしやすいひとは、急激な運動を避けるとともに、長時間にわたって緊張した姿勢を取らないことです。

また、不規則な生活はめまいの誘因となります。過労やストレス、睡眠不足などを避け、日ごろから規則正しい生活を心がけることがたいせつです。タバコやアルコールもできるだけひかえます。

ぎんなん

ぎんなんの粉末

ぎんなんには、脂質、タンパク質、ビタミンA、C、カルシウム、鉄分などが豊富に含まれ、滋養・強壮に効果があります。これに鎮静作用のあるナツメを加えると、めまいや頭痛にすぐれた効果を発揮します。

ぎんなんを炒り、殻を取ってすり鉢ですりつぶします。

ナツメは１度天日干しにして、なべで蒸し、さらにもう１度天日干しにします。２度干しを終えたナツメ５〜７ｇを１日量として、適量の水で煎じます。

ぎんなんの粉末とナツメの煎じ汁を混ぜて、１日数回飲みます。

食事の取り方

不摂生を避け、滋養と鎮静作用のある食べものでめまいを解消

めまいの原因はさまざまですが、予防の基本は不摂生を避け、必要な栄養をバランスよく補給することです。

体質的にめまいを起こしやすいひとは、ぎんなんなど滋養のある食べもので体質改善をはかるとよいでしょう。なお、漢方では、めまいは水分代謝の異常から起こるものと考え、体内の水分調整を重視しています。

とうがん

とうがんの煎じ汁

とうがんの成分はほとんどが水分で、あとは少量のビタミンCです。とうがんの一番の薬効は利尿作用で、とくに水分代謝の異常から起こるめまいに効果的です。

とうがんの種子（生薬名、冬瓜子／とうがし）15ｇを水400㎖で半量まで煎じ、これを１日３回に分けて飲みます。

サフラン

サフランティー

サフランには、すぐれた鎮静作用があり、めまいや頭痛によく効きます。また、疲労回復効果もあります。これらの薬効があるのはサフランのめしべです。

かげ干ししたサフランのめしべ約10本に100㎖の熱湯をそそぎ、湯がダイダイ色に染まればできあがりです。妊婦は流産の危険がありますので避けてください。

ほうれん草

ほうれん草の炒めもの

ほうれん草は、とても栄養価の高い食べものでビタミン類や鉄分などのミネラルを豊富に含んでいます。めまいをはじめ、低血圧、高血圧、便秘、貧血にも効果があります。

ほうれん草を軽くゆでてから、ごま油で炒めます。これを毎日食べると効果的です。

ツワブキ

ツワブキのもみ汁

ツワブキは、海岸の近くに自生するキク科の多年草です。このツワブキの葉には、めまいの気つけ薬としての効用があるほか、解毒作用もあります。

めまいが起きたときに、ツワブキの葉を5～10枚ほど塩でもんで汁をしぼり、この汁を飲みます。うすめて飲んでもよいです。

オケラ

オケラの根の煎じ汁

オケラは山野に自生する多年草ですが、その根にはすぐれた利尿作用があります。とくに、水分代謝が悪くて起こるめまいの解消に効果的です。漢方名で朮(じゅつ)といわれます。

乾燥させたオケラの根5gを水400mℓで半量まで煎じ、これを1日3回に分けて飲みます。

カギカズラ

カギカズラの煎じ汁

カギカズラ(鉤蔓)は、葉腋に小枝が変形して下むきに湾曲したカギをつけます。このカギにはすぐれた鎮静作用があり、漢方では、釣藤鉤(ちょうとうこう)あるいは鉤藤(こうとう)と呼んでいます。めまいの解消にはこの煎じ汁が効きます。

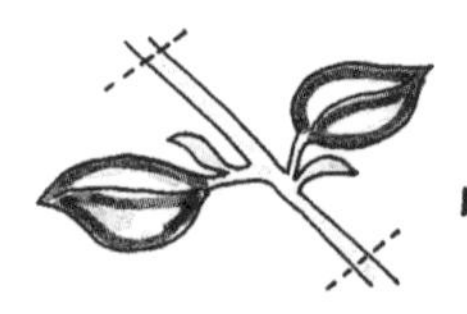

カギカズラのカギの部分を中心に茎の上下を6㎝ほど切り取り、天日干しにします。

乾燥したもの5gほどを細かくきざみ、水600mℓで半量まで煎じ、これをこして1日3回に分けて飲みます。

うど

うどのしぼり汁

うどには、すぐれた鎮静作用があり、めまいをはじめ、精神的なイライラなども解消します。栽培種よりも、山地に自生するもののほうが薬効が高いといわれています。

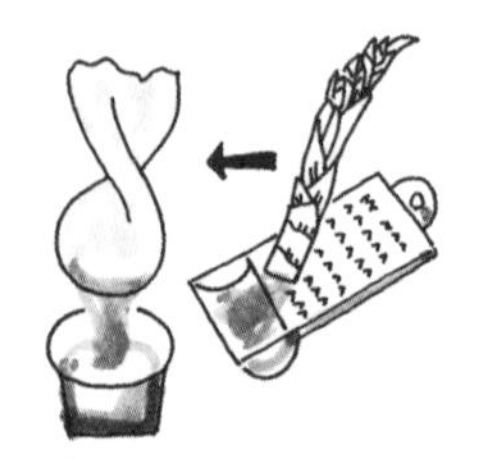

うどの茎あるいは根をすりおろし、汁をしぼって、1日3回、1回に50mℓほどを飲みます。生のまま、きざんで食べても有効です。

覚えておくと便利 めまいのときの対処法

めまいの発作が起きたときは、頭を低くするなどして発作がおさまるような頭の位置をさがし、その位置を保ちながら、目を閉じてしばらく安静にします。

就寝する場合は、枕を使わず、体を温かくして休みます。また、光や音、振動などは苦痛を増しますので、部屋は薄暗くして静かにします。

吐き気や嘔吐をともなう場合は、胃を冷やします。そして、体は休めたまま、首を横にむけて吐きやすい状態にし、吐いたものが気管に入ったり、のどにつまったりしないよう、十分、注意します。

なお、症状が激しい場合やしばらく安静にしていても症状がおさまらないという場合には、医師の診察を受けてください。

セロリ

セロリのしぼり汁

セロリは、ビタミンAをはじめビタミン類、ミネラルを豊富に含み、降圧作用や利尿、浄血作用などがあり、めまいのほか、高血圧や頭痛の解消に効果的です。

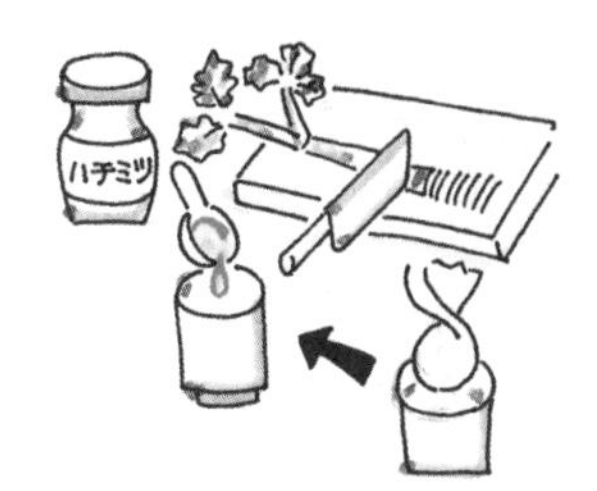

生のセロリを細かくきざんで、汁をしぼり、しぼった汁と同量のハチミツを加えてまぜます。これを1回40mℓほど、1日3回飲みます。

ほたて貝

ほたての貝柱汁

ほたての貝柱には、視神経の機能を高める働きがありますので、視神経の疲労や目の疲れから起こるめまいや頭痛に効果的です。また、滋養・強壮効果もあります。

貝柱に、大根を皮ごとすりおろした汁を加え、これを飲みます。ひもののほうが栄養価、薬効ともに高く、必要なときに水でもどして（その水ごと）使えます。

鶏肉

鶏肉の蒸しもの

鶏肉には、水分代謝をよくする働きがあります。とくに、虚弱体質や低血圧症、月経不順などから起こるめまいには、鶏肉に血を補う働きのある当帰（とうき／トウキの根）と川芎（せんきゅう／センキュウの根茎）を加えて蒸したものが効果的です。

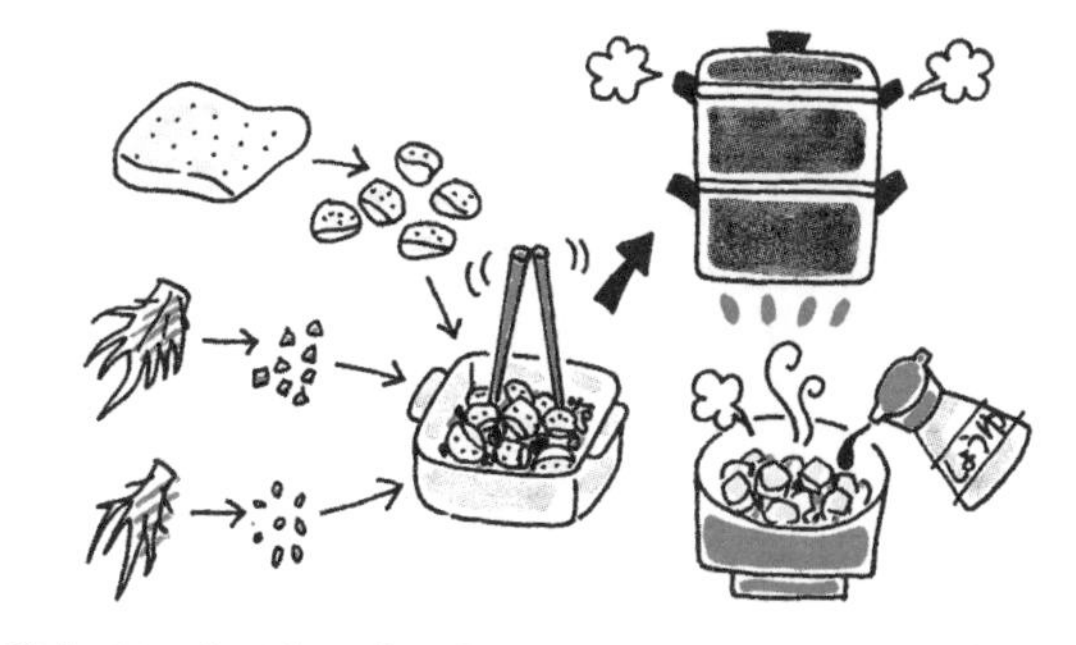

鶏肉100ｇをひと口大に切り、小さくきざんだ当帰15ｇと川芎６ｇとをあわせ、耐熱性の器に入れます。

これを器ごと蒸し器に入れ、弱火で30分ほど蒸して、しょう油をつけて食べます。

疲れ目

目の使い過ぎや精神疲労も原因に。バランスのよい食事と休養を

ビタミンAを中心に、栄養をたっぷり取る

最近、目の疲れを訴えるひとが非常に多くなっています。これは、日常的にワープロやパソコンに接して目を酷使するひとが増えたため、と考えられています。

症状としては、目が痛む、かすむ、ちかちかする、充血する、まぶしい、涙が出るなどで、ひどくなると、頭痛、めまい、肩こり、吐き気などをともなうようになります。

これらの症状をなくすためには、目によいビタミンA、B_1、B_2、Cや、アミノ酸をたくさん取る必要があります。とくにビタミンAは疲れ目のほか、夜盲症や、眼球乾燥症、視力低下に効果があります。ヤツメウナギ、レバー、卵黄、チーズ、にんじん、青じそなど、ビタミンAの豊富な食べものを取りましょう。

また目の使い過ぎのほか、体の病気、過労、睡眠不足なども疲れ目の原因となります。日ごろから栄養バランスのよい食事を心がけ、目を休ませるだけでなく、体を十分に休養させることがだいじです。

知っておきたい One Point

ビタミンA不足は夜盲症を引き起こす

夜盲症とは、光量が少なく暗いところでものが見えにくくなる症状で、夜盲症のひとが暗いところでものを見るためには、健康なひとの100倍以上の光を必要とします。

光は、目の網膜にある器官で感じますが、その一部はビタミンAによってつくられています。そのため、ビタミンAが不足すると、光を感じにくくなり、夜盲症を引き起こすのです。夜盲症を防ぐためにも、ビタミンAの豊富なレバーや緑黄色野菜などを十分に取る必要があります。

食事の取り方

ビタミンの豊富な食べもので、目の疲れを解消する

疲れ目をなおすには、ビタミンAはもちろん、目を保護するビタミンB_1、目の充血を防いで疲れを回復するビタミンB_2やCが必要です。ヤツメウナギやレバーのほかに、にら、菊の花、春菊、さつまいも、アワビなどを十分に取りましょう。

番茶やナズナ(薺)、エビスグサなどの山野草類は、煎じて飲む以外に、目薬としても使えます。

にんじん

にんじんジュース

にんじんはカロチンが豊富で、ジュースにして飲めば、目の栄養補給源として最適です。飲みやすさと栄養面を考えて、レモン汁を加えます。

にんじん２本の皮をむき、レモン汁1/2個分を加え、ジューサーにかけて飲みます。１日１杯が目安です。

ヤツメウナギ

ヤツメウナギのかば焼き

ヤツメウナギは、ビタミンAを豊富に含み、疲れ目、夜盲症、仮性近視、涙の少ないひとの症状をやわらげるのに効果的です。かば焼きにして食べます。

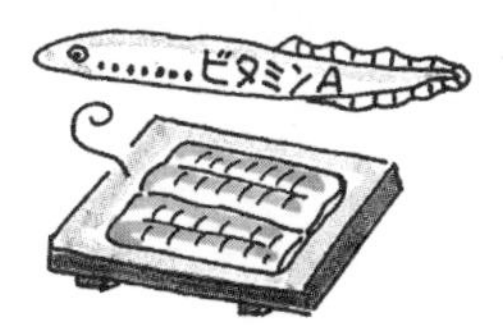

ヤツメウナギがない場合は、ふつうのウナギでもかまいませんが、含有量にはかなりの差があります。

レバー

レバーにら炒め

漢方では、肝機能の調子が目に直接影響するといわれ、レバーは肝臓を強くする食べものとして知られています。にらも、ビタミンAの豊富な緑黄色野菜で、疲れ目対策に有効です。

豚レバー70ｇは、ひと口大に切り、酒小さじ１杯、しょうが汁少々、塩小さじ1/5杯で下味をつけ、片栗粉をまぶしておきます。
にら１束は４㎝の長さに切ります。
中華なべで油大さじ３杯を熱し、レバーを入れて炒めてから、にらを加えて炒めあわせます。
しょう油大さじ１杯、塩少々で味つけして、最後にこしょう少々を加えてできあがりです。

番茶

番茶の目薬

目に炎症が起きたときの疲れ目には、副作用のない番茶の目薬が効果を発揮します。番茶には冷やす働きがあり、炎症をしずめ、目のしょぼつきや目やにを解消します。

器に濃い番茶を入れ、塩(粗塩)を少々加えます。

それを脱脂綿でこして、目を洗います。

塩を入れた濃い番茶に脱脂綿を浸し、1日2回ほど目のまわりをふいても有効です。

菊

菊の花の煎じ汁

ビタミンB_1を多く含む菊の花は、昔から薬草として親しまれてきました。とくに煎じ汁やお茶は目の治療に効果的で、乾燥させた菊の花（漢方薬局で入手可）をもちいてつくります。

乾燥させた食用菊の花10gを水600mℓで半量になるまで煎じて、1日3回に分けて飲みます。または乾燥菊の花3gに熱湯をそそいで、お茶として飲みます。

キンシン菜

キンシン菜のスープ

キンシン菜（金針菜）は、ビタミンA、B、Cを豊富に含み、ミネラルにもめぐまれた食べものです。神経組織や毛細血管に必要な栄養素をもたらし、目のかすみを解消します。中国料理材料店で入手できます。

キンシン菜30gを適量の水で30分間煎じて布でこし、氷砂糖を加え、溶かしてから飲みます。

ナズナ

ナズナの煎じ汁

春の七草のひとつナズナ(薺)は、別名ぺんぺん草と呼ばれ、全国の草原や道ばたに自生しています。乾燥させたナズナの煎じ汁は、目の充血や疲れ目に効きます。

乾燥させたナズナ10gを水600mℓで半量になるまで煎じ、適量飲みます。汁で目を洗えば効果が増します。

アワビ

アワビの殻の粉末

アワビの殻は漢方では石決明（せきけつめい）と呼ばれ、視力障害、白内障に効果があります。また、アワビの身もビタミンAを豊富に含み、眼精疲労や夜盲症をなおします。

アワビの殻を焼いて粉末にし、1日2～5gを水または湯で飲みます。

エビスグサ

エビスグサの煎じ汁

エビスグサは秋に果実をつける1年草で、その種子を漢方では決明子（けつめいし）といいます。目の充血を取り、視力を回復させる働きがあります。

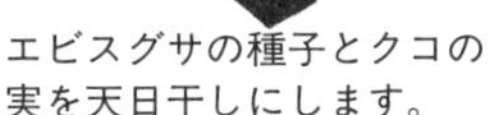

エビスグサの種子とクコの実を天日干しにします。

乾燥させたエビスグサの種子10ｇとクコの実５ｇを、水600mℓで煎じます。

一度火からおろし冷ましてから、さらに黒褐色になるまで煎じ、1日3回に分けて飲みます。目を洗うのに使っても効果的です。

さつまいも

さつまいものでんぷん水

さつまいもは、カロチン、ビタミンB_1、B_2、Cを豊富に含み、夜盲症によく効き、視力の低下も防ぎます。でんぷん水には、さつまいもを天日で干したものを使います。

乾燥させ、ミキサーなどで粉末にしたさつまいも10ｇにハチミツをスプーン1杯加え、適量の湯か水で溶かして食後に飲みます。

覚えておくと便利　現代の疲れ目、ドライアイ

パソコンやワープロでの作業が多いひとの疲れ目のひとつに、ドライアイがあります。

健康な目のひとの場合は、1分間に約10回のまばたきをすることで、目の表面に涙の膜をつくって目をうるおし、ごみが直接ついて障害が起きるのを防いでいます。しかし、パソコンの画面を凝視するうちに、まばたきの回数は1分間に2〜3回に減り、涙の膜ができにくくなります。その結果、目が乾いてドライアイになり、目を酷使していることも手伝って、疲れ目が起きるのです。

パソコンを長時間使う場合は、保護眼鏡をつかったり、適度（1〜2時間に10〜15分くらい）に意識的に目を休めたりするなどして、積極的に目を保護することがたいせつなのです。

春菊

春菊の煎じ汁

春菊は、カロチン、ビタミンB群、ビタミンC、ミネラルを多く含む緑黄色野菜で、夜盲症に効きます。野菜に含まれるカロチンは、加熱したほうが吸収率が上がります。

春菊100〜150ｇを水500〜600mℓで半量になるまで弱火で煎じ、1日2〜3回に分けて飲みます。

耳鳴り

生理反応でも起こる。原因の早期発見と規則正しい生活を

栄養のバランスもたいせつ

耳鳴りとは、外から音の刺激をあたえられていないのに、キーンという高い金属音やボーッという低音などが聞こえることです。病気によって起こることもありますが、原因となる病気の種類はさまざまで、外耳炎、中耳炎、内耳炎、突発性難聴、メニエール病、高血圧症、低血圧症、貧血などが考えられます。耳鳴りが長く続いたり、発熱、めまい、嘔吐などをともなったりする場合には医師の診察が必要です。

耳鳴りは生理反応でも起こります。たとえば、大きな音を連続して聞いたときや、鼻を強くかんだときなどに起こる耳鳴りがそれです。精神的なストレスや過労、情緒不安定なども耳鳴りの誘因となります。

耳鳴りが起きたときは、その原因を早めにつき止めることがたいせつです。病気がもとになっているなら、その治療が先決です。日ごろの注意としては、規則正しい生活のリズムを保ち、栄養バランスのよい食事を心がけることがたいせつです。また、くるみや黒豆などのように栄養価が高く、耳鳴りにも薬効のある食べものを積極的に食べるとよいでしょう。

老人性難聴にともなう耳鳴りの場合

知っておきたい One Point

老人性難聴とは、年をとるにつれ音や人の声が聞こえにくくなることです。これは中年過ぎから進み、しだいに高い音が聞こえにくくなり、それにともなって耳鳴り（キーンという金属音やジーというセミの鳴き声）を起こすことがあります。

このような老人性難聴にともなう耳鳴りは、ある程度しかたがない面もあります。しかし、年齢不相応にひどい場合は、ホルモン剤やビタミン剤が効くこともありますので、医師に相談してみるとよいでしょう。

くるみ

くるみの煎じ汁

くるみは、良質のタンパク質、脂質、ビタミン、カルシウム、リンなどを豊富に含み、腎臓の働きをよくする効用があります。とくに、体力が落ちている人の耳鳴りに効きます。また、動脈硬化を予防する効果もあります。

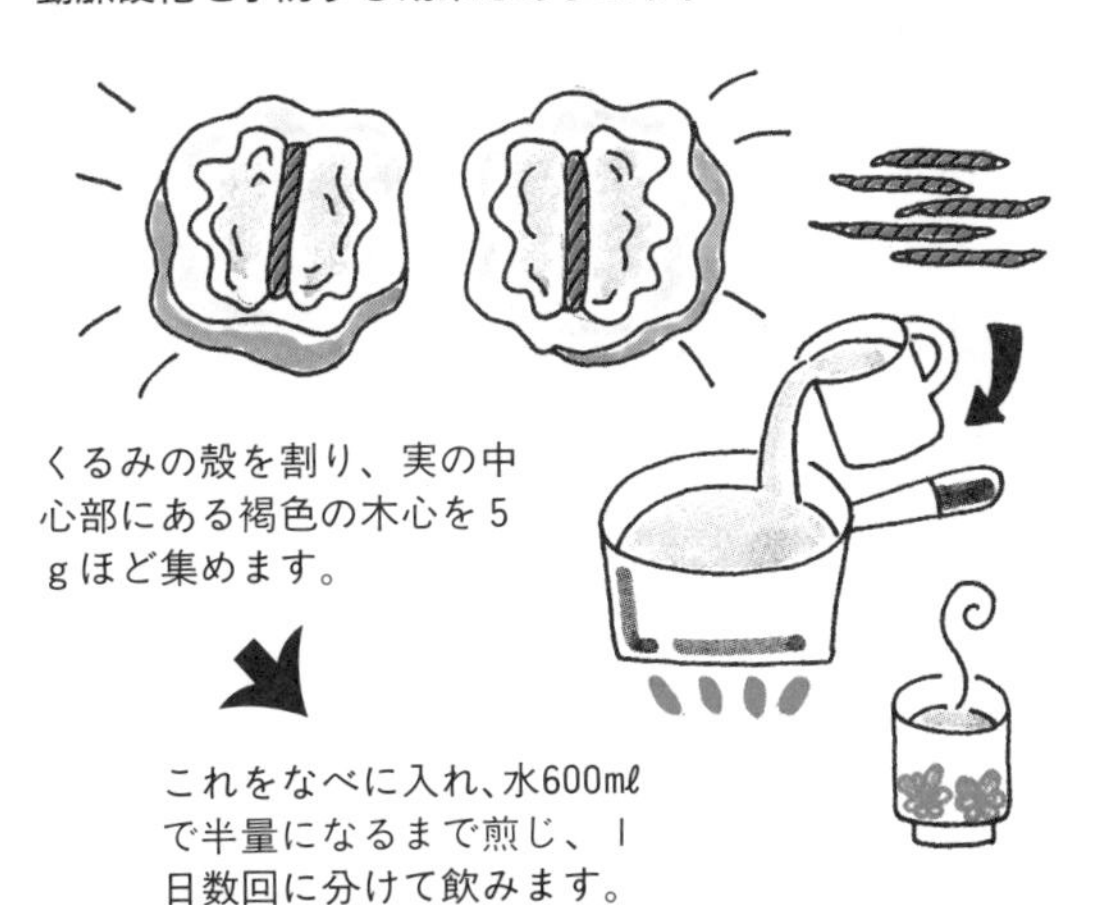

くるみの殻を割り、実の中心部にある褐色の木心を5gほど集めます。

これをなべに入れ、水600mℓで半量になるまで煎じ、1日数回に分けて飲みます。

栗

干し栗の煎じ汁

栗には腎臓を補う作用があり、耳鳴りに効果的です。また、栗の主成分は糖質ですが、脂質、ビタミン、ミネラルも豊富に含み、とくにビタミンCはグレープフルーツに匹敵します。

鬼殻をむいて干した栗15gを、水600mℓで半量まで煎じ、これを1日3回に分けて食間に飲みます。

サンシュユ

サンシュユ酒

サンシュユの実には、腎臓の働きを助ける作用、収斂(しゅうれん)作用などがありますので、腎機能の低下や、お年寄りに多い原因不明の耳鳴りに効果的です。

サンシュユの実100gを35度の焼酎1ℓに漬け、1カ月間冷暗所でねかせればできあがりです。これを1日2回、さかずき1杯ずつ飲みます。

食事の取り方

ビタミン、カルシウム、葉緑素の多い食べもので耳鳴りを防ぐ

耳鳴りの予防と改善の基本は、規則正しい生活と栄養バランスのよい食事です。とくに、ビタミン、カルシウム、葉緑素の多い食品は血液の酸性化を防ぎ、耳鳴りを起こしにくい体質をつくります。

漢方では、耳鳴りは腎との関連が深いと考え、腎臓の機能を高める食べものを特効薬としています。代表例が、くるみや黒豆、栗などです。

セリ

セリの煎じ汁

セリ（芹）は、ビタミンA、C、カルシウム、リン、鉄、カリウムなどの栄養素を豊富に含んでいます。貧血や高血圧にともなう耳鳴りには、煎じ汁が効きます。ただし、アレルギー体質の人は長期の飲用はむきません。

洗ってざく切りにしたセリ500ｇを水800㎖で半量まで煎じ、少量の砂糖を加えて１日３回に分けて飲みます。

菊の花

菊花茶

菊の花には、解毒、抗菌作用のほか、血圧を下げる作用、肝臓の働きをよくする作用などがあります。高血圧や肝機能の低下による耳鳴りには、煎じ汁が効果的です。

乾燥させた食用菊の若花（生薬名、菊花／きっか）ひとつまみほどを湯のみに入れ、熱湯をそそいで１日１回くらい飲みます。

アシタバ

アシタバの煎じ汁

アシタバ（明日葉）は、緑黄色野菜のなかでも群をぬいてカロチン（ビタミンA）を多く含み、その他のビタミン、ミネラルも豊富です。とくに、高血圧や更年期障害などにともなう耳鳴り、めまいに有効です。

乾燥させたアシタバの若葉15ｇを水600㎖で半量まで煎じ、これを１日３回に分けて飲みます。

キンシン菜

キンシン菜料理

キンシン菜（金針菜）は、ビタミン、ミネラルなどをバランスよく含み、鉄分がたいへん豊富です。貧血による耳鳴りには、キンシン菜の常食が効果的です。

乾燥させたキンシン菜を水にもどしてつかいます。もどし汁にも鉄分が溶け出していますので、料理につかいます。肉類との相性がよく、スープ、炒めもの、煮込みなどに利用できます。

ユキノシタ

ユキノシタのしぼり汁

ユキノシタ（雪の下）は、全国各地の石垣のあいだや湿気のある岩場などに自生する多年草です。このユキノシタの葉には、消炎作用、解毒作用がありますので、中耳炎や、咽頭、歯肉などの炎症による耳鳴りに効果的です。

ユキノシタの生の葉をしぼり、その汁を脱脂綿に十分含ませます。

この脱脂綿を１日おきに片方ずつ、耳の穴の奥につめます。なお、葉の裏が緑色をしたもののほうがより効果的です。

豆腐

豆腐パスタ

豆腐パスタは、冷罨法（れいあんぽう）と呼ばれる外用療法で、頭がぼうっとして熱っぽい頭痛や頭重、耳鳴りに効果があります。

豆腐半丁ほどの量と小麦粉カップ1/3とをよく練りあわせます。これをガーゼなどにのばして耳のうしろにはります。乾燥したらはり替えます。

黒豆

黒豆の煮もの

黒豆は、良質のタンパク質、脂質、ビタミンB群、ミネラルなどを豊富に含むうえ、解毒作用、腎機能を高める働きにすぐれています。耳鳴りには、黒豆の煮物が効きます。

黒豆15gをひと晩水につけておき、そのつけ汁ごと鍋に入れます。つけ汁とあわせて600mℓくらいになるように水を加え、弱火で約3時間ゆっくり煮ます。さらに、少量の塩・こしょうで味をととのえて1時間ほど煮ます。

覚えておくと便利

子どもの耳鳴り、ここに注意

子どもにしばしばみられる耳鳴りに、耳垢栓塞（じこうせんそく）によるものがあります。これは耳あかが鼓膜にまでたっし、耳穴がふさがった感じがしてボーッという低音の耳鳴りがするものです。

この場合には、子どもの外耳道を傷つけないように注意しながら、綿棒で耳あかを除きます。ただし、奥のほうのものや、かたくこびりついているものは、無理をしないで耳鼻科の医師に取ってもらいます。

また、子どもの外耳道に虫や耳かきの先などの異物が入るケースもよくみられます。この場合にも耳鳴りが起こります。虫などでは、光をあてるとよいともいわれますが、逆効果のこともありますので、ただちに医師の診察を受けたほうがよいでしょう。

ごぼう

ごぼうのすりおろし汁

ごぼうには、すぐれた利尿作用、腎機能を高める作用があります。また、排膿作用、解熱作用もありますので、外耳炎や中耳炎にともなう耳鳴りに効果的です。

新鮮なごぼうをおろし金ですりおろし、ガーゼに包んで汁をしぼります。その汁を1日5〜6回、スポイトで数滴ずつ耳にたらします。

トピック 1

注目される魚の脂

EPAとDHA

脂肪酸は、飽和脂肪酸（化学構造上、水素がそれ以上結合する余地のない脂肪酸）と不飽和脂肪酸（水素が結合する余地のある脂肪酸）とに大別されます。豚肉や牛肉など動物性食品の脂肪は、飽和脂肪酸を主体として構成されています。

飽和脂肪酸を多く含む脂肪はラードやバターのように、常温では固体状になっているのが特徴です。

逆にサラダ油などの植物性食品の油脂は、不飽和脂肪酸が主体で、常温では液体状になっています。魚の脂がかたまっていないことからもわかるように、魚の脂肪は動物性食品であるにもかかわらず、不飽和脂肪酸が主体なのです。

この魚の脂肪に多い不飽和脂肪酸は、酸化しやすいいっぽうで、かたまりにくく流動性があるので、体の栄養にとっては不飽和脂肪酸のほうがよいとされています。

また、魚の脂肪に含まれる成分のなかには、ＥＰＡとＤＨＡがあります。

ＥＰＡは、この不飽和脂肪酸のひとつで、エイコサペンタエン酸の略です。ＥＰＡからは、血液の凝固を促進する物質はつくられず、凝固を抑える物質だけがつくられるので、血栓ができるのを防ぐという働きがあります。

つぎに、ＤＨＡは、やはり不飽和脂肪酸のひとつで、ドコサヘキサエン酸の略です。このＤＨＡは、魚類に含まれている独特の成分で、ＥＰＡとあわせて、ビタミンＦともいわれます。脂肪酸として吸収されると、大部分は最後まで形を変えずに各臓器に入っていろいろな作用をし、また脳のなかへもそのまま入って作用するところが、ほかの物質と違うところです。

魚の脂がコレステロールを下げる

ところで、コレステロールは一般的に悪いイメージをもたれていますが、全身の細胞膜の成分になるなど、体内で重要な働きをしている物質です。

問題は、血管壁にたまるコレステロールです。コレステロールは脂肪なので、そのままでは血液に溶け込めず、タンパク質と結びついて血流にのり、細胞に運ばれていきます。このとき血管壁にコレステロールを運ぶ役目をしているのが悪玉コレステロール（ＬＤＬ）で、余分なコレステロールを肝臓へ運びもどす役目をしているのが、善玉コレステロール（ＨＤＬ）です。血液中のコレステロールのうち、ＬＤＬが増えると血管壁にコレステロールがたまって血管に障害が起こり、動脈硬化を促進させる大きな原因になります。

この動脈硬化の原因になる悪玉コレステロールを減少させ、総コレステロール値を下げる働きをＥＰＡ、ＤＨＡ

がもっているといわれています。コレステロールはおもに肝臓でつくられますが、そのときに働く酵素にＥＰＡ、ＤＨＡが作用して活動力を抑制し、コレステロールの生成を抑えるからだといわれています。さらに、生成を抑制するときに、必要な量を残しながら効果をあげるというすばらしい特性をもつことが判明しています。

ＤＨＡは脳を活性化させる

さらに、魚に含まれるＤＨＡは、脳の発達と重要な関係をもっているということが、最近の研究で明らかになりました。

脳細胞は、神経細胞の突起を伸ばしてほかの脳細胞とくっつきあいながら、神経同士の関係を発達させていきます。脳細胞が、この突起を増やしたり伸ばしたりするのに必要なものがＤＨＡなのです。

さらにＤＨＡは、高度不飽和脂肪酸で、化学組成上、二重結合をたくさんもっています。そのために、ＤＨＡが多いほどシナプス（神経終末）膜がやわらかくなり、アセチルコリンの分泌も増えて、情報伝達がスムーズにいくと考えられているのです。

このシナプス膜がやわらかいほど、脳の働きがよくなるといえます。

食品100g中のEPA、DHAの含有量（単位はmg）

魚名	EPA	DHA
うるめいわし	275	633
まいわし	1381	1138
かたくちいわし	465	702
あじ	408	748
さば	1210	1780
あなご	472	661
さんま	844	1400
あゆ	201	136
いか	56	152
ほんまぐろ脂身	1972	2877
ほんまぐろ赤身	27	115
いかなご	454	615
うなぎ	742	1332
ぶり	899	1780
かつお	78	310
にしん	989	862
かれい	210	202
さけ	492	820
こい	159	288
まだい	157	297
たら	37	72
ひらめ	108	178
にじます	247	983

（四訂日本食品標準成分表より）

取り過ぎで害はないのか

魚で取るかぎりは、ＥＰＡ、ＤＨＡの取り過ぎに弊害はありません。しかし、ＥＰＡ、ＤＨＡを取り入れた製品のなかで、カプセルタイプの栄養補助食品がありますが、魚を食べるのと違って、これを大量に取り過ぎれば問題がありますので、使用上の注意をよく読んで、適量を摂取することが重要です。

ではどのくらい取ればいいのかといいますと、1日1回、魚料理を食べるように心がければよいでしょう。最低でも1週間に3回で、回数がすくない人は、ＥＰＡ、ＤＨＡを多く含む魚を、刺し身などで食べるようにします。

腹痛

腹痛の原因はさまざま。まずは絶食して、安静にする

絶食後は消化のよいものを

腹痛とひと口にいっても、原因はさまざまです。食道や胃腸などの消化器系の病気をはじめ、泌尿器系の病気、また女性では、子宮や卵巣などの婦人科系の病気などが考えられます。さらに、心臓病でも腹痛を訴えることがあります。したがって、薬は原因がわかるまでは勝手に飲まないことです。さらに、激痛や嘔吐、発熱、下血、吐血などをともなう場合は、至急、医師の診察を受ける必要があります。

　また、食べ過ぎや飲み過ぎ、便秘、寝冷え、精神的な緊張などからも腹痛が起こることがあります。しかし、このように原因がはっきりしているものはそれほど心配ありません。おなかを温めながら、半日程度絶食をし、安静にしていればおさまります。食べたものを吐いたり、排便したりすることによってラクになる場合もあります。

　さらに、絶食後の食事の取り方にも注意が必要です。すりおろしたりんごやうどん、おかゆなどのように、消化吸収のよい食べものを中心にして、胃腸をいたわりながら少しずつ回復させていくことがたいせつです。

勝手に飲まない

絶食後は脂肪の多いものなどを避ける

知っておきたい One Point

腹痛がおさまったからといって、絶食後すぐに通常の食事を取ることはひかえたほうがよいでしょう。食べ過ぎや飲み過ぎによって腹痛を起こした場合はなおさらのことです。暴飲暴食によって荒された胃腸がもとどおりに回復するまでは、消化吸収のよい食べものを少しずつ食べるようにします。

　冷たい飲み物や生野菜などおなかを冷やすもの、バターなどを使った脂っこい食べもの、ごぼうやひじきなどのように繊維質の多い食べものは避けます。

食事の取り方

胃腸を温めたり、腹痛をやわらげる食べものも利用価値が大きい

腹痛をなおすためには、半日程度の絶食と安静、消化吸収のよいものを中心とした回復期の食事療法が基本ですが、身近な食べもので腹痛をやわらげることもできます。

しょうがやかぶなどは、体を温める作用にすぐれていますので、とくに冷えからくる腹痛に効果的です。また、梅のように、すぐれた整腸作用によって腹痛をやわらげる食べものもあります。

しょうが

しょうがともち米の煮汁

しょうがには体を温め、冷えによる腹痛や下痢をやわらげ、胃腸の働きをよくします。とくに、しょうがを乾燥させたものを漢方では乾姜（かんきょう）といい、保温作用にすぐれています。

しょうがは厚さ１mmほどの薄切りにして、かげ干しでよく乾燥させます（これが乾姜）。

なべに上の乾姜３ｇ、もち米９ｇ、水600mlを入れ、弱火で煮ながら水が半量になるまで煎じ、その汁を飲みます。

なお、もち米にも体を温める薬効があります。

しそ

しそのお茶

しその独特な香りのもとになっているリネモンなどの精油成分には、抗菌、解熱、鎮静作用があり、おなかを温め、ゆっくりとおなかの痛みをやわらげる働きがあります。

しその葉は日かげで乾燥させます。それをひとつまみほど茶こしに入れ、熱湯200mlをそそいで飲みます。

かぶ

かぶのしぼり汁

かぶの成分は、アミノ酸、ブドウ糖、ペクチン、ビタミンC、アミラーゼ、ジアスターゼなどですが、体を温め、腹痛をやわらげる薬効があります。

水洗いしたかぶを皮ごとすりおろし、ガーゼなどに包んでしぼります。このしぼり汁をさかずきに２～３杯飲みます。

ハコベ

ハコベの煎じ汁

春の七草に数えられるハコベには、痛みをしずめる働きがあり、腹痛に効きます。春～夏の繁殖期に採取し、天日干しで乾燥させて保存しておくと便利です。

乾燥したハコベ15ｇほどを、300㎖の水で半量まで煎じ、1日2回に分けて飲みます。

キハダ

キハダの粉末

キハダはみかん科の樹木で、その樹皮の内側を乾燥させたものを漢方では黄柏（おうばく）といいます。特有の苦みがあり、胃腸の働きをととのえて、腹痛をやわらげます。

キハダの粉末（黄柏末）1ｇを1回分として、1日3回食後に水か白湯で飲みます。細かくきざんだ黄柏3ｇを煎じて、1日3回に分けて飲んでも効きます。

梅

烏梅（うばい）の煎じ汁

漢方で烏梅（うばい）と呼ばれるものは、未熟な青梅をくん製にして干したものです。この烏梅にはすぐれた整腸作用があり、腹痛や慢性の下痢、食あたりに効果を発揮します。

未熟な梅の表面に木炭をぬって蒸し器などに入れ、24時間、梅と同量ていどの砂糖でくん製にします。

これを天日干しにして、よく乾燥させます。腹痛と下痢が続くときに、この烏梅10ｇほどを600㎖の水で煎じて飲みます。

烏梅は漢方薬局でも入手できます。保存もききます。

にんにく

にんにくがゆ

にんにくのにおいの成分であるアリシン（硫化アリルの一種）には、すぐれた抗菌作用と、体を温め胃腸を丈夫にする働きがあります。腹痛や下痢に効果的です。

おかゆをつくるときに、生にんにくの小片1個をきざんで入れ、そのまま炊いて、おかゆといっしょに食べます。

きくらげ

きくらげ煮

中国料理に多くつかわれているきくらげ（木耳）には、血液の浄化作用があります。きくらげを煮たものは、とくに下痢や血便をともなう腹痛に効果を発揮します。

水でもどしたきくらげ15ｇに、ざらめ60ｇほどを加え、300㎖の水でやわらかくなるまで煮て食べます。

らっきょう

らっきょうの煎じ汁

らっきょうの成分に整腸作用があり、腹痛をしずめます。また、強壮、食欲増進、利尿にも効果があります。

生らっきょうの皮をむいてよく洗い、輪切りにして十分乾燥させます。乾燥したもの10gを水300mℓで半量になるまで弱火で煎じ、1日数回に分けて飲みます。

さんしょう

さんしょうの実の煎じ汁

さんしょう（山椒）に含まれる独特の辛み成分には、胃腸を温め、腹痛や下痢をやわらげる働きがあります。胃腸が冷えておなかが痛むようなときに有効です。

よく乾燥させたさんしょうの実3gを水400mℓで半量まで煎じ、1日3回空腹時に飲みます。市販のものを煎じてもかまいません。

サンザシ

サンザシの実の煎じ汁

サンザシ（山査子）はバラ科の落葉樹ですが、その実（偽果）にはすぐれた消化、整腸作用があり、腹痛に有効です。薬用には、乾燥させた実をもちいます。

10月ごろに採取した完熟前のサンザシの実を湯どおしして、その種子を取りのぞき、乾燥させます。

乾燥した実5〜7gを水300mℓで半量まで煎じ、1日3回に分けて飲みます。

覚えておくと便利

激しく痛むときは医師に相談

腹痛のときは、安静にしてようすをみることがたいせつです。腹痛のかげに重い病気が隠れていることもあるからです。安静を保ちながら、おなかの痛みのほかに発熱や吐き気、嘔吐、下痢などの症状がないかをよく観察します。

また、おなかのどの部分が痛むのかも把握するようにします。

暴飲暴食や体の冷えなどによる、すぐに痛みがおさまるような一過性のものや、数回の下痢ですんでしまうものはあまり心配ありません。

しかし、急に激しくおなかが痛んだり、痛みが何日も続いたりするもの、また下血やしつこい下痢などをともなうものの場合には、ちゅうちょすることなく、至急、専門医の診察を受けます。

下痢

一過性のものは心配ない。ただし、急性の症状には注意が必要

絶食と安静、そして水分補給を

下痢は病気の症状として起こる場合と、それ以外の原因で起こる場合とに分けることができます。病気以外で起こる下痢とは、食べ過ぎ、寝冷え、冷たいものの飲み過ぎなど、生理的な症状として起こる下痢です。これらのものは一過性の場合がほとんどで、食事に気をつけていれば間もなくおさまります。また、ストレスなどから起こる下痢も、数日間以上続くようでなければ心配ありません。

しかし、病気の症状として起こる下痢には十分な注意が必要です。とくに急性の下痢で、発熱、嘔吐、激しい腹痛、血便、粘液のまじった便などをともなうときは、至急、医師の診察を受けます。伝染病や食中毒などのケースが考えられるからです。

病気以外の原因で起こる一過性の下痢の場合には、おなかを冷やさないようにして、安静を保ちながらようすをみます。また、下痢による脱水症状を防ぐために、緑茶やスープなど温かい水分を取ることも必要です。さらに、下痢がおさまったあとは、半日か1日ほど絶食をして、消化のよいおも湯やおかゆなどの流動食から始めるようにします。

知っておきたい One Point

下痢を悪化させる食べものもある

下痢のとき、注意が必要なのは、つぎのような食べものです。

- 繊維の多いものやかたいもの…たけのこ、すじ肉など。
- 発酵しやすいもの…果糖、砂糖、炭酸飲料など。
- 油脂類…オリーブ油などの植物油、バターなど。
- 冷たいもの…アイスクリーム、冷たいジュースなど。
- その他、刺激物…アルコール、香辛料など。

なお、タンパク質は便をかたくしますので、回復期には白身魚、豆腐などを取りましょう。

食事の取り方

抗菌作用や整腸作用のある食べものが回復の手助けになる

下痢の予防には、食べ過ぎや飲み過ぎを避けるなど、日ごろの食事に気をつけることが必要ですが、下痢を起こしてしまったら、はやめになおすことがたいせつです。

そのとき回復の助けとなるのが、抗菌作用や整腸作用のある梅やハチミツ、にんにくといった身近な食べものです。また、生薬にもゲンノショウコをはじめ、すぐれた薬効をもつものがあります。

ハチミツ

ハチミツ緑茶

ハチミツには強い殺菌作用があり、腸炎や細菌性の下痢によく効きます。また、緑茶に含まれるタンニンにも抗菌作用があり、便をかたくする働きがあります。

緑茶15gを濃いめにいれ、これにハチミツ50〜60gを加えて1日1回飲みます。

梅

梅ジュース

梅は、強い抗菌作用とすぐれた整腸作用をもっています。慢性の下痢や細菌性の下痢、また食中毒にも効きます。梅ジュースは、手軽にできて保存もききますので、つくりおきが便利です。

青梅をよく洗って、1個ずつ水気を切り、青梅と同量の砂糖といっしょに保存びんに漬け込みます。
10日ほどすると、しぼんだ実が浮き上がってきますので、これを取りのぞき、残った梅汁をガーゼでこしてびんに入れて保存します。

下痢止めには、1回をスプーン1杯ほどにして、1日数回飲みます。
なお、未熟な青梅は中毒を起こすことがありますので、生食は避けます。

にんにく

にんにく入りみそ汁

にんにくには、すぐれた抗菌作用と整腸作用があります。細菌性の下痢止めに効果を発揮します。ただし、刺激が強いので空腹時に生で食べることは避けます。

生にんにくの小片1〜2個を1日の目安とし、みそ汁にきざんで入れ、煮て食べます。おかゆに入れてもよいでしょう。

りんご

皮つきりんごのすりおろし

りんごは、下痢や便秘にすぐれた薬効があります。下痢のときは、りんごに含まれる食物繊維ペクチンが腸内の水分を吸収し、またタンニンが腸を刺激から守ります。

無農薬、有機栽培のりんごを選んで、皮ごとすりおろし、そのまま食べます。

里いも

ずいきの煎じ汁

里いもには、便通をととのえ、下痢をおさえる働きとともに、消炎作用があります。下痢止めには赤芽のずいき（葉柄）のほうが効果的です。

皮をむいて天日干しで乾燥させたずいき300ｇを、水500mℓで半量まで煎じ、1日数回に分けて飲みます。

ヤマイモ

ヤマイモのすりおろし

ヤマイモは滋養・強壮効果にすぐれ、胃を丈夫にし、腸の働きをととのえる効果があります。冷え症で下痢をしやすいひとには、常食がおすすめです。

ヤマイモの皮を取ってすりおろし、おかゆやスープなどに入れ、温めて食べるようにします。

ヨモギ

ヨモギの煎じ汁

ヨモギ(蓬)の葉には、ビタミンA、C、ミネラル、精油成分が含まれ、下痢止め、止血、鎮痛作用があり、乾燥したヨモギの葉を漢方では艾葉(がいよう)と呼びます。

かげ干しで乾燥させたヨモギの葉2ｇに、しょうが5ｇを加え、水150mℓで半量まで弱火で煎じます。これを1日3回に分けて飲みます。

長ねぎ

ねぎがゆ

長ねぎには、ビタミンA、B、C、カルシウムのほか、特有の刺激臭成分である硫化アリルが含まれ、下痢、腹痛止めとしての薬効を発揮します。冷えからくる下痢には、長ねぎ入りのおかゆで体を温めます。

長ねぎの白い部分だけを2～3本、斜め切りにします。さらに、しょうが1片をすりおろしてしょうが汁をつくります。
おかゆが炊き上がる直前に、上の長ねぎとしょうが汁を加えて炊き、炊きあがったら火を止め蒸らします。

長ねぎの緑色部は、ビタミンAなどの栄養素に富んでいますが、薬効があるのは白い部分で、これを漢方では葱白（そうはく）といいます。

ゲンノショウコ

ゲンノショウコの煎じ汁

ゲンノショウコ（現の証拠）にたくさん含まれているタンニンには、収斂作用、殺菌作用があり、下痢止めにすぐれた効果を発揮します。

乾燥させたゲンノショウコの全草（花、葉、茎）10ｇを水600㎖で半量まで煎じ、1日3回に分けて、そのつど温めながら飲みます。

ハスの実

ハスの実の丸薬

ハス（蓮）の実は、漢方では蓮子（れんし）といい、滋養・強壮、精神安定作用にすぐれています。また、心臓、腎臓、胃腸を補う働きがあります。過敏性腸症候群のようなストレス性の下痢に効果的です。

蓮子50ｇにハチミツを加えて炒って、殻を取ります。

炒ったものを粉末にして丸め、1回3ｇを1日3回、水か白湯で飲みます。
なお、下痢がおさまったら、多食は避けます。

覚えておくと便利　緑茶の渋みが下痢に効く

濃いめにいれた緑茶には独特の渋みがありますが、この渋みの成分であるタンニンが下痢止めに有効なのです。タンニンには消炎、殺菌作用のほかに、胃腸の粘膜に作用して組織をひきしめる働きがあります。この働きを収斂（しゅうれん）作用といいますが、これが下痢に効くというわけです。

したがって、下痢止めに緑茶を用いる場合には濃いめにいれるのがコツです。また、緑茶のなかでは、玉露が群をぬいてタンニンをたくさん含んでいます。ついで煎茶、ほうじ茶、番茶の順となっています。

リンドウ

リンドウの根の粉末

乾燥させたリンドウの根を漢方では龍胆（りゅうたん）といい、下痢止め、食欲不振、消化不良、腹痛に薬効があります。水に溶くと苦いので、粉薬のように飲んでもよいでしょう。

水洗いしたリンドウの根を天日干しにし、乾燥したらすり鉢で粉末に。耳かき1杯分を水か湯で飲みます。

便秘

くすりではなく、食べものでなおそう。便秘の解消には食事と適度な運動が大切

原因にあわせて食事を取る

便秘は、原因によって機能性便秘、器質性便秘の2つに分かれます。機能性便秘は、大腸の機能低下によるもので、環境の変化や偏食などによって起こる一過性便秘、老人や運動不足ぎみのひとに多い慢性（常習性）便秘、ストレスなどから起こるけいれん性便秘などがあります。器質性便秘は、大腸のゆ着や大腸の形の異常によって起こるものです。開腹手術後の便秘や、10日以上も続くような頑固な便秘の場合は医師の診察が必要です。

機能性便秘は、下剤にたよらなくても食事と適度な運動でなおすことができます。食べものでは、海藻や野菜など食物繊維の多いもの、牛乳など便をやわらかくするもの、植物油など便のすべりをよくするものなどが効果的です。また、腸の蠕動（ぜんどう）運動が弱い慢性便秘には食物繊維の多いものを、腸の緊張が高まっているけいれん性便秘には消化のよいものを選ぶようにすることが必要です。

運動では血液の流れをよくする全身運動、腹圧を高める腹筋運動などが適しています。腹部のマッサージも有効です。

知っておきたい One Point

腸を活発にする食べものを積極的に

便秘に食物繊維が効くのは、便の量を多くして腸の蠕動運動を刺激するからです。いも類や豆類なども腸内で発酵してガスを発生させ、腸管を刺激するので便通をよくします。

水分の補給も便秘の予防と解消にかかせません。とくに冷たい牛乳は腸への刺激効果が高く、毎朝起きぬけに飲むとより効果的です。

また、腸内のビフィズス菌も抗菌作用によって感染症を予防するうえ、腸の蠕動運動を活発にして便通をよくします。

食事の取り方

腸の働きをととのえ、便通をよくする食べもので便秘を早めに解消する

一過性の便秘も、長びけば慢性化してしまいます。便秘に気づいたら、腸の働きをととのえ、便通をよくする食べもので、早めの解消を心がけることです。

くだものではりんご、キウイフルーツ、オレンジなど、野菜類ではキャベツ、ほうれん草、里いもなどが効果的です。毎日食べれば便秘の予防にもなります。

りんご

りんごのおろし汁

りんごは食物繊維ペクチンをたくさん含み、腸内で腸壁を保護するので、便秘にも下痢にも有効です。同じ働きをもつにんじんを加えれば、さらに効果的です。

りんごとにんじんを皮つきのまますりおろし、それぞれのしぼり汁をさかずき1杯ずつまぜあわせます。これを朝食30分前に飲みます。

キャベツ

キャベツジュース

キャベツに含まれる食物繊維が、腸を活発にして便通をよくします。また、ビタミンCが豊富なうえ、アミノ酸の一種のビタミンUが潰瘍を予防してくれます。

キャベツ1/2個の葉をよく水洗いして、芯をのぞいてざく切りにし、ジューサーにかけます。レモン汁を加えてもよいでしょう。

じゃがいも

じゃがいものしぼり汁

じゃがいもはビタミンB_1、Cがとても豊富なうえ、新鮮なじゃがいものしぼり汁には慢性的な便秘にすぐれた薬効があります。また、このしぼり汁は胃・十二指腸潰瘍の特効薬としても知られています。

新鮮なじゃがいもをよく水洗いして、芽をていねいに取りのぞき、皮をむいてすりおろします。

これをガーゼでこして、しぼり汁を取ります。このしぼり汁を1回小さじ1～2杯、朝晩2回空腹時に飲みます。

時間がたつと変色しますので、そのつどつくるようにします。

くるみ

くるみ茶

くるみの実には良質の脂肪、タンパク質、ビタミン類、ミネラルが含まれています。さらに腸をうるおす作用にすぐれていますので、腸の働きをうながし、便通をよくします。黒ごまも同様です。常習性で頑固な便秘に効果的です。

くるみの実、黒ごま各60ｇをまぜ、すり鉢で粉末になるまでよくすります。

この粉末小さじ１杯を湯のみに入れ、熱湯をそそいで毎朝飲みます。
ただし、のぼせが強く、鼻血の出やすいひとにはむきません。また、下痢気味のひとも多飲はひかえます。

ほうれん草

ほうれん草のおひたし

ほうれん草にはビタミン類、鉄分、マンガンなどが多く含まれています。食物繊維も豊富で、常食することによって便秘の予防、解消に効果を発揮します。

ほうれん草をゆでて、おひたしにします。これにごま油と酢をからめたものは慢性便秘に有効です。

オレンジ

オレンジジュース

オレンジはビタミンCをたくさん含むうえに、食物繊維も豊富で、腸の働きをよくします。とくに慢性の便秘には、朝起きぬけのジュースがよく効きます。

オレンジ２個の皮をむき、ジューサーにかけます。温めてもおいしく飲めます。また、ヨーグルトを加えると一層効果的です。

キウイフルーツ

キウイフルーツのしぼり汁

キウイフルーツには、ビタミンCが豊富に含まれています。さらに、食物繊維ペクチンが腸の働きをうながし、便秘の解消ばかりか、肌荒れにも効果的です。

皮をむいたキウイフルーツ１個を輪切りにして、ガーゼかふきんに包んで汁をしぼり、しぼり汁全部を朝食前に飲みます。

里いも

里いも煮

里いものぬめり成分であるムチンには、腸の働きをととのえ、消化を促進して便通をうながす作用があります。常食を心がけることによって便秘を解消します。

調理のときにぬめりを取りのぞかないことがかんじんです。ふくめ煮をはじめ、酢のもの、田楽、煮っころがしなどがおすすめです。

さつまいも

さつまいものでんぷん水

さつまいもはじゃがいもの約2倍の食物繊維を含み、さらに皮にはヤラピンという緩下成分が含まれていますので、便秘の解消に効果的です。

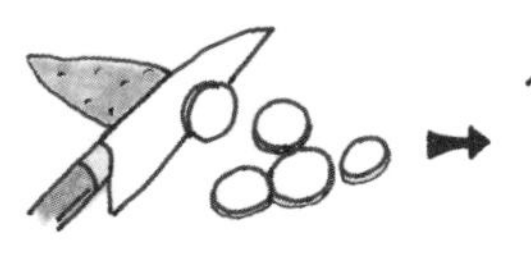

さつまいもは皮ごと薄切りにして、天日干しでよく乾燥させます。乾燥したらミキサーかおろし金で粉末にします。

この粉末小さじ1杯を湯のみに入れ、湯か水で溶いて夕食後に飲みます。ハチミツを加えると飲みやすくなります。

いちじく

いちじくの煎じ汁

いちじくの葉にはクマリン類が含まれ、緩下作用があります。腸の動きを活発にし、便通をつけます。8月ごろの葉を使います。

水洗いした葉を一度蒸し、水分をとばしてきざんでしぼり、天日で干します。乾燥した葉20gを水500mℓで半量まで煎じ、1日3回に分けて空腹時に飲みます。

覚えておくと便利

さつまいもの効用と食べ方

食物繊維をたっぷり含み、その皮にもすぐれた緩下（かんげ）作用のあるさつまいも。便秘の予防と解消に最適な食べものなのですが、食べたあとに胸やけがするので、便秘でもさつまいもだけは食べたくないというひとがいます。

胸やけを起こすのは、さつまいもを食べることによって胃液の分泌がうながされ、その胃液が食道下部を刺激するからです。

さつまいもを食べるときには、皮ごと食べるようにすると、皮に含まれるミネラルが糖質の異常発酵をおさえて胸やけを防ぎます。

また、胃液を中和する食べものをいっしょに食べるのも効果的です。たとえば、塩をふる、バターをぬる、牛乳を飲むといった方法です。一度ためしてみてください。

ノイバラ

ノイバラの果実の煎じ汁

ノイバラの実の乾燥させたものを漢方では営実（えいじつ）と呼びます。速効性がありますので一度に多くの量をもちいず、少しずつ量をふやします。重い便秘に有効です。

天日干しで乾燥させた果実5～6個を200mℓの水で煎じ、これを1日2回に分けて食間に飲みます。

胃もたれ

胃弱体質のひとや胃下垂のひとに多い。胃を丈夫にする食事を心がける

消化のよい食べものが基本

胃もたれは、消化の悪いものやとくにあぶらけの多いものを食べたときに起こりやすくなります。食べたものがいつまでも消化されずに胃が重苦しい、ムカムカするなど、感じ方はさまざまです。これらの症状はしばらく続くものですが、消化の進行とともにやがては消えていきます。

また、胃もたれは、胃弱体質のひとや胃下垂のひとに多くみられます。ただし、特定の病気に直接結びつくものは少なく、精神的な要素が大きく影響するものと考えられています。このような胃もたれを防ぐためには、日ごろから心身のリラックスをはかるとともに、消化のよい食べものや胃を丈夫にする食べものを取るように心がけることが必要です。

消化がよく、胃を丈夫にする食べものにはいろいろなものがあります。なかでも消化酵素であるジアスターゼをたくさん含むヤマイモ、胃腸薬の原料にも使われているビタミンUを豊富に含むキャベツなどは、その代表といえるでしょう。調理方法を工夫すればバラエティーに富んだものになります。

適度な運動や体操も胃を丈夫にする

知っておきたい One Point

胃弱のひとやストレスの多いひとは、体を動かすことが苦手であったり、運動をする余裕がなかったりします。しかし、体を動かさないでいると、食欲がわかず、血液の流れも悪くなって、胃の働きがますます弱ってしまいます。

胃を丈夫にするためには、ウォーキングのような適度な運動や体操などを毎日の生活のなかに取り入れることも必要です。適度な運動はストレスの解消にも効果があり、ストレスからくる胃の不調も取り去ります。

食事の取り方

消化のよい食べものを一番に考え、胃の働きを活発にさせる

胃もたれの予防や解消には、胃に負担をかけない消化のよい食べもので、胃の働きを活発にする心がけがたいせつです。

ヤマイモやじゃがいもなどのいも類は、消化を助けるだけでなく、滋養・強壮効果で胃を丈夫にします。キャベツやキウイフルーツなどの野菜・くだもの類も、ビタミンやミネラルなどを補給し、胃の不快感の解消など、健胃効果も発揮します。

キャベツ

キャベツの青汁

キャベツに含まれるビタミンUは、潰瘍の予防、修復に効果があります。青汁として飲めば、葉緑素やビタミンA、Cなどの有効成分が直接に働き、胃もたれなどの不快な症状の解消に即効性を発揮します。

キャベツの葉2～3枚をガーゼやふきんなどで包みます。

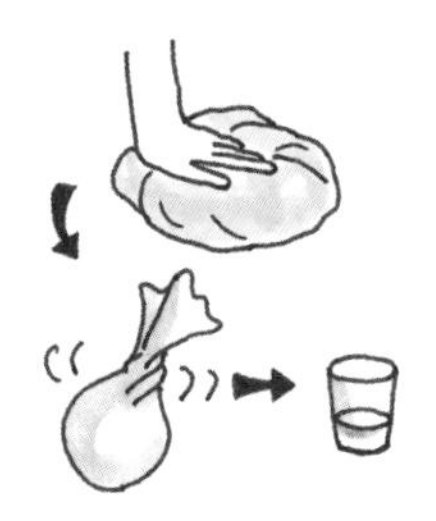

上からつぶし、さらにしぼって20～30mℓほど飲みます。

胃もたれやむかつきのときは食後ですが、胃弱ぎみの場合には食間(食後2時間)が効果的です。

しょうが

しょうが茶

しょうがには解熱、消炎、利尿など多くの薬効があり、漢方でも幅広くもちいられています。その辛み・芳香成分が胃もたれを解消し、胃の働きを活発にします。

しょうが1片（約10g）をすりおろし、熱湯をそそぎ、お茶を加えて飲みます。熱湯をそそぐだけのしょうが湯も効きます。

ヤマイモ

ヤマイモのとろろ汁

ヤマイモはアミラーゼ、ジアスターゼなどの多くの消化酵素を含みますので、消化がよいうえに、ほかの食べものの消化も助けます。胃もたれやむかつきには、生のほうが効果的です。

すりおろしたヤマイモに、冷ましておいただし汁を加えてよくまぜあわせ、そばにつけたり、ごはんにかけたりして食べます。

リンドウ

リンドウの根の煎じ汁

リンドウの根には、特有の強い苦みがあり、胃液の分泌をうながして消化を助ける働きがあり、低酸症の胃もたれに効きます。龍胆(りゅうたん)とも呼ばれ、漢方薬局でも購入できます。

天日干しにして乾燥させたリンドウの根5gほどを500〜600mℓの水で半量になるまで煎じ、これを1日の量として毎食後飲みます。

びわ

びわの葉の煎じ汁

漢方では、びわの葉を枇杷葉（びわよう）と呼んで健胃薬にもちいています。葉の精油成分、ビタミンC、B_1、タンニンなどが胃もたれを解消し、食欲を増進させます。

天日干ししたびわの葉10gを水800mℓで半量まで煎じ、これを1日2〜3回に分けて飲みます。

かぶ

かぶジュース

かぶの根には消化酵素ジアスターゼが含まれ、葉にはビタミンA、C、ミネラルが豊富です。胃が重苦しいときは、葉も加えると効果が増します。

葉つきのかぶ1〜2個にセロリやにんじんを加えて、ジューサーにかけます。レモン汁を加えると飲みやすくなります。

みかん

みかんの果皮の粉末湯

干したみかんの皮は、漢方では陳皮（ちんぴ）と呼ばれ、健胃薬としてもちいられています。胃の働きを活発にする作用があり、胃もたれなど胃の不調に効果があります。

干したみかんの皮（陳皮）を細かくきざんで、フライパンなどで炒って粉末にします。

この粉末を小さじ1杯くらい湯のみに入れ、熱湯をそそぎます。これにほんの少量のハチミツを加えて飲みます。

（陳皮のつくり方）
ワックスなどの心配がないみかんの皮を湯でよく洗い、あらくきざんでざるなどに広げ、風とおしのよいところで干します。10日前後で完全に乾燥しますので、びんなどにつめて保存しておきます。市販品もあります。

オオバコ

オオバコ茶

オオバコに含まれているプランタギン、オークビンなどの成分が胃もたれなどの胃の不快な症状を取りのぞき、胃を丈夫にします。

夏の花のさかりに採取し、根を落として天日干しします。乾燥したら細かくし、茶さじ2杯くらいきゅうすに入れて熱湯をそそぎ、2〜3分おいてから飲みます。

覚えておくと便利 胃にやさしいいも類のメリット

　じゃがいもなどのいも類は、胃もたれなどの不快な症状を取りのぞき、しかも胃を丈夫にしてくれます。これは、いも類に豊富に含まれる消化酵素などの各種酵素、またアミノ酸類の働きによるものです。

　しかし、いも類のメリットはこれらばかりではありません。いも類には、胃の粘膜をはじめ細胞を活性化させるビタミンCがたくさん含まれています。たとえば、さつまいもはみかんに匹敵します。

　しかも、いも類のビタミンCは熱に強い結合型なので、熱を加えてもこわれません。焼きいもの場合でもビタミンCは90％も残っています。

　このように、いも類はビタミンCの供給源としてもすぐれています。

クレソン（オランダカラシ）

クレソンジュース

クレソンに含まれる辛み成分シニグリンには、消化吸収をうながし、食欲を増進させる働きがあります。胃が重苦しいときなどに効果があります。また、ビタミンA、C、カルシウム、カリウムも豊富です。

クレソン1束をよく洗って、レモンなど好みの材料とジューサーにかけます。ハチミツを少量加えれば、辛さも気にならなくなります。

キウイフルーツ

キウイフルーツのしぼり汁

キウイフルーツには、タンパク質分解酵素であるアクチニジンが含まれていて、肉や魚料理のあとの胃のもたれ、不快感の解消に効果を発揮します。

キウイフルーツ1個を輪切りにして、ガーゼなどに包み、しぼって飲みます。レモン汁を加えると青臭さが緩和されます。

じゃがいも

じゃがいものしぼり汁

じゃがいもには、胃の炎症をおさえ、胃もたれや不快な症状を取り去る働きがあります。じゃがいものしぼり汁は、これらの効用を一層高めます。

新鮮なじゃがいもをよく洗い、皮をむき、芽を取り去ってすりおろし、ガーゼや布に包んでしぼります。

しぼり汁を1回スプーン1～2杯、1日2回空腹時に飲みます。

なお、じゃがいもの芽にはソラニンという有毒物質が含まれていますので、生でもちいるときはかならず芽の部分を取りのぞきます。飲むたびに作ります。作り置きはできません。

胸やけ・げっぷ

ストレスや過労も引き金になる。毎日の食事での予防がたいせつ

消化をうながす食べものを

胸やけとは、みぞおちの上のあたりから前胸部にかけて、やけるような不快感があらわれることです。げっぷや、すっぱい胃液が出ることもよくあります。

胃液の酸度が高まったり、食道下部の粘膜が過敏な状態になったりしているときに起こります。

このような胸やけやげっぷは、健康なひとにも起こります。その多くは、さつまいもやようかんなど、でんぷん質の多いものの食べ過ぎや暴飲暴食、タバコの吸い過ぎなどが原因となります。また、精神的なストレスや過労、睡眠不足が引き金になることもあります。

こうした一時的な、あるいは食べものの種類によって起こるものは、食事の取り方に気をつければそれほど心配ありません。

唐辛子、こしょう、コーヒーといった胃に刺激を与えるものや、胃液の分泌をうながすものを避けるとともに、大根のように消化酵素（ジアスターゼ）を豊富に含むものを食べることによって、不快な症状をおさえることができます。

胸やけやげっぷを防ぐ食生活を

知っておきたい One Point

胸やけやげっぷを起こすのは、でんぷん質の取り過ぎによって胃液の酸度が高まるからです。また、げっぷはいそいで食べるくせのあるひとなどにも出やすいものです。これを防ぐためにも、日ごろから暴飲暴食を避け、酒やタバコなどもひかえめにすることがかんじんです。

なお、胸やけやげっぷが長く続くようなときは医師の診察を受けましょう。ときとして胃炎、胃・十二指腸潰瘍、胃がん、胆石症、すい臓病、肝臓病などの場合があるからです。

コンブ

コンブの焼きもの

胃酸過多による胸やけやげっぷの解消に、コンブが効きます。かみしめているだけでも効果があります。健康食品としても市販されています。

コンブを火であぶったり、フライパンで焼いたりして、1日に5cm角1枚（5ｇ）くらいを食べます。

食事の取り方

消化をうながす食べものを中心にして胃の調子をととのえる

胸やけやげっぷは、胃酸過多の状態のときに起こりやすいものです。毎日の食事に大根など消化をうながす食べものを加えて、胃の調子をととのえることもたいせつです。

また、大根のほか、コンブやにら、アロエ、ヨモギなどのように、胸やけやげっぷの解消に効果を発揮するものもあります。これらのものを利用して、不快な症状は、はやめに取り去ります。

ツルナ

ツルナの煎じ汁

ツルナは海岸や砂地に自生する多年草です。花のさかりに地上部の茎葉を切り取って天日干ししたものが、生薬の蕃杏（ばんきょう）です。胸やけやげっぷをおさえます。

天日干しにしたツルナの葉10〜15ｇを水300〜400㎖で半量まで煎じ、これを1日の量として食間に3回に分けて飲みます。

大根

大根おろし

大根にはジアスターゼというでんぷん消化酵素が豊富に含まれています。ジアスターゼは加熱によって作用を失いますので、大根おろしにするのが一番です。ごはんやもちなどの食べ過ぎに、抜群の効果を発揮します。また、肉類、脂肪類の消化も促進します。

●大根おろしのコツ
大根は皮をむいてすりおろし、目の細かいざるにあけて軽く水気を切ります。大根の水分が味を決めます。水気を切り過ぎても味がぬけておいしくありません。

●食べにくいときは
大根おろしが食べにくい場合には、季節の野菜やくだものなどとあえる方法もあります。また、しょう油やかつおぶしで調味しただけでも食べやすくなります。

センブリ

センブリのうわ澄み茶

センブリは日本特産で、全国の山野に自生しています。独特の強い苦みがあり、これが胸やけやげっぷを取り去ります。当薬(とうやく)とも呼ばれ、漢方薬局でも購入できます。

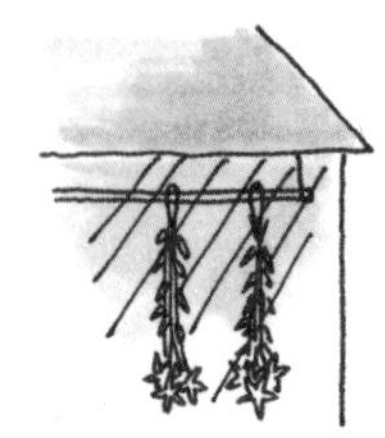

センブリをかげ干しにして乾燥させます。

1回にセンブリ2本を湯のみに入れ、熱湯をそそぎます。しばらくおいて、お茶がわりに苦いうわ澄みを飲みます。

また、市販のセンブリの粉末を少量（0.3g程度)、食前に水で飲むのも効果があります。なお、センブリは刺激が強いので、一度にたくさん服用することは避けましょう。

カキ貝

カキ貝の殻の粉末

カキ貝の殻は、牡蠣（ぼれい）と呼ばれる漢方薬にもなっています。このカキ貝の殻の粉末は、胸やけやげっぷにも効きます。

乾燥させたカキ貝の粉末を1gほど、粉薬のようにぬるま湯で服用します。

黒ごま塩

黒ごま塩のおにぎり

黒ごまと塩とが胃酸の過剰を中和して、胃液の分泌をおさえ、胸やけやげっぷをしずめます。おにぎりにふりかけて、よくかんで食べると効果が増します。

黒ごま塩をふりかけたおにぎりを、ひと口50回ほどかみます。胚芽つきの半つき米や玄米ならば、さらに効果的です。

にら

にらのしぼり汁

にらはスタミナ野菜としても有名ですが、独特のにおい成分である硫化アリルが消化をうながして、胸やけの不快な症状をやわらげてくれます。

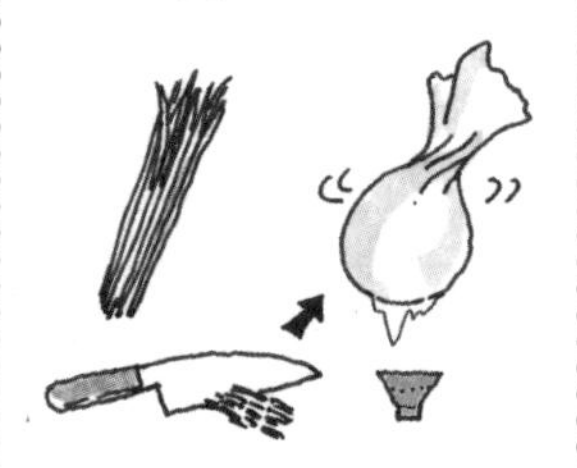

にら1束くらいをきざんで茶碗などに入れてつき、ふきんやガーゼでしぼります。しぼった汁を湯で割り、毎日飲みます。

ヨモギ

ヨモギの葉の煎じ汁

ヨモギ（モチグサ）の精油成分が胃の働きを活発にして、胸やけやげっぷをおさえます。6～7月ごろ採取したものを、よく乾燥させて保存します。

乾燥したヨモギ5～10gを水500～600mℓで半量まで煎じ、1日3回に分けて空腹時に飲みます。

アロエ

アロエの葉のすりおろし汁

アロエは、身近な万能薬としてたいへん有名ですが、その葉のすりおろし汁は胸やけの解消や健胃に効果があります。

アロエの葉は、よく水洗いをして水気を取ります。

トゲを切り取って、すり鉢などですりつぶしたのち、ガーゼに包んでしぼります。

さかずきに半量くらいずつを目安にして、1日3回食間に飲みます。
なお、アロエは下痢や内臓に充血を起こすこともありますので、痔のひと、妊婦、生理中のひとなどは避けたほうがよい場合もあります。

オケラ

オケラの根の煎じ汁

オケラは山野に自生する多年草です。その根には健胃・整腸作用があり、漢方では白朮（びゃくじゅつ）などと呼ばれています。胸やけやとくにしつこいげっぷに効果があります。

乾燥させたオケラの根10〜15gほどを水400mℓで半量まで煎じ、1日3回に分けて食前に飲みます。

覚えておくと便利

胸やけやげっぷの手当て

一時的な胸やけやげっぷは、とくに心配はいりません。胃酸過多の場合でも低酸傾向の場合でも、ふたつまみほどの重曹を水といっしょに飲むことでケロリとなおります。牛乳を飲むのもよいでしょう。

また、胸やけやげっぷが起きているときには、胃粘膜に刺激をあたえるような食べものを取らないことがたいせつです。

さらに、胃液の分泌をうながすものもできるだけ制限します。したがって、こしょう、唐辛子、わさび、しょうが、カレー粉、ソース、塩辛、コーヒーなどは避けるようにします。

サンザシ

サンザシの実の煎じ汁

サンザシの実は、健胃・消化促進作用の成分を含み、とくに低酸症の胸やけの解消に効果があります。

9月ごろに採取した実を天日干しにして、乾燥させます。その実10gほどを水600mℓで半量まで煎じ、1日3回に分けて飲みます。採取できないときは、漢方薬局でも入手できます。

食欲不振

食欲不振の大半は心身の不調から。原因をつき止めて生活と食事の工夫を

食べもので食欲を増進する

食欲は、心身の不調の影響をとても受けやすいものです。職場や家庭内に心配ごとや不安があったり、仕事や運動などで肉体的に疲れていたりするときは、食欲もなくなりがちです。そして、このようなケースが食欲不振の大半を占めています。この場合は、心身の休養や気分転換をはかるなど、生活にメリハリをつけることがかんじんです。

また、かぜなどで発熱したときも食欲がなくなります。しかし、これは発熱による一時的なもので、熱が下がるとともに、しだいに食欲も出てきます。ただし食欲不振は、胃炎、胃アトニー、そのほかの消化器系疾患や肝炎、胆のう炎、すい炎、腎臓病、神経性食欲不振症などの病気から起こることもあります。原因がはっきりしない食欲不振が続くときは、医師の診察を受けたほうがよいでしょう。

いっぽう、心身の不調から食欲がないときは、しそやパセリのような芳香性の健胃食品などを食事に取り入れる工夫もたいせつです。これらの食べものは、胃や大脳を刺激し、胃液の分泌を高めて食欲を増進させます。

体調不良で食欲がないときの食べもの

知っておきたい One Point

肉体疲労や睡眠不足、かぜぎみなどによる体調不良が原因で食欲不振になっているときは、おかゆなど消化のよい料理にビタミンB₁の多い食べものを加えると、新陳代謝をよくし、胃腸の働きも活発になります。

身近な食べものでは、ビタミンB₁が豊富なうえに、滋養・強壮効果もあるヤマイモやにんにくなどが最適です。梅干しも疲労回復に役立つとともに、食欲を増進させます。またあんず酒、スモモ酒などの果実酒も、食前酒として食欲増進に役立ちます。

みかん

みかんの果皮の煎じ汁

みかんの皮は、漢方では陳皮（ちんぴ）と呼ばれ、胃の働きを活発にし、食欲を増進させる効用があります。胃の調子が悪いときなどに、すぐれた効果を発揮します。

乾燥させたみかんの皮（陳皮）10ｇを水600mℓで半量まで煎じます。

これを１日３回に分けて飲みます。好みにより少量のハチミツを加えてもかまいません。
なお、陳皮の粉末にも同様の効果があります。

しそ

しその煎じ汁

しそ独特の香りには、胃液の分泌をうながし、食欲を増進させる効果があります。また、健胃・整腸作用のほか、神経をしずめる作用もありますので、ストレス性の食欲不振にも有効です。

乾燥させたしその葉５ｇを水600mℓで半量まで煎じ、これを１日３回に分けて飲みます。軽い食欲不振には、しそごはんも効果的です。

しょうが

しょうがの薄切り

しょうがには独特の香りと辛みがあり、これが胃液の分泌をさかんにし、胃腸の働きを活発にします。殺菌・消炎作用もありますので、吐き気などもおさえます。

胃がつかえて食欲がないときなどに、しょうがの薄切り２〜３枚を食べます。痔のひとや、目が充血しているひとはひかえます。

食事の取り方

ストレスや疲労の解消につとめ、食欲を刺激する食べものを取る

食欲がないということは、体のどこかに変調がある証拠です。それがストレスや疲労などによるものであれば、解消につとめ、食欲を早めに取り戻すことです。
また、胃腸の働きを活発にし、食欲を刺激する食べものも利用したいものです。しそやしょうが、パセリ、みつ葉、みょうがなどは、特有の香りと辛み成分の働きで、食欲を増してくれます。

みょうが

みょうがの甘酢漬け

みょうがのさわやかな香り成分である精油と辛み成分が消化を促進し、食欲増進に役立ちます。薬味としても、利用価値の高い食べものです。

みょうが10個をなべでさっとゆで、ざるにとり、冷ましてから酢、砂糖、塩、梅酢を適量まぜあわせたなかに漬けて食べます。

みつ葉

みつ葉ジュース

みつ葉の茎葉に含まれている芳香性の精油成分には、胃腸の働きを活発にし、食欲を増進させる作用があります。胃腸の弱いひとの食欲不振に効果的です。

みつ葉のほか、好みの量のにんじん、キャベツ、トマトなどをジューサーにかけます。りんごを加えると飲みやすくなります。

ヤマモモ

ヤマモモの樹皮の粉末

ヤマモモ（山桃）の樹皮には、食欲を増進させる働きのほか、腹痛をやわらげ、下痢を止める作用、また利尿作用があります。乾燥させた樹皮を、漢方では揚梅皮（ようばいひ）といいます。

生の樹皮をすって粉末にし、１回量を１～２ｇとして１日に３回飲みます。

さんしょう

さんしょうの実の煎じ汁

ピリリと辛いさんしょう（山椒）の実には、胃腸を温め、食欲を増進させる働きがあります。ほかに、消炎、利尿、鎮痛などの薬効もあります。

さんしょうの実３ｇほどを水200mℓで半量まで煎じ、これを１日３回に分けて、食後に温めて飲みます。

パセリ

パセリ酒

パセリ特有の香りのもとになっているピネン、アピオールという精油成分には、胃に適度な刺激をあたえて消化をうながし、食欲を増進させる効果があります。

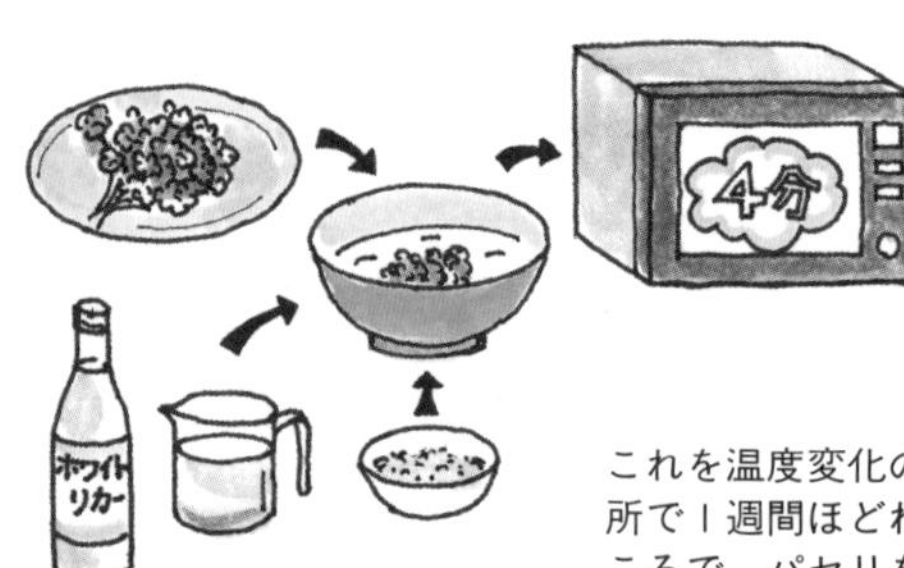

パセリ25ｇに、砂糖75ｇ、ホワイトリカー450mℓを加え、電子レンジで４分ほど加熱し、そのまま冷まします。

これを温度変化の少ない場所で１週間ほどねかせたところで、パセリを取り出し、さらに１週間ほどねかせてできあがりです。

食欲のないときに、30mℓほどを飲みます。冷蔵庫に保存すれば、意外に長もちします。

フジバカマ

フジバカマの煎じ汁

秋の七草にかぞえられるフジバカマ（藤袴）には、胃を丈夫にし、食欲を増進させる働きがあります。乾燥させたフジバカマの全草を、生薬名で蘭草（らんそう）といいます。

蘭草10ｇを水600mℓで半量まで煎じ、これを1日3回に分けて食前に飲みます。

ふきのとう

ふきのとうの煎じ汁

ふきのとうの香り成分である精油と苦み成分には、健胃作用とともに、消化をうながし、食欲を増進させる働きがあります。胃の弱いひとにも最適です。

ふきのとう20〜40ｇほどを、水400〜800mℓでゆっくりと半量まで煎じます。

これをお茶がわりに1日数回飲みます。

ふきのとう、ふきの茎、葉のどの部分でも効用がありますが、とくにふきのとうに薬効があります。

覚えておくと便利

理由のない食欲不振に注意

ストレスや精神的な緊張、また肉体的な疲労などから食欲がなくなることは健康なひとにもあることです。そして、このような食欲不振は、心身の休養と食欲を増す食べものでなおすことができます。

しかし、食欲不振はいろいろな病気からも起こります。とくに、胃アトニーや慢性胃炎など消化器系の病気にその傾向が強くあらわれます。

また、急性・慢性の肝炎でも食欲不振になります。さらに、胃がん、大腸がんなどでは、症状が進むにつれて食欲も低下してきます。

これといった理由もなく、なんとなく食欲不振が続き、体重も減ってくるようなときは、医師に相談したほうがよいでしょう。

うど

うどのサラダ

うどには、香り成分である精油のほか、ビタミン、ミネラルが含まれています。栄養のバランスを取りながら、食欲を増進させる効果があります。独特の歯ざわりのよさも食を進めます。

うどの皮を厚めにむいて、酢水に浸してアクをぬき、細切りにします。これにマヨネーズやドレッシングなどをかけて食べます。

トピック 2

油断大敵食中毒

食中毒の大半は細菌性のもの

食中毒とは飲食物を摂取することによって起こる下痢、腹痛など急性胃腸炎をおもな症状とした健康障害のことです。動物や植物がもともともっている毒（自然毒）によって起こる食中毒や、化学物質による食中毒がありますが、食中毒の大半は、サルモネラ菌、ブドウ球菌、ボツリヌス菌などの病原菌によって起こる細菌性のものです（O－157については110頁を参照してください）。

細菌性食中毒の原因となる食品は、魚介類とその加工品が半数を占めています。細菌性食中毒は、原因となる食品には腐敗臭もなく、外見上では判断がつきにくいのです。さらに、加工品は別として、買った食品が汚染されているというよりは、家庭内での取り扱い方に問題があることも多いのです。

これにはまず、新鮮な材料を使用するということと、調理器具や手指を清潔に保つことがとても重要です。また、指などに化膿性疾患のある人が調理すると、ブドウ球菌食中毒の原因になることがあるので、気をつけてください。

冷蔵庫を過信しない

冷蔵庫は食物の貯蔵に重要な役割をはたしていますが、使い方を誤ると、驚くほどの割合で細菌を増やしてしまいます。まず問題なのは、冷蔵庫内部の温度です。冷蔵庫が正しく作動しているということは、冷蔵庫内の場所によって温度は違っても、平均温度として5度以下であるということです。というのは、細菌は5度から63度の間であれば、すぐに増殖してしまうからです。たとえば、食べものを鍋のなかや台所の片隅で放置しておくと、室温にあわせて温度が上がり、細菌が増える絶好の機会となります。

ある家庭用冷蔵庫の調査では、冷蔵庫内の温度が8度から14度の間だという家庭が、40％近くあったという結果が出ました。この温度は、細菌にとっては非常に住みやすい温度です。

普段から冷蔵庫内の温度をチェックして、細菌の発育を確実に抑えることが必要でしょう。

冷蔵庫を使うときの注意点としては、

①霜がつき過ぎると効率よく冷えないので、定期的に霜取りをおこなう。

②扉のゴムシールが破れていると、空気が漏れてしまい、食物が危険な状態になるので、その場合はすぐに取り替える。

③食べ物を入れ過ぎると、冷たい空気がうまく循環せず、冷えないものも出てきてしまうので、必要以上に入れ過ぎない。

④冷蔵庫内の温度が5度以下にもどるまでに時間がかかってしまうのを避けるため、食べものは、まず冷まし

てから入れる。

⑤冷蔵庫の背後にほこりがたまっていると、あたたかい空気が逃げていかなくなるので、掃除をまめにおこなう。

このようなことに気を配って冷蔵庫を使用すれば、食品の安全性ははるかに高くなります。

死亡することもあるボツリヌス菌

食品中で細菌が増殖する際に産生された毒素を摂取して起こる食中毒に、ブドウ球菌、ボツリヌス菌による食中毒などがあります。これらは毒素型食中毒といいますが、とくにボツリヌス菌は、重症になると死亡することもあります。

原因となる食品として、ぶつ切りの魚肉を塩漬けにしたものなどがあります。潜伏期は12~18時間です。この菌は神経系を攻撃します。おもな症状としては、倦怠感、視覚障害、言語障害、呼吸困難などがあります。死亡にいたる場合は、発病後1日~1週間以内が多く、助かった場合でも、全快までに6カ月くらいかかります。

こんなところに注意

食中毒を避けるため注意したい食べものにはサンドイッチなどの調理パンがあります。肉などタンパク質の多い具は、細菌の繁殖にとって理想的なものです。サンドイッチをつくってから2~3時間以内に食べるかぎりでは問題ありませんが、それ以上の時間ならば、必ず低温で保存します。

食中毒予防のために

日常の食生活で食中毒を予防するためには、次のような注意が必要です。

①手洗いを励行し、つねに手指を清潔に保つ。
②まな板、包丁、ふきん、食器などは熱湯消毒をして、つねに乾燥させておく。
③冷蔵庫を過信しない。
④野菜類は流水でよく洗う。
⑤肉や魚は新鮮なものを選び、なるべく加熱処理をする。
⑥賞味期限を確認する。
⑦店の衛生管理をチェックする。
⑧ネズミやゴキブリなどを防ぐ。
⑨きのこやふぐなどは、素人判断で採取したり、調理したりしない。

食中毒・食あたり

食中毒、食あたりは初夏から秋に多い。腹痛、下痢、嘔吐がおもな症状

一刻も早く毒物を体外に出す

食中毒は、別名、食あたりともいいます。食中毒の原因は、飲食物にまじった細菌や毒物などです。前者は細菌による食中毒、後者は、ふぐ、きのこ類などに含まれる毒物による食中毒といえます。食中毒のおもな症状には、激しい腹痛、下痢、嘔吐などが、ほぼ同時に起きることが多いようです。

食中毒の手当ては、できるだけはやく毒物を体外に出すことが必要なので、無理をしてでも吐くようにします。そのときに食塩水を飲み、ひとさし指となか指で、舌の根を押さえるようにすると吐きやすくなります。吐いたあとは、安静を第一に心がけ、下痢がおさまるまでは水分の補給以外、絶食します。なお、食後10時間以上たってから症状がまた出る場合は、至急医師の診察が必要です。

食中毒を予防するには、殺菌作用、防腐作用のある食べものを取ることがたいせつです。たとえば、しそは刺身のつまに広く利用されていますが、あれは飾りではなく、食中毒を予防するためにあるのです。今まで残していたひとは、今後食べるように心がけましょう。

食中毒は日ごろの注意で予防できる

知っておきたい One Point

食中毒は、食べものが腐敗しやすい初夏から秋に多く発生します。食中毒の原因では、細菌による中毒が多いので、とくに腐敗しやすい魚介類などは鮮度のよいものを選びます。また、保存する場合は、冷蔵庫で5度以下に保ち、1～2日間で、食べ切ることを心がけます。また、食べるときは、かならず火をとおすことがたいせつです。

まな板などの調理器具も日ごろから清潔にし、熱湯消毒します。ゴキブリやネズミの駆除も、食中毒を防ぐには重要です。

食事の取り方

食中毒の防止には殺菌作用や防腐作用のある食べものを取る

食中毒を防止するには、殺菌作用、防腐作用のある食べものが効果的です。しそをはじめ、しょうが、梅、大根などはこうした作用にすぐれています。とくに魚介類を生で食べるときは、いっしょに食べることがたいせつです。

また、食中毒になっても吐けない場合には、あずき（小豆）が効きます。さらにヨモギは、食中毒からくる腹痛に効きます。

梅

梅肉エキス

梅には強力な抗菌作用があります。また、細菌による下痢にも効きますので、食中毒からくる下痢にすぐれた効果を発揮します。

青梅５kgを洗い水気を切り、金属以外のおろし器で果肉部分をすりおろします。これをガーゼなどで強くしぼります。

このしぼり汁を弱火で数時間ほど土なべやガラスなべ（金属なべでないもの）で煮つめます。水分が蒸発して、茶色から黒色に変わり、とろみがついたらできあがり。

飲み方は、小さじ半分程度の梅肉エキスを湯のみに入れて、湯を適量そそいで飲みます。

なお、梅肉エキスは冷暗所で長期間保存できますので、常備薬になります。

しょうが

しょうがの煎じ汁

しょうがの辛み成分には、殺菌作用のほか、吐き気をおさえる働きもあるので、吐き気が止まらないときに効果的です。

しょうが５ｇとカラスビシャク（生薬名：半夏／はんげ）の根茎５ｇを600mℓの水で半量まで煎じます。これを１日分として、３回に分けて飲みます。

ヤナギタデ

ヤナギタデの煎じ汁

ヤナギタデは、湿地や水辺でよく見かける植物です。秋になると淡紅色の実がつき、稲穂のように垂れ下がります。薬効は、実、葉、茎にありますが、食中毒には葉と茎が効きます。

かげ干しにした葉、茎を５ｇほど、600mℓの水で半量になるまで煎じます。これを１日分として、３回に分けて飲みます。

ナンテン

ナンテンの葉茶

ナンテンは、庭木や生け垣に利用されている常緑樹で、秋は枝先に赤い実をつけます。ナンテンには、防腐作用や解毒作用があります。とくに魚の食中毒には、吐剤として効果を発揮します。

ナンテンの先端の生葉９枚ほどを細かくきざんで、200㎖の水に入れ沸騰させます。沸騰したら火を止め、温かいうちに全部飲みます。

あずき

あずきの粉末

あずき（小豆）に含まれるサポニンの効用のひとつに、催吐作用があります。食中毒のときに、吐きたいのに吐き出せない場合に効果があります。

ゆでていないあずきを適量すり鉢などですって粉末にします。この粉末５ｇに湯をそそいで飲みます。

しそ

しその葉の煎じ汁

しそに含まれているペリラアルデヒドは、防腐作用にすぐれています。とくに魚やカニの毒を中和して、食中毒を予防する働きがあります。

よく洗ったしその葉30ｇ、しょうが18ｇ、ホオノキの皮（生薬名：厚朴／こうぼく）６ｇ、甘草（かんぞう）６ｇと600㎖の水をなべに入れます。

これを半量になるまで煎じます。飲む量は、１回分約150㎖です。

なお、緊急の場合は、しその葉をたくさん食べても効果はあります。

とうがん

とうがんのしぼり汁

とうがんには、すぐれた利尿作用があります。食中毒の毒素をはやく体外に排出させたいときに効果的です。

とうがんを適当な大きさに切り、皮をむいてガーゼなどでしぼります。これを適宜飲みます。

なす

なすのへたの煎じ汁

なすのへたには、痛みをやわらげるアルカロイドが含まれています。食中毒からくる腹痛に効果を発揮します。

乾燥させたなすのへた４～５個を600㎖の水で半量になるまで煎じます。これを、温かいうちに全部飲みます。

ハチミツ

ハチミツ水

ハチミツには、強い殺菌力があります。たとえば、食中毒の原因のひとつであるサルモネラ菌も殺菌するほどです。また、食中毒からくる下痢にもすぐれた効果を発揮します。

ハチミツ30ｇに水、または湯200mℓを加えます。これを１日１回飲みます。

ヨモギ

ヨモギの煎じ汁

ヨモギ（蓬）の葉に含まれるシネオールなどに、下痢を止める作用があります。食中毒からくる下痢や腹痛に効果的です。

乾燥させた葉２ｇ、しょうが５ｇを150mℓの水で半量まで煎じます。これを１日量として３回に分けて飲みます。

ツワブキ

ツワブキの葉の煎じ汁

ツワブキは、海辺などの近くの山地に群生するキク科の植物です。地方によってツワ、ヤマブキなど呼び名が違います。強い抗菌作用があり、とくに魚の食中毒にはよく効きます。

生葉３～４枚をよく洗って、細かくきざみます。

きざんだ葉に200mℓの水を加え、半量になるまで煎じます。これを１日分として２回に分けて飲みます。

なお、10枚ほどの生葉をガーゼなどで適量しぼって飲んでも効果があります。

覚えておくと便利

禁忌食と食中毒の関係は？

細菌による食中毒が発生しやすい気象条件は、一般に気温15度以上、湿度70％以上だといわれています。発生時期では、梅雨の時期と並んで秋も多いといいます。

また、昔から特定の２種類の食べものを同時に取ると、食中毒や腹痛を起こすといわれるものがあります。いわゆる禁忌食です。

たとえば、うなぎと梅干し、すいかとてんぷらなど、１０種類以上の禁忌食があるようです。

しかし、今日では禁忌食によって食中毒を引き起こすという考え方は非科学的だ、という意見が大半を占めます。したがって禁忌食は、消化や吸収、栄養などが阻害されやすい食べものであり、取り過ぎに注意するという考え方のほうが合理的で、理にかなっているようです。

不眠症

不眠原因の多くは心理的なストレス。神経をしずめ、精神を安定させることがたいせつ

安眠をうながす食べものが一番

不眠症とは、十分に睡眠が取れない状態が慢性的に続いていることをいいます。安眠をさまたげる要因には、神経の過度の緊張や精神的な疲労、ストレスなどがあります。そのために熟睡できないのです。

また、不眠は症状によって神経性不眠、うつ病性不眠などに分かれます。神経性不眠は床についても、いろいろなことを考え、目がさえて、眠れなくなるものです。うつ病性不眠は不安感などから眠りが浅くなり、夜中に何回も目をさましてしまうものです。いずれも転勤や転職などといった、生活環境が変化した場合などに多くみられるようです。

このほかでは、寝つきが極端に悪くなって、目ざめているのか眠っているのか本人にも自覚できないような状態が続く場合は、脳動脈硬化症などが疑われますので、医師の診察が必要です。

重病以外の不眠は、精神的な疲労やストレスなどが原因になっていますので、精神を安定させる食べもの、ストレス解消に効く食べものを積極的に取ると効果的です。

知っておきたい One Point

就寝前の刺激物摂取は禁物

健康なひとでも、就寝前にコーヒーや紅茶、日本茶などを多く取ると、寝つきが悪くなったり、目がさえてなかなか眠くならなくなったりすることがあります。原因は、カフェインにあります。一時的にせよ覚醒作用が働くからです。

不眠症のひとがこうした飲みものを取ると、一層の不眠をまねきます。とくに就寝前の摂取は禁物です。また、きゅうり、なす、トマト、柿などは体を冷やす作用があるので、多食しないよう注意が必要です。

食事の取り方

不眠の予防には精神・神経の緊張を取る食べものが効果的

不眠を防ぐには、心理的なストレスや精神、神経の緊張を抑える食べものを取るとよいです。寝つきが悪い場合には、チーズなどの乳製品が神経の高ぶりをしずめます。

また、にんにく、玉ねぎ、しそ、くるみなども神経の鎮静、精神の不安を取りのぞく作用があり、不眠に効果があります。さらに、眠れないことを気にしないように心がけることもたいせつです。

ラベンダー

ラベンダーティー

ラベンダーの花穂(かすい)が含む酢酸リナロールは、鎮静作用にすぐれ、不眠に効果を発揮します。

市販もされている乾燥ラベンダーの花穂を小さじ1杯分ティーポットに入れ、熱湯をそそぎ、3～4分間おいて飲みます。なお、就寝前に飲むと一層効果的です。

しそ

青じそ酒

青じそに含まれているメントール成分には、神経をしずめる効果があります。また、精神的な不安をやわらげる働きもありますので、不眠の解消にすぐれた効果を発揮します。

青じそ100gをよく洗い、半日ほどかげ干しします。これと、ホワイトリカー(焼酎)1.8ℓ、氷砂糖200gを広口びんに入れます。
冷暗所で3カ月ほどねかせて、葉を取り出せばできあがりです。就寝前にさかずき1～2杯を水で薄めて飲みます。

キンシン菜

キンシン菜のスープ

キンシン(金針)菜は、ホンカンゾウ(ユリ科)の花のつぼみを乾燥させた中国の食材です。神経や精神を安定させ、不眠症に効きます。

キンシン菜30gを300mℓの水で30分ほど煮ます。これをガーゼなどでこして、氷砂糖を少量加えてよく溶かします。これを就寝1時間くらい前に飲みます。

ヤブカンゾウ

ヤブカンゾウの葉の煎じ汁

ヤブカンゾウは、野山に自生する多年草です。ユリに似たオレンジ色の花を咲かせます。不眠解消には効果的です。

9月ごろに根を掘り出し、天日干しで乾燥させた根10gを500～600mℓの水で半量まで煎じます。これを1日分として、3回に分けて食間に飲みます。

アサ

アサの実の煎じ汁

アサ（麻）はクワ科の1年草で、秋に実をつけます。生薬では、麻子仁（ましにん）といい、鎮静作用にすぐれ、神経が高ぶり、寝つきの悪いときに効果的です。

アサの実10gを540mℓの水で半量まで煎じこれを1日に3回に分けて食間に飲みます。これを3日間続けます。なお、長期間の服用は避けましょう。

カノコソウ

カノコソウの根の煎じ汁

カノコソウは、山地のしめった場所に自生します。薬効は根にあり、神経をしずめるので、不眠に効きます。生薬名は、纈草（けつそう）。

秋に掘り出した根を水洗いし、天日干しで乾燥させ、細かくきざんでガーゼにくるんで湯のみに入れ、熱湯をそそいで1日に2～3回飲みます。1回分は5g程度。

キンモクセイ

キンモクセイの花酒

キンモクセイは、秋に小さい花をつけ、さわやかな芳香を放ちます。花と芳香が不眠に効果を発揮します。

かげ干しで乾燥させた花30gとホワイトリカー（焼酎）1.8ℓ、氷砂糖100gを広口びんに入れ、3～4日間冷暗所においたあと、ガーゼなどでこし、1日1回就寝前に10mℓほど飲みます。

くるみ

くるみペースト

くるみには、ビタミンB_1をはじめ各種ビタミン類が多く含まれています。ビタミンB_1には神経疲労や神経をしずめる効果があり、不眠症にはすぐれた効果を発揮します。

くるみと黒ごま、クワの葉各30gをすり鉢に入れます。

そして、ペースト状になるまですります。これを1日2回、パンなどにつけて食べます。1回分は9gほどが適量です。

セロリ

セロリ湯

セロリ独特の香りの成分アルビオールには、神経をリラックスさせる働きがあります。神経過敏からくる不眠に、すぐれた効果を発揮します。

セロリ1/2本をおろし金などですりおろします。これを湯のみに入れ、ハチミツ適量を加えて熱湯をそそいで、就寝前に飲みます。

にんにく

にんにく酒

にんにくは、滋養・強壮の代表的な食べものです。とくにビタミンB_1が多く含まれていますので血行をよくし、体を温めて眠りをさそう働きがあります。また、神経の疲労を取りのぞく作用にもすぐれていますので、不眠解消にはとても効果的です。

にんにく300gほどを、おろし金などですりおろします。これを広口びんに日本酒1.8ℓとともに入れ、10日ほどおきます。これを1日に数回、1回あたりさかずき1杯ほどを飲みます。

なお、刺激があるので胃弱のひとは、飲み過ぎないよう注意が必要です。

覚えておくと便利

部屋におくだけで安眠をさそう玉ねぎ

不眠を解消する食べものは、いろいろありますが、そのなかでももっとも手軽で簡単にできる、玉ねぎ不眠解消法を紹介します。

玉ねぎは、不眠を解消する食材として古くから世界中で広く利用されてきました。また、食べなくても枕もとにおくだけで自然な眠りをさそってくれます。玉ねぎに含まれる揮発性成分のねぎ油を吸い込むことによって、神経が鎮静されるからです。

つくり方は、玉ねぎを適量（何回かためして量を調節してください）細かくきざんで皿などに入れて、就寝前に枕もとにおくだけです。

これなら、玉ねぎ嫌いのひとにも大丈夫でしょう。一度ためしてみてください。

グレープフルーツ

ホットグレープフルーツジュース

グレープフルーツは、ほかの柑橘類にくらべビタミンCが豊富なほか、ビタミンB_1も含まれています。しぼって温めて飲むと神経の鎮静に効果があります。

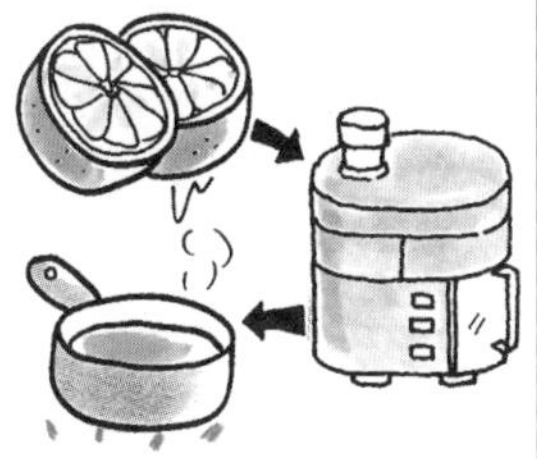

グレープフルーツ1個の皮をむき、種子と袋を取り、ジューサーなどでしぼります。これを弱火ですこし温めて飲みます。

多汗・寝汗

神経質にならず、スポーツや食事で体調をととのえる

強壮作用のある食べものを取る

暑いときや運動のあと、かぜで高熱が出たときなどに汗をかくのは、当然の生理現象です。人間は体内の水分を汗として蒸発させて熱を放出し、体温を一定に保っているのです。

また、緊張したり驚いたりしたときに脳が刺激を受けて冷や汗をかくことは、だれもが経験していることです。睡眠中に着ているものを濡らすほどの寝汗も、ほとんど生理的なものです。

汗の出る量が多い多汗症のひとも、だいたいが生まれつきの体質によるもので、心配ありません。多汗症のひとは、無理に汗を止めようと神経質になるのではなく、スポーツで心身を鍛え、食べもので疲労を取りのぞき、体の調子をととのえることがたいせつです。

ただし発汗には、バセドウ病、肺結核、リウマチなど、病気からくるものもありますので注意が必要です。発熱など発汗以外の症状がある場合は、医師の診察を受けましょう。

多汗症を改善する食べものとしては、強壮・止汗作用のある黒豆（大豆）や小麦などがあります。これらの食べものを毎日食べるようにすることがたいせつです。

寝具や下着の厚着をなくして寝汗を防ぐ

知っておきたい One Point

人間は、睡眠中にかなりの汗をかきます。気温や湿度が高かったり、下着を厚着していれば、必然的にその量も多くなります。

生理現象なので気にすることはありませんが、あまり汗の量が多い場合は、体が冷えてかぜをひかないように汗を十分ふき取り、下着やシーツを何度でも取り替えましょう。とくに赤ちゃんや子どもの下着は、汗をよく吸い取るもめんにして、厚着をさせないようにします。汗をかいたあとは、ベビーパウダーをつけておきます。

食事の取り方

汗をおさえるには、まずは強壮作用のある食べもので体力回復を

多汗や寝汗は、体力がおとろえているときにあらわれやすい症状です。強壮作用のある食べものを毎日取って、体力を回復させることが必要です。

小麦や黒豆（大豆）のほか、オウギ（黄耆）、もち米、にら、ヤマイモなどは、水分代謝をうながし体を丈夫にします。自分にあった食べものを選んで、継続して取るようにしましょう。

オウギ

オウギの煎じ汁

オウギ（黄耆）は中国産のマメ科の植物の根で、中国料理や漢方薬などにつかわれています。利尿や強壮にすぐれ、血液の循環をよくし、汗をおさえる働きがあります。

オウギ３ｇを水600mℓで半量になるまで煎じ、１日３回に分けて空腹時に飲みます。

もち米

もち米のハチミツ煮

もち米は玄米と並び、ビタミンB_1、B_2、タンパク質など栄養価に富んだ穀物です。疲れやすく、寝汗をかいたり、頻尿で夜中に起きるひとの症状を緩和します。

もち米、水、ハチミツを３対５対１の割合でなべに入れ、煮込んでから食べます。

にら

にらジュース

にらは硫化アリルやビタミン類が豊富で、スタミナ増強にかかせない緑黄色野菜です。体力がおとろえ、寝汗をかきやすいひとに適しています。ジュースにして飲むと、とくに効果を発揮します。

にら20ｇに水200mℓとハチミツ大さじ１杯を加え、ミキサーにかけて飲みます。

にら特有の強いにおいが気になるひとは、水のかわりに牛乳を入れると、飲みやすくなります。毎日飲むと効果的です。

小麦

小麦とナツメの実(龍眼肉)の煮もの

小麦は体の熱っぽさを取りのぞくほか、多汗、寝汗、のどのかわき、不眠を解消します。漢方では、小麦をつかった薬は精神不安に効くとされています。

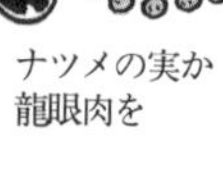

小麦50g(できれば全粒粉)、乾燥したナツメの実10個、または乾燥した龍眼肉(りゅうがんにく)15gをなべに入れ、材料がかくれるくらいまで水を加えます。なべを火にかけ、材料がドロドロになるまでよく煮ます。

実がドロドロになるまで

黒豆

黒豆と小麦のフスマの煎じ汁

大豆は栄養価にすぐれ、良質のタンパク質や脂肪、ビタミンB1、Eを多く含む食べものです。なかでも黒豆は、疲労からくる寝汗に効果的です。小麦のフスマにも止汗作用があります。

黒豆9gと小麦のフスマ9gを水600mℓで半量になるまで煎じて飲みます。

朝鮮にんじん

朝鮮にんじんの煎じ汁

朝鮮にんじんは強壮、強精の薬として重宝され、中枢神経の働きを活発化し、疲労回復に作用して、疲労による寝汗をおさえます。漢方薬局で入手できます。

きざんだ朝鮮にんじん3gを水400mℓで半量になるまで煎じます。これを1日3回に分けて飲みます。

モモ

モモのヨーグルトジュース

モモの果実は漢方では桃仁(とうにん)と呼ばれ、かかすことのできない生薬とされています。滋養分があり、寝汗やのどのかわきに効能があります。

皮と種子を取ったモモ1個、レモン汁1/2個分、プレーンヨーグルト2/3カップ、ハチミツ大さじ1杯をミキサーにかけて飲みます。

ヤマイモ

ヤマイモの梅干しあえ

ヤマイモは滋養・強壮にすぐれ、寝汗、衰弱時の発汗をやわらげます。消化酵素のジアスターゼを多く含み、生で食べるとより消化がよくなります。梅干しには、疲労回復の効果もあります。

皮をむいたヤマイモ100gを細切りにし、梅干しの果肉1個分とあえます。きざみのりをのせて食べます。

クコ

クコ酒

クコは、老化、高血圧症、低血圧症、肝臓病、便秘、神経痛など、さまざまな症状に効く山野草として昔から親しまれてきました。とくにクコの実である枸杞子（くこし）でつくるクコ酒は、疲労が原因の多汗症や寝汗を解消します。

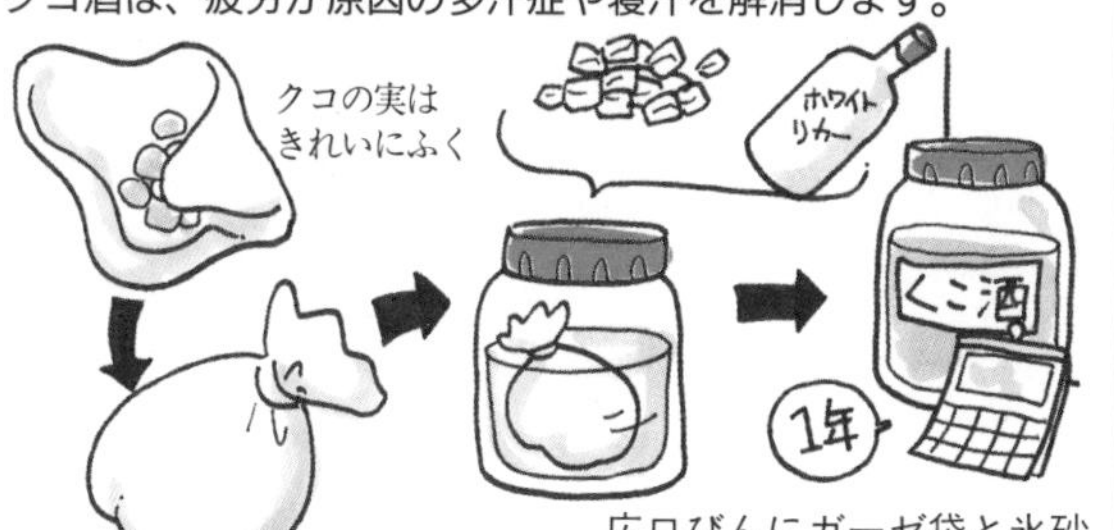

乾燥したクコの実150ｇを、濡れぶきんでふきます。
ガーゼでつくった袋にクコの実を入れ、袋の口を糸で結んで閉じます。

広口びんにガーゼ袋と氷砂糖400ｇとホワイトリカー1.8ℓを入れます。
風とおしのよい冷暗所に１年間おいてから、毎日夕食前か寝る前に、小さめのワイングラス１杯を飲みます。

桑の葉

桑の葉の煎じ汁

桑の葉にはタンニン、カロチンが含まれ、滋養・強壮、体力回復に効き、疲労からくる多汗や寝汗にも効きます。お茶には若葉をもちいます。

桑の葉10ｇと、クコの葉５ｇを、水500㎖で半量になるまで煎じ、１日数回に分けて飲みます。

覚えておくと便利　薬湯で汗をおさえる

汗をたくさんかいたときは、シャワーや風呂に入ると、汗がひいてサッパリしますが、風呂の湯を薬湯にすれば、もっと効果的です。

薬湯のなかでもとくにおすすめなのが重曹湯で、重曹の成分が体の水分の蒸発を活発にし、体温を下げるので、入浴後は肌が引き締まり、爽快な気分になります。重曹をひとつかみ、浴槽の湯に加えて入ります。

また、みょうばんも重曹と同じ働きをしますので、一度ためしてみてください。暑い日や、ストレスのたまったときなど、心身ともにスッキリします。

にんにく

にんにくのハチミツ漬け

にんにくはにらと並んで栄養価が高く、強壮作用のすぐれた食べものです。疲労回復に効果があり、過労が原因の多汗や寝汗を解消します。

皮をむいたにんにくの小片10個と、それがかくれる量のハチミツを器に入れ、冷蔵庫に半年おいてから１回に１～２個食べます。

イライラ・ストレス

イライラは神経の疲労も原因。十分な睡眠とリラックスを心がける

神経を安定させる食べものが効果的

イライラは、神経が過敏になっている場合に起きます。たとえば、人間関係や仕事上などで生じる精神的な疲れ、不安感、それにともなう睡眠不足などが神経を過敏にさせます。カルシウム不足も原因になります。

比較的軽いイライラは、時間の経過とともにしだいにおさまってくるのがふつうです。また、イライラの原因も特定できることが多いようです。しかし、イライラが長期間続き、原因が特定できないような場合は、専門医の診察が必要です。神経症、そのほかの心の病気がかくされている可能性があるからです。

イライラを防止するには、日ごろからストレスをためないことが一番です。そのためにスポーツや趣味などをもち、ストレスの解消をはかり、心身の健康維持に気をつけることがたいせつです。また、イライラした神経をしずめる働きのある食べもの、安眠をうながす食べものを多く取るように心がけます。

イライラは肉体にも悪影響を与える

知っておきたい One Point

イライラは、精神的な疲労、ストレスなどが影響し、精神的に不安定な状態にあることです。さらにイライラがつのると、ノイローゼなどといった心の病気をまねくことがあります。

こうした心の病気は、肉体的にも悪影響をあたえます。たとえば、高血圧症、胃潰瘍、十二指腸潰瘍、糖尿病、脱毛症などの病気の原因にもなります。

日ごろからイライラやストレスを感じたら、スポーツなどで気分転換をはかることがたいせつです。

ユリ

ユリ根の煎じ汁

ユリ（百合）は、昔から観賞用、食用として広く利用されています。薬効は根にあり、精神を安定させる効果にすぐれています。とくにイライラして寝つけないときに効果的です。

ユリ根7個を600mlの水に1昼夜漬けておきます。

これを半量になるまで煎じたら、ユリ根を取り出します。そのあと卵黄1個を溶いて入れます。

これを1日量として、朝と晩2回に分けて飲みます。

食事の取り方

イライラには神経をしずめる食べものとカルシウムを多く取る

イライラは、神経が過敏になっているので、神経をリラックスさせる食べもの、玉ねぎ、にら、しそ、レタス、ごまなどを積極的に食べるように心がけましょう。さらに、ユリ根、くるみ、クマザサなども神経をしずめる効果があります。

また、イライラはカルシウム不足からも起きます。カルシウムの補給には、牛乳がおすすめです。

クマザサ

クマザサの葉の煎じ汁

クマザサは、山地や草原に群生するタケ科の植物です。クマザサには、新陳代謝をさかんにする作用があり、神経の疲労からくるイライラに効果的です。

天日干しで乾燥させた葉10gを、400mlの水で半量になるまで煎じます。これを1日分として数回に分けて飲みます。

くるみ

くるみ湯

くるみには、ビタミンB_1、B_2、Eなどのビタミン類が豊富に含まれています。とくにビタミンB_1は、神経の疲労に効き、イライラした神経をリラックスさせる効果があります。

くるみの実30gをすり鉢などですって粉末にします。これに少量の砂糖を加え、湯のみに入れて湯をそそいで飲みます。

サネブトナツメ

サネブトナツメの種子の煎じ汁

サネブトナツメはナツメに似てトゲがあり、果実はナツメより小ぶりです。この種子を生薬では酸棗仁（さんそうにん）といい、鎮静、精神安定作用があります。

酸棗仁10ｇをフライパンなどでから炒り、600mℓの水を加え半量になるまで煎じます。これを１日分として２～３回に分けて飲みます。なお、酸棗仁は漢方薬局で購入できます。

玉ねぎ

玉ねぎの薄皮の煎じ汁

玉ねぎに含まれる硫化アリルは、神経の高ぶりをしずめるビタミンB_1の吸収をよくする働きもあり、イライラしたときの神経をしずめるのに効果があります。

玉ねぎの外側の薄皮をひとつかみ分、１ℓの水で半量になるまで煎じます。これを１日１回、200mℓ程度を就寝前に飲みます。

しそ

しその葉茶

しそに含まれている成分のメントールは、鎮静作用にすぐれています。イライラなどで神経が高ぶっているときに、効果を発揮します。

青じそ数枚を細かくきざみます。湯のみに入れて200mℓの熱湯をそそぎ、成分が出るまでしばらくおきます。これを就寝前に飲みます。なお、しそは赤より青じそのほうが薬効があります。

クチナシ

クチナシ酒

クチナシの実は、生薬では山梔子（さんしし）といいます。神経をしずめる作用にすぐれています。また、血行をさかんにする働きもありますので、イライラして寝つけないときに効果を発揮します。

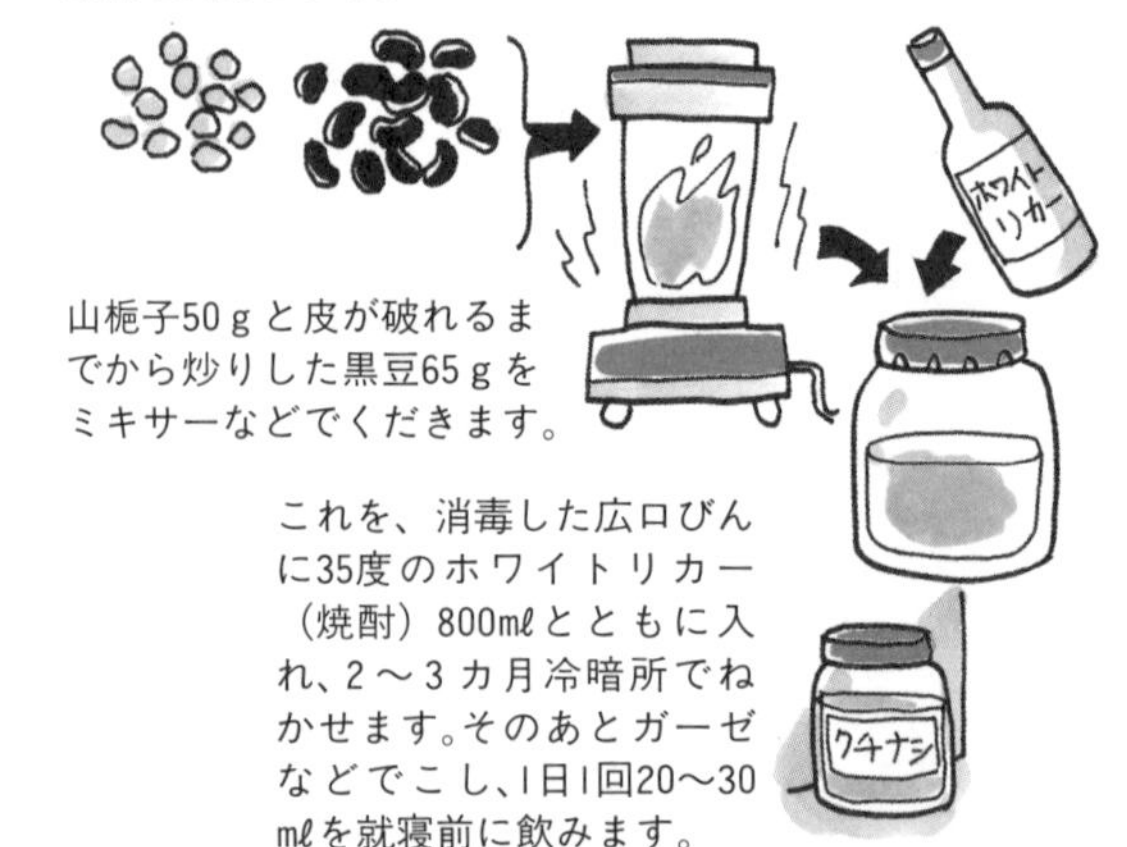

山梔子50ｇと皮が破れるまでから炒りした黒豆65ｇをミキサーなどでくだきます。

これを、消毒した広口びんに35度のホワイトリカー（焼酎）800mℓとともに入れ、2～3カ月冷暗所でねかせます。そのあとガーゼなどでこし、1日1回20～30mℓを就寝前に飲みます。

ハッカ

ハッカの葉茎の煎じ汁

ハッカ（薄荷）のさわやかな香りの、メントールや精油成分が精神を安定させ、イライラして寝つけない場合に効果的です。

６～８月ごろに採取し、かげ干ししたあと細かくきざんで、十分乾燥させたハッカの葉茎10ｇを水300mℓで半量になるまで煎じます。これを１日量として２回に分けて飲みます。

覚えておくと便利

心理的なストレスにはビタミンCが効く

イライラする原因のおもなものは、仕事や人間関係などから生じる心理的なストレスです。こうした心理的ストレスに強くなるためには、ビタミンCを豊富に含む食べものがよいといわれています。

ストレスが生じると体内で副腎皮質ホルモンが大量につくられ、ストレスに対する抵抗力を高めようとします。このときに大量のビタミンCが消費されます。

したがって、日ごろから大根、ブロッコリー、小松菜、レモン、グレープフルーツなど、ビタミンCを豊富に含む食べものを多く取るように心がけることがたいせつです。

カキ

生カキ

カキ（牡蠣）はビタミンB_1、B_2、ミネラルが豊富なので、精神を安定させる作用があります。とくにイライラ、のぼせに効果的です。

カキは生食が最適です。新鮮なカキを手ばやく塩水で洗い、レモン汁やポン酢、大根おろしなどをつけて食べます。なお、3～8月は栄養価が落ちたり、中毒する危険もあるのでこの時期の生食は避けましょう。

レタス

レタスジュース

レタスには、ビタミンB_1をはじめ各種ビタミン類、カルシウムが多く含まれています。イライラして寝つけないときに効果的です。

レタス半個、にんじん半分（皮をむく）、りんご半個（皮と芯を取る）をジューサーなどでしぼって飲みます。

菊

菊花ジュース

菊花には、ビタミンB_1、B_2、C、カリウム、カルシウムなどが豊富に含まれています。イライラした神経をしずめると同時に、不眠にすぐれた効果を発揮します。

食用菊の花びら50ｇをよく洗います。これを酢湯（湯に酢を適量入れたもの）に軽くとおします。

これと、ナシ半個（皮と種子を取る）を合わせてジューサーなどでしぼり、適宜飲みます。

疲労回復

疲労はだれにでも起こる生理現象。十分な栄養と休息で早めに回復を

糖質とビタミンB_1が効く

疲労は、だれにでも起こる一種の生理現象です。運動や労働でエネルギーを使いはたせば、たとえ健康なひとでも、多かれ少なかれ疲れを覚えます。このような疲れを感じたときは、十分な栄養を取り、軽い体操や入浴などをして、ぐっすりと熟睡することです。

いっぽう、不規則な生活や徹夜などの連続で疲労を蓄積させてしまうと、慢性疲労を起こします。慢性疲労そのものは病気というわけではありませんが、免疫能力が低下し、病気に対する抵抗力が弱まっている状態です。その結果、体調をくずしたり、思わぬ病気を招いたりします。体力を過信して、疲労をいつまでも残したままにすることは禁物です。

疲労を早めに回復し、慢性疲労を防ぐためには、ハチミツのような消化吸収のよい糖質食品や、夏みかん、レモン、梅などのようにビタミンB_1、B_2、C、クエン酸などの有機酸を含んだ食品を食べ、体を温かくして睡眠を十分に取ることが必要です。また、ストレスなどによる精神疲労の回復には、軽いスポーツや趣味などを楽しんで、気分転換をはかることも有効です。

十分な休養と心の安静で過労を防ぐ

知っておきたい One Point

慢性疲労が進み、健康障害をともなうようになった状態を過労といいます。そうなると自律神経が乱れ、動悸や息切れ、冷や汗、下痢、便秘などとともに、不眠、不安、焦燥感など神経症に近い症状があらわれます。また、最悪のケースでは心臓や脳の疾患の引き金となり、突然死につながることすらあります。

過労を防ぐには、十分な休養と心の安静を保つことです。倦怠感やだるさが続き、頭痛、めまい、吐き気などをともなうときは、医師の診察を受けます。

夏みかん

夏みかんジュース

夏みかんにはエネルギー代謝をよくし、疲労回復を促進するクエン酸、ビタミンB_1、Cが豊富に含まれています。疲れを予防し、回復をはやめる効果があります。

夏みかん2個の皮をむき、種子となかの袋を適当に取りのぞいて、ジューサーにかけます。好みで少し温めてもよいでしょう。

食事の取り方

疲労回復と疲れにくい体質づくりに効く食べものを積極的に

疲労回復や、疲れにくい体質づくりに薬効のある食べものを、毎日の食事に取り入れましょう。

糖質をたっぷり含んだハチミツや栄養満点の玄米などは、エネルギーの補給源としてすぐれ、疲労回復に即効性があります。豚ヒレ肉や大豆、梅などに含まれるビタミンB_1やクエン酸などは、エネルギー代謝をさかんにし、疲れにくくします。

にんにく

にんにくのハチミツ漬け

にんにくに含まれるアリシンが、エネルギー源である糖質の代謝をさかんにして、疲労を回復します。また、ハチミツの糖質はとても消化吸収がよく、すみやかな栄養補給となります。

にんにく10個分の小片の皮をむいて器に入れ、にんにくがひたるくらいにハチミツをそそぎます。2～3カ月くらいでできあがります。

黒ごま

黒ごまあめ

ごまにはビタミンB_1、B_2、Eなどが含まれ、疲労回復にすぐれた効果があるほか、滋養・強壮作用、老化防止や動脈硬化の予防、血行促進など多くの薬効があります。常食すれば、疲れにくくなります。薬用にはおもに黒ごまを使います。

炒った黒ごまをすり鉢でよくすり、別にすりつぶした同量のツルドクダミの根とまぜあわせます。

これに適量のハチミツと水を加えて火にかけ、水あめ状になればできあがりです。朝晩小さじ1杯ほどをなめます。
なお、ツルドクダミの根は生薬名を何首烏（かしゅう）といいます。

玄米

玄米スープ

玄米はたいへん栄養価に富んだ食べもので、ビタミンB群をはじめ、糖質、タンパク質、ミネラルなどの各栄養素をすべて含んでいます。疲れたときのエネルギー補給源として、すぐれた回復効果を発揮します。

小さじ2杯（5g）ほどの玄米をフライパンに入れ、中火で少し焦げるまで炒ります。

ほんの少量の食塩をふって味つけをし、なべに移してからカップ1杯（200mℓ）ほどの水を加えて、15分程度煮ます。

薄めのおもゆのような感覚で、おいしく食べられます。

ヤマイモ

ヤマイモのすりおろし

ヤマイモは消化吸収がよいうえに、滋養・強壮作用にすぐれていますので、疲労回復に最適です。すりおろしにすれば、吸収をさらにはやめます。常食をおすすめします。

皮をむいて
すりおろす

天然醸造酢で
効果を高める

ヤマイモの皮をむいて、すりおろすだけの簡単な方法です。天然醸造酢を加えれば、新陳代謝が一層活発になります。

クコの実

クコ酒

クコの実は生薬名を枸杞子（くこし）といい、古くから不老長寿、滋養・強壮の薬として愛用されてきました。枸杞子をつかったクコ酒には、すぐれた疲労回復効果があります。

6カ月ほど
でできる

保存びんにガーゼの袋で包んだ枸杞子150g、ホワイトリカー1.8ℓ、氷砂糖400gを入れ、6カ月ほどねかせればできあがりです。

干ししいたけ

干ししいたけ茶

しいたけはビタミンB_1、B_2、D、各種ミネラルなどを豊富に含み、食欲増進、滋養・強壮作用があり、疲労回復に効きます。生よりも干ししいたけのほうが薬効はあります。

干ししいたけ2枚をきざんで湯のみに入れ、熱湯をそそいでから、ひとつまみほどの塩を入れてまぜます。冷めてから一気に飲みます。

しょうが

しょうが汁

しょうがの辛み成分であるジンゲロン、ショウガオールには、健胃・整腸作用、食欲増進の効果がありますので、全身の倦怠感や脱力感を取りのぞいてくれます。

しょうが50〜100gほどをすりおろし、熱湯をそそいで飲みます。ブランデーを少量加えてもよいでしょう。

朝鮮にんじん

薬用にんじん茶

朝鮮にんじんは、もとの名をオタネニンジンといいます。根の部分に含まれるサポニンには、中枢神経に作用して精神を安定させる働き、また体力増強、疲労回復に薬効があります。とくに胃弱ぎみで、疲れやすいひとに効果的です。

乾燥した朝鮮にんじんの根2～6gをきざみ、コップ3杯（600mℓ）の水で半量まで煎じます。

これを1日3回に分けて飲みます。飲む間ぎわに少量のハチミツを加えてもよいでしょう。
自家製のにんじん茶が無理な場合は、市販の製品を利用することもできます。

梅

梅肉エキス

梅にはクエン酸が豊富に含まれ、体内の疲労物質（乳酸など）を燃焼させるので、疲労回復に効き、常食すれば疲れにくくなります。

青梅数個をすりおろして、布に包んでしぼり、その汁を弱火で黒く水あめ状になるまでじっくり煮込みます。この梅肉エキス0.5gほどを水に溶いて飲みます。

覚えておくと便利

疲れたときに一杯の酢

酢には食欲増進、食中毒予防など、さまざまな効用がありますが、特有の酸味が疲労回復にも即効性を発揮してくれます。

これは酢に含まれる酢酸、クエン酸、コハク酸、リンゴ酸などの有機酸が、体のなかにたまった疲労物質（乳酸や焦性ブドウ酸）を分解してくれるからです。

そのため、疲労回復には有機酸が多い米酢、りんご酢などの醸造酢が適しています。疲れたときに、生のままで、あるいは水や湯で薄め、ハチミツも加えて飲めば回復がはやくなります。

なお、梅干し、夏みかん、レモン、ゆず、さくらんぼ、スモモ、ぶどうなど、酸味のある食べものにも同様の効果があります。

セロリ

セロリジュース

セロリ特有の香り成分のアピオイルには食欲を増進し、疲労を回復する効果があります。またカロチン、ビタミンB_1、B_2、C、ミネラルなども豊富に含んでいます。

小口切りにしたセロリ1本、皮と芯をのぞいて細かく切ったりんご1個分、ざく切りにんじん1本を加え、ジューサーにかけます。ハチミツを加えてもOKです。

夏バテ

暑さにまけない体力づくりが基本。栄養のバランスと休養を心がける

タンパク質、ビタミン類を中心に

夏バテは、夏まけ、暑気あたりなどともいいます。湿気の多い梅雨から初夏にかけて、また蒸し暑い真夏から残暑にかけて起こりがちです。湿気や気温の急激な変化に体のリズムがついていけずに、自律神経の働きがにぶくなることから起こります。心臓の働きも弱まり、血液の流れが悪くなりますので、頭の働きや体力も低下します。

夏バテによくみられる症状は、体がだるい、思考力がにぶる、食欲がない、夏かぜをひく、下痢、などです。また、めまいや頭痛、微熱などをともなうこともあります。このような夏バテに悩まされがちなひとは、まず体力を養うことがたいせつです。

また、夏バテの回復には栄養のバランスと休養を心がけることがかんじんです。食欲がないときでも、夏場に失われがちなタンパク質やビタミンB_1・B_2を中心に、たとえ少量でも食べるようにします。トマトなどの旬の緑黄色野菜を積極的に食べるのも効果的です。偏食による栄養不足、そして休養不足は夏バテをさらに進行させるからです。

知っておきたい One Point

冷たい飲食物や冷房の効き過ぎにご用心

夏場はつい冷たい飲食物に手が出てしまいがちですが、冷たい飲食物は体を冷やし過ぎたり、消化吸収を悪くしたりする心配があります。それが下痢などの胃腸症状を引き起こし、夏バテを重くすることにもなります。煮たり焼いたりした熱いものも食べて、体調をととのえるようにしましょう。

冷房の効き過ぎや冷房の効いた室内と暑い戸外との温度差が激しいと、自律神経を乱して夏バテの原因となります。戸外との温度差は5度前後が目安です。

トマト

トマトジュース

トマトは夏バテによる食欲不振、のどのかわきに効果的です。ビタミンA、Cやミネラルも豊富に含み、また、クエン酸やリンゴ酸などは疲労回復にも役立ちます。

トマト２個の皮をむき、種子を取りのぞいてざく切りにします。
レモン1/2個をしぼり、ジューサーにかけます。これを１日２～３回飲みます。

なお市販のトマトジュースには、有塩のものと無塩のものとがありますので、血圧の高いひとや腎臓に病気のあるひとは、無塩のものがよいでしょう。

きゅうり

きゅうりの皮の煎じ汁

きゅうりには利尿作用のあるイソクエルシトリンが含まれ、体内の余分な水分や熱を取り去って夏バテに効果を発揮します。ビタミンA、Cも含んでいます。

きゅうりの皮30ｇほどを水500mℓで半量まで煎じ、冷ましてから１日２～３回に分けて空腹時に飲みます。

びわ

びわ茶

びわの葉の成分であるアミグダリンに利尿作用があり、夏バテや疲労回復、食欲増進に効果を発揮します。ビタミンB_1、B_2、Cも含んでいます。

びわの葉のうぶ毛をのぞいて水洗いし、天日干しにしてよく乾燥させます。それをきざんで、お茶として飲みます。

食事の取り方

夏バテの予防と解消には十分な栄養補給と休養が必要

夏バテは、夏場の蒸し暑さによる広い意味での過労です。予防と解消には、十分な栄養補給と休養が必要です。

タンパク質を豊富に含み吸収がよいものには、豆腐やチーズ、牛乳などがあります。ビタミン類の補給には、豚肉、レバーなどのほか、ピーマンなどの緑黄色野菜が、また、とうがんやきゅうりなどのように、夏バテに効く食べものもあります。

すいか

すいかのしぼり汁

すいかには解熱作用、利尿作用があります。暑気あたりによる発熱やむくみ、のどのかわきに抜群の効果を発揮します。水分のほか、ビタミン・ミネラルも豊富です。

冷やして飲む

すいか1/4の果肉をしぼって飲みます。すこし冷やしておくと一層効果的です。

スモモ

スモモのしぼり汁

スモモの酸味成分であるクエン酸、リンゴ酸、コハク酸などが、夏バテによる疲労回復に効果を発揮します。また、ビタミンAや鉄分が豊富に含まれています。

スモモのしぼり汁をつくり、日本酒を少量加えて飲みます。

さんしょう

さんしょうの実の煎じ汁

さんしょうの実には、利尿、消炎、鎮痛などの薬効があります。暑気あたりで発熱や下痢が生じた場合には、さんしょうの実を煎じて飲むと効果的です。

さんしょうの実２ｇを水200mℓで半量まで煎じ、１日３回空腹時に飲みます。

あんず

干しあんず

あんずの成分であるクエン酸、リンゴ酸、ブドウ糖などが、夏バテによる疲労をすばやく回復してくれます。また、スポーツ疲れにも効果的です。

生でもよいのですが、干しあんずが入手しやすく手軽で便利です。夏バテぎみのときに数個食べます。

とうがん

とうがんのしぼり汁

とうがん（冬瓜）の成分はほとんどが水分ですが、すぐれた利尿作用があります。水分を体外に排泄し、体の熱を冷まして夏バテやむくみに効果を発揮します。ビタミンCも豊富に含んでいます。

新鮮なとうがんを選んで、皮をむきます。
身だけを適当な大きさに切ってからガーゼなどに包んでつぶし、そのしぼり汁を飲みます。
また、熱いスープや煮もの、みそ汁などにしても効果的です。暑いときに熱いものを食べれば、体の内側から水分が発散されて元気になります。

ペパーミント

ペパーミントティー

ペパーミントの独特な香り成分であるメントール、メントンの鎮痙（ちんけい）作用、消化作用が、暑気あたりの不快な症状を解消してくれます。

かげ干しして刻んだ葉茎をティーポットに小さじ１杯ほど入れ、熱湯をそそいで３分ほど待ちます。乾燥させた市販品もあります。

さつまいも

さつまいものでんぷん水

さつまいもにはビタミンCが多く、熱をすばやく取り去る作用もあります。暑気あたりで気力や食欲がないときには、さつまいものでんぷん水が効きます。

薄切りにしたさつまいもを天日干しにして、よく乾燥させます。

それをミキサーやおろし金などで粉末にし、スプーン１杯の粉末にハチミツなどを加え、湯か水で飲みます。１日１〜２回を目安にするとよいでしょう。

覚えておくと便利 夏バテ予防に必要なビタミン

夏場は、その蒸し暑さだけで体力を消耗しがちです。また、発汗によってビタミン類も失われます。さらに、暑いからといって清涼飲料水や冷やむぎ、そうめんといった糖質食品ばかり食べているとビタミンB_1の消耗が激しくなって、体力をますます低下させてしまいます。

ビタミンB_1が不足すると、脚気をはじめ、体がだるい、食欲不振、息切れなどのビタミンB_1欠乏症を引き起こします。そして、夏バテもその一種といえるものです。ビタミンB_1を多く含む食べものには、大豆やソラマメ、エダマメや玄米などがあります。

また、暑さというストレスにまけないためには、ビタミンCを補給することもたいせつなことです。

大豆

大豆の煎じ汁

大豆に豊富に含まれるビタミンB_1、B_2、Eがエネルギー代謝をさかんにして、たまった疲労をほぐし、夏バテの解消にすぐれた効果を発揮します。

大豆10ｇ、小麦のフスマ10ｇを水400㎖で半量まで煎じ、疲労を感じたときに適宜飲みます。

トピック3

病原性大腸菌「O-157」

病原性大腸菌とは

ここ数年、病原性大腸菌O－157による食中毒が、全国各地で猛威をふるっています。この菌の恐ろしさは、ひとたび感染すると、たんに食中毒症状にとどまらず尿毒症や腎不全などの症状をともなって、ときには生命をも奪うことです。

1982年、アメリカで発生したハンバーガーによる集団食中毒で、大腸菌O－157が原因菌であることが初めて報告されました。日本では2年後の84年ごろから散発的に発生しはじめ、1996年には、学校給食などが原因となって過去に例がない規模でO－157による集団食中毒が多発しました。

O－157の特徴は、感染力がきわめて強いことと、潜伏期間が5～10日間と幅があるため、学校給食のように衛生管理がきびしい場所でも生き延び、また感染から発病までに時間がかかるので感染源の特定が難しいことです。

O-157の予防法

O－157は口から感染します。したがって、感染の予防策としては食品、調理の衛生管理がもっとも重要です。

まず第一は、食品を十分に加熱することです。具体的には、75度で5分以上加熱すれば滅菌できます。逆に、この菌は低温に強く、冷蔵庫を過信するのは禁物です。細菌の多くは10～5度で増殖が遅くなり、マイナス15度では活動が停止しますが、死ぬわけではありません。

また、当然のことですが、調理の際には手や調理器具をよく洗うことです。調理前にはもちろん、調理途中でペットに触ったり、トイレに行ったり、おむつを交換したりしたら、そのたびに手を洗うこと。また、包丁やまな板は、できるだけ、肉用、魚用、野菜用と別々にそろえて、使い分けられればさらに安全です。

調理前の食材や調理後の食品は、室内でそのまま長く放置してはいけません。O－157は、室温では15～20分で2倍に増えます。さらに、残った食品を温めなおす場合も、あらためてよく加熱することが大事です。

O－157に限らず、食中毒は「食品は十分に加熱する」「調理や食事の前に手を洗う」「調理したらすぐ食べる」の3つの原則を守ればほとんど防げるのです。

トピック4

カルシウムが足りない

骨は生きている

　人間の体を形づくっている中心は骨格です。そして、その成分はカルシウムです。人体でのカルシウムは、99％が骨や歯に、残りの1％は、血液や筋肉、体液中に存在し、重要な生理機能を維持しています。また、ホルモンの分泌を調節したり、心臓や脳の働きを助けたり、ストレスの防御にも役立っています。

　血液中のカルシウムの濃度は、つねに一定に維持されるように調節されていますが、カルシウムの補給が不十分だと、骨のカルシウムを溶かし出して、一定の濃度を保つように働き出します。そのため、必要量が補われない状態が続くと、骨はスカスカになってしまうのです。近年、骨粗鬆症の人や子どもの骨折、アレルギー体質の人が増加しているのも、カルシウム不足と無縁ではありません。

　骨のなかのカルシウム不足を防ぐためには、適度な運動をして骨に刺激をあたえ、骨をつくっている細胞の活動をさかんにする必要があります。

カルシウムの吸収を促進する物質

　成人男女で1日に600～700mgのカルシウムが必要ですが、食べものとして取った場合には、その吸収率は栄養素のなかでもっとも低く、食べた食品の含有量よりずっと多めに取る必要があります。

　この吸収率の低いカルシウムの吸収率を高めるには、カルシウムを含んでいる食品と一緒に、タンパク質、ビタミンC、ビタミンD、糖乳が含まれている食品を取ることが必要です。なぜなら、これらの栄養素を同時に取ることで、カルシウムの吸収率はよくなるからです。

牛乳は最適な食品

　骨ごと食べられる小魚でも、カルシウムの吸収率は35％程度に過ぎませんが、牛乳や乳製品では、小魚の倍の70％が吸収されます。牛乳に含まれるカゼインというタンパク質が部分的に消化・分解されるときに、CPPという物質を生じ、このCPPが、カルシウムの吸収促進の機能をもっていることが明らかにされています。

カルシウムを多く含む食品（mg、100g中）

食品	mg
煮干し	2200
はぜつくだ煮	1800
いわし丸干し	1400
ひじき	1400
ふな甘露煮	1200
脱脂粉乳	1100
どじょう	880
わかさぎ	750
まこんぶ	710
さくらえび	700
しらす干し	530
ししゃも	440
焼きのり	410
しじみ	320
油揚げ	300
小松菜	290
黒砂糖	240
しそ	220
大根（葉）	210

（四訂日本食品標準成分表より）

低血圧

朝起きられない低血圧はおもに体質的なもの。生活リズムを見なおして、食事と運動でなおす

滋養豊かな食べものがよい

低血圧は、最大血圧値が100㎜Hg以下の場合をいいます。朝起きられない、起きてもしばらくは体がフラフラする、ものごとに集中できず、行動力も判断力もにぶいなど、朝からお昼ごろまで続く体調不良が低血圧の特徴的な症状です。これに、頭痛、めまい、だるさ、手足の冷え、便秘、不眠、食欲不振などの不快な症状をともなうこともあります。

低血圧は、あきらかに原因となる病気がある場合とない場合とに分かれます。低血圧の原因となる病気は、心臓病、胃腸病、内分泌異常、先天的代謝異常などです。これらの病気による低血圧の場合は、原因となる病気の治療が先決となります。

原因となる病気がない低血圧は、本態性低血圧と呼ばれ、体質的、遺伝的な素因から起こります。この場合は、昇圧剤など薬による治療では根本的な解決にはなりません。規則正しい生活で体のリズムをととのえ、栄養バランスのよい食事と適度な運動で体力を養うことが治療の基本です。食事では、大豆、かぼちゃ、にんじんなど、滋養豊かな食べものを毎日取りましょう。

知っておきたい One Point

消化が悪いものや体を冷やすものは避ける

低血圧は、胃腸が弱く、やせ型で筋肉があまりないタイプのひとに多くみられます。このようなひとは冷え症や胃腸障害などをともないがちです。消化が悪いものや体を冷やすものを避け、緑黄色野菜なども温かい料理にして食べる工夫が必要です。

生食を避けたいものは、大根、キャベツ、きゅうり、トマト、なす、とうがんなどの野菜。また、柿、ナシ、すいか、バナナなどのくだものです。そば、ハトムギ、コンブ、シジミ、タニシなども過食をひかえます。

食事の取り方

規則正しい生活を保ち、滋養のある食べもので栄養をきちんと取る

不快な症状をともなう低血圧は、毎日の食事、適度な運動、規則正しい生活による体質改善でなおすのが基本です。

食事では、滋養のある食べものを中心として、タンパク質、ビタミン、ミネラルなどをバランスよく取ることがたいせつです。身近な食べものでは栄養価が高く、栄養のバランスもよいにんじん、にんにく、かぼちゃ、納豆などがおすすめです。

にんにく

にんにくハチミツ丸

にんにくは、とても滋養のある食べものです。内臓を温め、代謝を活発にして、虚弱体質や低血圧による不快な症状を改善します。胃腸を丈夫にし、体調をととのえる働きもあります。

にんにく１個を小片に分け、薄皮をむいておろし金ですりおろし、黒ごま120ｇを中火で十分にから炒りし、すり鉢ですります。

すりおろしたにんにくと炒ってすった黒ごまとをまぜたなかにハチミツ200㎖を加えてよく練りあわせ、びんに入れて冷暗所で１カ月ほどねかせます。

これを小指の先ほどの大きさに丸め、底広の密閉容器などに広げて保存します。朝、夕２回、１回１粒ずつ湯のみに入れ、湯をそそいで飲みます。

ブリ

ブリの木の芽焼き

ブリ（鰤）は、血行をよくし、気力、体力を補う滋養豊かな魚で、低血圧にも有効です。ただし、胃腸の弱いひとは、刺し身ではなく、焼き魚などにして脂質を落としたほうがよいでしょう。

すり鉢ですったさんしょうの葉とみそをまぜ、ブリの切り身を１時間ほど漬けます。これをアミ焼きにして食べます。

にんじん

にんじんのすりおろし

にんじんは、ビタミンAのもとであるカロチンを豊富に含む、とても栄養価の高い食品です。消化もよく、体を温める働きもありますので、低血圧の改善に最適です。

にんじんは皮をむいて、おろし金ですりおろし、これを大さじ１杯ほど、温かいごはんにかけて食べます。

かぼちゃ

かぼちゃの種子

かぼちゃの種子には、脂質、タンパク質、カロチン、ビタミンB_1、B_2、ナイアシンのほか、リン、鉄分などのミネラルが豊富に含まれています。低血圧のひとの滋養・強壮に最適です。

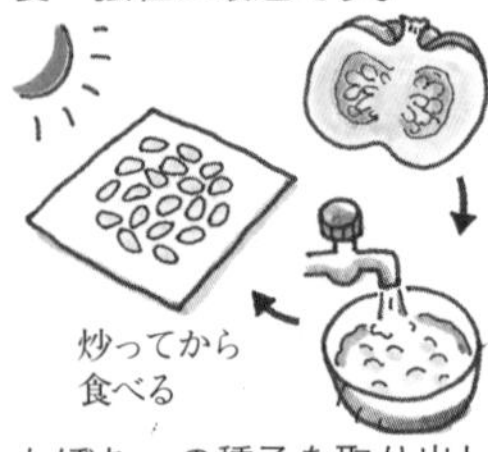

かぼちゃの種子を取り出して水洗いし、ぬめりを取って天日干しにします。その種子を炒って殻を取り、1日10〜15粒ほど食べます。

桑

桑の葉茶

桑は、昔から不老長寿の効力があるといわれています。桑の葉には、タンニン、カロチンが含まれ、滋養・強壮、体力回復に効果があります。低血圧の改善には、毎日飲むようにします。

春ごろの桑の若葉をつんで、天日干しで乾燥させます。乾燥した若葉10gを水600mℓで半量まで煎じ、これを1日数回に分けて飲みます。

ゲンノショウコ

ゲンノショウコの煎じ汁

ゲンノショウコ(現の証拠)には、腸内の潰瘍の予防や整腸作用のほか、体を温める働きがあります。低血圧の改善には、煎じ汁を毎日お茶がわりに飲むと効果的です。

ゲンノショウコの花の咲く夏のさかりに地上部の茎葉を花ごと刈り取って、水洗いし、天日干しにします。

乾燥させたゲンノショウコ10gに、同量のエビスグサの種子(生薬名:決明子/けつめいし)またはハブソウの種子を加え、水600mℓで半量まで煎じます。

これを1日3回に分けて、食後に飲みます。

ほうれん草

ほうれん草の炒めもの

ほうれん草は、カロチン、ビタミンCを豊富に含むうえ、鉄分などミネラル類にも富んでいます。また、繊維質が腸の働きを活発にします。低血圧のほか、貧血にも効果的です。

軽くゆでてから、ごま油で炒めたものの常食がおすすめです。なお、ゆで過ぎるとビタミンCが損なわれますので注意します。

ほたて貝

ほたての貝柱

ほたて貝を乾燥させた貝柱は、タンパク質、ビタミンB_1、B_2、ミネラル類が豊富なうえ、アミノ酸もバランスよく含んでいます。毎日食べれば、低血圧のひとの滋養・強壮に効果的です。

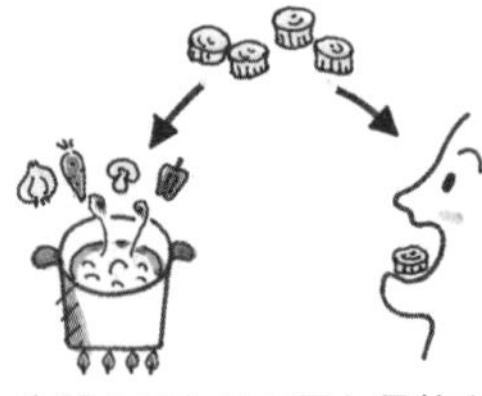

市販のほたての干し貝柱をおやつがわりに食べてもよく、季節の野菜を加えたスープやクリーム煮にしてもおいしく食べられます。

クコ

クコ酒

乾燥させたクコの果実を、漢方で枸杞子（くこし）と呼びます。枸杞子をつかったクコ酒には、滋養・強壮、疲労回復効果があり、続けて飲むことで、低血圧の不快な症状を改善します。

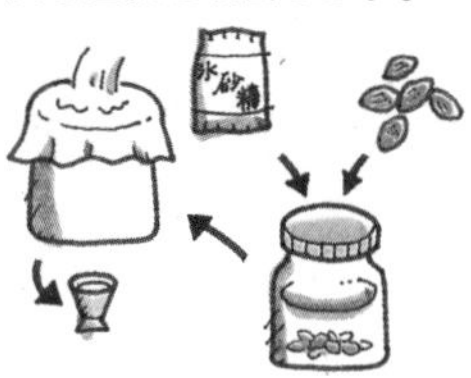

枸杞子200ｇをホワイトリカー1.8ℓに入れ、氷砂糖100ｇを加えて、冷暗所で３カ月ほどねかせ、布でこします。これを就寝前に、さかずき１〜２杯飲みます。

ナツメ

ナツメ酒

ナツメ（棗）の実には、糖質、有機酸、サポニンなどが含まれ、滋養・強壮に効果があります。漢方では、乾燥させたナツメの実を大棗（たいそう）といいます。

大棗150ｇをホワイトリカー1.8ℓに入れ、氷砂糖50ｇを加えて、冷暗所で３カ月ほどねかせます。これを就寝前に、さかずきに半量か１杯飲みます。

納豆

納豆ルー

納豆は、タンパク質、ビタミンB_1、B_2、カルシウム、鉄分、ナイアシンなどの各栄養素を豊富に含んでいます。原料の大豆よりも消化がよく、低血圧のひとの滋養食品として最適です。

納豆１包みをすり鉢に入れ、酒大さじ１杯をふりかけます。10分ほどそのままにして、よくすりつぶします。

これを密閉容器に入れ、冷蔵庫で保存します。少量のごま油と酢を加えると数カ月ほど保存ができます。

この納豆ルーは、みそ汁やあえものに加えるなど、工夫しだいでいろいろな料理に使えます。

覚えておくと便利

起床前に軽く体を動かす

低血圧といっても、ただ血圧が低いだけなら心配はいりません。薬などで無理に血圧を上げようとする必要もありません。これといった病気のない低血圧のひとは、脳軟化などの病気になることが少なく、どちらかというと長生きをするという説もあるくらいです。

だるさや、めまいなどの症状をともなう場合でも、血圧を気にするより、マッサージや体操で体を動かすことのほうがたいせつです。また、起き上がるときにめまいがするようなときは、起き上がる前にふとんのなかで手足の屈伸運動を繰り返すと、血行がよくなり、不快な症状が改善されます。

冷え症

血行障害がおもな原因。運動と十分な栄養で冷え症の改善を

血行を促進することが必要

冷え症は、とくに思春期や更年期の女性に多くみられます。手足がつめたい、腰が冷える、夏でもソックスが手放せない、夜なかなか体が温まらず寝つけないなど、ひとによって症状はさまざまです。ひどい場合は、頭痛、腰痛、肩こり、便秘、下痢、イライラ、のぼせ、めまい、動悸などをともなうこともあります。

これらの症状は、おもに自律神経の働きがにぶることによって血液の循環が悪くなることから起こる、と考えられています。また、性ホルモンの分泌低下や新陳代謝機能のおとろえなども原因となります。

冷え症の改善には、まず積極的に体を動かして全身の血行をよくすることです。食べものでは、体の保温に不可欠なタンパク質、神経の働きや血行をよくするビタミンB・C・Eなどのビタミン類、さらに造血を助ける鉄分などをたくさん取ることがたいせつです。ビタミンB・Eは小麦胚芽、豆類など、Cはピーマン、小松菜などに多く含まれています。また鉄分は、ほうれんそう、レバー、ごまなどに豊富です。

体を冷やす食べものの取り過ぎにご用心

知っておきたい One Point

冷え症のひとは、生野菜やくだものなど、体を冷やす働きのある食べものの取り過ぎに注意が必要です。とくにきゅうり、なす、ピーマン、トマトなどの野菜を生で食べるのはよくありません。また、柿、すいか、ナシ、バナナなどのくだものも体を冷やします。ただし、熱を加えて調理すれば心配ありません。

冷え症のひとは、夏でも冷やしたくだものや冷たい清涼飲料水などはできるだけ避けるようにして、体を温める食べものを選ぶようにしてください。

食事の取り方

体を温め、血行をよくする食べものを積極的に取る

冷え症の改善には、適度な運動とともに、体を温め、血行をよくする食べものを十分に取ることがたいせつです。また、栄養バランスのよい食事を心がけてください。

体を温め、血行をよくする食べものには、もち米、おかゆ、牛肉、羊肉、鶏肉などのほか、野菜ではにんにく、にら、しょうが、にんじんなどがあります。唐辛子などの香辛料も有効です。

ごま

ごまハチミツ

ごまに豊富に含まれるビタミンEには、手足の末梢血管の循環をよくして、体を温める働きがあります。常食すれば、冷え症の改善に効果的です。

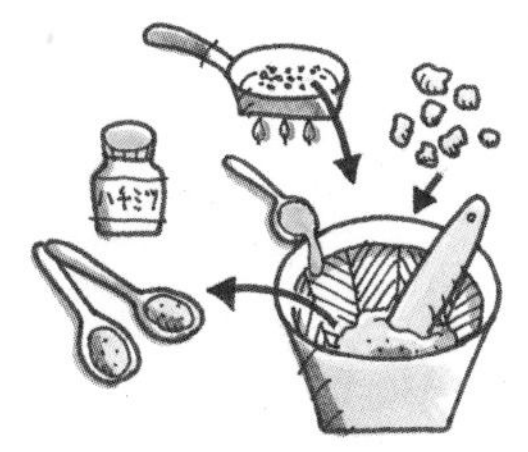

炒ったごまと同量のくるみをすり鉢ですりつぶし、適量のハチミツを加えてかきまぜます。1日2回、大さじ2杯ずつ食べます。

にんじん

にんじんのつき汁

にんじんには、体を温めて、血を補う働き、胃腸の調子をととのえて、食欲を増進させる働きがあります。体力に自信がなく、冷えやすいといったひとに、とくに効果的です。

にんじん300gを適当な大きさに切って、すり鉢でよくつぶします。

ガーゼに包んで汁をしぼり、これに大さじ1杯ほどのハチミツを加えて飲みます。

にら

にらのしぼり汁

にらにはスタミナ増強効果があるほか、カロチン、ビタミンB_1、C、カルシウムが豊富に含まれ、血液の循環をよくする働きがあります。とくに冷えの強いときに効きます。

にらをきざんですり鉢でつき、ガーゼで汁をしぼります。この汁のさかずき1杯分を湯で割り、1日に3回飲みます。

タンポポ

タンポポ茶

タンポポの根を乾燥させたものを、生薬では蒲公英(ほこうえい) といいます。健胃薬としての薬効のほかに、すぐれた強壮作用があり、冷え症にもよく効きます。

蒲公英20ｇを600mℓの水で半量まで煎じ、カスをこします。これを１日３回に分けて食後に飲みます。

クコ

クコの葉茶

クコ（枸杞）の葉にはタンパク質、ビタミンC、ルチン、各種アミノ酸が含まれ、滋養・強壮や冷え症に効き、また、血管壁を丈夫にし、動脈硬化を予防します。

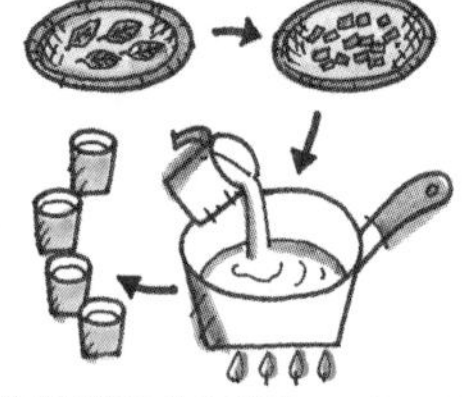

春に若葉を採取し、２～３日かげ干ししたのち、きざんでさらに天日干しにします。この葉10ｇを水600mℓで半量まで煎じ、１日４～５回に分けて飲みます。

ウコギ

ウコギの根の煎じ汁

ウコギの根には、強壮・強精作用があり、冷え症を改善します。ウコギの根を乾燥させたものを生薬では五加皮（ごかひ）といい、漢方薬局で入手できます。

乾燥させたウコギの根（五加皮）15ｇを１日の量として、600mℓの水で煎じて飲みます。

赤唐辛子

赤唐辛子酒

赤唐辛子は、消化器系を温め、食欲を増進させる働きがあります。冷えで眠れない夜などに赤唐辛子酒を飲むと、体が温まります。

保存びんにホワイトリカー1.8ℓ、赤唐辛子15本、４つ割りにしたレモン４個分を入れ、２週間保存します。これを布でこして、就寝前にさかずき１～２杯を飲みます。

ゆず

ゆず湯

ゆず（柚子）の皮に含まれる精油成分には、特有の香りがあるほか、すぐれた温熱効果があります。「冬至のゆず湯」は有名ですが、夏でもぬるめのお湯でためしてみる価値があります。冷え症のほか、リューマチ、神経痛にも効果的です。

熟したゆず数個を水洗いし、輪切りにします。
これを浴槽に浮かべ、入浴します。湯のよごれが気になる場合は、布袋などに入れてもかまいません。

２～３回使うことができますので、使い終わったら軽く干しておきます。

トウキ

トウキの煎じ汁

薬用として栽培されている多年草のトウキには、サフロールなどの精油成分が含まれ、冷え症のひとの保温に効果があります。乾燥させたトウキの根を生薬では当帰（とうき）と呼びます。

乾燥させたトウキの根（当帰）10ｇを700mlの水で半量まで煎じ、カスをのぞいて１日３回空腹時に飲みます。

パセリ

パセリジュース

パセリはとても栄養価が高く、葉にはカロチン（ビタミンA）、ビタミンC、カルシウム、鉄分などが豊富に含まれています。冷え症の改善のほか、生理不順、貧血の解消にも効果的です。

パセリ２～３本の茎をのぞいて葉をきざみます。
りんご１個を皮と芯をのぞいてざく切りにし、きざんだパセリといっしょにジューサーにかけます。
飲みにくい場合は、ハチミツやレモン汁を適当に加えます。

覚えておくと便利 血行をよくするビタミンE

ビタミンEには、末梢血管の循環をよくして血流量を増やす働きがあるので、体温を上げ、冷え症の改善に効果を発揮します。また、血液の循環を阻害すると考えられている自律神経の乱れそのものを改善する働きもあわせもっています。

ビタミンEは、小麦胚芽のほかにナッツ類、植物油（とくにべに花油やサフラワー油）、魚の油脂など不飽和脂肪酸の多い食品にたくさん含まれています。

ただし、不飽和脂肪酸は古くなると体に害のある過酸化脂肪に変化しますので、新鮮なものをつかいます。魚のひものなども新鮮なうちに食べるようにします。

サフラン

サフランティー

サフランに含まれる精油成分に発汗作用があり、冷え症を緩和します。また、鎮痛、鎮静、通経作用もありますので、月経不順や生理痛にも効果的です。

１日量としてかげ干しにしためしべ５本をコップに入れ、熱湯をそそいで飲みます。ただし、通経作用が強いので妊婦は避けます。

ぬけ毛・白髪

栄養不足やストレスが原因。髪の手入れと十分な栄養補給が必要

まんべんなく必要な栄養を取る

髪の毛にも寿命があり、平均5年で生えかわります。1日に60～80本くらいぬけ落ちるのは、自然なことなので心配いりません。ただし、円形脱毛症のように極端にぬけ毛の量が多くなることもありますので、注意が必要です。これは血行不良や、含硫アミノ酸、ビタミンA、B_2、B_6、鉄、亜鉛、銅など、髪に必要な栄養素の不足が原因です。

いっぽう、白髪は毛を黒くする色素細胞の老化現象によって起こります。毛の本体をつくる角質細胞は健在であるため、白髪のまま伸びていきます。白髪の程度はひとによってさまざまで、最近は若いひとにも増えています。色素細胞の老化は、紫外線を浴び過ぎたり、血行不良、タンパク質などの栄養不足があるとさらに進行します。

また、精神的なストレスも髪のトラブルの原因となります。とくに、過度のストレスは頭皮の血行を悪くし、ぬけ毛や白髪の発生を招きます。髪のためにも、ストレスは早めに解消することがかんじんです。根本的な予防には、頭皮のマッサージなど血行をよくする手入れと髪に必要な各栄養素の補給がたいせつです。

必要なタンパク質も、取り過ぎれば逆効果

知っておきたい One Point

髪の成分は、含硫アミノ酸という硫黄をたくさん含んだタンパク質です。美しい髪のためには、このタンパク質がかかせません。しかし、タンパク質を取り過ぎると腎臓に負担をかけ、髪のためには逆効果です。腎臓は血液を浄化する働きをしているため、働きがにぶると髪にまで悪影響を与えるからです。

タンパク質を多く含むのは、卵黄、牛乳、大豆、肉・魚介類ですが、食べ過ぎに注意して、ビタミン類やミネラル類といっしょに取るようにしてください。

食事の取り方

外側からの対策だけでは不十分、食事で内側からも栄養補給を

ぬけ毛、白髪予防には、トリートメントなど外側からの対策だけでは不十分です。髪に必要なさまざまな栄養素を、毎日の食事でバランスよく補給することもたいせつです。
　身近なものでは、良質のタンパク質やリノール酸、ビタミンEなどをたくさん含んだごまなどが効果的で、亜鉛や鉄分などを豊富に含むかぼちゃの種子なども利用価値が大きい食べものです。

Fusa Fusa

ツルドクダミ

黒ごまと何首烏の粉末

天日干しにしたツルドクダミの根を、漢方で何首烏（かしゅう）といいます。中国では、古くから白髪予防薬としてつかわれてきました。また、黒ごまにはぬけ毛をおさえる働きがあります。

黒ごまと何首烏各10ｇをすり鉢ですって粉末にし、1日3回に分けて、食後に水で飲みます。数カ月で効果があらわれます。

かぼちゃ

かぼちゃの種子

かぼちゃの種子には、ぬけ毛や白髪予防に効果のある亜鉛、ビタミンA、B、鉄分、カロチンなどがたくさん含まれています。常食が効果的です。

かぼちゃの種子のヌルヌルを洗い落とし、天日干しで乾燥させ（生薬名：南瓜仁／なんかにん）、これをフライパンでから炒りして、毎日20粒ずつ食べます。

栗

栗のイガの黒焼き

昔から、髪は腎（泌尿器・生殖器系）と深い関係があるといわれ、髪の薄いひとは腎の働きをよくする栗を利用してきました。とくに栗のイガの黒焼きは、脱毛予防に効果的です。

栗のイガ10個をフライパンに入れ、フタをして弱火で黒焼き（蒸し焼き）にします。
煙が出なくなったら火を止めて、フタをしたたまま冷まし、イガのすじっぽさがなくなったら、すり鉢で粉末にします。

これをごま油カップ1（200㎖）とよく練りあわせ、1日2～3回、茶さじ1～2杯を頭に軽くぬり、マッサージします。

にんにくとしょうが

にんにくとしょうがのヘアリンス

にんにくとしょうがのすりおろし汁をもちいたヘアリンスは、円形脱毛症の改善に効果があります。2～3カ月続けると、ぬけたあとからうぶ毛が生えてきます。

にんにく2片としょうが親指大2個をそれぞれすりおろし、ガーゼなどに包んで汁をしぼります。
この汁をよくまぜあわせ、洗髪後、毛のぬけた部分の地肌にすり込みます。
15分ほどそのままにして、少し熱めの湯で洗い流します。これを3日に1回の目安で、就寝前におこないます。なお、あまり強く地肌にすり込むとかぶれることもありますので、軽くマッサージしながらぬるようにします。

レバー

レバー料理

ぬけ毛には、タンパク質やビタミンA、B類、E、ミネラル類などの不足が関係しています。レバーには、これらの栄養素が豊富に含まれています。

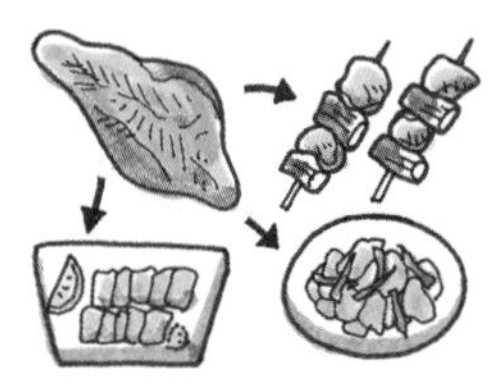

常食することがよく、焼きものや炒めものなどにもよくあいますが、ビタミン類の損失を防ぐため、生食が可能なら、できるだけ生のまま食べるようにします。

コンブ

コンブのつけ汁

コンブ（昆布）には、良質のタンパク質、ビタミン類、鉄、カルシウム、リン、カロチンなど、髪に必要な栄養素がバランスよく含まれています。常食をおすすめします。

コンブ10cmを2cm角にきざんで、カップ1杯の水にひと晩つけておき、翌朝、このつけ汁を飲みます。

卵黄

卵料理

髪の主成分は、含硫アミノ酸という硫黄をたくさん含んだタンパク質です。鶏卵も同じタンパク質を含んでいますので、ぬけ毛、白髪予防に効果的です。

目玉焼きやオムレツをはじめ、スープなど卵料理はメニューが豊富です。野菜なども加えて、積極的に食べてください。

くるみ

くるみ焼き

くるみは、良質タンパク質をはじめ、脂質、ビタミン類、ミネラルなどを豊富に含んでいます。常食すれば、白髪の予防に効果的です。

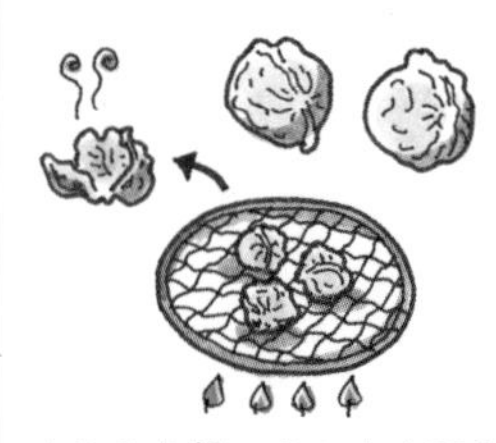

くるみを殻つきのまま30分ほどアミ焼きにし、殻を割って、温かい実を食べます。1日3個ずつ毎日食べ続けると、1～2カ月で効果があらわれます。

ごま油

ごま油と塩のヘアトニック

ごま油と塩とをまぜあわせてつくったヘアトニックには、ぬけ毛、白髪を予防する効果があります。地肌にすり込んだあと、よくマッサージするのがポイントです。

さかずき1杯のごま油と同量の塩（塩はニガリを含む自然塩を使う）とをよくまぜあわせます。

これを毛のぬけた地肌にすり込み、1～2分間よくマッサージします。

マッサージが終わったら、熱い蒸しタオルで油分と塩をふき取ります。

黒ごま

黒ごま汁粉

黒ごまは、良質タンパク質、ビタミンB_1、B_2、E、リノール酸、カルシウム、鉄、リンなど髪によい栄養素を豊富に含んでいます。ぬけ毛、白髪防止に最適です。

ひと晩水につけた米50gと1時間ぬるま湯につけた黒ごま80gを、水を切って、ミキサーでドロドロにします。これに、黒砂糖カップ1/2を加えて火にかけ、煮立たせればできあがりです。

覚えておくと便利 髪をすこやかに保つコツ

髪をいつまでも健康的に保つには、頭皮の血行をよくし、いつも清潔にしておくことがたいせつです。よごれた頭皮には細菌が繁殖しやすく、ぬけ毛や白髪の原因ともなります。したがって、洗髪はこまめにおこなってください。

シャンプーを選ぶときは、髪にやさしい、天然の植物性油脂からつくられた弱酸性タイプとし、洗髪後は十分にすすぐことがかんじんです。朝のあわただしい時間におこなう「朝シャン」も、すすぎがおろそかになるようなら避けたほうが無難です。

また、ブラッシングもていねいにおこなえば、頭皮の血行をよくします。

マッサージも全部の指を使って、頭皮をつまむようにおこなえば血行促進に効果的です。

クコ

クコの実

クコの実（生薬名、枸杞子／くこし）には、ビタミンB_1、B_2、必須アミノ酸、ルチンなどが含まれ、血管を丈夫にして老化を防止する働きがあります。常食すれば、ぬけ毛や白髪に効果的です。

枸杞子を1日大さじ2杯ずつ食べます。また、枸杞子を酒につけてもどし、サラダなどに加えても結構です。

老化防止

老化は年を取ればだれにでも訪れる。だが、老化の進行を遅くすることは可能

食事は量より質を重視する

老化とは、年齢を重ねるにしたがって、体の各器官がおとろえていくことをいいます。また、老化からくる生理機能の低下を老化現象といいます。

たとえば、老化現象のひとつである老眼を例に取れば、個人差はあっても平均すると42歳前後から水晶体の弾力が小さくなり、新聞や雑誌の活字が見にくくなって、老眼鏡をかけるひとが多くなります。このほか、歯、耳なども同じように老化し、入れ歯や補聴器などの助けが必要になります。

老化を完全に止める方法は、現在のところありませんが、進行を遅らせることは可能です。それには、食事、運動、精神面が大きく関係します。食事面では、量より質に重点をおいてタンパク質やカルシウム、ビタミン類（とくにビタミンE）を豊富に含む食べものを、バランスよく摂取することがたいせつです。

運動面では、適度なスポーツや無理のない範囲で体を動かすこともだいじです。習慣化する意味でも、スポーツや趣味の同好会などに積極的に参加し、外部との接触機会を多くすることも必要です。そうすれば精神的にも張りが出て、老化の防止に役立ちます。

老化にともなってかかりやすい病気

知っておきたい One Point

一般に中年を過ぎるころから老化が始まるといいます。老化にともなってかかりやすい病気で、とくに最近多くみられるのが骨粗鬆症（こつそしょうしょう）です。老化によって骨がもろくなっているうえに、カルシウム不足が拍車をかけています。

そのほか、血管の老化からくる脳梗塞などの脳血管障害や男性特有の前立線肥大症、老人性白内障、肺炎などにもかかりやすくなります。日ごろから注意し、すこしでも症状があれば医師の診察を受けましょう。

くるみ

くるみ酒

くるみには、ビタミンEをはじめB_1・B_2、タンパク質が豊富に含まれています。老化による足腰のおとろえに効くほか、動脈硬化の予防に効果があります。

殻を取ったくるみ30ｇをすり鉢などで細かくくだきます。

これと、ざらめ適量を湯のみに入れ、温めた清酒を6〜7分目そそいで飲みます。

なお、お酒に弱いひとは、清酒の量を減らしてお湯で割ってもよいでしょう。

食事の取り方

老化防止に役立つタンパク質、ビタミンE、カルシウムなどを多く取る

老化を防止するためには、タンパク質、ビタミンEをはじめとしたビタミン類、カルシウムなどを取ることがたいせつです。こうした栄養素は、血液の浄化や血管、骨などを丈夫にする作用があり、また、脳の活性化などにも役立ちます。これらの栄養素が多く含まれる食べものには牛乳、しいたけ、ごま、くるみなどがあります。少量ずつでも毎日取りましょう。

ヤマイモ

ヤマイモの煎じ汁

ヤマイモは、滋養・強壮の食べものとして昔から利用されています。皮をむいて天日干ししたものを生薬では山薬（さんやく）といい、老化防止に効果があります。

山薬５〜10ｇを400mℓの水で、300mℓになるまで煎じます。これを１日分として、３回に分けて飲みます。

ごま

ごまペースト

ごまには、ビタミンEとカルシウムが豊富に含まれています。ビタミンEは、血管を広げ血液の循環をよくする働きがあり、血管障害を防ぎます。カルシウムは骨粗鬆症を予防します。

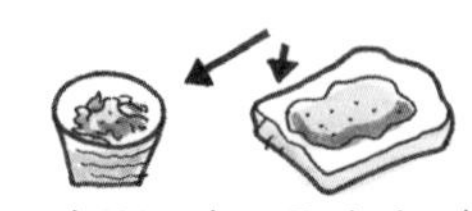

ごま400ｇをフライパンなどで焦がさない程度に炒り、これをすり鉢などでペースト状になるまですります。パンにつけたり、ごまあえなどにして毎日食べます。

松

松の実

松の実は、昔から不老長寿の食べものとして珍重されています。中国では、長生果（ちょうせいか）と呼ばれ、仙人食といわれています。常食すると滋養・強壮作用によって、老化の防止に効果があります。

松の実を毎日50粒ほど、そのまま食べます。おかゆに入れたり、サラダやあえものに入れてもよいでしょう。

クコ

クコの実酒

クコ（枸杞）の実を生薬では枸杞子（くこし）といい、血管を丈夫にする作用にすぐれ、血管の老化である動脈硬化の防止に効果的です。

枸杞子200ｇ、ホワイトリカー（焼酎）1.8ℓ、氷砂糖100ｇを広口びんに入れ２～３カ月ねかせたあと、ガーゼなどでこして、１日２～３回（１回量はさかずきに１杯）飲みます。

朝鮮にんじん

朝鮮にんじんの煎じ汁

朝鮮にんじんは、オタネニンジンの根を乾燥させたもので、生薬では人参（にんじん）といいます。滋養・強壮作用にすぐれています。

人参５ｇを600mℓの水で半量になるまで煎じます。これを１日分として３回に分け、食前に温めて飲みます。ただし、高血圧症のひとは服用を避けます。

しいたけ

しいたけのふりかけ

しいたけに含まれる成分には、コレステロールを抑制し、血圧を下げる作用などがあります。また、カルシウムの吸収をよくするビタミンDなども多く含まれていますので、血管や骨の老化防止に効果的です。

干ししいたけ５～６個を水にもどさずあらくくだきます。これをフライパンなどで軽く炒ります。

冷ましたあと、すり鉢などで細かくなるまですります。適量の塩を加えて小さいびんに入れ、ごはんにふりかけて毎日食べます。

アボカド

生アボカド

アボカドには、ビタミンEが豊富に含まれており、体内の老化、しみ、しわなどの皮膚の老化の防止に効果的です。常食することがたいせつです。

アボカド１個とまぐろの刺し身を食べやすい大きさに切り、しょう油で味つけします。香辛料が大丈夫なひとは、わさびじょう油で味つけします。なお、まぐろもビタミンＥをたくさん含んでいます。

覚えておくと便利 血管の老化防止にビタミンE

人間は血管から老いるといわれます。血管の老化は、高血圧症や心臓病、さらに脳梗塞などの脳血管障害をまねきます。そして、これらの病気は、多量のコレステロールが血管内に付着することによって血管内腔が細くなり、血液の循環が悪くなるとともに、血管が硬化（動脈硬化）して起きることが多いのです。

ビタミンEには、コレステロールが血管内に付着することを防ぐ働きとともに、血管を広げて血液循環をさかんにし、動脈硬化を予防します。そのうえ、血管の老化を防ぐ働きがあります。

ビタミンEを多く含む食べものには、まぐろ、かぼちゃ、しそ、ピーナッツ、アーモンド、小麦胚芽油、大豆油などがありますので、日ごろから意識して多く取ること。

ヨモギ

ヨモギの葉の青汁

ヨモギの葉には、血液の循環をさかんにする作用があります。とくに動脈の血液循環をうながす働きにすぐれていますので、老化からくる動脈硬化などの予防に効果があります。

新鮮なヨモギの生葉３～６枚をミキサーなどで細かくすりつぶし、これに水200mℓを加えて、適宜飲みます。

アスパラガス

アスパラガスの煎じ汁

アスパラガスの根や茎に含まれるアスパラギン酸には、血圧を下げる作用と毛細血管を広げる作用とがあります。また、血管を丈夫にする働きのあるルチンも含まれています。

グリーンアスパラガス３～４本を、１ℓの水で半量になるまで煎じます。これを１日分として３回に分けて飲みます。

ハス

ハスの実がゆ

ハス（蓮）の成熟果実を乾燥させ、殻を取ったものを蓮子（れんし）、または蓮肉（れんにく）といいます。タンパク質、脂肪、鉄分などが含まれ、滋養・強壮にすぐれ、老化防止に効果があります。

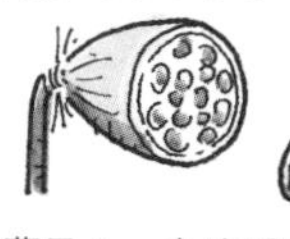

蓮子５ｇをゆでこぼし、薄皮を取ります。といだ米50ｇを500mℓの水のなかに１時間ほど浸しておきます。

これに、しょうがの薄切り３枚を入れ中火にかけ、中華スープなどのだしの素小さじ半分を入れて、煮立ったら弱火にします。炊き上がる直前に塩などで味をととのえて、でき上がりです。

二日酔い

深酒は肝臓や胃腸の大敵。アルコールを早く排泄することがたいせつ

胃腸をいたわる食事で回復を

二日酔いはお酒の飲み過ぎで、翌日になっても不快な症状が残ることです。アルコールは体内に入ると、胃や腸を通って肝臓に運ばれます。肝臓はアルコールをアセトアルデヒド(有害物質)に分解し、さらに酢酸と水に変えて無毒化します。しかし、短時間に多量のアルコールを飲むと処理が間にあわず、アセトアルデヒドが体内に残ってしまいます。これが二日酔いによる頭痛、吐き気、めまい、食欲不振、全身的な不快感などのおもな原因です。

二日酔いをなおす基本は、水をたくさん飲んで利尿をはかることです。これによって、血液中のアセトアルデヒドを早く体外へ排泄することができます。利尿効果のある濃い緑茶や薄めのコーヒーなどを飲むのも有効です。さらに、くだものに含まれる果糖やハチミツの糖分なども、血液中のアルコール濃度を下げる働きがあります。

また、二日酔いのときは、弱った胃腸をいたわるために、栄養価が高く消化のよい食べものを選んで、胃腸に負担をかけない食事を取ることがたいせつです。

知っておきたい One Point

お酒はゆっくりと、つまみを食べながら

肝臓のアルコール処理能力は、1時間あたり日本酒で約0・3合といわれています。これをこえる量を飲めば、脳をはじめさまざまな臓器に障害をあたえます。まず、短時間に多量のお酒を飲まないことです。

また、つまみを食べながら飲むこともだいじです。とくに、豆腐や魚などタンパク質をたくさん含む食品は、胃の粘膜を保護し、さらに酒を分解するアルコール脱水酵素をふやします。海藻や野菜類などアルカリ性の食品も、酒の酸性を中和します。

大根

大根のしぼり汁

大根の豊富なビタミンCが肝臓の働きを助けるうえ、ジアスターゼなどの消化酵素が胃腸の調子をととのえます。さらに利尿効果もありますので、二日酔いに最適です。

皮の部分にビタミンCが多いので、よく洗って皮つきのまますりおろし、しぼり汁を飲みます。ハチミツを加えても効果的です。

食事の取り方

利尿をうながし、不快な諸症状をやわらげる食べものを

二日酔いの症状は、頭痛、吐き気、めまい、食欲不振などから全身的な不快感まで、ひとによりさまざまです。

二日酔いのときは、たっぷりと水分を取ってアルコールを早めに排泄するのが一番です。また、大根やサンザシなどの利尿作用を利用するのもよいでしょう。あずきやしょうがなどは、さまざまな薬効により不快な諸症状の解消に役立ちます。

緑茶

濃いめの緑茶

緑茶に豊富に含まれるカフェインが利尿をうながし、タンニンが頭痛をやわらげます。また、緑茶にはアルコールの解毒作用もありますので、二日酔いの解消に有効です。

お茶の葉10gを水600mlで半量まで煎じ、これを1日3回に分けて飲みます。濃いめに煎じるのがコツです。

クズ

クズの花の煎じ汁

クズ（葛）は、夏、紫紅色の花をつけます。この花が二日酔いの解消や悪酔い防止にすぐれた効果を発揮します。乾燥させたものを、漢方では葛花（かっか）といいます。

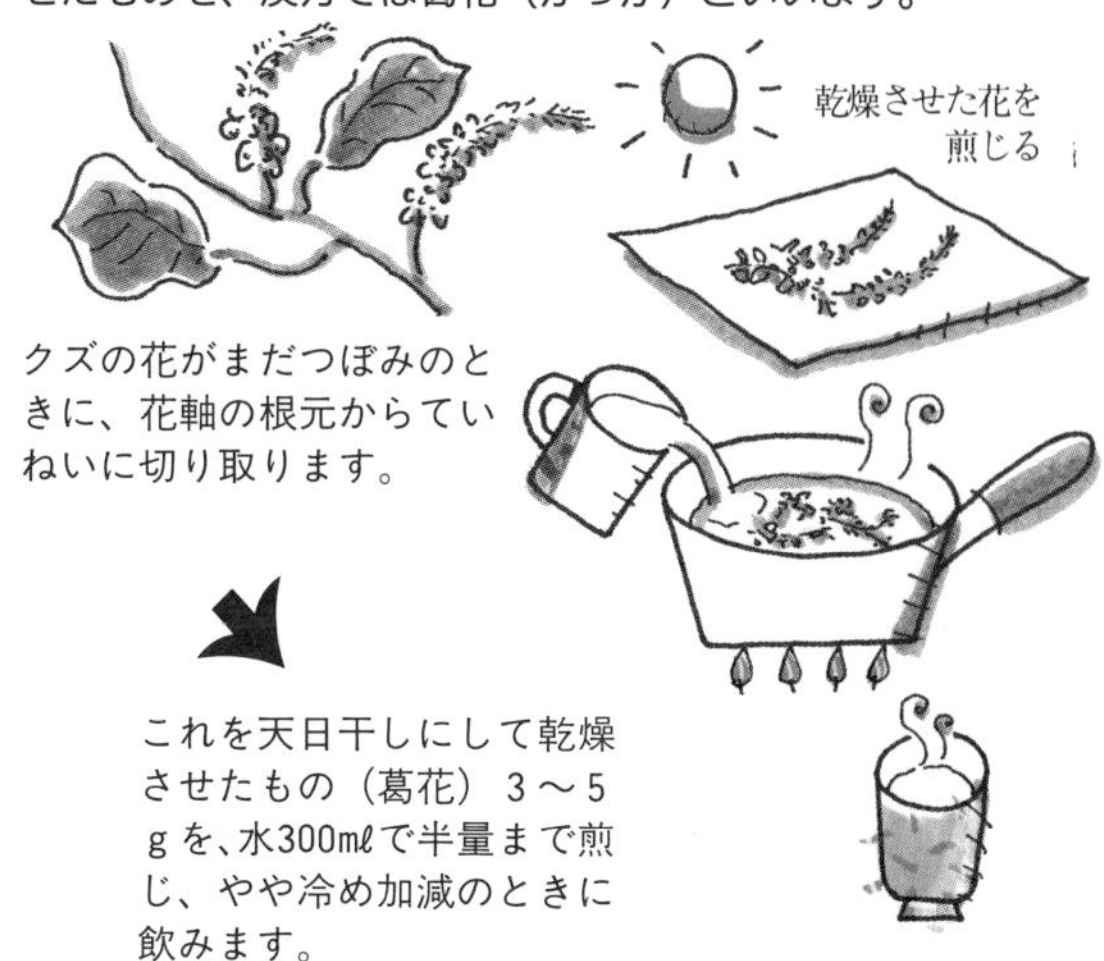

クズの花がまだつぼみのときに、花軸の根元からていねいに切り取ります。

これを天日干しにして乾燥させたもの（葛花）3～5gを、水300mlで半量まで煎じ、やや冷め加減のときに飲みます。

シジミ

シジミエキス

シジミは良質のタンパク質が豊富なほか、カルシウム、鉄分、ビタミンB_2、B_{12}を含む、とても栄養価の高いたべものです。これらの成分が肝臓の働きを助け、二日酔いにも悪酔いにも効きます。

新鮮なシジミをひと晩水につけて砂をのぞき、シジミカップ4～5杯を水1ℓに入れ、弱火で1/3ほどになるまで煮つめます。

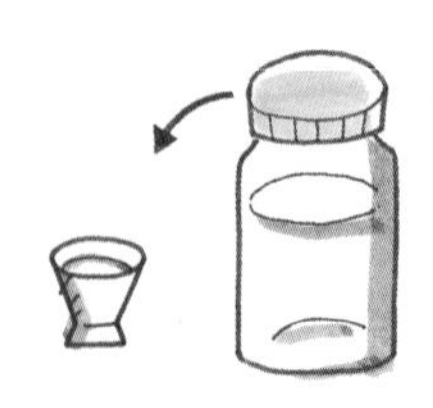

これを冷ましてびんに入れ、さかずき1杯を1回分として、1日3～4回食前に飲みます。

飲みにくい場合は、少量の塩やみそを加えるとよいでしょう。

あずき

あずきの煎じ汁

あずきのおもな成分は、でんぷん、タンパク質、ビタミンB_1などです。解毒作用をはじめ利尿作用、緩下作用にもすぐれていて、二日酔いによく効きます。

あずき30gを水400mℓで半量まで煎じ、これを1日数回飲みます。残ったあずきも食べます。ただし、砂糖や調味料で味つけすると効果がなくなります。

甘柿

生甘柿

甘柿に含まれるタンニンには、酒による交感神経の興奮をしずめる働きがあります。また、果糖は血液中のアルコール分解速度をはやめ、同時に飲酒によって失われたエネルギーの補給にもなります。

二日酔いの解消には、よく熟したものほど効果があります。お酒を飲む前に1～2個食べれば、悪酔いの防止にもなります。なお、干し柿でもかまいません。

れんこん

れんこんジュース

れんこん（蓮根）には、ビタミンCが多く含まれています。二日酔いでのどが渇いてしかたがないようなときは、れんこんジュースがよく効きます。

れんこん100gをよく水洗いして細かく切ります。これに皮と芯をのぞいて4つ切りにしたナシ1個を加え、ジューサーにかけます。

黒豆

黒豆茶

黒豆にはビタミンB_1、タンパク質、脂肪のほかにソーヤサポニンが含まれていて、血中脂質の酸化を防ぎ、脂肪やコレステロールを下げます。黒豆茶は、二日酔いの解消と予防に有効です。

よくとぎ洗いした黒豆15gに水700mℓを加え、弱火で半量まで煎じ、これを1日3回に分けて飲みます。予防のためには、お酒を飲む前に飲みます。

しょうが

酢しょうが湯

しょうがには、吐き気をおさえる作用のほか、頭痛をしずめる、胃腸の働きをよくして食欲を増進させるなど、すぐれた薬効があります。吐き気や食欲不振、頭痛、胃痛などをともなう二日酔いに最適です。

しょうがは10gほど薄切りにし、1週間ほどたっぷりの酢に漬けておきます。

漬けたしょうが2～3切れをカップに入れて、好みの量のハチミツを加え、熱湯をそそいでよくかきまぜて飲みます。

サンザシ

サンザシの実の煎じ汁

天日干しで乾燥させたサンザシの実を、漢方では山査子(さんざし)といいます。この山査子にはすぐれた利尿作用がありますので、二日酔いの解消に役立ちます。

山査子5～8gを水400mℓで半量まで煎じ、これを1日数回に分けて飲みます。

覚えておくと便利

牛乳は二日酔いの回復薬

深酒は、意外に体力とエネルギーを消耗します。とくに、大量のアルコールを処理しなければならない肝臓は、もっとも激しく消耗します。

このようなときは、タンパク質を多く含む食べものと水分を補給すれば、肝臓の働きを補い、二日酔いや悪酔いからはやく回復することができます。

身近な食べもので、この両方の要素を兼ねそなえたものが牛乳です。

つめたい牛乳は、アルコールで弱った胃腸を刺激して逆効果になることもありますので、二日酔いのときは人肌くらいに温めてから飲むようにします。また、牛乳をつかったおかゆやスープなども効果的です。

センブリ

センブリの煎じ汁

センブリは、全国各地に自生する日本特産の2年草です。生薬名を当薬（とうやく）といい、二日酔いで荒れた胃をととのえ、不快な諸症状をやわらげてくれます。

当薬の粉末1.5～3gほどを50mℓくらいの水で煮立て、1日3回に分けて飲みます。

精力減退・スタミナ不足

ストレスや過労の影響が大きい。体調と精神の安定をはかって体力をつける

食事と運動でパワーアップ

精力減退の多くは、ストレスや過労など精神的な要因から起こります。また、スタミナ不足も精神的な要因に加えて、栄養のかたよりや運動不足が大きく影響します。精力減退やスタミナ不足を感じたときは、日ごろの生活習慣を見なおして、栄養や休養、運動面で不足がないかどうかを反省してみることがたいせつです。

ただし、精力減退やスタミナ不足は、糖尿病などの成人病や睡眠薬の飲み過ぎなどから起こることもあります。このように原因がはっきりしている場合は、その病気の治療が先決です。

ストレスや過労、運動不足、日ごろの食習慣などが影響していると考えられる場合には、まず、休養と睡眠を十分に取って、体調と精神の安定をはかることがたいせつです。また、運動不足に気づいたら、適度な運動で体力をつけることです。さらに、精力・スタミナアップには、バランスのとれた栄養補給がかかせません。良質のタンパク質、ビタミン類、ミネラル類を平均してとり、にんにく、にら、ヤマイモなど栄養価が高く、強精・強壮効果のあるものも積極的に食べましょう。

知っておきたい One Point

過度の悲観や心配はマイナス

精力の衰えやスタミナ不足をいたずらに悲観したり、心配したりすることはよくありません。精神的なストレスや過労などから精力減退やスタミナ不足をまねいた場合は、とくにそうです。インポテンツ（性的不能）の多くも、ノイローゼなど心因性にもとづくものが多いのです。

もっとも効果的な精力・スタミナ回復法は、過労を避け、心身をリラックスさせること、適度な運動で体力の維持・増進をはかること、そして、栄養バランスのよい食事を取ることです。

ヤマイモ

ヤマイモのすりおろし

ヤマイモは各種ビタミン、アミノ酸を豊富に含むうえ、特有のぬめり成分（ムチン、サポニンなど）にすぐれた疲労回復、強精・強壮効果があります。常食がベストです。

ヤマイモ60ｇをすりおろし、レモン汁少量とだし汁100㎖を少しずつ加えてまぜます。

さらに、にんにくのすりおろし少量を加え、これを温かいご飯などにかけて食べます。

にんにく

にんにくエキス

にんにくには、ビタミンB_2、C、タンパク質、ミネラル類が豊富に含まれているうえ、強精・強壮効果にすぐれています。また、疲労回復にも薬効があります。

にんにく４片をすりおろし、清酒180㎖とともにびんに入れ、密封して２カ月ほどねかせます。これを毎日、スプーン半分ほど飲みます。

にんじん

にんじんと羊肉の煮もの

にんじんは、カロチンをはじめ各栄養素をバランスよく含んでいます。また、体を温める働きもありますので、胃腸が弱く、腹痛や消化不良を起こしやすいひとの精力増強、スタミナ増進に最適です。

にんじんと羊肉をいっしょに煮て食べると効果的です。羊肉にも体を温め、血行をよくする働きがあります。

食事の取り方

精力・スタミナアップに効果のある食べものを積極的に食べる

精力増強、スタミナ増進のもとになるのは、なんといっても十分な栄養補給です。その補給源は毎日の食事です。

毎日の食事では、栄養のバランスをとりながら滋養のある食べものを積極的に取り入れるようにします。にんにくやにんじんをはじめ、ヤマイモ、にら、黒ごま、うなぎなどはとても栄養価が高く、強精・強壮効果にすぐれています。

クコ

クコの煎じ汁

クコは、滋養・強壮にすぐれ、動脈硬化の予防や泌尿器・生殖器系の働きを活発にする作用があります。生薬では、クコの葉を枸杞葉（くこよう）、その果実を枸杞子（くこし）といいます。

かげ干ししたクコの葉（枸杞葉）や果実（枸杞子）ひとつまみほどを、水360mℓで煎じて、これをお茶がわりに飲みます。

ネズミモチ

ネズミモチの煎じ汁

生け垣に使われるネズミモチには、すぐれた強精・強壮効果があります。漢方では、葉を女貞（にょてい）、果実を女貞子（にょていし）と呼び、催淫（さいいん）・媚薬としても用いられます。

女貞子10〜15ｇを水600mℓで半量まで煎じ、これを1日3回に分けて飲みます。

黒ごま

黒ごま塩

黒ごまは、リノール酸など不飽和脂肪酸に富み、良質タンパク質、脂質、ビタミンE、カルシウムなどの各栄養素も豊富です。毎日食べれば、精力増強、スタミナ増進に効果的です。

黒ごま大さじ15杯に小さじ1杯の塩を加えて、フライパンなどで炒り、軽くすりつぶします。これをご飯にかけて食べたり、ほうじ茶などに入れて飲みます。

イカリソウ

イカリソウの煎じ汁

イカリソウ（碇草）の茎葉に含まれる成分には、精力増強、滋養・強壮効果があります。乾燥させたものを淫羊藿（いんようかく）といい、漢方薬局で購入できます。

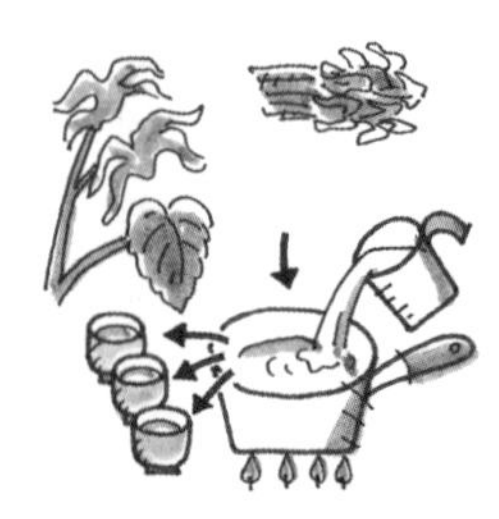

淫羊藿10〜20ｇを、水600mℓで半量まで煎じ、これを1日3回に分けて、毎日、食間に飲みます。

にら

にらとくるみの煎じ汁

にらには、抜群の強精・強壮効果があります。とくに、にらの種子（生薬名：韮子／きゅうし）は一層効果が高く、インポテンツや遺精に効きます。また、くるみもとても栄養価が高く、強精・強壮効果にすぐれています。

韮子6ｇとくるみ1個を、適量の水で煎じます。
これに清酒200mℓを加え、3日間ほど飲みつづけます。

にら、くるみともに単独で食べても有効ですが、あわせれば相乗効果が期待できます。

たまねぎ

オニオンスライス

たまねぎに含まれる硫化アリルには、ビタミンB₁の吸収率を高める働きがありますので、疲労回復、スタミナ増進に最適です。ただし、硫化アリルは熱に弱いので生で食べるようにします。

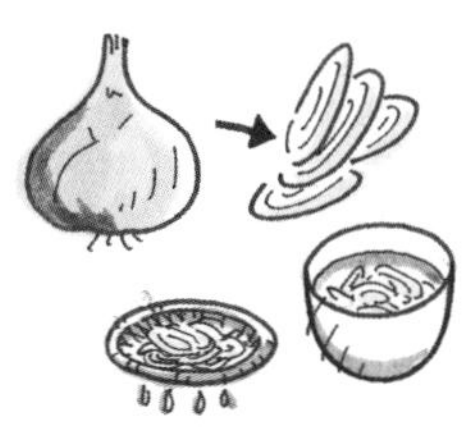

たまねぎをスライスして、ほんの少し水にさらし、水気をきります。しょう油やお好みのドレッシングをかけて毎日食べます。

ハス

ハスの実の煎じ汁

ハスの実は、生薬名を蓮子（れんし）といい、滋養・強壮作用と精神安定作用にたいへんすぐれています。スタミナ増進に効くほか、虚弱体質や遺精などの改善にも効果的です。

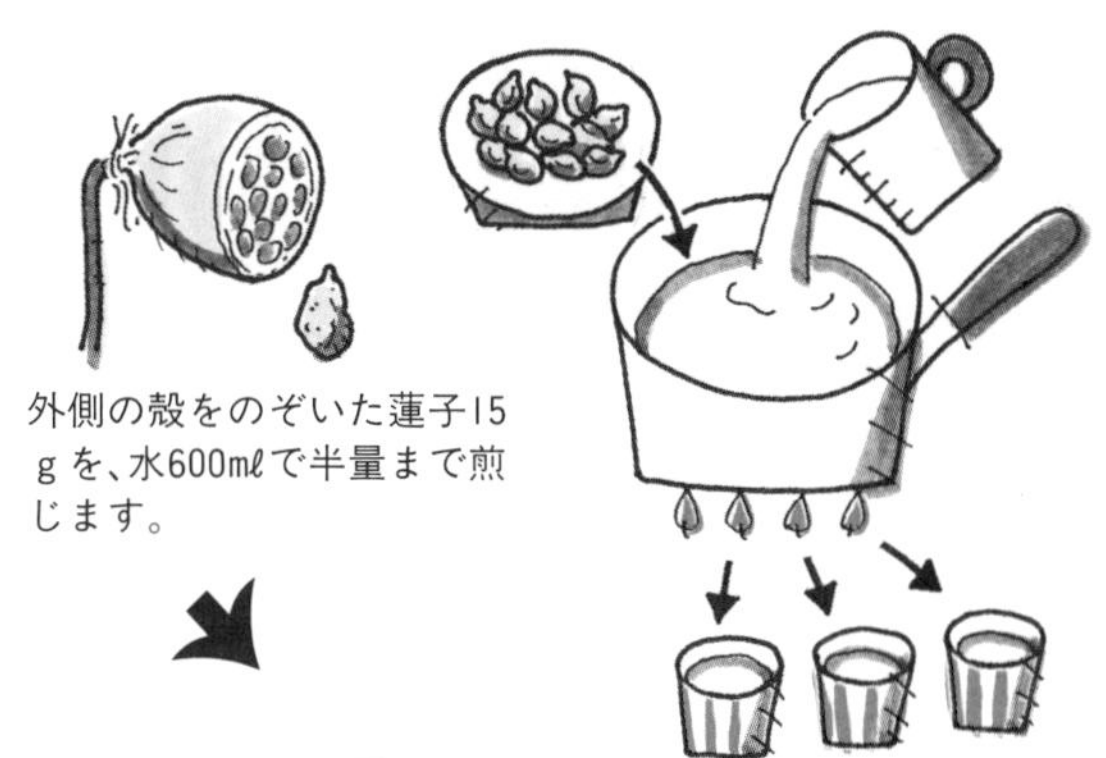

外側の殻をのぞいた蓮子15gを、水600mℓで半量まで煎じます。

これを1日量として、1日3回に分けて空腹時に飲みます。

覚えておくと便利 強精・強壮に効くぬめりのある食品

ヤマイモ、里いも、オクラ、なめこ、どじょう、うなぎなど、特有のぬめりをもった食品には、それ自体栄養価が高く、強精・強壮効果があるという共通した特徴があります。このぬめりのもとは、粘性のあるムチンという成分で、その効用はタンパク質を無駄なく吸収して、すばやく活用させることです。

ところで、タンパク質は精液の主成分であり、また筋肉の増強にかかせない栄養素です。こう考えれば、タンパク質の活用を助けるムチンが、精力増強、スタミナ増進に効果的な理由もうなずけます。

ぬめり食品は、身近にたくさんありますので、毎日の食事にもっと取り入れたいものです。

じゃがいも

じゃがいもスープ

じゃがいもの豊富なビタミンCは、熱に強いのが特徴です。また、ビタミンB₁やカリウム、鉄分、アミノ酸などを含み、体力増強、強精・強壮につながります。

皮つきのまま（芽はのぞく）のじゃがいもをさいの目に切り、約3倍の水で半量まで煮つめます。このスープを食前にコップ半分ずつ飲みます。

ビタミン欠乏と過剰

欠乏するとどうなる

ビタミンは、体内のさまざまな働きがスムーズにおこなわれるための潤滑油です。そのビタミンが不足すると、さまざまな不調が起きてきます。ビタミン不足と病気との関係がはっきりしているものをあげてみます。

ビタミンCの不足――壊血病
ビタミンB_1の不足――脚気
ビタミンAの不足――夜盲症

などです。

また、病気とはいえないまでも、健康とはいえない自覚症状があります。

ビタミンAの不足――視力障害
ビタミンB群の不足――精神症状（イライラ、不安感など）
ビタミンCの不足――歯肉出血
ビタミンDの不足――骨の異常（骨軟化症、くる病）
ビタミンEの不足――更年期症状（頭痛、疲労感、不眠、肩こりなど）

などです。

ビタミン類は外食やインスタント食品ではなかなか取りにくい栄養素なので、体の不調を感じたら、食生活を見直して、ビタミンが十分に足りているかどうか確認してみましょう。

水溶性ビタミン、脂溶性ビタミン

ビタミン類はその性質として、水に溶けるものと油脂に溶けるものとに分けられます。油脂に溶けるものは脂溶性ビタミンと呼ばれ、ビタミンA、D、E、Kの4種類があります。水に溶けるものは水溶性ビタミンと呼ばれ、ビタミンB群（B_1、B_2、B_6、B_{12}、ナイアシン、葉酸、パントテン酸、ビオチン）、ビタミンCの9種類があります。

過剰の心配がない水溶性ビタミン

脂溶性ビタミンは、油といっしょに取ると効果的です。とくにビタミンAの原料になるカロチンは、吸収率が大幅にアップします。肝臓や皮下脂肪などに蓄えられるので、多少の取りだめも可能で、その日に利用されずに残った分はつぎの日に利用できますが、余分に取り過ぎると障害が起きる心配も出てきます。

それにくらべると、水溶性のビタミンは、ある程度まとめて取っても、必要な量より多い分は尿に混じって体外に排出されてしまうので、毎日、適量取ることが必要になってきます。また、調理の際も、水中に失われやすいので、手早く扱うことが必要です。

過剰に取るとどうなる

ビタミンの過剰摂取による影響は、脂溶性ビタミンと水溶性ビタミンとでは違います。

脂溶性ビタミンでとくに注意したいのは、ビタミンAとDです。ビタミンAの過剰は、頭痛や吐き気などの症状が起きます。また、ビタミンDの過剰は、成人だと問題はありませんが、乳幼児の場合は、臓器にカルシウムがたまり過ぎる場合もあります。

水溶性ビタミンは水に溶けやすいので、余分に取っても体内を素通りして尿中に排泄されるので、過剰摂取の心配はほとんどないといえます。

しかし、安全性の高いビタミンCも、取り過ぎの状態が続いたあと急に所要量を下げたりすると、逆にビタミンC欠乏症に陥ることがあるので、水溶性といえども過剰に取り過ぎることは避けます。

脂溶性ビタミンも水溶性ビタミンも食物から取る程度の量ならよいのですが、ビタミン剤などを日常的に服用し続けている人は、過剰摂取の注意が必要です。

ビタミンを効率よく取るには

ビタミンは、体内機能の調節に必要な栄養素なので、ひとりひとりの食生活や健康状態、生活状態などによって必要量は変わってきます。

ビタミンは、さまざまな食品に含まれていますから、穀類、肉類、魚、豆類、野菜類、乳製品、卵、牛乳などを毎日バランスよく食べていれば、ビタミン不足を心配する必要はありません。

ただし、ビタミンEは毎日の食生活で、意識的に十分な量を取るように心がけましょう。

さらに、インスタント食品や外食ばかりになると、ビタミンB群が不足しやすいので、偏りのない食生活を送ることがたいせつです。

ビタミンを含む食品

ビタミンA カロチン類		レバー、うなぎ、卵黄、バター、緑葉野菜、橙黄色野菜（にんじん、かぼちゃ、ほか）、くだもの
ビタミンB群	ビタミンB_1	米ぬか、胚芽、酵母、豆類、麦類、ごま、にんにく、豚肉内臓
	ビタミンB_2	酵母、干ししいたけ、緑葉野菜、チーズ、牡蠣、卵白、豆類、肝臓、牛乳
	ビタミンB_6	米ぬか、酵母、肝臓、豆類、黒砂糖、レバー、魚介類
	ビタミンB_{12}	肝臓、魚類の内臓、卵黄、チーズ、牛乳
	ナイアシン	レバー、酵母、豆類、魚類、穀類、きのこ、のり
	葉酸	レバー、マメ（腎臓）、酵母、緑葉野菜
	パントテン酸	レバー、肉類、魚類、大豆、酵母、牛乳
	ビオチン	レバー、酵母、胚芽、エンドウ
ビタミンC		柑橘類、じゃがいも、芽キャベツ、緑黄色野菜、緑茶
ビタミンD		レバー、煮干し、シラス干し、イワシ、サバ、カツオ、シイタケ、肝臓その他の内臓
ビタミンE		穀物、胚芽油、植物性油、緑葉野菜、アーモンド
ビタミンK		レバー、納豆、チーズ、緑葉野菜

動悸・息切れ

心臓病のほか、精神不安や過労も原因に。心身のリラクゼーションを

神経の高ぶりをしずめる食べものを

動悸とは、ふだん意識しない心臓の鼓動が、ドキドキと激しく打つのを感じる状態をいいます。また、息切れとは、運動をしたあとなどに呼吸が乱れ、息苦しさを感じることです。

動悸や息切れは、健康なひとであっても、激しい運動をしたり、驚いたり、興奮したりしたときにはよくみられます。

しかし、安静にしているときや軽い運動しかしていないのに、動悸がなかなかおさまらない、せき込む、脈の異常や胸の痛みがあるなどというような場合は、心臓病、貧血、動脈硬化、肺気腫などの呼吸器の病気のほか、甲状腺の病気、不整脈、更年期障害、心臓神経症などさまざまな原因が考えられますので、はやめに医師の診察を受ける必要があります。

また、これといった病気はなくても、精神不安や過労から動悸、息切れが起きることがあります。このような場合は、心身ともにリラックスすることを心がけ、カキ貝やしその葉など、神経の高ぶりをしずめて動悸や息切れをおさえる食べものを取ることで、かなり改善することができます。

知っておきたい One Point

動悸や息切れが起きたらまず深呼吸を

動悸や息切れが起きたときは、心配や恐怖心が症状をさらに悪化させますので、深呼吸をして酸素を十分に吸い、気分を落ち着かせます。ひどい息切れの場合は、さらにベルト、ネクタイ、ブラジャーなど、体を締めつけるものをゆるめるか、取りはずすかして、体をゆったりとさせることが必要です。

動悸が起こりやすいひとはふだんから、からしなどの香辛料や、コーヒー、お酒、タバコなど、刺激性の強いものはひかえるようにしなくてはなりません。

食事の取り方

動悸、息切れをしずめ、予防効果がある食べものを毎日取る

動悸や息切れは、病気ではないのに起こることがあります。ほとんどは精神不安や神経過敏、疲労によるもので、しその葉やカキ貝のほかに、龍眼、ハスの実などを毎日取ることで、症状をしずめることができます。

心臓病や動脈硬化などの病気によるものも、卵油やごま、ヨモギなどのように、日常よく食べることで予防効果を発揮する食べものもあります。

龍眼

龍眼肉のハチミツ漬け

龍眼（りゅうがん）は生薬の一種で、神経過敏による動悸・息切れに効果があります。龍眼を干した龍眼肉は、漢方薬局や一般の食品店、中国料理材料店で入手できます。

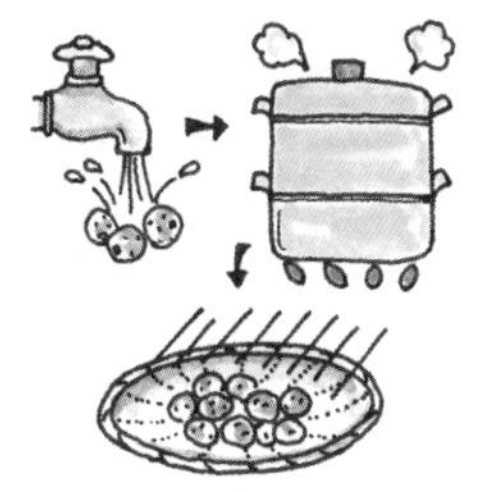

龍眼肉200ｇを水洗いして水を切り、蒸し器で蒸したあと、かげ干しにします。

蒸してかげ干しにする手順を３回繰り返してできた龍眼肉を容器に入れ、カップ１杯のハチミツに漬けます（市販されているものもあります）。

１日に５～10個を目安に食べるとよいでしょう。

しそ

しその葉茶

しその葉に含まれているメントールには、鎮静作用があり、神経のイライラからくる動悸や息切れを解消します。お茶には青じその葉をもちいます。

葉を数枚きざんで湯のみに入れ、熱湯200mℓをそそぎます。５分ほどおいて、成分を湯に溶け出させてから飲みます。

カキ貝

カキ貝の殻の煎じ汁

カキ貝の殻は漢方では牡蠣（ぼれい）と呼ばれ、カルシウムを豊富に含んでいます。肝臓病や心臓病に作用し、精神不安からくる動悸や息切れにも効きます。

カキの貝殻５ｇを400mℓの水で、半量になるまで煎じます。これを１日３回に分けて、空腹時に飲みます。

アマドコロ

アマドコロ酒

アマドコロは、山野に自生するユリ科の多年草で根に薬効があり、生薬では萎蕤（いずい）といいます。滋養・強壮のほか、精神不安からくる動悸を解消します。

天日干ししたアマドコロの根100gをグラニュー糖100gと焼酎1.8ℓに漬けて半年ねかせ、布でこして飲みます。1回20mℓが目安です。

ハス

ハスの実の煎じ汁

ハスの実は、生薬では蓮子（れんし）または蓮肉、蓮実とも呼ばれ、交感神経の働きを滋養し、精神を安定させて、動悸をしずめます。外側のかたい殻を取ってつかいます。

ハスの実15gを600mℓの水で半量まで煎じ、1日3回に分けて空腹時に飲みます。そのまま焼いて食べても効果があります。

卵

卵油

卵の黄身は、漢方では血液や体液を補う働きがあるとされ、心臓病による動悸や息切れをいやします。卵油は、心臓病に効くと、昔から親しまれてきたものです。

卵黄5～10個をフライパンに入れて強火にかけ、木じゃくしなどでかきまぜます。

しばらくすると焦げて煙が出ますが、そのまままぜ続けます。卵黄がベトベトしてきます。

黒くねっとりとした油が出たら火からおろして布でこし、油だけ集めて、びんなどに保存します。

茶さじ1/3杯ずつ朝晩飲みます。つくりおきがききます。市販のオブラートで包むかカプセルにつめると、飲みやすくなります。

リュウノヒゲ

リュウノヒゲの煎じ汁

リュウノヒゲは、全国の山野に自生する多年草で、根のふくらんだ部分に薬効があり、それを乾燥させたものを生薬では麦門冬（ばくもんどう）といいます。心臓病からくる動悸や息切れに効果があります。

麦門冬10～15gを水500mℓで半量まで煎じます。ハチミツを加えてもよい。

クチナシ

クチナシの実の煎じ汁

完熟したクチナシの実を乾燥させたものを、生薬では山梔子（さんしし）と呼びます。動悸がして胸に不快感がある場合に、効果を発揮します。

山梔子5～10個を600mℓの水で半量まで煎じ、これを1日3回に分けて飲みます。

サンザシ

サンザシの実の煎じ汁

サンザシ（山査子）は盆栽や庭木として栽培される植物で、生薬では実の部分をもちいます。血管を拡張させる作用があり、血圧を下げ、動悸や息切れをしずめます。

サンザシの実は完熟前に採取して、天日干しにします。5～6個を水300mℓで半量まで煎じてから飲みます。

ヨモギ

ヨモギの葉の煎じ汁

ヨモギ（蓬）の葉には、血液の流れを促進させる作用があり、血液循環の障害で起こる狭心症や、動脈硬化による動悸や息切れの予防に効きます。

乾燥したヨモギの葉5～10ｇを水400～600mℓで半量になるまで煎じ、1日3回に分けて飲みます。

ごま

ごまみそマヨネーズ

ごまは、不飽和脂肪酸であるリノール酸などを多く含み、コレステロールの血管への沈着を防ぎ、動脈硬化による動悸、息切れを予防します。また、不飽和脂肪酸の酸化を防ぐビタミンEが豊富で、高血圧や心臓病にも効果があります。ごまの皮はかたいのですりつぶしてつかうと、消化吸収がよくなります。

ごま大さじ2杯をすり鉢ですります。

マヨネーズ1/2カップ、みそ大さじ1杯を加え、まぜあわせます。

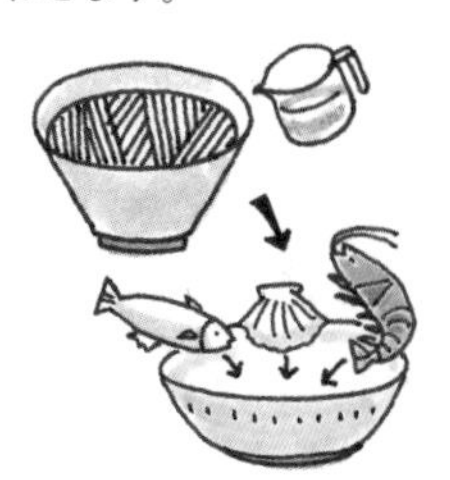

マヨネーズがかたくなったときは、だし汁でのばしてつかいます。魚介類のサラダによくあいます。

覚えておくと便利

動悸、息切れにも効くカルシウム

中高年が、これといった病気はないのにすこしの運動で動悸や息切れを起こすのは、過労やタバコ、お酒の量が多いためと考えられます。

こうした症状を防ぐためには、神経や筋肉の興奮を調整したり、心臓の鼓動を一定に保ったりする働きのあるカルシウムを多く含む食品、たとえば牛乳や乳製品、海藻、小魚、緑黄色野菜などを取るようにすることがたいせつです。

カルシウムを補給するには、牛乳を毎日飲むのがもっとも効果的な方法です。牛乳に含まれるタンパク質と乳糖がカルシウムの吸収を助けるため、その吸収率は50～70％にも達します。

中高年の女性は1日400mℓ、男性は1日200mℓを目安に飲むようにしましょう。

せき・たん

せき・たんはおもにかぜが原因。ただし、長びくせき、血たんには要注意

鎮静、殺菌作用のある食べものが効果的

せき・たんは、かぜをひいたときなどに多くみられる症状です。せきが起こるメカニズムは、気道（口、鼻、のどなど肺に出入りする空気の通路）がなんらかの刺激を受けた場合や炎症によってできた分泌物を排出しようとする生理的な反応によって起きます。このとき排出されるのが、たんです。たんは、細菌やゴミなどが分泌物とまざったものです。

一般には、かぜなどの症状が回復すれば、せき・たんはおさまります。しかし、激しいせき込みやゼイゼイなどといったしめったせきが長く続く、たんに血がまじる、緑や褐色のたんが出るといった症状がある場合は、気管支炎、肺炎、肺がんなどの病気が疑われますので、医師の診察が必要です。

せき・たんには鎮静、殺菌作用やのどをうるおす食べものが効きます。こうした食べもののなかでは、ねぎ、ハチミツ、ナシなどが代表的です。とくに、せきは体力を消耗させますので、体力維持の意味でもハチミツはうってつけの食べものです。

せき・たんをうながす食べものに注意

知っておきたい One Point

せき・たんを悪化させる食べものに、もち米があります。もち米には、炎症をなおりにくくする働きがあり、とくに気管支炎などの炎症によるせき、たんにはよくありません。

また、ブリの刺し身を食べ過ぎると、ぜんそくをわずらっているひとや日ごろからせきの出やすいひとなどは、発熱、嘔吐などを起こすことがあります。

このほかに豚肉、たけのこなども、せきやたんが出やすくなる作用があるので、多食しないことです。

食事の取り方

せき・たんには鎮静作用やのどをうるおす作用のある食べものが効果的

せき・たんをやわらげるには、鎮静作用やのどをうるおす作用がある食べものが効きます。こうした作用にすぐれている食べものには、ねぎ以外にれんこん、しそ、大根、ごぼう、ハチミツなどがあります。

また、くだものでは、ナシが効果的です。ナシ1個に89%含まれる豊富な水分が、のどなどの気道をうるおし、せき、たんをやわらげてくれます。

春菊

春菊の煎じ汁

春菊は、カロチンを豊富に含み、そのカロチンは体内に入るとビタミンAに変わり、粘液の分泌をさかんにします。この作用が、たん切りにすぐれた効果を発揮します。

水洗いした春菊100〜150gを500〜600mlの水で半量になるまで煎じます。これを1日分として2〜3回に分けて飲みます。

大根

大根あめ

大根に含まれているビタミンCには、のどなどの粘膜を丈夫にする作用があります。また、肺の熱を取る働きもあり、かぜによるせきやたんによく効きます。

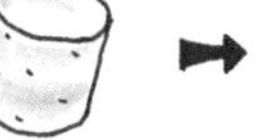

よく洗った大根200gほどを皮つきのまま、1cm角のさいの目に切ります。

これを広口びんに入れ、大根がすべて浸るくらいの量のハチミツをそそぎ、1〜2日間冷暗所におくと、透明の液層ができます。この透明液をスプーン1杯ほど、適宜飲みます。

透明な液を飲む

かぶ

かぶのしぼり湯

かぶには、ビタミンA・Cが豊富に含まれています。ビタミンCには、のどなどの粘膜を丈夫にする働きがあり、昔からせき止めに利用されています。

かぶを皮ごと、おろし金などですりおろし、ガーゼなどに包んでしぼります。できたしぼり汁大さじ2〜3杯分と氷砂糖1〜2個を湯のみに入れて、50mlの熱湯をそそいで飲みます。

オオバコ

オオバコの葉の煎じ汁

オオバコは、道ばたや空き地などでよく見られる多年草です。薬効は茎葉（生薬名：車前草／しゃぜんそう）と種子（生薬名：車前子／しゃぜんし）にあり、どちらもせき止め、たん切りにすぐれた効果があります。

乾燥させた茎葉または種子10ｇを、200mℓの水で半量になるまで煎じます（種子は軽く火で炒ってつかう）。これを１日分として３回に分け、食間に飲みます。

ナシ

ナシのしぼり汁

ナシには水分が豊富に含まれています。この水分には、のどや肺をうるおして炎症をやわらげる働きがあり、せき止め、たん切りに効果があります。

ナシ１個の皮をむき、おろし金などですりおろします。これをガーゼなどでしぼって飲みます。

ナンテン

ナンテンの実の煎じ汁

ナンテンは、秋に枝先に赤い実をつけます。この実を乾燥させたものを生薬では、南天実（なんてんじつ）といい、かぜ、ぜんそくなどのせき止めにすぐれた効果を発揮します。

12月ごろに採取し、天日干しで乾燥させたナンテンの実５～10ｇを400～600mℓの水で半量になるまで煎じます。これを１日分として３回に分けて飲みます。

きんかん

きんかんの実の煮汁

きんかんは、中国原産のミカン類の植物です。12月～２月ごろにかけて、黄色い小さい実をつけます。皮にはビタミンCやミネラルが多く含まれ、のどの炎症をしずめる作用があり、せき止めの効果があります。

よく熟れたきんかん10個、砂糖少々を600mℓの水で沸騰するまで煮、煮汁を数回に分けて温めて飲みます。

アロエ

アロエあめ

アロエは、私たちの身近にある便利な薬草です。アロエに含まれている成分には消炎、殺菌などの作用があり、長く続くせきや、気管支炎からくるたんを止めるのに効果的です。

アロエの葉４～５枚をよく洗い、トゲを取っておろし金などですりおろし、ガーゼなどでこします。

これに水あめ200mℓを加えて、弱火でトロトロになるまで煮つめます。これを１回小さじ１杯ほど、適宜食べます。また、粘りけのあるたん切りには、１～２時間おいてさらに小さじ１杯ほど食べます。

しそ

しその葉茶

しその葉には、殺菌作用や鎮静作用があります。なかでも、かぜによるせきには、よく効きます。

青じその葉2枚をかげ干しで乾燥させます。これをもんで細かくして、湯のみに入れ、熱湯、または番茶をそそいで適宜飲みます。

ねぎ

ねぎのハチミツ煮

ねぎの辛みの成分である硫化アリルや精油成分には、肺や鼻、のどなどの粘膜を丈夫にする作用があります。とくにねぎの白い部分が、かぜからくるせきにすぐれた効果を発揮します。

ねぎの白い部分7本ほどを適当な大きさに切ります。これをすり鉢などでつぶします。

これにハチミツ60g、水100mlを入れ、弱火でトロトロになるまで煮つめます。とろみがついてきたらできあがりです。これを1日2回に分けて食べます。

覚えておくと便利 せき、たんに効く湿布療法

せき、たんに効く湿布のなかでも、ねぎの湿布は昔から広く利用されています。

ねぎの湿布は、ねぎの白い部分を利用します。5cmほどの長さに切った白い部分10個を、しんなりするまで火であぶります。これを冷まし、縦に切って、ガーゼなどの布に包みのどに巻いて湿布します。湿布のねぎはひと晩に2〜3回取り替えます。

このほか、しょうがの湿布も効きます。しょうが1片のすりおろしとさかずき1杯の粉からしを1200mlの水に加え、手を入れられる程度まで温めます。この液にタオルを十分浸したあとしぼって、のどに巻き湿布します。タオルがつめたくなったら、ふたたび液に浸してしぼり、のどに巻いて湿布します。この方法で20分間ほど湿布を繰り返しおこないます。

みかん

みかんの皮の煎じ汁

ビタミンCが豊富に含まれているみかんの皮を乾燥させたものを、生薬では陳皮（ちんぴ）といいます。せき止め、たん切りにすぐれた効果があります。

天日干しで乾燥させ、細かくきざんだみかんの皮10gとハチミツ小さじ1杯を600mlの水で半量になるまで煎じます。これを1日量として3回に分けて、温めて飲みます。

口臭

思い込みだけのケースもある。あまり神経質にならないことがたいせつ

原因にあわせた療法を

口臭の原因はさまざまですが、大きくつぎの3つのタイプに分かれます。

まず、健康なひとにもよくある生理的口臭です。これは、空腹時や起床時に感じるもので、口のなかを浄化する唾液が少なくなり、口腔内の細菌が活発に繁殖したために起こります。

つぎは、病的口臭です。一番多いのは、歯肉炎や歯槽膿漏(しそうのうろう)、虫歯によるものですが、ほかに肺結核などの呼吸器系の病気、鼻の病気、胃の病気なども考えられます。

最後は、若いひとに多くみられる心因性口臭(自臭症)です。これは一種の神経症で、それほど心配がないのに、ひどい口臭があると思い込んでいるケースです。

以上のうち、病的口臭はもとになっている病気を治療すればなおります。生理的口臭と心因性口臭は、なにより も気にし過ぎないことがたいせつです。おしゃべりをひかえると、唾液の分泌がすくなくなり、かえって口臭を強めることになります。また、食べものでは抗菌作用のある緑茶や、抗菌・防腐作用に加えて唾液の分泌をうながす梅干しなどが口臭解消に効果的です。

病的口臭にもいろいろな原因がある

知っておきたい One Point

病的口臭の多くは、歯の病気によるものです。これは、歯こうや食べカス、歯肉からの出血や膿(うみ)などに細菌が繁殖して、異臭(硫化水素など)を発するものです。また、急性・慢性胃炎、胃下垂など胃の病気でも口臭は起こります。これは胃の働きが弱り、消化力が低下して、胃のなかで腐敗や発酵が起こるために吐く息が臭くなるものです。そのほかでは、肺結核や慢性気管支炎など呼吸器系の病気、慢性鼻炎や蓄膿症など鼻の病気が考えられます。

食事の取り方

口臭を気にするより、口のなかの清掃や食べもので解消をはかる

口臭は多かれ少なかれだれにでもあるもの。口臭を気にするより、食後のブラッシングなどで口のなかをいつも清潔に保ち、口臭のもとになる細菌の繁殖をおさえたり、原因となる病気の治療に専念するほうが賢明です。

また、エチケットのひとつとして、緑茶、ウーロン茶（烏龍茶）、梅干し、レモン、パセリなど、身近な食べものを利用した口臭解消法もあります。

緑茶

濃いめの緑茶

緑茶に含まれるタンニンの抗菌作用が、口臭の原因となる細菌の繁殖をおさえて、口臭の予防、解消に効果を発揮します。また、胃腸の消化吸収が悪いために起こる口臭にも効果的です。

口臭が気になるときには、少し濃いめのお茶を飲むようにします。また、お茶の葉をガムがわりにかんでも効果的です。

梅干し

梅干し湯

梅干しに含まれるクエン酸、リンゴ酸などの有機酸には、口のなかに残った食べカスの腐敗や発酵をおさえる働きがありますので、口臭の予防と解消になります。

梅干し１個を湯のみに入れ、熱湯かお茶をそそいで食後に飲みます。梅干しをそのまま食べても有効です。

ザクロ

ザクロジュース

ザクロは成熟すると、果実の皮が割れて淡紅色のつややかな種子が姿を見せます。その外皮には、甘ずっぱい液が含まれており、この酸味が口臭の解消に効果的です。

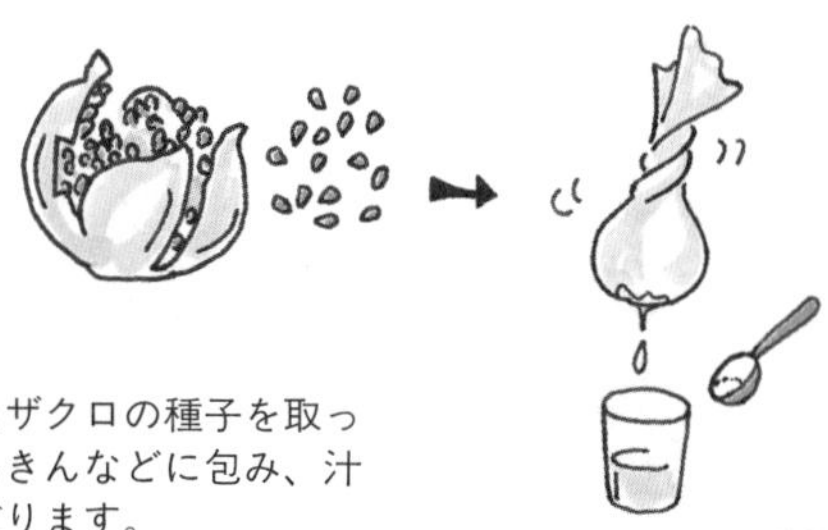

熟したザクロの種子を取って、ふきんなどに包み、汁をしぼります。

しぼり汁に少量の砂糖を入れ、よくかきまぜてお茶がわりに飲みます。

ナンテン

ナンテンの葉の煎じ汁

ナンテン（南天）の葉に含まれるナンジニンには、食べものの腐敗を防止する働きがあります。これが口臭にも有効で、とくに刺激臭の強いにんにくやにらなどを食べたあとの口臭に効果的です。

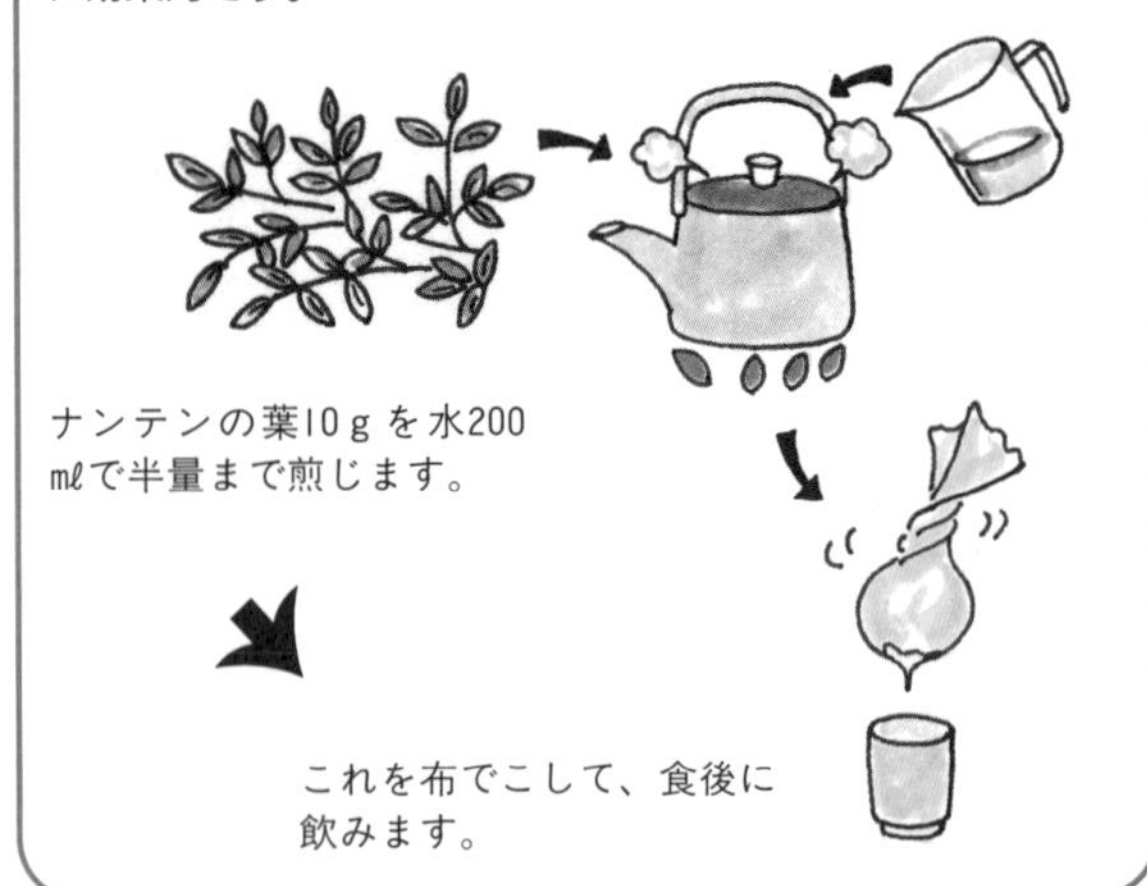

ナンテンの葉10ｇを水200㎖で半量まで煎じます。

これを布でこして、食後に飲みます。

みかん

みかんの皮の煎じ汁

みかんの皮を乾燥させたものを、生薬では陳皮（ちんぴ）と呼びます。これには健胃作用があるほか、口臭を取り去る働きがあります。

乾燥させたみかんの皮（陳皮）30ｇを、適量の水で煎じ、これをお茶がわりに飲みます。

レモン

レモンジュース

レモン特有の酸味のおもな成分は、クエン酸とビタミンCです。クエン酸には、食べものの腐敗、発酵をおさえる働きがありますので、口臭に効果的です。

水洗いしたレモン２～３個の皮をむき、種子をのぞいてジューサーにかけます。大さじ２～３杯のハチミツを加えて飲みます。

中国茶

ウーロン茶

中国茶のなかでは、ウーロン茶（烏龍茶）が抗菌作用のあるタンニンを比較的多く含んでおり、口臭に効果的です。また、ウーロン茶には消化吸収をよくする働きもあります。

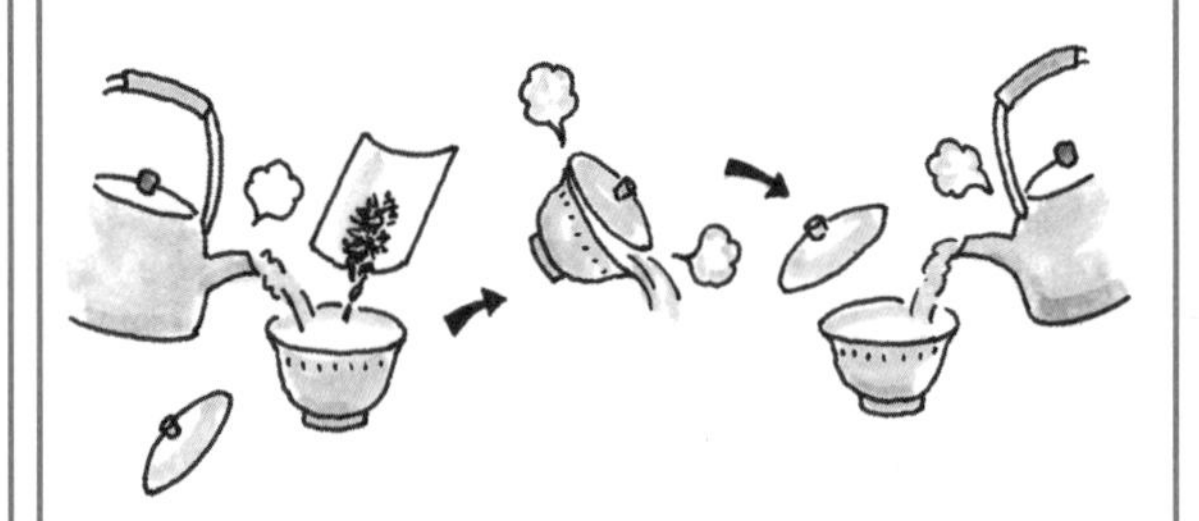

葉は多めに入れるのがコツです。葉を入れたフタつきの湯のみに熱湯をそそぎ、それを一度こぼしてから、再度熱湯をそそいで、すこし蒸らしてから飲みます。

最近はお茶の葉をあとから取り出せるように、なかが二重になっている湯のみもあるので、それを使えば口のなかに葉が入らないのでたいへん便利です。

パセリ

パセリジュース

パセリはとても栄養価の高い食べもので、とくにビタミンA、Cが豊富に含まれています。また、栄養価ばかりでなく、特有の強い香りで口臭を取り去ります。

パセリ2～3本の茎をのぞいて、葉をざっときざみます。
これに皮と芯をのぞき、ざく切りにしたりんご1個を加え、いっしょにジューサーにかけます。レモン汁を加えてもかまいません。

なお、料理に添えられたパセリをそのまま食べても効果があります。また、りんご果汁にも口臭を消す働きがあります。果汁を歯ブラシにつけて磨くと口臭予防になります。

入れ歯の汚れにもご用心

入れ歯（義歯）の汚れも口臭の大きな原因になります。健康な歯と同様に、入れ歯の手入れも入念におこない、清潔さを保つように心がけたいものです。

ブリッジの清掃には、デンタルフロスが便利です。また、総義歯には、ブラシが上下についた入れ歯専用の歯ブラシがあります。入れ歯を磨くときは、水道水を流し放しにしておこなうと効果的です。それでも落ちないようなひどい汚れのときは、歯みがき粉をつけます。このような清掃を、毎食後、あるいは少なくとも朝晩2回はおこないます。さらに、1年に1回程度は歯科の定期検診を受けることもたいせつです。

覚えておくと便利

心因性口臭が増えている

最近、若い男女に心因性の口臭でなやむひとが増えています。心因性口臭は口臭神経症、自臭症などともいい、気にするような口臭がないのに、口臭があると思い込んでいるものです。

自臭症には、精神的な要因が深くかかわっています。とくに、口臭を「恥」と考える日本の文化がその背景にあります。自臭症は、実際にはそれほど心配がないものがほとんどで、たまたま、ひとに口臭を指摘されたりした経験が引き金になっているようです。口臭はだれにでもあるものと考え、あまり気にし過ぎないことがかんじんです。どうしてもなやみが消えない場合は、歯科や口腔外科、心療内科を受診してみるとよいでしょう。

のど・口がかわく

水分を補給すればだいたいは解消する。ただし病的なものもあるので注意が必要

水分の多い食べもので、かわきをいやす

暑いときや激しい運動をしたとき、アルコールをたくさん飲んだとき、辛いものを食べたときなどに、のどや口にかわきを感じるのは生理的なことです。またこれらは一時的なもので、水分を補給すればかわきはいやされます。

しかし、夜寝ていてものどがかわいてがまんできなくなり、排尿回数や量がふえるようでしたら、糖尿病を疑う必要があります。症状としては、このほか、体重の極端な増減や、手足のしびれ、全身の倦怠感などがあります。

また、腎臓病、高血圧症、心臓病などもかわきの原因として考えられますが、その原因となる病気によって、かわきの症状を改善する方法が、水分を補給するものと、水分を制限するものに分かれる場合もあります。異常なかわきがあって尿量が多いときは、医師の診察を受けるようにしてください。

病気の心配のないかわきをいやす代表的な食べものには、ナシやびわ、とうがんなど、水分をたくさん含むくだものや野菜があります。

水分制限と補給で病気のかわきをなおす

知っておきたい One Point

病気によるかわきには、水分制限と水分補給の2種類の治療法があります。

ひどい精神緊張やのど自体に病気がある場合、また、高血圧症や心臓病で利尿薬を服用している場合は、のどがかわき、尿量が異常にふえてしまいます。この場合は、尿量がふえないように水分を制限しなくてはなりません。しかし、かぜなどで高熱を出したときや、下痢をしたときなどは、脱水症状を起こしやすくなるため、水分補給をしなければなりません。

えんどう豆

えんどう豆の煮もの

えんどう豆は、ビタミンC、A、B_1を多く含み、栄養価の高い食べものです。中国では糖尿病による口のかわきに薬効があると、昔から親しまれてきました。

水を多めにして浸す

乾燥えんどう豆160gをたっぷりの水にひと晩浸してもどしておきます。

かならず弱火で

もどしたえんどう豆と塩小さじ1杯、水600㎖をなべに入れ、弱火で煮ます。えんどう豆がやわらかくなったらなべを火からおろし、そのまま冷やします。

冷蔵庫で保存し、1日にカップ1杯ずつ食べます。えんどう豆はくずれやすいので、かならず弱火で煮るようにします。

食事の取り方

のどをうるおす食べものを取り、水分の補給につとめる

のどや口のかわきをいやす食べものとしては、ナシ、びわ、あんずなどのくだものや、トマト、れんこん、とうがんなどの野菜があります。おもにかぜなどによる発熱を原因とするかわきを解消し、のどをうるおします。

また、えんどう豆、ほうれん草、すいか、アサリなどは、糖尿病からくるのどや口のかわきを止める食べものとして、古くから利用されています。

びわ

びわの実

びわの実には、カロチン、ビタミンC、糖質などの成分や豊富な水分が含まれており、のどのかわき、かぜのせきなどに薬効があります。

のどがかわくときは、びわの実を2～3個皮をむいてから食べます。ただし、取ってから時間のたったものは、水分が少なくなっていることが多いので注意してください。

ナシ

ナシのジュース

ナシは水分が豊富なことから、熱によるのどのかわきをいやすくだものとして古くからもちいられてきました。糖尿病や暑気あたり、二日酔いでのどがかわくときに効果があります。

皮つきのナシ1個と、皮と種子をのぞいたレモン1個、皮をむいて小房に分けたみかん1個分をジューサーにかけて飲みます。

ほうれん草

ほうれん草のスープ

ほうれん草は、中国ではのどのかわきを止める食べものとされ、糖尿病、高血圧症などにも効果を発揮します。栄養価も豊富で、毎日でも食べたい野菜です。

ざく切りにしたほうれん草100ｇと鶏肉15ｇを１日分とし､水600mlで半量になるまで煎じてガーゼでこし、３回に分けて飲みます。

アサリ

アサリスープ

アサリは鉄分、カルシウムを豊富に含み、利尿作用があり、のどのかわきをおさえ、胃腸をととのえる働きがあります。糖尿病によるのどのかわきには、強壮効果のあるアサリスープが効果的です。

なべに砂ぬきをしたアサリ250ｇと水600mlを入れて火にかけます。沸騰したらしばらく中火で煮たあと、ざく切りにしたにら200ｇを加え、にらに火がとおったらできあがりです。

すいか

すいかとトマトのジュース

すいかはアミノ酸の一種であるシトルリンを含み、糖尿病や暑気あたりによるのどのかわきに効果的です。トマトも、熱があるときののどのかわきをいやす作用があります。

トマトとすいかを同量ずつジューサーにかけてミックスジュースをつくり、１日１～３回飲みます。ただし、体を冷やす作用がありますので、冷え症のひとや胃腸の弱いひとはひかえてください。

サジオモダカ

サジオモダカの煎じ汁

サジオモダカはオモダカ科の山野草です。薬効があるのはその球茎で、生薬名を沢瀉（たくしゃ）といいます。のどのかわきやむくみを取り、水分の代謝を助けます。とくに尿の出が悪く、のどがかわくときに効果的です。

サジオモダカの球茎を掘り起こし、根の表皮とひげ根を取りのぞいてよく水洗いし、天日干しにします（これが沢瀉）。

５～10ｇの沢瀉をくだき、水600mlで半量になるまで煎じて、１日３回に分けて飲みます。

れんこん

れんこんジュース

ビタミンCを豊富に含むれんこんは、強い抗炎作用があるため、かぜの発熱によるのどのかわきや、二日酔いによるのどのかわきに効きます。

れんこん100ｇ､皮と芯をのぞいたナシ１個をジューサーにかけて飲みます。

覚えておくと便利 下痢によるのど・口のかわきには

ふだんの生活で気をつけたいのは、下痢などによるのどや口のかわきへの対処法です。

下痢のときには、消化の悪い食物繊維を多く含む食品や豆類やいも類を控えたり、コーヒーやアルコール、また、香辛料などの腸管壁に刺激を与える食品を避けることがたいせつです。さらにそのいっぽうで、水分を確保する必要があります。

下痢のときの水分の確保は、下痢によって、失われる水分の補給として、またのどや口のかわきをいやすために必要ですが、冷たいもの、体を冷やす食べものは避けなければなりません。

水分補給に適したジュースなども、ナシなど体を冷やすものは避け、そのほかのものでも冷やさずに飲みます。

スモモ

スモモジュース

スモモは水分を豊富に含んでいるので、利尿を促進し、のどのかわきをいやします。また、クエン酸、リンゴ酸などの酸性成分が疲労を回復させます。

皮と種子を取ったスモモ2個、小口切りにしたセロリ20cm分、皮と種子をのぞいたぶどう10粒をジューサーにかけて飲みます。

あんず

干しあんず

あんずは食物繊維、ビタミンA、Cを含むくだものです。体の水分のバランスをととのえる働きがあるので、のどのかわきや下痢、便秘、むくみなどを解消します。

すばやく栄養が吸収され、効果を発揮する干しあんずを、そのまま1日3回、1～2個ずつ食べます。

とうがん

とうがんの煎じ汁

とうがんは強い利尿作用のある食べもので、暑気あたりや糖尿病によるのどや口のかわきに効きます。漢方ではとうがんを乾燥させたものを冬瓜（とうが）といいます。

乾燥させたとうがん10g、リュウノヒゲの根10g、オウレンの根茎3gを1日分とし、水600mℓで半量になるまで煎じます。

煎じ汁のカスを取りのぞき、3回に分けて空腹時に飲みます。
ただし、夜間の排尿の回数が多いひとにはむきません。

声がれ

声がれは声帯が痛めつけられたために起きる。治療には食事療法が最適

のどによいくだものや野菜をたくさん取る

ひとの声は、声帯の振動で出た音が、咽頭や口腔、鼻、舌、口唇の動きによってことばに変わります。この声帯に変化が起きると、声の性質は変わってしまいます。

声がれは、声帯が傷めつけられたり、炎症を起こしたりすることで起きます。たとえば、大声を出し過ぎたり、かぜをひいたときのほか、タバコの吸い過ぎ、せき払いを何度もしたときなどによくみうけられます。

たいがいは声がれの原因を取りのぞき、炎症をしずめることでなおりますが、症状をやわらげるためには、食事療法が最適です。

栄養価が高く、のどによいハチミツやいちじく、大根などを多く取るようにします。

声がれの症状がなかなか緩和されないような場合は、慢性咽頭炎、慢性喉頭炎、声帯ポリープ、声門声帯炎などが考えられ、長期間ひどい声がれが継続するときは、喉頭がんの可能性もあります。3週間以上たっても声がれがなおらない場合は、耳鼻咽喉科の医師に診察してもらう必要があります。

知っておきたい One Point

悪化させる食べものは注意してひかえる

声がれをなおすためには、食事で栄養を取るほかに、のどを緊張させ声の出を悪くしたり、のどの炎症を悪化させる食べものをひかえる必要があります。

避けたい食べものとしては、声帯を荒す作用のあるみかん類や、なす、たけのこなどの野菜、酢を使った料理などがあります。塩分を使った食べものもよくありません。

また、タバコの吸い過ぎや、汚れた空気のなかに長時間いることなども、声帯に悪い影響をおよぼします。

いちじく

いちじくの実の煎じ汁

いちじくの実には、炎症をおさえて解毒する作用があり、のどの痛みや声がれをなおす働きがあります。また、胃腸病や痔の薬としても有効です。

いちじくの実15ｇを水600mlで半量になるまで煎じ、ハチミツを適量加えて飲みます。

食事の取り方

ビタミンCを含み、消炎・解毒作用のある食べものが効く

声がれをなおすには、ビタミンCが豊富で、消炎・解毒作用のある食べものがよく効きます。

声がれを効果的にいやす食べものとしては、ハチミツ、いちじく、大根のほかに、ナシ、ザクロなどのくだものや、かぶ、ごぼう、菊の花、春菊などの野菜類、黒豆などの豆類があります。じょうずに毎日の食事に取り入れるようにしましょう。

かぶ

かぶのおろし汁

ビタミンCや食物繊維を豊富に含むかぶには、解毒作用や消炎作用があり、のどの炎症や声がれに効果を発揮します。のどのかわきやせきを止める作用もあります。

中くらいのかぶ１個をおろし金ですりおろし、その汁をこして飲みます。のどの痛みをともなう場合は、１～２時間ごとに飲みます。

ハチミツ

ハチミツ梅干し湯

ハチミツにはのどをうるおし、のどの乾燥を防ぐ効能があります。梅干しには口腔、咽頭などの唾液の分泌をうながし、のどのかわきによる声がれを防ぐ働きがあります。

梅干しの種子を取りのぞき、天日干しにします。
乾燥した梅干しをすり鉢ですって、粉末にします。

梅干しの粉末１ｇとハチミツ30ｇをお湯で溶いてから飲みます。

ナシ

ナシのしぼり汁

ナシは、豊富な水分を含んでおり、解熱作用や消炎作用があり、のどの痛みからくる声がれに効果を発揮します。ナシのしぼり汁でうがいをすると、のどはもちろん肺もうるおし、声がれを解消します。

ナシ1～2個をジューサーにかけ、そのしぼり汁で1日数回うがいをします。

また、ナシ1個を薄切りにして冷たい水に浸し、その水を1日数回に分けて飲む方法もあります。

ただ、ナシは体を冷やしますので、下痢をしやすいひとや冷え症のひと、産後のひとは、温めて飲むようにします。

黒豆

黒豆の煎じ汁

黒豆は栄養価の高い食べもので、タンパク質やビタミン類などの成分を豊富に含んでいますが、なかでもサポニンは、声がれやせきにすぐれた効果を発揮します。

黒豆大さじ2杯を水600mℓで半量になるまで煎じてから汁をこし、その汁に黒砂糖少々を加えてしばらく煮たあとに飲みます。

大根

大根おろし湯

ビタミンCを豊富に含む大根のおろし汁には消炎作用があるため、のどがかわいて声がかれたときや、のどが痛いとき、せき、たん、口内炎に効きます。

大根をおろし金ですりおろしてカップに1/4～1/3ほど入れ、熱湯をそそいで飲みます。しょう油やかつお節などを少量加えるとおいしくなります。

菊

菊の花の煎じ汁

菊の花は、漢方では菊花（きくか）といい、ビタミンB_1、アミノ酸などを含み、消炎作用、解毒作用があります。のどの痛みによる声がれに効果的です。

乾燥させた食用菊の花50gを1日量とし、水450mℓで半量になるまで煎じます。これを3回に分けて飲みます。

みょうが

みょうがの甘酢漬け

みょうがに含まれる精油成分と辛み成分には、熱をしずめ、毒を制する作用があり、かぜからくるのどの痛み、声がれ、口内炎に効果があります。

みょうが10個をなべでさっとゆで、冷まして水分を切り、酢、砂糖、塩、梅酢をまぜあわせたなかに漬けておき、1日ほどおいてから食べます。

ザクロ

ザクロの実のしぼり汁

ザクロ（石榴）は庭などにも植えられている小高木で、その実はくだものとして店先に並べられています。ザクロの実は消炎作用があり、声がれやのどの痛み、扁桃炎、口内炎に効きます。

ザクロの実１～２個をすり鉢に入れ、すり棒でつきくずします。

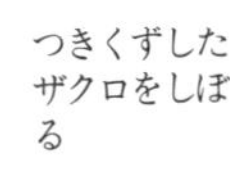

それをガーゼでしぼって飲みます。のどの痛みがひどいときは、ハチミツを適量加えて飲みます。

ハチミツ

ごぼう

ごぼうのおろし汁

ごぼうには食物繊維やカルシウムのほか、タンニンが含まれていて、消炎作用や抗菌作用があり、たんのからみやのどの痛みをともなう声がれに効果的です。

よく洗った皮つきのごぼう10cmほどをおろし金ですりおろし、ガーゼなどに包んでしぼり取った汁をさかずきに１杯分、１日３回に分けて飲みます。

覚えておくと便利 ビタミンCをうまく調理する

声がれのほとんどはかぜが原因で起こります。その声がれを解消する栄養素としてだいじなのはビタミンCで、かぜによる声帯の炎症をしずめます。

ビタミンCはブロッコリーやピーマンなど多くの食品に含まれていますが、熱に弱い性質のため、効率よく料理をしないとその効果も半減してしまいます。声がれを有効に解消するために、ビタミンCを含む食べものをじょうずに料理する方法を覚えたいものです。

まずビタミンCは熱でこわれやすいので、加熱は短時間でおこないます。野菜はゆでたり煮たりするより、油炒めのほうが損失が少なくてすみます。

ゆで汁や炒め汁には、ビタミンCが溶け出しているので、スープに利用しましょう。

春菊

春菊の煎じ汁

春菊は、精油、食物繊維、カロチン、ビタミンCなどをバランスよく含んでいる緑黄色野菜です。のどの痛みをしずめる作用があるため、声がれに効果的です。

春菊100～150ｇを水500～600mℓで半量になるまで煎じ、１日２～３回に分けて飲みます。

しゃっくり

病気の心配のないものがほとんど。応急処置と食べもので効果的に止める

しゃっくりの特効薬を飲む

しゃっくりとは、胸と腹の境目にある横隔膜や呼吸補助筋が急に収縮されることによって、空気が勢いよく吸い込まれ、特殊な音が発されることをいいます。

たいていのしゃっくりは、熱いものや刺激の強いものを突然飲み込んだときや、アルコール類を飲み過ぎたときに、神経が刺激されて起こります。また、胃弱や胃冷えが原因で胃の消化機能がにぶくなったときや、食べ過ぎて起きることもあります。

病気の心配のないこれらのしゃっくりは、ほとんどが一時的なもので、放っておいても自然に止まります。ただ、気になるときは、柿のヘタの煎じ汁、にらの種子の粉末など、身近な食べものでつくれる特効薬がありますので、ためしてみましょう。

しかし、気をつけなければならないのは、尿毒症、腹膜炎、開腹手術のあとに起こるしゃっくりです。また、脳出血や脳梗塞の前兆、胃腸病、呼吸器の病気、心臓病などが原因で起こることもありますので、しゃっくりがとてもよく起きるときは、医師の診察を受けるようにしてください。

知って安心、しゃっくり応急処置法(1)

知っておきたい One Point

しゃっくりが止まらなくて困ったときの対応策として、覚えておくと便利な応急処置法をいくつか紹介しましょう。

一つは、コップ1杯の食塩水か水を息をつかずに一気に飲んで止める方法です。水を飲んだら、下腹に息をいっぱいに吸い込み、下腹をふくらますようにして息を止めるとおさまってきます。

また、直立の姿勢を取り、のどぼとけの両側を親指とひとさし指で軽く押すと、しゃっくりがおさまる場合もあります。

柿

柿のへたとしょうがの煎じ汁

柿は、ビタミンAやCの豊富なくだもので、そのへたは、しゃっくりの特効薬として昔から重宝されてきました。柿のへたとしょうがの煎じ汁は、なかなか止まらないしゃっくりによく効きます。

柿のへた20個としょうが少々をなべに入れます。水300mℓで半量になるまで煎じ、これを1回分として飲みます。

小児の胃が冷えて起きるしゃっくりの場合は、ハチミツ少量を加えると飲みやすくなります。

サイカチ

サイカチの煎じ汁

サイカチは山野、河原に生える利用価値の高いマメ科の植物です。サイカチの豆はしゃっくりの解消などの薬用に、豆のさやはせっけんのかわりなどにもちいられています。

豆6gを水180mℓで半量になるまで煎じて飲むと、効果的です。

ヤマモモ

ヤマモモの果実の塩漬け

ヤマモモの栄養はほとんどが樹皮の部分にあり、その樹皮を漢方では楊梅皮（ようばいひ）として利用しています。しゃっくりには果実の塩漬けが効果的です。

5～6月ごろに熟す前のヤマモモを取って塩漬けにしておいたものを、1回に2～3個食べます。

食事の取り方

昔からの特効薬以外に、普通の野菜も意外に効きめがある

しゃっくりを止める食べものは、昔から日本や中国で親しまれてきたものが多いのが特徴です。

柿のへたはその代表的なもので、日本の大和時代から重宝されてきたものとされています。このほかに、サイカチ、ヤマモモ、ハスの実、小麦、ゴシュユなどがあります。

また、にらやしょうが、れんこんなど、日常の食卓に並ぶ野菜も薬として効果があります。

小麦

小麦粉と唐辛子の粉末

小麦粉は中国では、小児のけいれんによる発作を止め、しゃっくりに効く薬としてもちいられてきました。唐辛子は、辛みの成分が内臓に刺激を与え、しゃっくりをしずめます。

小麦粉に唐辛子の粉末を少々加えてまぜたものを、小さじ1杯、白湯などで服用します。

覚えておくと便利

知って安心、しゃっくり応急処置法(2)

ここでは、処置をするひとが必要な方法を紹介します。

しゃっくりの止まらないひと(A)を仰むけに寝かせ、処置をするひと(B)は(A)の頭側にひざまずきます。(B)は両手のひとさし指から小指までの4本の指をそろえて軽く曲げ、(A)のまぶたの上にあて、指先で(A)の眼球を押さえます。

このとき、(A)は呼吸をかならず止めるようにしてください。頑固なしゃっくりでもしだいに回数が減ってきますので、何回かこの処置を繰り返してください。ただし、この方法は、心臓の悪いひとには不むきです。

しょうが

しょうが湯

しょうがの成分である精油には、体を温める作用があり、胃が冷えて起きるしゃっくりに効果があります。とくに小児のしゃっくりに効きます。

親指大ほどのしょうがをおろし金でおろし、その汁に熱湯をそそぎ、ハチミツを少々加えて飲みます。

にら

にらの種子の粉末

にらはビタミンAやB群を豊富に含み、その独特なにおいの成分が神経を刺激します。長いあいだ止まらず、息苦しくなるようなしゃっくりに効果を発揮します。

にらの種子を天日干しにして乾燥させます。

乾燥させたにらの種子をすり鉢ですり、粉末にします。1回分9gを目安として1日3回服用します。

れんこん

れんこん汁

れんこんは、鉄分とタンニンを多く含み消炎作用があるため、胃弱によるしゃっくりを解消します。れんこんは発作を止める働きもあり、効果的です。

れんこん６ｇをおろし金ですりおろし、布で汁をしぼったものを１日３回飲みます。

ゴシュユ

ゴシュユの果実の煎じ汁

ゴシュユ（呉茱萸）は中国産のみかん科の樹木で、果実に薬効があります。ゴシュユの果実は温性の健胃作用があり、胃の冷えからくるしゃっくりを解消します。

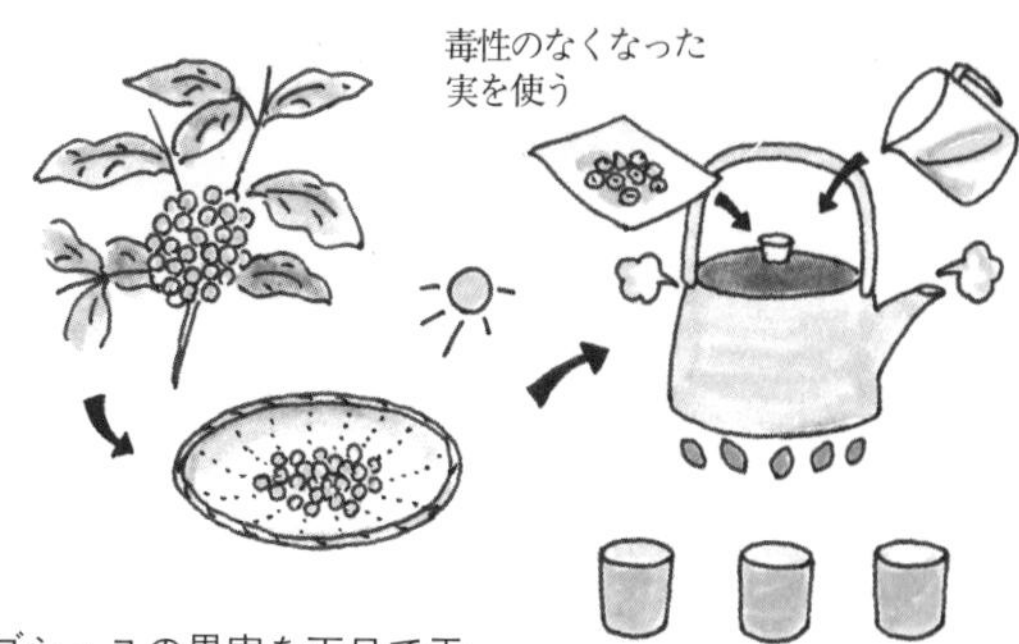

ゴシュユの果実を天日で干して乾燥させます。
乾燥させたゴシュユの果実１～３ｇを１日分とし、水400mlで半量になるまで煎じて３回に分けて飲みます。

ゴシュユの果実には、やや毒性があるので、採取後１年以上たったものを使用してください。

覚えておくと便利

小児のしゃっくりを予防する

しゃっくりで意外に多いのが、小児の胃が冷えたことによるものです。下痢があるときはアイスクリームやつめたいジュースなどを与えないようにし、食事は刺激が少なくて消化のよいものを食べさせるようにします。

また、トマト、ごぼう、ほうれん草、なす、きゅうり、とうがん、セロリ、たけのこ、大根などの野菜類や、アサリ、シジミ、カキなどの貝類、すいか、柿、メロンなどのくだもの、こんにゃく、ハトムギなどは体を冷やしますので、食べ過ぎないように注意してください。

ハスの実

ハスの実湯

ハスの実は、漢方では蓮子（れんし）といい、滋養・強壮や精神安定の作用のほかに、清熱利尿作用があるので、胃が冷えたことからくるしゃっくりに効果的です。

殻を取りのぞいたハスの実を黒くなるまでフライパンで焼いて器に入れ、白湯をそそいで飲みます。

トピック6

ハーブのじょうずな利用法

人気のハーブティー

日本や中国で、薬草などをもちいて健康茶を飲むのと同様に、西洋ではハーブティー（ハーブをもちいたお茶）を飲む習慣が古くからあります。

ハーブティーは、日本人が緑茶と健康茶とを区別するのと同じように、カフェインを含む紅茶と区別して、カフェインが入っていない薬茶とされています。このようなことから、和漢の薬草と西洋のハーブとの違いはあるものの、健康茶の一種だといえます。

和漢の健康茶とハーブティーとの違い

和漢の健康茶は乾燥葉をもちいますが、ハーブは種類や季節などによって、生のものを使用することがあります。

また、いれ方としては熱湯をそそぐ方法に限られていて、和漢の健康茶のように、火にかけて濃く煮出す方法はもちいられません。さらに容器は、和漢の健康茶の場合と同様に、陶磁器や耐熱ガラス性のものを使用し、鉄などの金属製の容器は避けます。

浴用剤としても効能のあるハーブ

ハーブは食用やハーブティーとしての利用法だけでなく、入浴剤などにも使われていて、ストレスなどの精神的な疲労に対する療法として、かなりのウエイトがおかれています。

ハーブティーの種類と効果

ハーブティーの種類と効果	
アニス	かぜ、せき止め、頭痛
カモマイル	不眠、かぜ、消化促進
セージ	消化促進、強壮、かぜ
タイム	鎮静、疲労回復、かぜ
キャットニップ	不眠、頭痛、健胃整腸
アンジェリカ	かぜ、鎮痛、消化促進
ディル	鎮静、安眠
キャラウェイ	消化促進、健胃整腸
チャービル	腎機能促進、利尿
ハイビスカス	清涼、利尿、美容、むくみ
レモングラス	貧血症、消化促進
フェンネル	健胃整腸、生理不順
ラベンダー	精神安定、頭痛
ベルガモット	精神安定、不眠、頭痛
マジョラム	健胃整腸、鎮静、神経痛
バジル	安眠、乗りもの酔い
ローズマリー	鎮静、安眠、頭痛
オレンジ	精神安定、かぜ、強壮
レモンバーム	鎮静、精神安定
ローズ	滋養強壮、美容
ヤロウ	食欲増進、かぜ
ミント類	口臭予防、かぜ

ハーブティーをおいしく楽しむコツ

＊　＊　＊

市販の乾燥ハーブには、まるごと乾燥させたものや粒状のものがあります。大きな葉は細かくちぎり、種子などの粒状のものは、すり鉢などで砕いて使いましょう。

使う量は1人分ティースプーン山盛り1杯が目安。ただし、生のハーブを使う場合は、その2～3倍を。

ポットは金属製以外のものを。目で見ても楽しめる耐熱ガラス製がおすすめです。

人数分のハーブを入れたポットに熱湯を注ぎ、必ずふたをしてしばらく蒸らします。ハーブの素材が花や葉の部分なら約3分。実や根の部分なら5分程度蒸らします。

1度いれたハーブティーは、すべてカップに注いでしまいましょう。ポットに残したり、後からお湯を足したりするのは禁物です。

日本の薬草でもシソ科の植物が浴用剤として利用されているのと同様に、ハーブでも浴用剤としてもちいられるものには、シソ科の植物が多いようです。

知っていますか？アロマテラピー

アロマテラピーとは、植物の花、葉、茎、実から抽出した精油（エッセンシャル・オイル）をもちいた香りによる療法です。

マッサージなどで皮膚から浸透させたり蒸気を吸入したり、臭覚を利用したりして、香りを私たちの体内に取り入れることによって、心のリラクゼーションに効果を発揮します。

植物に含まれる精油には、その芳香によって神経を刺激することによって、精神の安定をもたらしたり、血液の循環をスムーズにして、新陳代謝の促進や疲労回復などをもたらしたりする作用があります。

肌荒れ

美しい肌は健康から。バランスの取れた食生活で新陳代謝を促進させる

皮膚の新陳代謝を高める

肌は健康のバロメーターといわれるように、体の具合を鏡のように映し出します。

肌がカサカサになったり、きめがあらくなったりする肌荒れは、だれもが経験したことのある症状です。その原因としては、ホルモン分泌の異常や、かぜ、便秘、ストレスなどといった心身の不調があげられます。

皮膚の細胞は、4週間を周期に新陳代謝がおこなわれ、新しいものへと入れ替わります。皮膚に栄養がいかず、新陳代謝が円滑に進まなくなったときに、肌荒れは起こります。

皮膚に十分な栄養をいきわたらせるためには、健康でなければなりません。そのためには、体の疲れやストレスを取る睡眠と適度な運動が必要です。そして、栄養のバランスの取れた食生活が、絶対条件なのです。

とくに肌に必要な栄養素としてあげられるのは、タンパク質とビタミンです。皮膚はタンパク質によってつくられ、また、ビタミンは皮膚の新陳代謝をうながします。必要な栄養素を十分に取って、正しい食生活を心がけましょう。

知っておきたい One Point

肌に大敵な食べものは、ほどほどに

体を温める働きのある食べものは、過剰に取ると、肌には大敵です。その代表としてあげられるのは、砂糖、香辛料、もち米、たけのこ、パセリ、あくの強い山菜（ワラビ、ゼンマイ）、エビ、カニ、ウニなどです。

なかでも砂糖は、取り過ぎると肌荒れを悪化させるので、甘いお菓子の食べ過ぎには注意しましょう。また、たけのこやもちは、体の新陳代謝を活発にし過ぎるため、たくさん食べると逆に肌荒れをまねきます。香辛料の量もひかえめにしましょう。

食事の取り方

新陳代謝をうながし、便秘に効く食べものを取る

肌荒れは、体調が悪いときに起こります。とくに便秘は、本来排泄されるはずの有害物質が腸で吸収されて皮膚から分泌されるため、肌荒れの原因になります。大豆やごまなど食物繊維の多い食べもので予防しましょう。

また、タンパク質の豊富なハトムギやヤマイモを多く食べて、肌の新陳代謝をうながし、いつも肌をきれいな状態に保つようにしたいものです。

キクラゲ

キクラゲとナツメの煎じ汁

キクラゲ(木耳)は、ビタミン、ミネラルが豊富で、血液の浄化作用があるため、肌荒れ対策に効果的です。食物繊維が多いので便秘による肌荒れにも作用します。炒めものやスープに入れてもよいでしょう。

乾燥キクラゲ20ｇとナツメの実20個を水600mℓで煎じます。

水が半量になったら、布でこし、カスを取りのぞきます。これを１日３回に分け、空腹時に飲みます。

ナツメの実は、大棗（たいそう）と呼ばれ、生薬としてもちいられています。漢方薬局で入手できます。

ハトムギ

ハトムギの煎じ汁

ハトムギを食用にする場合は、殻をのぞいた薏苡仁(よくいにん）をもちいます。新陳代謝をうながし、肌をととのえる作用があります。漢方薬局で購入できます。

薏苡仁10～15ｇを水800mℓで半量になるまで煎じ、１日数回に分けて、お茶がわりにして飲みます。

ドクダミ

ドクダミ茶

ドクダミは、血管を強くする成分を含み、血液を浄化して肌荒れを防ぎます。また便通によく、美肌づくりに効果的です。漢方薬局で入手できます。

茶さじ２杯の乾燥したドクダミをきゅうすに入れて熱湯をそそぎ、２～３分おいてから飲みます。

にんじん

にんじんジュース

にんじんの成分のカロチンは、がん予防、血圧降下のほか、貧血や便秘を解消し、肌荒れや乾燥肌に効きます。毎日とると肌がスベスベしてきます。

皮をむいたにんじん1本をざく切りにし、ヨーグルト200mℓ、ハチミツ大さじ2杯を加えジューサーにかけます。

くるみ

くるみと黒ごま

くるみはリノール酸やビタミンEが豊富で、新陳代謝を活発にし、食物繊維が多く便通をうながすため、美肌づくりに効果的です。

くるみ30gと黒ごま15gをすり鉢ですり、毎朝大さじ1杯を飲みます。

ヤマイモ

ヤマイモの梅干しあえ

ヤマイモのヌルヌルした成分は多くの酵素を含み、細胞の機能を活性化し、新陳代謝を高めます。梅は、肌荒れに効き、角質化した肌をなおします。

皮をむいたヤマイモ100gを、細切りにする。

梅干しの果肉1個分とあえる。

梅肉とあえたら
きざみのりを

きざんだのりを上にのせて食べます。

トマト

トマトジュース

トマトは、ビタミンCやAが豊富で、保健野菜として重宝され、便秘や肌荒れに効きます。市販ジュースは無塩のものにしましょう。

トマト2個の皮と種子を取ってざく切りにし、レモン汁1/2個分を加えて、ジューサーにかけます。

大豆

酢大豆

大豆は、食物繊維が多くビタミンEが豊富なので、便通をよくして新陳代謝を活発にし、肌荒れをなおします。酢大豆にすると、より効果的です。

広口びんに米酢と大豆を3対1の割合で入れ、フタをして4～5日おきます。1日5～10粒ずつ食べましょう。

バナナ

バナナジュース

バナナは栄養価が高く、タンパク質、ビタミンA、繊維質が豊富です。便秘や肌荒れに効きますが、体を冷やす作用もあるので、冷え症のひとは要注意です。

バナナ1本と、皮と種子を取ったトマト1個にヨーグルト1/3カップを加え、ミキサーにかけます。

小松菜

小松菜ジュース

小松菜には、カロチン、食物繊維、鉄分などが多く含まれ、新陳代謝をよくして便通をうながす働きがあるので、常用すると肌がきれいになります。

小松菜100g、皮と芯を取ったりんご1/2個、レモン汁1/2個分、ハチミツ小さじ1杯をジューサーにかけます。

アロエ

アロエ茶

アロエは、観賞用として売られていますが、薬用として使われるのは、キダチアロエです。アロインという成分が、大腸を刺激して便秘をなおし、肌荒れを解消します。刺激があるので、最初は少量でためし、妊娠中や生理中のひとは避けてください。

アロエの葉4～5枚を水洗いし、包丁でトゲを取って薄く切ります。

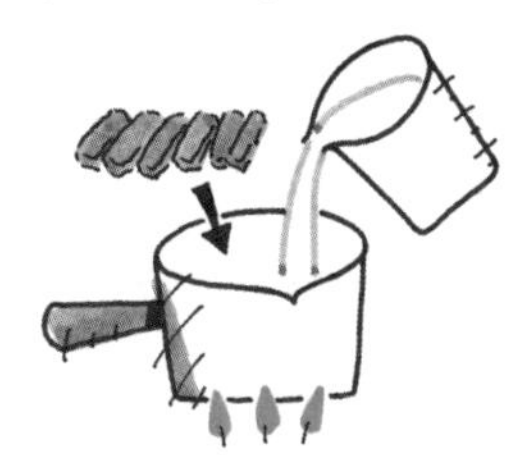

切ったアロエをなべに入れ、同量の水を加え、半量になるまで煎じます。

1回につき大さじ1杯を飲みます。苦いときは、水あめを入れます。数日なら、冷蔵庫で保存できます。

覚えておくと便利

薬草風呂で美肌になる

お風呂に入れて入浴すると、肌荒れがなおる薬草を3つ紹介します。体の外から効果的に美肌づくりをしましょう。

①ゆず湯：輪切りにしたゆずを布の袋に入れ、湯にうかべて入浴します。ゆずの香りがさわやかです。

②ハトムギ湯：ハトムギ50gを、水1ℓで約30分煎じて湯に入れ、入浴します。

③米ぬか湯：袋に入れた米ぬか50gを、湯をはった洗面器に浸して、エキスを出します。これをお風呂の湯にまぜて入浴します。

しみ・そばかす

大敵はメラニン色素の沈着。ビタミンCで肌の抵抗力を高める

緑黄色野菜とくだものがカギ

しみは薄い褐色の色素斑で、30歳以上の女性に多く見られます。また、そばかすは点状の茶褐色の斑で、5〜6歳ごろから出はじめます。

しみやそばかすのおもな原因は、日焼けです。皮膚が紫外線を防ぐためにメラニン色素をたくさんつくり出した結果、皮膚にメラニンが沈着し、しみやそばかすとして残るのです。しみは、にきびあと、ホルモンの異常、ストレスによってもできます。

治療としては、ビタミンCの外用剤をぬるなどの方法がありますが、強い紫外線にあたれば、もとのもくあみです。紫外線から肌を守る化粧品をつけるなどして、強い日差しの直射を避けるようにしましょう。また、寝不足や過労を避け、ビタミンCの豊富な食べものを規則正しく取ることがたいせつです。

ビタミンCは、メラニン色素の沈着を防いで肌の抵抗力を増し、しみやそばかすの悪化を食い止める働きがあります。新鮮な緑黄色野菜、くだものなどに多く含まれていますので、毎日食べるようにしましょう。

知っておきたい One Point

しみやそばかすを防ぐ方法

しみ、そばかすの一番の大敵は紫外線です。毎日の生活のなかで、つねに日焼けしない工夫をしましょう。

外出するときは、帽子や日がさを忘れず、長そでを着るようにするなどして、すこしでも直射日光を避けます。日焼け止めクリームやファンデーションも必需品です。

また、過労やストレスも大敵です。バランスの取れた食生活と十分な睡眠を取り、すこしくらいのしみ、そばかすなど気にしない心の余裕が必要です。

食事の取り方

しみ・そばかすにはビタミンA、Cを多く取る

しみ・そばかすを解消するのにたいせつな役割をはたすビタミンCは、メラニン色素の沈着を防ぐほか、細菌に対する抵抗力を増し、皮膚に張りをつくります。さつまいもやブロッコリーなどにたくさん含まれています。

ビタミンAも、しみ、そばかすに有効で、汗腺や皮脂腺の働きを活発にし、皮膚にうるおいをあたえます。のりやヨーグルトに多く含まれています。

のり

のり

ミネラルが豊富なのりは、ビタミンAの宝庫です。皮膚にメラニン色素が沈着しないようにうるおいをあたえ、血行をよくして、しみ・そばかすの原因をなくします。

生のりや青のりを毎日の料理につかい、できるだけ多く取るようにしましょう。

ヨーグルト

ヨーグルトドリンク

ヨーグルトは、肌を再生するタンパク質、カルシウム、ビタミンAなどをたくさん含んでいる乳製品です。とくに、タンパク質の消化吸収ははやく、牛乳の2倍といわれています。また、乳酸菌が豊富で、肌の新陳代謝を活発にします。

プレーンヨーグルト300mℓをボウルに入れ、なめらかになるまで泡立て器でまぜます。

牛乳300mℓ、砂糖大さじ4杯、バニラエッセンス少々を加えてまぜ、冷蔵庫で冷やします。これをコップに入れて飲みます。

アマドコロ

アマドコロの煎じ汁

アマドコロは、山林原野に自生するユリ科の多年草です。新陳代謝をうながし、肌を白くしたり、つやをよくしたりする働きがあります。採取するときは、猛毒をもつスズランと間違えないように気をつけましょう。

根を天日干しにして5～10gを水540mℓで半量になるまで煎じ、1日3回に分けて飲みます。

さつまいも

さつまいものでんぷん汁

さつまいもは、カロチンやビタミンCが豊富で、しみ、そばかすに効果的な食べものです。また食物繊維を多く含み、便秘による肌荒れにも効きます。

さつまいもの粉末(乾燥させてミキサーにかける)小さじ1杯と、ハチミツと湯をカップに適量入れ、食後に飲みます。

カワラヨモギ

カワラヨモギの実の煎じ汁

河原や海岸の砂地に群生するカワラヨモギは、漢方では茵蔯蒿（いんちんこう）といいます。これにハトムギを加えた煎じ汁が、しみに効きます。

カワラヨモギの実5gとハトムギ（皮つきのままくだいたもの）15gを水600mℓで半量になるまで煎じ、これを1日分として飲みます。

クチナシ

クチナシの実の粉末

クチナシの実は山梔子（さんしし）として漢方薬局で売っています。しみに効果を発揮します。

一重咲きのクチナシの実の粉末を4gほど、水で飲みます。皮膚にぬっても効きます。

ブロッコリー

ゆでブロッコリー

ブロッコリーはレモンの2倍のビタミンCを含み、しみの原因である色素沈着を防ぎます。またカロチンも豊富なため、肌荒れを予防します。

熱湯1ℓに塩小さじ1.5杯、酢大さじ1杯、水溶き小麦粉大さじ1杯、ブロッコリー1個を10分くらいゆで、1日数回に分けて食べます。

鶏卵

酢卵

鶏卵は、肌の再生を助けるタンパク質を豊富に含み、栄養価が高い食べものです。また、酢には、肌を美しくする働きがあります。そこで、酢卵を根気よく毎日飲み続けると、しみが目立たなくなってきます。一度ためしてみましょう。

鶏卵1個を、殻ごときれいに洗って、ふきんでふきます。酢180mℓと鶏卵を広口びんに入れてから、冷蔵庫に1週間ほど（鶏卵の殻が溶けるまで）おきます。

鶏卵の殻が溶けたら、残った殻の内側の薄皮を、はしなどで取りのぞきます。
残った鶏卵と酢をまぜ、冷蔵し、1日3回、さかずき1杯分ずつを飲みます。飲みにくい場合は、ハチミツを少々まぜます。

スモモ

スモモジュース

スモモの酸味の主成分はクエン酸、リンゴ酸などで、疲労回復に作用し、しみに効果を発揮します。また血行をよくして、肌にうるおいをもたらします。

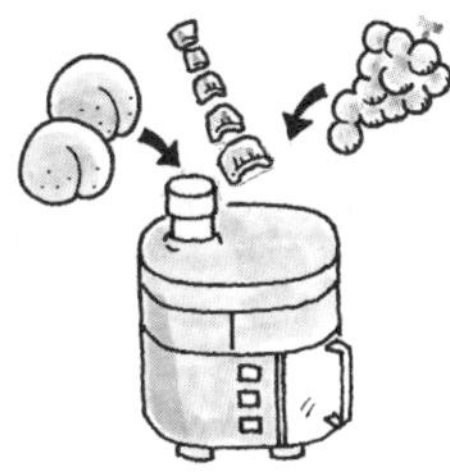

皮と種子を取ったスモモ2個、小口切りにしたセロリ20cm分、皮と種子をのぞいたぶどう10粒をジューサーにかけます。

シジミ

シジミエキス

シジミは、皮膚の抵抗力を高めるカルシウムを多く含み、新陳代謝をうながすビタミンB_{12}が豊富です。ビタミンB_{12}は水溶性のため、しみ、そばかす対策には、シジミの煮汁を煮つめたシジミエキスがもっとも効果的です。

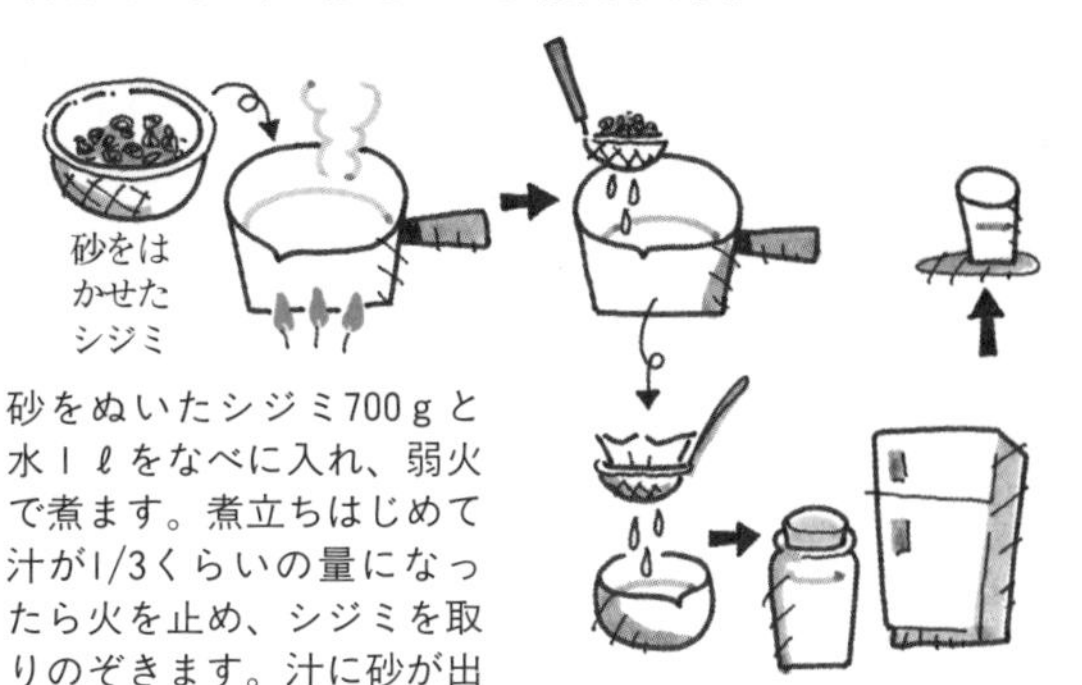

砂をぬいたシジミ700gと水1ℓをなべに入れ、弱火で煮ます。煮立ちはじめて汁が1/3くらいの量になったら火を止め、シジミを取りのぞきます。汁に砂が出ていたら、ガーゼでこしてのぞきます。
びんなど、フタのある容器に汁を移し、冷蔵庫に入れます。これを毎食前に50mℓ飲みます。

覚えておくと便利 モモの花パックでなおす

なかなかなおりにくいしみ・そばかすには、薬効のあるものを食べるほかに、直接肌に作用させていく方法があります。有名なのは、モモの花パックです。

モモは、昔から花や葉、種子が薬としてつかわれてきましたが、肌に効果的なのは、モモの白い花とされています。白い花のつぼみと、同量のとうがんの種子をまぜ、すり鉢ですりつぶして、患部にぬります。しみ・そばかすの外用薬として、抜群の効果を発揮します。

ルイボスティー

ルイボスティー

ルイボスティーは南アフリカ産のお茶で、ハーブティーの一種です。タンパク質、タンニン、カルシウムなどを含み、新陳代謝を活発にし、しみや湿疹に効きます。

やかんの湯1ℓに葉をひとつまみ入れ、5〜6分煮沸させます。これを1日数回に分けて飲みます。

にきび

皮脂の分泌過剰が原因。洗顔をこまめにして、脂質、糖質をひかえる

毎日の食事の改善がたいせつ

にきびは、思春期から20歳代の若い男女に多くあらわれる皮膚の炎症です。皮脂腺がたくさん集まっている顔にもっともできやすいのですが、背中や胸などにできることもあります。青春のシンボルともいわれますが、予防と悪化させないための対策がたいせつです。

にきびが思春期に多い理由は、この時期にホルモンの分泌が大きく変化して、男性ホルモンがたくさん分泌されるようになるからです。男性ホルモンは、皮脂腺を広げ、皮脂の分泌をさかんにします。同時に皮脂の出口になる毛穴に皮脂がつまりやすくなり、そこに細菌が感染し、にきびになるのです。

これに加えて、睡眠不足、脂質や糖質の取り過ぎ、油性化粧品の使用、便秘やストレスなどがあれば、さらににきびをふやすことになります。にきびの治療には、いろいろな外用剤のほかに、抗生物質やサルファ剤などの内服剤もありますが、洗顔をこまめにおこなって皮膚を清潔に保つとともに、食事を改善することによってもかなりの効果が期待できます。また、ドクダミやハトムギなどをもちいた生薬療法も有効です。

知っておきたい One Point

ナッツ類やチョコレートなどはひかえる

にきびを予防し、悪化を防ぐためには、脂質を取り過ぎないことがかんじんです。体のなかで脂質に変化する糖質（炭水化物）を必要以上に取ることも禁物です。さらに、刺激物もにきびに悪影響をおよぼします。

とくにひかえたほうがよいものは、牛肉や豚肉、ピーナッツなどのナッツ類、白砂糖、チョコレート、クリーム、チーズ、バター、コーヒー、ココアなどです。これらの食べものは、もともと皮脂腺をつまらせる性質をもっています。

食事の取り方

皮膚の清潔を保ち、ハトムギなど身近な特効薬を利用する

にきびは皮脂分泌の過剰に加えて、皮膚が不潔だとできやすくなります。まず、洗顔などで皮膚を清潔に保つことがたいせつです。また、にきびを悪化させないように、脂質や糖質の多い食べものもひかえます。
さらに、ハトムギ、ドクダミ、大根など身近な生薬や食べものを利用した治療法も効果的で、それぞれ特効薬としての効き目が認められています。

ハトムギ

ハトムギの煎じ汁

ハトムギには、新陳代謝を促進し、肌をととのえる作用があるほか、腫瘍をおさえる成分も含まれています。さらに便秘にも効くので、にきびにとても効果的です。

乾燥させ弱火で炒ったハトムギ20〜30gを、水500〜600mℓで半量まで煎じ、カスをこして、1日数回に分けて飲みます。

スベリヒユ

スベリヒユの煎じ汁

スベリヒユは、漢方では馬歯莧（ばしけん）と呼ばれ、にきびをはじめ、はれものやできものの特効薬とされています。煎じ汁を飲むほか、患部にぬったり洗顔にもちいても、有効です。

葉と茎をきざんで乾燥させたスベリヒユ10gを、水400mℓで半量まで煎じ、これを1日数回に分けて飲みます。

ドクダミ

ドクダミの煎じ汁

ドクダミには、解毒、抗菌、利尿作用がありますので、とくに化膿したにきびや、便秘をともなう場合に効果的です。また、生の葉をもんで、化膿した患部に貼っても有効です。

開花時期の5〜7月ごろに全草を刈り取り、水洗いして、天日干しにします。乾燥させたドクダミの葉20〜30gを水500mℓで半量まで煎じ、1日3回に分けて飲みます。

市販のティーバッグを利用する場合も、弱火で煮出すとより効果的です。

オオバコ

オオバコの貼り薬

オオバコには、消炎、利尿、整腸をうながす成分が含まれています。とくに化膿したにきびやはれもの、できものには貼り薬が効果的です。漢方ではオオバコの葉茎を車前草（しゃぜんそう）、種子を車前子（しゃぜんし）と呼びます。

オオバコの生の葉茎を水洗いし、よく水気を切って、火であぶります。葉をもんでやわらかくなったら、にきびやはれもののある個所に貼り、ガーゼで軽く押さえます。

なお、葉がかわいたら薬効がなくなりますので、貼り替えます。

ヤブガラシ

ヤブガラシの煎じ汁

ヤブガラシは全国いたるところに自生する、とても繁殖力の強い多年草です。このヤブガラシの葉にはすぐれた解毒作用があり、にきび退治に有効です。

かげ干ししたヤブガラシの若葉ふたつまみほどを、水600mℓで半量まで煎じ、これを1日3回に分けて飲みます。

ユキノシタ

ユキノシタの煎じ汁

ユキノシタの葉には、硝酸カリウム、塩化カリウムなどが含まれ、利尿、抗菌のほか、健胃、整腸作用があります。にきびをはじめ、吹き出ものの解消に効果的です。

開花期（春～夏）の葉を採取し、水洗いして天日干しにします。乾燥葉2～3gを水100mℓで半量まで煎じ、1日数回に分けて飲みます。

スイカズラ

スイカズラの煎じ汁

5月ごろスイカズラの花のつぼみを採取し、天日干しにしたものを生薬では金銀花（きんぎんか）といいます。これには消炎、利尿効果があり、にきびにも効きます。

金銀花5～10gを水600mℓで半量まで煎じ、カスをのぞいて、1日3回に分けて飲みます。

タンポポ

タンポポの根の煎じ汁

天日干しにして乾燥させたタンポポの根（生薬名：蒲公英／ほこうえい）には健胃、整腸、利尿作用のほか、肝臓の働きをよくする効用があり、とくに、胃腸の働きや肝機能の低下にともなうにきびの解消に有効です。

蒲公英20gを水600mℓで半量まで煎じ、カスをこして、1日3回に分けて飲みます。

ノイバラ

ノイバラの煎じ汁

ノイバラの果実（偽果）を天日干しにして乾燥させたものを、漢方では営実（えいじつ）と呼び、にきびやできものをはじめ、便秘の解消にも効果があります。

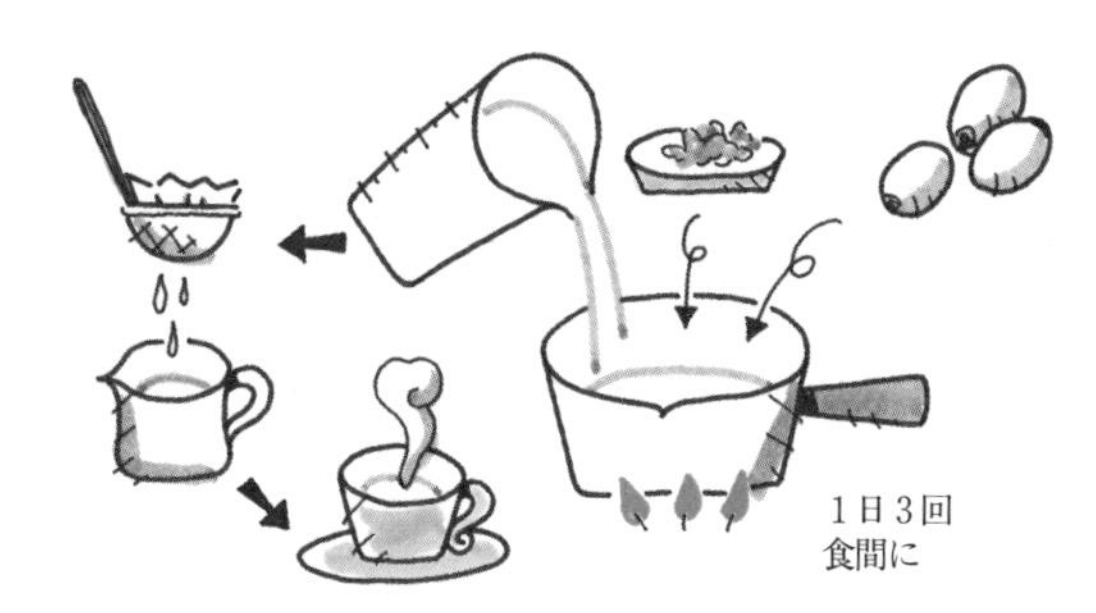

営実２～５ｇを、水600mℓでとろ火で半量まで煎じます。カスをこして、１日３回に分けて食間に飲みます。
なお、この煎じ汁で患部を洗うのもよく、また、乾燥させたドクダミ（生薬名：十薬／じゅうやく）５ｇを加えて煎じても効果的です。

ネナシカズラ

ネナシカズラの茎のもみ汁

ネナシカズラ（根無葛）はヒルガオ科の１年草で、茎はにきびに薬効があります。また、その種子は生薬名を大菟絲子（だいとしし）といい、強精、強壮、利尿に効用があります。

ネナシカズラの茎をもんで、その汁をにきびのある個所にぬります。

覚えておくと便利 にきびの悪化を防ぐポイント

にきびは、毛穴に皮脂がつまり、そこに細菌が感染することで起こります。

にきびの悪化を防ぐためには、まず顔など、にきびのできやすい部分の清潔を保つことがたいせつです。そのためには毎日の洗顔がかかせませんが、そのときにせっけんは刺激の少ないものを選び、すすぎも体温よりやや高めの湯を使うことがかんじんです。つめたい水では、皮脂がかたまり、毛穴を開くことができなくなるからです。

また、髪が顔にふれないようにしたり、便秘にならないように食物繊維をたくさん取ることや睡眠を十分に取るといった心がけも必要です。

なお、にきびをつぶすと細菌感染をまねいたり、あとが残ったりしますので、絶対にしてはいけません。

大根

大根おろしのパック

大根をおろしたときに出る特有の辛みは、硫黄を含んだ化合物によるものです。この硫黄成分には除菌作用があり、にきび退治に効果を発揮します。

大根おろしをガーゼに含ませ、にきびのある部分にあてて10分くらいパックします。これを週１～２回の割合でおこないます。

太る・太り過ぎ

肥満は成人病をまねく。糖分を多く含む食べものは避ける

栄養バランスを取りながら減量を

肥満は、摂取したエネルギーのうち、消費されない余分なエネルギーが脂肪に変わり、体内に過剰に蓄積されることです。

肥満者は普通のひとにくらべて糖尿病や心臓病、高血圧など成人病の発病率が高くなっています。肥満につながる砂糖、くだもの、清涼飲料水など、糖分を多く含む食べものを避け、アルコールの取り過ぎにも注意しましょう。アルコールは食欲を高めるほか、肝臓に余分な脂肪を蓄積させるので肥満をまねきます。

減量する場合は、現在の体力維持が基本です。無理な減量は体力を低下させるだけではなく、病気に対する抵抗力を弱めてしまい、かえって不健康になります。これを防ぐには栄養のバランスを考えた食事を朝・昼・晩の3回規則正しく、一定量を取るように心がけましょう。また、食事メニューにとうがん（冬瓜）やにんじんなどの野菜、大豆、あずきなどを加えると利尿作用や脂肪の沈着防止、脂肪燃焼などの作用によっておだやかに減量できます。

減量の第一歩は食習慣の見なおしから

知っておきたい One Point

肥満のおもな原因は食べ過ぎにあります。とくに早食い、ながら食い、間食などの食習慣は食べ過ぎにつながります。なかでも、就寝前の飲食は体内に脂肪がたまりやすく、肥満のもとになります。

また、1日の食事回数を減らすためのまとめ食いは、体内の脂肪蓄積能力を高めてしまい、さらに強い空腹感からつい食べ過ぎてしまいます。こうした食習慣を見なおし、改善するだけでも減量に大きな効果があります。

食事の取り方

肥満の予防にはビタミン、ミネラル、食物繊維を多く取る

肥満の予防には、いも類などのでんぷん質やバターなどの動物性脂肪の摂取をひかえ、ビタミン、ミネラル、食物繊維を豊富に含んだ、にんじんや大豆、あずき、こんにゃく、ワカメなどを多く取ることがたいせつです。

とくに大豆の成分、ビタミンB_1、B_2には脂肪の蓄積防止や脂肪を燃焼させる効果があり、小豆に含まれるサポニンには利尿作用があるので、肥満を予防します。

こんにゃく

こんにゃくの刺し身

こんにゃくは90%以上が水分で、残りは食物繊維のローカロリー食品です。腸を刺激して便通をよくし、中性脂肪やコレステロールを体外に排出させる働きがあります。

こんにゃく１丁を塩もみしたあとよく洗い、熱湯で軽く湯がいてから、厚さ１cm程度のたんざく切りにして、わさびじょう油で食べます。

とうがん

とうがんの果皮の煎じ汁

とうがん（冬瓜）の成分はビタミンCと水分ですが、果実や皮部分にはすぐれた利尿作用があります。便秘がちのひとの肥満解消に効果があります。

とうがんの皮をむき、細かくきざんで天日でよく乾燥させます。

乾燥した皮20ｇほどを、400mlの水で半量まで煎じます。これを１日分として２～３回に分けて飲みます。

あずき

あずきのゆで汁

あずき（小豆）に含まれているサポニンには利尿作用があり、水太りのひとには効果的です。また、ビタミンB_1が豊富に含まれているので、皮下脂肪の蓄積を防ぎ、肥満解消に役立ちます。

あずき200ｇをひと晩水につけ、１ℓの水でゆでて皮をこした汁を、朝晩２回コップ半量ずつ飲みます。

にんじん

にんじんのおろしがゆ

にんじんの成分には、ビタミンAをはじめとした各種ビタミン類が豊富に含まれ、食物繊維も多く、おかゆにすると消化吸収がよくなり、便秘がちのひとのダイエットに効果があります。

米50ｇをとぎ、水350mℓに１時間ほど浸し、そのなかににんじん１本分を皮ごとすりおろして入れ、普通のおかゆと同じように炊きます。

ジャスミン

ジャスミンティー

ジャスミンティーはウーロン茶（烏龍茶）にジャスミンの花、花香を加えたものです。ジャスミンティーに含まれているサポニンには脂肪を分解する効用があり、常飲すると肥満の防止になります。

市販品を購入し、きゅうすに茶葉を多めに入れ、熱湯をそそぎ一度こぼした後、再び熱湯をそそぎ１～２分おいてから飲みます。

あまちゃづる

あまちゃづる茶

あまちゃづるに含まれているサポゲニンは、強壮薬として有名な朝鮮にんじんにも含まれています。このサポゲニンには、肥満を防止する効果があります。

７～８月ごろにあまちゃづるの葉を採取して、半がわきのときに２～３㎜にきざみ、よく乾燥させます。この葉をひとつまみきゅうすに入れ、熱湯をそそいでお茶がわりに飲みます。

大豆

酢大豆

大豆は高タンパク、低カロリー食品で、大豆に含まれるビタミンB_1、B_2は脂肪の蓄積防止と脂肪を燃焼させるすぐれた効果があります。また、生の大豆は消化が悪いのですが、酢を加えることで消化吸収がよくなります。

粒の揃った大豆500ｇをあらくくだき、600mℓの米酢に２日程漬け、十分に酢を吸い込ませます。この大豆を乾燥させながらくだき、においがなくなるまで数回に分けてさらにくだき、十分に乾燥させればできあがりです。これを毎日小さじ１～２杯ずつ食べます。

なお、風とおしのよい冷暗所であれば１年以上保存できますので、常備食になります。

中国茶

減肥茶

生薬の陳皮、赤小豆、クコの葉茶、桑の葉茶をブレンドした中国茶の一種で、赤小豆に含まれるサポニンに利尿作用、脂肪分解作用があります。

水１ℓに市販品のティーバッグ１袋を入れ、数分間煎じて飲みます。夏はつめたくして飲んでもよいでしょう。

覚えておくと便利
あなたのめやすとなる体重は

肥満かどうかの判断は、現在の体重と標準体重との比較がめやすになります。

標準体重にはいくつかの計算方法があります（284ページ参照）。たとえばつぎのようなもので、（自分の身長－100）×0.9で計算できます。ただし、165cm以上のひとは（自分の身長－100）×0.9、165cm未満のひとは（自分の身長－105）×0.9で計算します。

標準体重±10％以内に現体重がおさまっていれば正常範囲、＋10～19％が太りぎみ、＋20％以上が肥満になります。しかし、標準体重を多少オーバーしていても格別病気もなく元気であれば、それほど気にしなくても大丈夫です。また、体重をめやすとするだけでなく、体脂肪率などもあわせてチェックしてみてください。

ハス

ハスの葉茶

ハス（蓮）の葉には、血液中の脂肪や糖分を分解する効用があり、太りにくい体質をつくり、利尿・整腸作用があり、便秘がちのひとの肥満解消に効果的です。

沸騰した湯300～400mℓにハスの葉茶のティーバッグ１袋を入れ、５～６分おきます。これを１日３～４回空腹時に飲みます。なるべく濃く出すのがコツです。

ハトムギ

ハトムギの煎じ汁

ハトムギ（鳩麦）に含まれるタンパク質はアミノ酸のバランスがよく、体内の新陳代謝を促進させ、むくみをともなうひとの肥満を解消する利尿作用もあります。

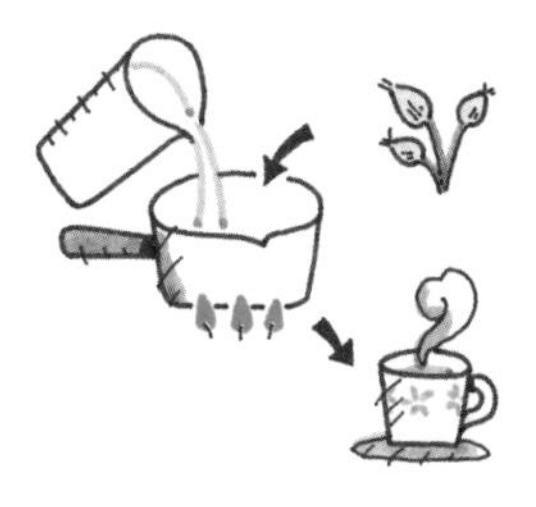

殻つきのもの20ｇ（殻を取ったものでは10ｇ）を水500mℓで半量まで煎じ、これを１日分として数回に分けて飲みます。

ドクダミ

ドクダミの煎じ汁

ドクダミに含まれるフラボノイド配糖体には緩下作用、利尿作用があり、便秘がちのひとの肥満解消に効果があります。

かげ干ししてきざみ、天日干し

５～７月ごろに葉をつみ、水洗いしたあと、風とおしのよい日かげで半乾燥させます。そのあと２～３㎜ほどの幅にきざみ、ふたたび天日で１～２週間よく乾燥させます。

この葉20～30ｇを水600mℓで半量まで煎じ、これを１日３回に分けて飲みます。なお、濃くて飲みにくい場合は、お茶のように熱湯をそそいで飲んでもよいでしょう。

やせる・やせ過ぎ

やせ過ぎの原因は体質的なものが大半。食欲を高める食べものを多く取る

芳香野菜で食欲増進をはかる

やせる原因には、肥満解消のための食事制限、夏バテによる食欲不振などがあります。ダイエットや夏バテでやせるのは、とくに心配はありません。しかし、全身の倦怠感、吐き気、めまいなどの症状をともない、1カ月で体重が4～5kg以上減少する場合は、バセドウ病、糖尿病などの病気が疑われますので、早めに医師の診察を受けることがたいせつです。

いっぽう、病気以外のやせ過ぎの原因の多くは、食が細い、食べても太れない、といった体質的なものです。また、一般に体質的にやせているひとたちは、胃弱ぎみです。したがって、健康的に太るには食欲を高める必要があり、それには胃を丈夫にすることがかんじんです。

食欲を高める食べものには、しそ、パセリ、しょうがなどの芳香野菜があります。これらの香りが刺激になって胃の働きがさかんになり、食が進みます。また、胃を丈夫にする食べものには、じゃがいもなどのいも類、大根などがあり、含まれている消化酵素が消化吸収をうながし、胃を丈夫にしてくれます。

知っておきたい One Point

適度な運動が食欲増進につながる

太れないひとの多くは、もともと食事の摂取量が少ないうえに、食べたものが栄養として体内に蓄積されにくい体質なのです。したがって、食欲を高めながら胃を丈夫にすることが、健康的に太るためのコツです。

食欲を増進させるには、ジョギング、ストレッチ体操などの軽い運動がおすすめです。適度な運動は、血液の循環をスムーズにして、胃の働きをさかんにします。とくに朝の運動が効果的で、毎日続けることで食欲が高まり、体力がついてきます。

食事の取り方

やせているひとの食欲増進には、芳香野菜を活用する

一般的にやせているひとの多くは、少食で胃弱ぎみです。太るためには、食欲を高めながら消化器官を丈夫にすることが必要です。

しそ、パセリ、などの芳香野菜には食欲を高める効果があります。また、サンザシには健胃、消化促進作用があり、胃を丈夫にします。さらにハチミツは、スタミナ増強に役立ちます。

ハチミツ

ハチミツジュース

ハチミツ（蜂蜜）の主成分のブドウ糖、果糖は、体内に入るとすぐにエネルギーになるため、やせたひとのスタミナづくりに役立ちます。また、レモン汁を加えれば食欲増進に効果があります。

ハチミツ10ｇを、コップ1杯分のお湯で溶かし、レモン汁を適量入れたものを1回分にして、毎食前に飲みます。

しそ

しその葉の煎じ汁

しそに含まれている香りのよい精油成分には、胃液の分泌をうながす作用があり、胃弱でやせたひとの食欲を高める効果があります。また、ストレスからくる食欲不振にも効きます。

乾燥させたしその葉5ｇを水600㎖で半量まで煎じます。これを1日の量として、3回に分けて飲みます。

パセリ

パセリ酒

パセリには、各種ビタミン類、鉄分、カルシウムなどが豊富に含まれています。パセリ特有の芳香成分に食欲増進の効果があり、やせて食欲のないひとに効きめがあります。

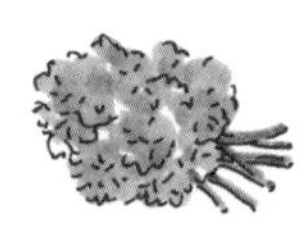

洗ってちぎったパセリ25ｇと砂糖75ｇ、ホワイトリカー（焼酎）450㎖を耐熱びんに入れて電子レンジで4分ほど加熱し、冷まします。

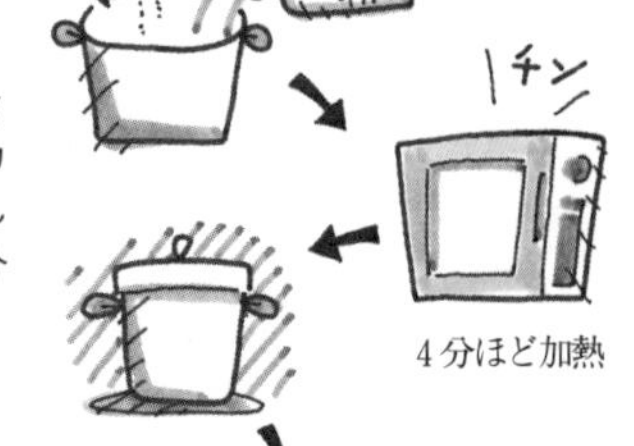

4分ほど加熱

冷暗所に1週間程度おいたあと、パセリを取り出し、さらに1週間ほどねかせます。食前に、さかずき1杯を基準にして飲みます。

サンザシ

サンザシ酒

サンザシ（山査子）は、秋に赤い実（偽果）をつけます。実には健胃、消化促進作用があり、生薬としても利用されます。日ごろから胃が弱く下痢ぎみで太れないひとに効果があります。

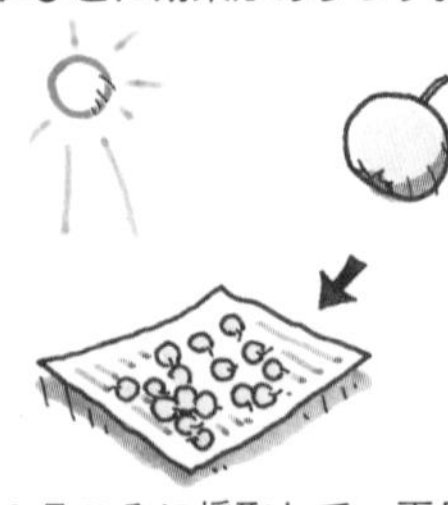

9月ごろに採取して、天日で乾燥させたさんざしの実500ｇ（種子を取る）と氷砂糖200ｇ、ホワイトリカー（焼酎）1.8ℓを広口びんに入れ、1～2カ月間冷暗所におきます。

これを毎日さかずき1～2杯飲みます。

なお、サンザシが採取できなければ漢方薬局で購入できます。そのときは大粒で赤い色のものを選ぶようにします。

朝鮮にんじん

朝鮮にんじんの煎じ汁

朝鮮にんじんの根を乾燥させたものを、生薬では人参（にんじん）といいます。とくに体力強化、虚弱体質の改善などの滋養・強壮にめざましい効果があります。

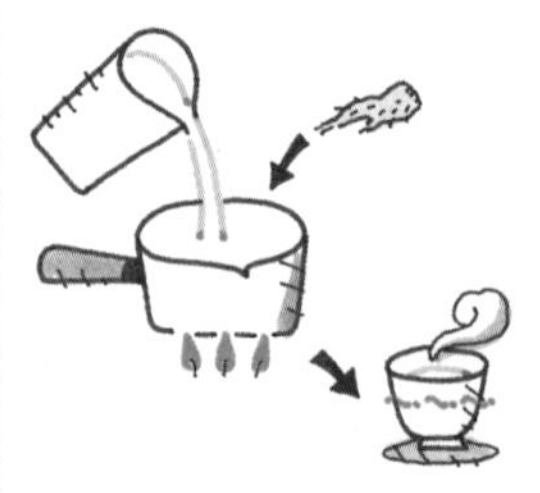

漢方薬局で購入した人参6～10ｇを水400mℓで半量まで煎じ、これを1日分として3回に分けて食前に飲みます。

しょうが

しょうが汁

しょうがの辛みの成分であるショウガオールには、食欲を高める作用があり、胃液の分泌をさかんにし、消化を促進させる効果もあります。やせて胃弱ぎみのひとの食欲増進に効きます。

しょうが50～100ｇをすりおろして、そのまま飲みます。また、湯で割ったり、ブランデーなどを少量加えてもよいでしょう。

玄米

玄米スープ

玄米に含まれているビタミンB_1、B_2、ミネラルには内臓の働きを活発にし、胃を丈夫にする作用があります。やせて体力のないひとの体力強化に効果があります。

玄米5ｇを、フライパンなどで焦げめがつくまでから炒りしたあと、塩を適量ふり、なべに移して水200mℓを加え、15分ほど煮ます。このスープを適宜飲みます。

にんじん

にんじんのしぼり汁

カロチン（ビタミンA）など各種ビタミン類が多く含まれ、健胃、食欲増進などの作用があり、胃弱がちでやせたひとの食欲不振に効果を発揮します。

にんじん500ｇをすり鉢などのなかであらくつぶして、ガーゼやふきんでしぼります。これを適宜飲みます。飲みにくい場合はハチミツを少々加えます。

ヨモギ

ヨモギの煎じ汁

ヨモギ（蓬）は身近な野草で、含まれている精油成分が胃の活動をさかんにし、胃を丈夫にする働きがあります。胃弱体質でやせたひとに効果があります。

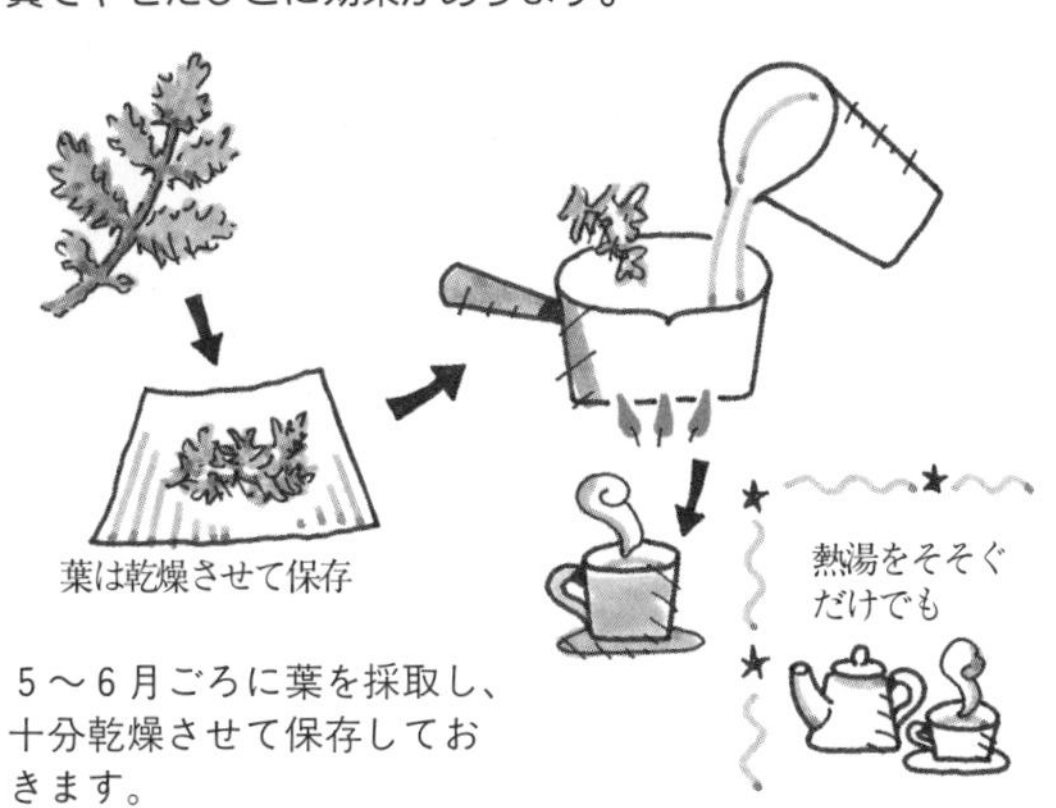

５～６月ごろに葉を採取し、十分乾燥させて保存しておきます。
この葉５～10ｇを水100～150mℓで半量まで煎じ、１日３回に分けて飲みます。

なお、煎じなくても熱湯をそそいで、お茶がわりに飲んでも効果はあります。

にら

にらのしぼり汁

にら独特のにおいの成分は、硫化アリルで、消化を促進し、スタミナ増強にも役立ちます。慢性的に胃腸の具合が悪く、やせているひとには効果的です。

にら１束をガーゼに包んで、つぶしながらしぼります。しぼり汁を湯で割り、さかずき２杯程度、適宜飲みます。おろししょうがを少々加えると、消化がさらによくなり、一層効果的です。

覚えておくと便利

太るにはタバコとコーヒーをひかえる

タバコのニコチンは、胃の粘膜を刺激して食欲不振をまねきます。とくに空腹時の喫煙は、胃液を必要以上に分泌させます。そのため胃壁を傷つけ、胃の活動を低下させます。コーヒーのカフェインも同様です。

このため、胃弱ぎみで太れないひとは、タバコとコーヒーをひかえましょう。

禁煙し、コーヒーをひかえれば、胃への過剰な刺激がなくなり、食欲が高まって、太るきっかけをつくります。しかし、禁煙はできてもコーヒーをやめられないひとは、ミルクと砂糖をたっぷり入れたカフェオレにすれば、胃の負担が軽くなり、同時に砂糖の高カロリーを摂取できるので、太るための飲みものに変わります。

くるみ

くるみ湯

くるみには、脂肪、タンパク質、ビタミン類、ミネラルなどがバランスよく含まれています。胃弱体質で太れないひとの体力増強には、ぴったりの食べものです。

くるみ２個をすりつぶしたあと、なべに移して、カップ１杯の水としょうが汁をすこし入れ、５分程度沸騰させます。冷めないうちに１日１回飲みます。

のぼせる

原因によってのぼせ方もいろいろ。血行をよくする食べものを取る

ビタミン、タンパク質、鉄分が効く

のぼせは、強い日差しを受けたり、熱いお風呂に長時間つかったり、人前に出て緊張したりしたときなどにあらわれます。これらののぼせは、皮膚の血管が拡張し、血液の流れが多くなるために起こります。

のぼせは、そのほかにもビタミンの欠乏、ホルモン分泌の異常、更年期障害、自律神経失調症などによっても起こります。更年期障害のように顔だけがのぼせて熱く、手足は冷たくなったり、自律神経失調症のように発作的に突然のぼせたり、バセドウ病のようにいつも全身が温かくのぼせたりなど、原因によってのぼせ方も違ってきます。

このほか、高血圧によるのぼせのように頭痛をともなうものもあります。のぼせ以外の症状が出るようでしたら、医師の診察を受ける必要があります。

病気ではないのぼせは、日常の食生活に気をつけることで改善することができます。ビタミンA、Cを多く含むにんじんや、タンパク質の豊富なごま、鉄分を多く含むほうれん草など、血行をよくする食べものを中心に、ふだんから栄養バランスのとれた食事を取り、適度な運動をするように心がけましょう。

知っておきたい One Point

のぼせには心身のリラックスも必要

更年期障害や自律神経失調症、ホルモン分泌の異常からくるのぼせは、女性にあらわれることが多く、精神状態や健康状態と密接に関係しています。症状の出方には個人差があり、仕事や趣味に熱中しているひとのほうが、症状が軽い傾向にあります。

これらを原因とするのぼせの治療には、症状をやわらげるにんじんやごまなどを取ることもたいせつですが、神経質にならず、スポーツや好きなことをするなどして、心身をリラックスさせることも必要です。

にんじん

にんじんのつき汁

にんじんは、ビタミンAをはじめ各種ビタミンを豊富に含み、体を温め、のぼせをおさえる働きがあります。また、便通をよくする作用があるため、便秘が原因でのぼせるひとに適しています。

にんじん300gを適当な大きさに切り、すり鉢に入れて細かくつきくずします。このにんじんをガーゼの袋に入れ、しぼります。

この汁にハチミツ大さじ1杯を入れて飲みます。のぼせには、生のにんじんが効果的です。

コンブ

コンブの煎じ汁

コンブは血圧を下げる物質を含んでいるため、高血圧によるのぼせに有効です。またヨードが豊富なので、甲状腺ホルモンの不足によるのぼせにも効きます。

コンブ30gとひじき15gを1ℓの水で半量になるまで煎じ、1日3回に分けて空腹時に飲みます。

セロリ

セロリ湯

セロリはカロチンとビタミンCが豊富で血圧を下げる作用があるため、高血圧が原因ののぼせに効きます。漢方では薬芹（やくせり）と呼ばれています。

セロリ1/2本をおろし金ですりおろし、カップに入れてハチミツを加え、8分目まで熱湯をそそいで飲みます。

食事の取り方

ビタミン、タンパク質、鉄分を多く含む食べものを中心に、のぼせをなおす

のぼせを解消する代表的な食べものには、ビタミンA、Cの豊富なセロリやにんじん、ビタミンのほかに鉄分も多く含むほうれん草、良質なタンパク質を含むごま、ヨードの豊富なコンブなどがあります。体を冷やす作用のあるなすやナシも、のぼせに効果的です。

また、更年期障害によるのぼせには、生薬として使われるくちなしの実やハブ茶が効果的です。

なす

焼きなす

なすは夏野菜の代表で、体を冷やす作用や利尿作用があります。そのため漢方では、のぼせや高血圧、悪酔いにもちいられます。

縦に切り込みを入れたなすを5分間焼き、皮をむいて細くさき、しょうがとかつおぶしを少々のせてしょう油をかけます。

ハブ茶とハトムギ

ハブ茶とハトムギの煎じ汁

ハブ茶は、エビスグサの種子をもちいたもので、めまい、のぼせなど、更年期の症状に作用します。ハトムギは、疲労回復、滋養・強壮に薬効があります。

ハブ茶とハトムギ各10gを1日量とし、水600mlで半量になるまで煎じ、3回に分けて飲みます。

ほうれん草

ほうれん草のごま油炒め

ほうれん草は、鉄分、ビタミンA、Cなどが豊富で、血液を補い、消化機能を高める薬効があります。高血圧や便秘によるのぼせにも有効です。

ほうれん草をさっと塩ゆでし、さらにごま油で炒めます。長時間ゆでるとビタミンCが破壊されるので、ゆで過ぎないようにします。

春菊

春菊の青汁

春菊は、精油、カロチン、ビタミンなどをバランスよく含んでいる緑黄色野菜です。のぼせをともなう高血圧のほか、神経痛、のどの痛みなどに効きます。

春菊ひと握りほどを1回分とし、ガーゼで包んで汁をしぼり、湯で割って、カップ1杯量を1日2回飲みます。

ごま

ごまのアーモンド煮

ごまには、高品質のタンパク質や不飽和脂肪酸が含まれているほか、脂肪の酸化を防ぐビタミンEが豊富で、更年期のホルモン分泌異常によるのぼせに効果があります。

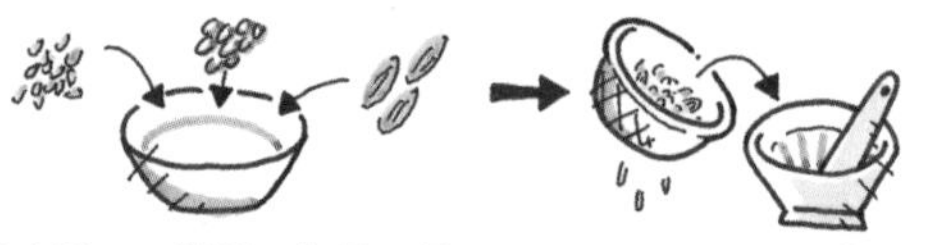

ごま60g、米60gとアーモンド15gを水に浸します。材料の水を切り、すり鉢に入れてのり状になるまでつきます。

水を切ってのり状になるまでつく

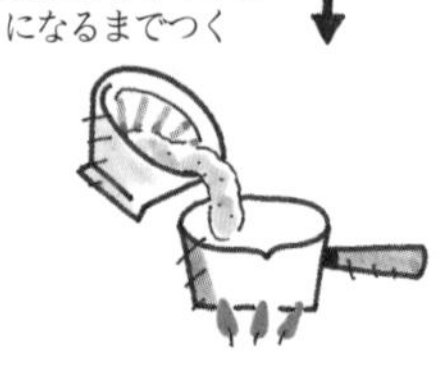

材料を入れたなべを火にかけ、煮え立ったら火からおろします。砂糖かハチミツを加えて食べます。

クチナシ

クチナシの実の煎じ汁

クチナシは実に薬効があり、実をかげ干しにして乾燥させたものを、漢方では山梔子（さんしし）といいます。更年期からくる精神不安、のぼせを解消します。

山梔子10ｇを450mℓの水で半量になるまで煎じます。このうわ澄みを温めて、１日３回に分けて飲みます。

ナシ

ナシのしぼり汁

ナシには炎症をやわらげる作用があり、かぜの熱によるのぼせに効きます。また、便通をうながす作用があるため、便秘が原因ののぼせにも効果的です。

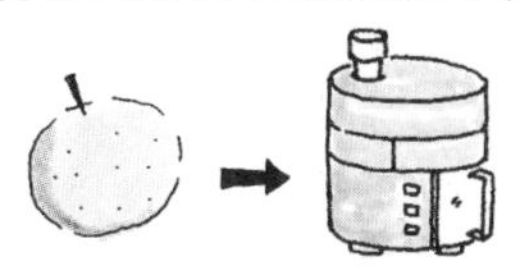

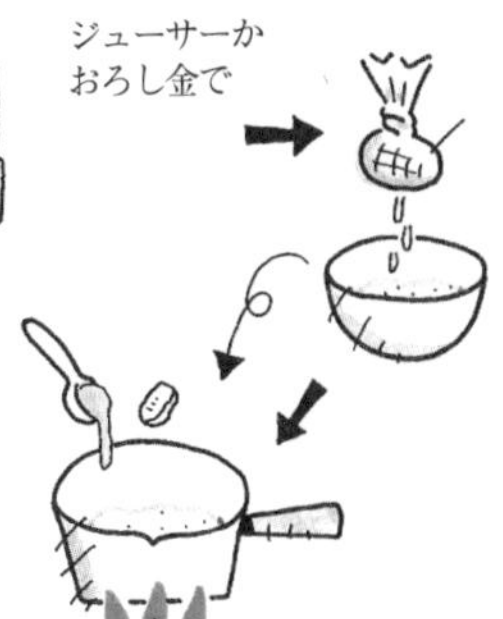

ナシ１～２個をジューサーにかけるか、おろし金ですりおろしてガーゼでしぼります。なべにしぼり汁を入れ、ハチミツとしょうがを少量加えます。

なべを弱火にかけ、材料がドロドロになるまで煮つめます。これを１日数回に分けて飲みます。

覚えておくと便利 まず最初に頭にのぼった血液を下げる

のぼせてしまったら、応急処置として、頭にのぼった血液を下げることがたいせつです。

まずは着ているものをゆるめたり、横に寝かせたりして、ラクな状態にします。発熱している場合は、氷のうや氷まくらで頭を冷やします。また、寝ている部屋を暗くして、心身ともに落ち着かせることもだいじです。

顔だけのぼせている場合は、手足を温めます。自律神経失調症の場合、実際には冷たくなっている足が熱く感じることがありますので、温めるようにします。

菊

菊花茶

菊は、血行をよくする漢方薬として知られており、解熱・解毒作用や血圧を下げる作用があるため、熱や高血圧が原因ののぼせに効きます。菊花茶には食用菊をもちいます。

５個分の花びらをむしって熱湯でゆがき、ざるに取り出してかわかしたものをひとつまみ、器に入れて湯をそそいで飲みます。

トピック 7

天然添加物にも使用基準適用

食品添加物の分類

ひとくちに食品添加物といっても、その使用目的によって、大まかに分けても、以下の４つに分類することができます。

①食品の製造工程で使用したり、食品の本体を形づくったりするもの
②食品の栄養価を補強するもの
③食品の腐敗や変質などを防ぐもの
④食品を美化し、魅力を増すもの

①は、たとえば豆腐を固める「にがり」や中華めんの食感を生み出す「かん水」がその例で、乳化剤や凝固剤、安定剤など。

②は、ビタミンやアミノ酸などを強化したい食品にもちいるもので、よく強化剤と呼ばれます。

食品添加物というと、気になるのは安全性の問題です。とくに③の保存料や酸化防止剤、④の香料や着色料、甘味料です。

天然添加物と合成添加物

１９９7年3月現在、許可されている食品添加物の数は８３７もあります。うち合成添加物が３４８品目、天然添加物が４８９品目です。

過去、危険性を指摘されて使用禁止になったものの多くは合成添加物で、天然添加物というと、合成されたものでないという、ただそれだけで、なんとなく安全というイメージがあり、だれもが感心をあまりもたなかったのではないでしょうか。

しかし天然添加物といっても、そのほとんどは動植物などから目的物を抽出したもので、もとの姿とは異なっています。たとえば、着色料のコチニールは、カイガラ虫という昆虫から取り出したものです。そのほか、樹皮や木炭、貝殻、卵の殻、カニの甲羅、ケイソウ土や生石灰などの鉱物類まで、実にさまざまなものがあります。

ところで、現在認められている天然添加物のほとんどは、95年の食品衛生法の改定で、認可されたものです。というのは、それまで天然物の食品添加物には使用基準がなかったのです。

つまり天然物の使用は野放し状態だったのです。その理由は、「これまでも使っていたのだから」という一語につきることのようです。

食品添加物に対する規制がゆるいといわれるアメリカでも、使用する天然添加物は１５０品目以下だといいます。天然添加物だからといって、安全性を過信してはならないといえそうです。

トピック 8

見直される食物繊維

食物繊維の生理作用

食物繊維には保水性があって膨潤し、排便を促進する上に、コレステロールや胆汁酸などを吸着し排泄します。胆汁酸は体内でコレステロールを主体に合成されますので、食物繊維と結合し排泄されることでコレステロール値の低下にも役立つといわれています。食物繊維はさらに、外部から侵入する腐敗菌や化膿菌などを撲滅するのに役立ったり、また人体の免疫の仕組みを強くするのに役立っている腸内の善玉菌の繁殖を助けたりもします。

食物繊維の多い食品

未精製の全粒穀物、玄米、大麦、小麦、そばなどの外皮には、多量の食物繊維が含まれています。また、いも類、豆類、野菜類、きのこ類にも食物繊維が含まれていて、カロリーが低く1回の摂取量も多いので、食物繊維が多く取れることになります。さらに、ワカメやひじきなどの海草類には、穀類や野菜などに含まれる食物繊維とは違った種類の、アルギン酸と呼ばれる食物繊維が多量に含まれています。

このような食品を利用する和食は、食物繊維供給源としてすぐれています。

食物繊維が不足すると

日本人はもともと穀物や野菜を多く取るので、食物繊維不足ということは考えられませんでした。しかし現在は、食生活の欧米化にともなって、穀物の摂取量が激減し、さらに、精製度の高い精白米のごはんや精製した小麦粉でつくったパンやめん類には、含まれる食物繊維が少なくなっています。

食物繊維には血液中のコレステロールが増えないように調整する働きがあるので、食物繊維の不足した食生活を続けていると、動脈硬化になりやすいのです。

じょうずな取りかた

食品ごとにその生理作用に違いがあるので、特定の食品にかたよらず、穀物、いも、豆、野菜、海草など、いろいろな食品から食物繊維を摂取するように心がけましょう。

穀類は、精白度の低い食物繊維を多く含んだものを選ぶことがたいせつです。野菜はサラダで食べるよりも煮たほうがカサも水分も減り、結果的には食物繊維の含有量が増えます。さらに、加工食品の食物繊維（飲む食物繊維、シリアル食品、クッキー、ビスケットなど）だけで取るのではなく、天然の食品から摂取すれば、ほかの栄養素も同時に摂取できます。しかし、食物繊維が体によいからといって、そればかり取り過ぎればかえって健康を害することになりかねません。バランスの取れた栄養がなによりもたいせつです。

腰痛

腰痛を訴えるひとの多くは中高年層。腰に負担をかけない日常生活を心がける

骨を丈夫にする食べものを多く

腰痛を訴えるひとの多くは中高年層です。私たちは、2本の足で自分の体重をささえているわけですから、腰に大きな負担をつねにかけています。年を取るにしたがい、背骨や腰が弱くなって、こうした負担に耐えきれなくなると、腰痛が起きやすくなります。

腰痛のなかで多いのが、ギックリ腰です。これは、不自然な姿勢で重い荷物をもち上げたり、腰を急にひねったりした瞬間などに起きます。そのとき、腰にギクッと強い痛みが走り、歩行や動くことが困難になります。

しかし、たいがいの場合は安静にしていれば、痛みは少しずつおさまってきます。

いっぽう腰痛症といわれるものは、慢性的に腰のあたりが重く、にぶい痛みをともないます。しかし、検査をしても異常がないことが大半です。長時間、同じ姿勢を続けているひとなどに多くみられます。

腰痛を予防するには、カルシウムやビタミンなど、背骨、腰骨を丈夫にする食べものの補給を第一にして、腰に大きな負担をかけない日常生活を心がけることがたいせつです。

知っておきたい One Point

腰痛の一因にもなる姿勢の悪さ

腰痛は、背骨や腰に急激な負担がかかった場合などに、よく起きます。

腰痛を予防するには、日ごろから重いものはもたない、腰を冷やし過ぎない、太り過ぎない、といった注意が必要です。

また、腰痛が起こる原因のひとつに、姿勢の悪さが関係している場合があります。姿勢の矯正や、姿勢を正しく保つためには、背筋と腹筋を鍛えることが重要です。こうした運動には、なわとび、腕立てふせなどが適しています。

食事の取り方

腰痛の防止にはカルシウム、ビタミンD、タンパク質を十分に取る

背骨や腰骨を丈夫にするには、カルシウム、ビタミンD、タンパク質を豊富に含んだ、牛乳、チーズ、イワシ、シラス干しなどを日ごろから多く取ることがたいせつです。

このほか、にらには、血行をさかんにさせる働きがあり、慢性的な腰痛に効果的です。また、セリにはカルシウムやビタミン類が多く含まれているので、腰痛や筋肉痛などに効きます。

チーズ

カッテージチーズ

チーズをはじめとした乳製品には、骨を丈夫にするカルシウムが非常に多く含まれています。カルシウムをたくさん摂取することで腰痛の予防になります。また、酢を加えることによってカルシウムの吸収がよくなります。

牛乳１ℓをごく弱い火で温めます。温めながら酢を大さじ10杯ほど、すこしずつ加えていきます。

牛乳が分離したらガーゼなどでこします。そのままひと晩、水分が切れるようにつるしておきます。

これを適宜、パンなどにつけて食べます。なお、日もちが悪いので、つくりおきはできません。

セリ

セリの煎じ汁

セリには、ビタミン類、カルシウム、リン、カリウムなどが多く含まれていますので、腰痛をはじめ筋肉痛などに効きます。

セリを春から夏にかけて採取し、乾燥させます。乾燥セリ50ｇと水600mℓを半量まで煎じたものを、１日分として３回に分けて飲みます。

にら

にら酒

にらには、腰痛に効くビタミン類やカルシウムなどが豊富に含まれ、血行をよくする作用で、慢性的な腰痛に効果があります。

にら60ｇを600mℓの水で半量に煎じます。これに清酒60mℓを加えて飲みます。なお、アレルギー体質や胃弱のひとは、にらの多食は下痢をするので注意が必要です。

サイカチ

サイカチの豆ざやの煎じ汁

サイカチは、山や河原に自生する豆科の落葉高木です。夏に黄緑色の豆をつけます。この豆ざやが、腰痛にすぐれた効果を発揮します。

10月ごろに採取し、乾燥させたサイカチの豆ざや10ｇを600mℓの水で半量になるまで煎じます。これを１日量として適宜飲みます。

ハス

ハスの葉の煎じ汁

ハス（蓮）は、根から葉、花、実すべてに薬効があります。なかでも葉を乾燥させた荷葉（かよう）は、腰痛に効きます。とくに妊婦の腰痛には、すぐれた効きめがあります。

荷葉10〜15ｇを400mℓの水で半量になるまで煎じます。これを１日分として、３回に分けて食前に飲みます。

マタタビ

マタタビ酒

猫にマタタビというように、猫にとっては万能薬ですが、私たち人間にとっても薬効の大きい植物です。マタタビの実のなかに虫が入って、虫こぶができた異常実を、生薬では木天蓼（もくてんりょう）といいます。鎮痛作用にすぐれ、腰痛をはじめ神経痛などに効きます。

水洗いした木天蓼100ｇ、ホワイトリカー（焼酎）1.8ℓ、氷砂糖100ｇを広口びんに入れます。

冷暗所で３カ月ほどねかせたあと、実を取り出し、これを寝る前に30mℓを限度に飲みます。

クチナシ

クチナシの煎じ汁

クチナシの実を生薬では、山梔子（さんしし）といいます。山梔子には、消炎作用、鎮静作用などがあり、腰痛をはじめ打ち身、捻挫などにも効果があります。

山梔子5〜10ｇを600mℓの水で半量になるまで煎じます。これを１日分として３回に分けて飲みます。

梅

梅干しの煎じ汁

梅干しに含まれているクエン酸などが、血液中にたまった乳酸などの疲労物質を中和します。疲労からくる腰痛などに効きます。

梅干し２個と干し柿１個を600mℓの水で半量になるまで煎じます。これを１日２〜３回に分けて飲みます。

イカリソウ

イカリソウ茶

イカリソウは、4～5月ごろに船のイカリに似た花をつけます。この茎葉は、滋養・強壮作用にすぐれており、腰痛をはじめ膝の関節痛などに効きます。

9月ごろに採取した茎葉を、細かくきざんでかげ干しで十分乾燥させ、その茎葉10gを600mℓの水で半量まで煎じたものを1日分として、数回に分けて飲みます。

ヨモギ

ヨモギ汁

ヨモギ（蓬）は、お灸のもぐさの原料などにも利用されています。とくに血行をよくし、体を温める作用にすぐれています。冷えからくる腰痛に効果があります。

新鮮な生葉を数枚採取し、よく洗ったあとついてからガーゼなどでしぼります。これを食前に、さかずきに1杯飲みます。

ウコギ

ウコギ酒

ウコギは、雑木林に自生する落葉樹で、全体に鋭いトゲがあります。ウコギの根の皮をむいて乾燥させたものを、生薬では五加皮（ごかひ）といいます。五加皮は、強壮効果とともに腰痛の緩和、予防にすぐれた効果があります。

細かくきざんだ五加皮80g、ホワイトリカー（焼酎）1ℓ、氷砂糖150gを広口びんに入れます。

冷暗所で2～3カ月ねかせ、そのあとガーゼなどでこします。

これを就寝前に、さかずきで1～2杯飲みます。なお、長期的に飲み続けることがたいせつです。

覚えておくと便利

魚のひものはカルシウムの宝庫

最近になって、骨粗鬆症（こつそしょうしょう）が深刻化しています。全身の骨にスが入った状態になり、骨がもろくなる骨粗鬆症は、中年以降の女性たちに多くみられます。その原因は、慢性的なカルシウムの不足です。骨がもろくなると、ちょっとしたケガでも骨折したり、腰痛を引き起こしたりする原因にもなりますので、カルシウムを効率よく取る必要があります。

たとえば魚のカルシウム含有量を、生とひものとで比較すると、ひもののほうが多いのです。ちなみに、生のイワシ一匹には約85mgのカルシウムが含まれていますが、丸干しにすると約1400mgに増加し、なんと15倍以上の差になります。今後は、魚のひものをどんどん食べて、カルシウムの補給を心がけましょう。

むくみ

病気と栄養障害がおもな原因。水分と塩分をひかえて、食生活の見なおしを

利尿をうながす食べものが効果的

むくみとは、皮下組織に体のなかの水分が異常にたまった状態をいいます。原因としては、病気による場合と栄養障害による場合とに分かれます。むくみを招く病気には、心臓病、腎臓病、肝臓病、腹膜炎などがあります。また、女性では更年期障害や妊娠中毒症からむくみを生じることもあります。このような場合は病気をなおすことが先決です。症状が重く、なかなかおさまらないようでしたら医師の診察を受けましょう。

栄養障害によるむくみには、塩分の取り過ぎによるミネラル類のアンバランスと栄養不足が考えられます。体質的な要素もからんでくるため、すぐになおるとはかぎりませんが、毎日の食事に気をつけて、栄養のバランスを見なおすことがもっともたいせつです。

また、体のなかの余分な水分を取りのぞくためには、水分の摂取量を調節し、むくみを重くするナトリウムを含んだ食塩や化学調味料をひかえることがかんじんです。さらに尿をたくさん出すために、あずきやきゅうりなど利尿効果のあるものを食べるようにします。

むくみを悪化させる食べものに注意

知っておきたい One Point

食塩や化学調味料などに含まれるナトリウムは、むくみをうながして、症状を重くします。1日に取る塩分は3～5g以下が適当です。食塩のほか、みそ、しょう油なども塩分をたくさん含んでいますので、調理のときには注意が必要です。

さらに、尿の出をおさえる食べものをひかえる注意も必要です。

たとえば、もち米をつかった赤飯やせんべい、唐辛子、ぎんなんなどには排尿を抑制する働きがあります。

食事の取り方

食生活の見なおしとともに、利尿効果のある食べものを利用する

これといった病気もないのにむくむ場合は、栄養障害が原因と考えて毎日の食事に気をつけることです。また、むくみを感じたら、利尿効果のある食べもの、あずき、きゅうり、りんごなどを積極的に利用します。

とくにカリウムを含むきゅうりなどは、むくみをうながす体内の余分な塩分ものぞきますので、むくみ対策としては一石二鳥の効果です。

あずき

あずきの煎じ汁

あずきに含まれるサポニン成分には、強力な利尿作用があります。腎臓病や心臓病によるむくみをはじめ、さまざまなむくみに著しい効果を発揮します。

よく洗ったあずき30ｇに水500㎖を加え、弱火で半量まで煎じます。この汁を１日３回に分けて、空腹時に飲みます。

りんご

りんごの黒焼き

りんごには、体内の余分な塩分を排泄するカリウムが豊富です。また、皮に多く含まれるペクチンは、血中のコレステロールの増加をおさえます。とくに、心臓病によるむくみには黒焼きが有効です。

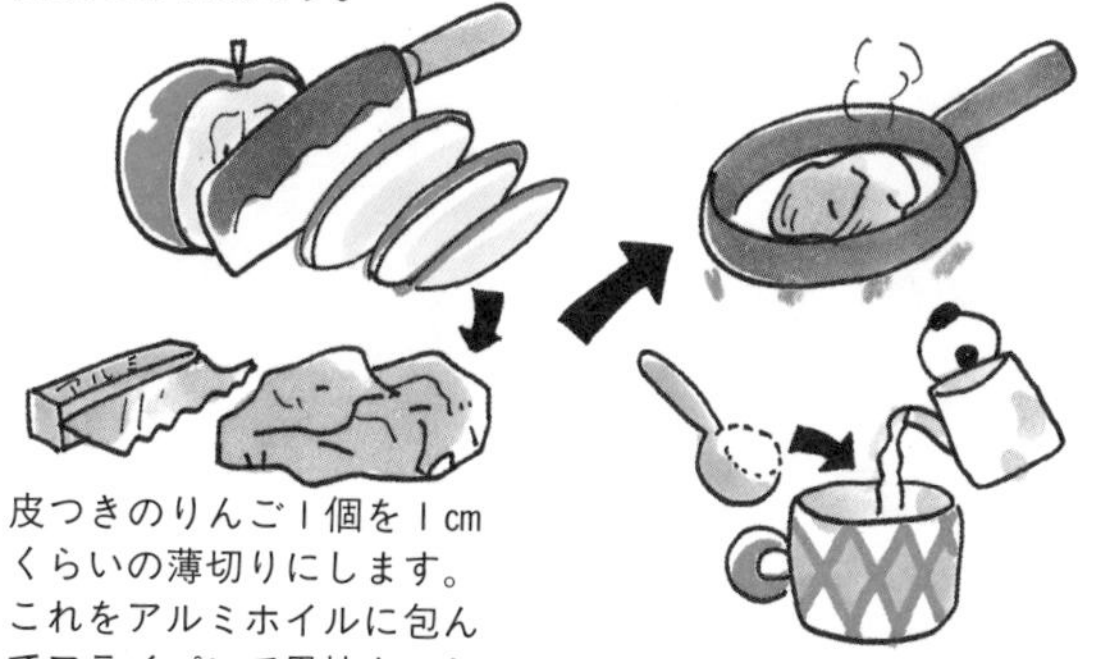

皮つきのりんご１個を１㎝くらいの薄切りにします。これをアルミホイルに包んでフライパンで黒焼きにし、粉末にします。この粉末を１回５～６ｇずつ白湯で飲みます。

なお、高血圧や動脈硬化が心配なひとは、毎日の食事に生のりんご（皮つき）を加えるとよいでしょう。

きゅうり

きゅうりの皮の煎じ汁

きゅうりにはすぐれた利尿作用があります。また、カリウムも含みますので、体内から余分な塩分（ナトリウム）をのぞいてくれます。腎炎などによるむくみには皮のほうが効果的です。

きゅうりの皮30ｇほどを、水500㎖でゆっくりと半量まで煎じ、これを１日２～３回に分けて飲みます。

そら豆

そら豆の煎じ汁

そら豆には血圧を下げ、利尿をうながす作用があります。むくみを取るには、新鮮なものよりも乾燥させて数年たったもののほうが、より効果的といわれています。

乾燥したそら豆５ｇほどを、水600mℓで半量まで煎じ、１日３回に分けて空腹時に温めて飲みます。

とうがん

とうがんの果皮の煎じ汁

とうがん（冬瓜）のおもな成分は、水分と少量のビタミンCですが、すぐれた利尿促進効果があります。腎臓病や水太りぎみのひとのむくみ解消に有効です。

天日で乾燥させた果皮20ｇほどを、水400mℓで半量まで煎じ、これを毎日飲み続けます。

かぼちゃ

かぼちゃの種子の煎じ汁

かぼちゃの種子は、漢方では南瓜仁（なんかにん）と呼ばれ、すぐれた利尿作用があります。また、脂質、タンパク質、カロチン、ビタミンB_1、B_2、Cを豊富に含んでいます。

種子を干して炒ったもの（南瓜仁）10〜20ｇほどを、水600mℓで半量まで煎じ、１日数回に分けて空腹時に飲みます。

モモの花

モモの花湯

モモは花、果実、種子のすべてに薬効があり、とくに花の成分であるケンフェロールには、すぐれた利尿効果があります。ただし、作用が強いので、妊婦や虚弱体質のひとにはむきません。

乾燥させたモモの花を手でよくもんで粉末にし、この粉末３〜５ｇほどに水200mℓをそそいで飲みます。ハチミツを加えると飲みやすくなります。

とうもろこし

とうもろこしのヒゲの煎じ汁

とうもろこしのヒゲには、すぐれた利尿作用があります。天日干しにしたものを、漢方では南蛮毛（なんばんもう）といいます。とくに、腎臓病によるむくみに効果的です。

乾燥させたとうもろこしのヒゲ８〜10ｇを、水500mℓで半量まで煎じます。

これをこして、１日数回に分けて空腹時に飲みます。なお、とうもろこしの毛には、ブドウ糖、クエン酸、脂肪酸、ビタミンＫが含まれています。

カワラナデシコ

カワラナデシコの煎じ汁

カワラナデシコの種子には利尿をうながす薬効があります。また、消炎作用もありますので、腎炎などによるむくみに有効です。

乾燥させた種子3～5gほどを、水100mlで半量まで煎じ、これを1日3回に分けて飲みます。ただし、妊婦には流産の危険がありますのでむきません。

すいか

すいか糖

すいかに含まれるアルギニン、シトルリン成分に高い利尿効果があります。腎臓病や心臓病によるむくみに有効です。すいか糖は1年くらい冷蔵庫で保存できますので、つくりおきしておくと便利です。

すいか2～3個の果肉をミキサーなどでしぼり、その果汁を鍋に入れて、焦げつかないようにかきまぜながら、弱火でゆっくり煮つめます。

↓

5～6時間ほど煮つめて、ハチミツよりもゆるいくらいの水あめ状になったらできあがりです。このすいか糖を1回大さじ1杯とし、1日3回、食前に湯に溶かして飲みます。

覚えておくと便利 むくみの解消にカリウムを

食塩などに含まれるナトリウムは、消化を促進したり、体液をアルカリ性に保ったりするなど、生理上不可欠のミネラルです。しかし、体内に水分をためる作用もあるため、取り過ぎるとむくみの症状を悪化させます。また、血圧を上げて、高血圧症や動脈硬化症をまねいたりもします。

いっぽう同じミネラルの仲間であるカリウムには、余分なナトリウムを水分とともに体外へ排出する作用があります。カリウムとナトリウムは、相互に体内の水分を一定に保つ働きをになっているわけです。

このように、むくみの解消にひと役買うカリウムは、緑黄色野菜、柑橘類のくだもの、いも類、牛乳、チーズなどにたくさん含まれています。

ウツボグサ

ウツボグサの煎じ汁

ウツボグサは、しそ科の多年草です。その花穂にはカリウムが豊富に含まれ、利尿効果にもすぐれています。乾燥させた花穂を、漢方では夏枯草（かごそう）と呼びます。

夏枯草10～15gを水300～400mlで半量まで煎じ、1日3回、温めて飲みます。

頻尿

トイレの近い頻尿の目安は排尿が1日10回以上。頻尿が長期間続く場合は病院へ

頻尿にはぎんなんなどが効く

頻尿とは、排尿の回数が多くなることです。いわゆる、トイレが近いことです。

1日の排尿回数が10回をこえる場合を、頻尿といいます。ちなみに、健康なひとの排尿回数は1日に5～6回が平均です。ただし、特別に多く水分を取り過ぎた場合や利尿作用のある飲みものを多く取った場合などは、もっと多くなります。また、排尿は精神的なものにも影響されます。たとえば、極度に緊張したときなどは、排尿をすませた直後でも尿意をもよおすことがあります。

しかし、尿の量が以前より異常に多く、排尿の回数が多くなった、などといった自覚症状がある場合は、糖尿病などの病気が疑われますので、専門医の診察が必要です。とくに糖尿病の場合には、のどが異常にかわくため、大量の水分を摂取するので、頻尿になります。

病気以外の頻尿に効く食べもののなかでは、ぎんなんが有名です。ぎんなんには、膀胱括約筋を強化する成分が含まれており、頻尿にすぐれた効果を発揮します。

緊張、冷え、老化現象も頻尿をまねく

知っておきたい One Point

健康なひとでも、水分の取り過ぎや緊張が続くと、トイレにいく回数が多くなります。さらに、冷え症などからも頻尿になることがあります。また、お年寄りに多くみられる夜間頻尿は、老化にともなう現象ともいわれています。

こうした頻尿は、原因と思われる冷え症の改善を心がけたり、緊張をとく軽い運動や老化防止のための適度なスポーツなどを日常生活のなかに取り入れたりすることによって、症状を軽くすることができます。

食事の取り方

頻尿をなおすには冷えや老化防止、糖尿病などに効く食べものを取る

泌尿器などの病気以外で起こる頻尿は、冷えや緊張、老化などが原因になっている場合が多いので、こうした症状を改善することが先決です。

頻尿に効く食べものには、くるみがあり、老化にともなう頻尿をはじめ腎機能を高める作用があります。このほか、ヤマイモ、タラノキなどは糖尿病からくる頻尿に効く食べものです。

ヤマイモ

ヤマイモのすりおろし

ヤマイモは、強精・強壮効果のある食べものとして利用されています。このほかに頻尿、夜間頻尿、糖尿病などによく効きます。とくに糖尿病からくる頻尿にはすぐれた効果があります。

ヤマイモ60ｇをすり、冷やしただし汁を加えて飲みます。飲みにくいときは、ご飯にかけたり、そばにつけて食べます。常食することがたいせつです。

ぎんなん

ぎんなん焼き

ぎんなんは、いちょうの木になる実です。膀胱括約筋を強化する作用にすぐれていますので、頻尿をはじめ夜尿症などにすぐれた効果を発揮します。

殻を取ったぎんなん７個ほどを、アミなどで焼き、これを食べます。なお、多食すると中毒を起こしますので、１日量は子どもなら５個、おとなで10個を限度にします。

くるみ

くるみがゆ

くるみには老化を防止する作用があり、若返りの薬などともいわれています。とくに腎機能を高める作用にすぐれています。老化によって起こる頻尿に効きます。

米140ｇに水２ℓを加えて煮立てます。煮立ったら弱火にして30分ほど炊きます。

そこに薄皮のついたくるみ数個を入れます。さらに１時間ほど弱火で炊いて、塩などで味をつければできあがりです。くるみは消化が悪いので、多食は禁物です。

にんじん

にんじんの皮焼き

にんじんの薬効のひとつに、血行をさかんにする効果があります。とくに下腹部を温める効用にすぐれています。冷え症からくる頻尿のほか、夜尿症に効果を発揮します。

よく洗ったにんじん1本分の皮をむきます。
その皮をきつね色になるまで焼き、そのまま食べます。
また、焼いたもちといっしょに食べると一層効果的です。もち米には、排尿抑制作用があります。
なお、1回に食べるにんじんの皮の量は、1本のおよそ3分の1程度が適量です。

シャクヤク

シャクヤクの根の煎じ汁

シャクヤクの根を、生薬では芍薬（しゃくやく）といい、頻尿に効果があります。また、緊張を緩和する作用がありますので、精神的に緊張しやすく、トイレが近いひとにはおすすめです。

シャクヤクの根10g、しょうが3切れを600mlの水で半量まで煎じ、これを1日分として毎食前に飲みます。

柿

柿のへたの煎じ汁

柿のへたは、柿蒂(してい)と呼ばれ、漢方薬では貴重なものとして扱われています。頻尿をはじめ夜尿症、しゃっくりなどにすぐれた効きめがあります。

乾燥させた柿のへた15gを600mlの水で半量まで煎じます。これを1日の量として3回に分けて食前に飲みます。

タラノキ

タラノキの根皮の煎じ汁

タラノメは山菜のなかでも、一番おいしいといわれています。そのタラノキの根皮、樹皮は糖尿病の妙薬として知られ、糖尿病からくる頻尿に効果を発揮します。

乾燥させた根皮、もしくは樹皮10～15gを600mlの水で半量まで煎じます。これを1日分として3回に分けて飲みます。

オケラ

オケラの根茎の煎じ汁

オケラの根茎を干したものを生薬名で朮（じゅつ）といい、健胃・整腸効果があります。このため、胃腸が弱く体力のないひとの頻尿に効きます。

乾燥させた根茎3～5gを600mlの水で半量になるまで煎じます。これを1日の量として3回に分けて、温めて飲みます。

どじょう

どじょう鍋

どじょうは、うなぎとともに強精強壮の食べものとして、昔から広く利用されてきました。また、内臓を温め、全身の血行をうながす作用にすぐれています。体力がないひとの頻尿をはじめ、糖尿病などに効果があります。

どじょうの泥くささをぬくため、きれいな水に数日間入れ、泥を吐かせます。

内臓を取ったどじょう40ｇ（５～６匹）、豆腐半丁、みそ、しょう油、酒（いずれも適量）、だし汁200㎖をなべに入れて煮ます。グツグツ煮立ってきたらできあがりです。

リンドウ

リンドウの根の煎じ汁

リンドウの根を、生薬では龍胆（りゅうたん）といい、健胃効果のほか、頻尿にすぐれた効果を発揮します。

10～11月ごろに掘り出して、乾燥させた根６ｇを600㎖の水で半量になるまで煎じます。これを１日分として朝と晩の２回、食前に飲みます。

覚えておくと便利　利尿をうながすものをひかえる

利尿作用のある食べものを多く取れば、トイレにいく回数が多くなります。

　排尿をうながす食べものは、身近にたくさんあります。野菜では、きゅうり、とうがん、チンゲンサイ、うど、にんにく、さやえんどう、パセリ、かぼちゃ、セロリなどがそうです。くだものでは、すいか、いちご、スモモなどです。豆類では、あずき、そら豆などがあります。

　こうした利尿作用のある食べものを取り過ぎたために、頻尿をまねくことも考えられます。したがって、ハッキリとした原因がわからない頻尿、とくに体に異常がなく頻尿になやむひとは、一度自分の食べている食材をチェックしてみてはいかがでしょうか。もしかすると、頻尿の原因がつかめるかもしれません。

キバナオウギ

キバナオウギの根の煎じ汁

キバナオウギは、中国原産の豆科の植物です。この根に薬効があり、生薬名を黄耆（おうぎ）といいます。頻尿をはじめ、多汗などに効果があります。

黄耆５～10ｇを600㎖の水で半量になるまで煎じます。これを適宜飲みます。

尿が出にくい

中年以降の男性やお年寄りに多い。むくみ、血尿が出たら病院で検診を

水分を多くとり様子をみる

尿意があるにもかかわらず尿の出が悪い、尿が出にくい――。こうした不快な症状は、中年以降の男性やお年寄りに多くみられるようです。多少出にくい程度なら、意識的に多めの水分を取ったり、利尿効果のあるたべものを多く取ったりして、しばらく様子をみましょう。

また、かぜなどの高熱でたくさん汗をかいたり、日射病や下痢などによって脱水症状を起こしたりしているときなどは、一時的に尿の出が悪くなります。この場合は、十分に水分を補給し、適切な手当てをすれば尿の出がよくなります。しかし、以前よりも疲れやすい、むくんできた、血尿が出るなどといった症状があれば、腎炎や前立線肥大症などの腎臓、泌尿器の病気が疑われますので、医師の診察が必要です。とくに血尿には要注意です。

尿を出やすくする食べものは、たくさんあります。なかでも、とうがん、大豆などは効きます。こうした食べものには、すぐれた利尿作用があるので、症状の緩和や予防に効果があります。

尿が出にくいひとが、ひかえたい食べもの

知っておきたい One Point

尿が出にくいひとは、もち、おこわ、せんべいなど、もち米が原料の食べものを取ることはひかえましょう。また、ぎんなんも同様です。

こうした食べものは、尿が出過ぎる頻尿症をなおす妙薬です。つまり、これらには排尿をおさえる強力な作用があるのです。尿が出にくいひとのなかで、こうしたものが好きで日ごろからよく食べていると思いあたる場合は、できるだけ食べるのをひかえましょう。これだけでも症状が軽くなることがあります。

食事の取り方

尿が出にくいひとは利尿作用のある食べものを多く取る

排尿をうながす食べものは、いろいろあります。たとえば野菜では、きゅうり、とうがん、レタス、にんにく、チンゲンサイなどがあります。これらの食べものを多く取ることによって、尿の出をよくすることができます。また、とうもろこしや大根なども効きます。さらに、魚のイシモチは、尿の出にくいときにすぐれた効果を発揮します。

とうがん

とうがんスープ

とうがんには、すぐれた利尿作用があります。そのため、昔から腎臓病の妙薬として広く利用されています。とくに尿が出にくいひとや尿がまったく出ないひとに効果があります。

薄切りにしたとうがん500ｇと600mℓの水をなべに入れます。

弱火で半分の量になるまで煮ます。これを1日分として朝、晩の2回に分けて飲みます。

なお、とうがんが手に入らない場合は、干しかんぴょう（30ｇ）を代用してもかまいません。

カワラナデシコ

カワラナデシコの種子の煎じ汁

カワラナデシコは、おもに河原に群生している野草です。このカワラナデシコの種子が尿の出をよくします。とくに尿がまったく出ないひとには、よく効きます。

乾燥させた種子３～６ｇを200mℓの水で半量まで煎じます。これを1日分として3回に分けて飲みます。ただし、妊婦は流産する危険があるので避けてください。

イタドリ

イタドリの根の煎じ汁

イタドリは、比較的どこででもよく見かける植物です。薬効は根にあります。根を生薬では、虎杖根（こじょうこん）といい、利尿効果にすぐれています。

イタドリの根を掘り起こし、乾かさずに生のままの根50ｇを540mℓの水で半量になるまで煎じます。これを適宜飲みます。漢方薬として販売もされています。

イシモチ

イシモチの耳石

イシモチの名の由来は、後頭部に耳石（じせき）という石をもっているところからきています。この耳石が尿の出をよくする作用にすぐれ、利用されています。

イシモチの後頭部を開き、耳石を取り出します。この耳石２〜３粒を焼いて軽くつぶします。これを湯のみに入れて、お湯をそそぎます。１日に２回、朝と晩の食前に飲みます。

チガヤ

チガヤの根の煎じ汁

チガヤは、全国の河原や草原に群生するイネ科の植物です。薬効は根にあり、生薬では茅根（ぼうこん）といい、むくみを取る利尿薬としてすぐれた効果を発揮します。

11月ごろに根を掘り出し、付着しているヒゲ根を取って､乾燥させた根10ｇを540㎖の水で半量まで煎じます。これを適宜飲みます。

カワラケツメイ

カワラケツメイ茶

カワラケツメイは、生薬の決明子(エビスグサの種子)と同様の薬効をもつところから、名がついたといわれています。尿が出にくいときや血尿にすぐれた効果があります。

８月ごろに採取し、乾燥させたカワラケツメイ６ｇを細かくきざみ、１ℓの水で５分ほど煮立たせたあと、ガーゼなどでこします。これを温めて、お茶がわりに飲みます。

大豆

大豆の酢漬け

大豆は、健康食品としてダイエットをはじめいろいろな症状に効きます。とりわけ腎臓を丈夫にして、尿の出をよくする作用にすぐれています。

よく洗って乾燥させた大豆200ｇをフライパンなどで、皮が破れるまで弱火でから炒りします。

これを広口びんに入れ、酢を加え、１日おけばできあがりです。毎日10〜20粒程度食べます。酢の量は大豆がかぶる程度が適量です。

ウツボグサ

ウツボグサの煎じ汁

ウツボグサは、しそ科の多年草で、日あたりのよい場所に群生する野草です。薬効は花穂にあります。乾燥させた花穂を、生薬では夏枯草（かごそう）といい、利尿効果があります。また、腎炎やむくみにも効きます。

夏枯草10〜15ｇを300㎖の水で半量になるまで煎じ、これを１日分として３回に分けて、温めて飲みます。

覚えておくと便利
腎臓を丈夫にする体操

尿がすこし出にくくなったなど、病気ではないがなんとなく不快を覚える症状は、腎臓の働きが弱ったときのサインと受け止め、腎臓をいたわることを心がけましょう。また、手軽な体操によっても腎臓を丈夫にすることが可能だといわれています。2種類ほど紹介しましょう。

一つは、仰むけに寝て、両腕を頭のうしろにあて、両ひざを立てます。息を吐きながら腰をゆっくりもち上げ、2〜3回呼吸し、ゆっくりと腰をおろしていきます。これを1日に5回ほどおこないます。

もう一つも、仰むけに寝ます。腕を左右に大きく広げ、息を吐きながら上体をねじり、ひざをそろえて左右に倒します。これを1日に5回ほどおこないます。

どちらも長期間続けることで効果があらわれてきます。

とうもろこし

とうもろこしのヒゲの煎じ汁

とうもろこしの先端についているヒゲには、南蛮毛(なんばんもう）という生薬名がついています。南蛮毛は利尿効果の妙薬として広く利用されています。

南蛮毛15ｇを600mlの水で弱火で半量になるまで煎じます。これをこして1日量とし、3回に分けて食前に飲みます。

あずき

あずきの煎じ汁

あずき（小豆）に含まれるサポニンには、利尿作用があります。尿が出にくく、むくみがある場合にすぐれた効果を発揮します。

あずき10ｇを600mlの水で半量になるまで煎じます。これを1日量として3回に分けて、食前に温めて飲みます。

なす

なすの粉末

なすは、血行をさかんにして、利尿をうながす作用にすぐれていますので、尿が出にくい場合に効果があります。

なす1本（約100ｇ）の皮をむかずに、3mm程度の厚さに切ります。そのあと水につけてアクぬきします。

天日干しでカラカラになるまで十分に乾燥させたあと、ミキサーなどでくだき粉末にします。この粉末4ｇを毎日1回、湯に溶かして飲みます。

尿に糖が出る

糖尿病のきざしにとくに注意。食事療法と適度な運動で改善を

血糖値の安定をはかる

すい臓は、糖の代謝に不可欠なインスリンというホルモンを分泌しますが、この分泌が不足したり、十分に作用しなかったりすると、ブドウ糖が十分にエネルギーとして利用されず、血液中にたくさん残ることになります。これが高血糖で、その状態が長く続くと、尿にも糖が出るようになります。

尿に糖があらわれる病気の代表は糖尿病ですが、そのほかに急性すい炎やすい臓がん、また甲状腺や副腎髄質のホルモンの分泌過剰などがあげられます。いずれにせよ、尿検査で糖の排泄を指摘されたら、できるだけはやく医師の診察を受けることがかんじんです。

糖尿病でもっとも恐ろしいのは、その合併症です。なかでも糖尿病性網膜症や尿毒症が代表的で、さらに高血圧症や動脈硬化症をまねき、狭心症や心筋梗塞、脳梗塞などを併発することもあります。糖尿病の予防には、早期発見を心がけるとともに、毎日の食事や適度な運動で血糖値の安定をはかることがたいせつです。食べものでは、すい臓のはたらきを助けるヤマイモや、血糖値を正常に保つ食物繊維をたっぷりと含んだごぼうなどが効果的です。

知っておきたい One Point

糖尿病を予防する生活法

糖尿病には、遺伝的な素質が大きく影響するとみられています。しかし、素質のあるひとのすべてが糖尿病になるわけではありません。

糖尿病もほかの成人病と同じく、バランスの取れた食生活、適度な運動、十分な休養を取ることが予防につながります。また肥満やストレスは、インスリンの分泌能力を低下させたり、インスリンとは反対の働きをするホルモンの分泌をまねいたりしますので、とくに注意が必要です。

食事の取り方

高血糖を防ぎ、血糖値を正常にする食べものを取る

尿からの糖の排泄を防ぎ、糖尿病などの病気を予防するためには、高血糖状態を放置しないことがかんじんです。

それにはバランスの取れた食事とともに、すい臓の働きを助けるヤマイモや、ごぼう、ほうれん草といった、血糖値を正常に保つ働きのある食物繊維を積極的に食べることが必要です。また、歩行運動などの適度な全身運動を行いましょう。

ヤマイモ

ヤマイモのすりおろし

ヤマイモには、すい臓の機能を助ける作用があり、のどのかわきや頻尿の解消に効果的です。また、消化吸収がとてもよく、滋養・強壮作用にもすぐれています。

糖尿ぎみで、口がかわき、多尿の場合には、１回にヤマイモ60ｇほどをすりおろし、これを１日３回食べます。

ごぼう

ごぼう料理

ごぼうに含まれるリグニンという食物繊維には、血糖値を下げる働きがあります。また、新陳代謝を高めるとともに、強壮や疲労回復にも効果的です。

高血糖を防ぐためには、常食が最適です。ごぼう入りの炊き込みご飯や煮ものなどで、積極的に食べるようにしましょう。

えんどう豆

えんどう豆の煮もの

えんどう豆には、すい臓の機能や胃の働きをととのえる作用があります。とくに糖尿ぎみで口がかわくようなときは、薄味で調理したものの常食が効果的です。

乾燥えんどう豆160ｇほどを、たっぷりの水にひと晩つけておきます。
なべに600mlの水ともどしたえんどう豆を入れ、塩小さじ１杯ほどを加えて、弱火で煮ます。

やわらかくなったら、火を止めてそのまま冷まし、冷蔵庫に保存します。これを３日分とし、１日１カップずつ食べます。

タラノキ

タラノキの根皮の煎じ汁

タラノキは、全国各地に自生する落葉低木です。その芽、枝、皮、根には血糖値を下げる働きがあり、とくにタラコンピと呼ばれる根の皮に、もっとも高い薬効があります。

春先の新芽が出る前のタラノキの根を掘り出し、よく洗って皮をむき、生の皮50gを水600mℓで半量まで煎じます。これを1日3回に分けて飲みます。

ほうれん草

ほうれん草のスープ

ほうれん草には、のどのかわきを止めたり、うるおす働きがあります。栄養的にも、ビタミンA、B、C、鉄などが豊富なうえ、食物繊維も含んでいます。

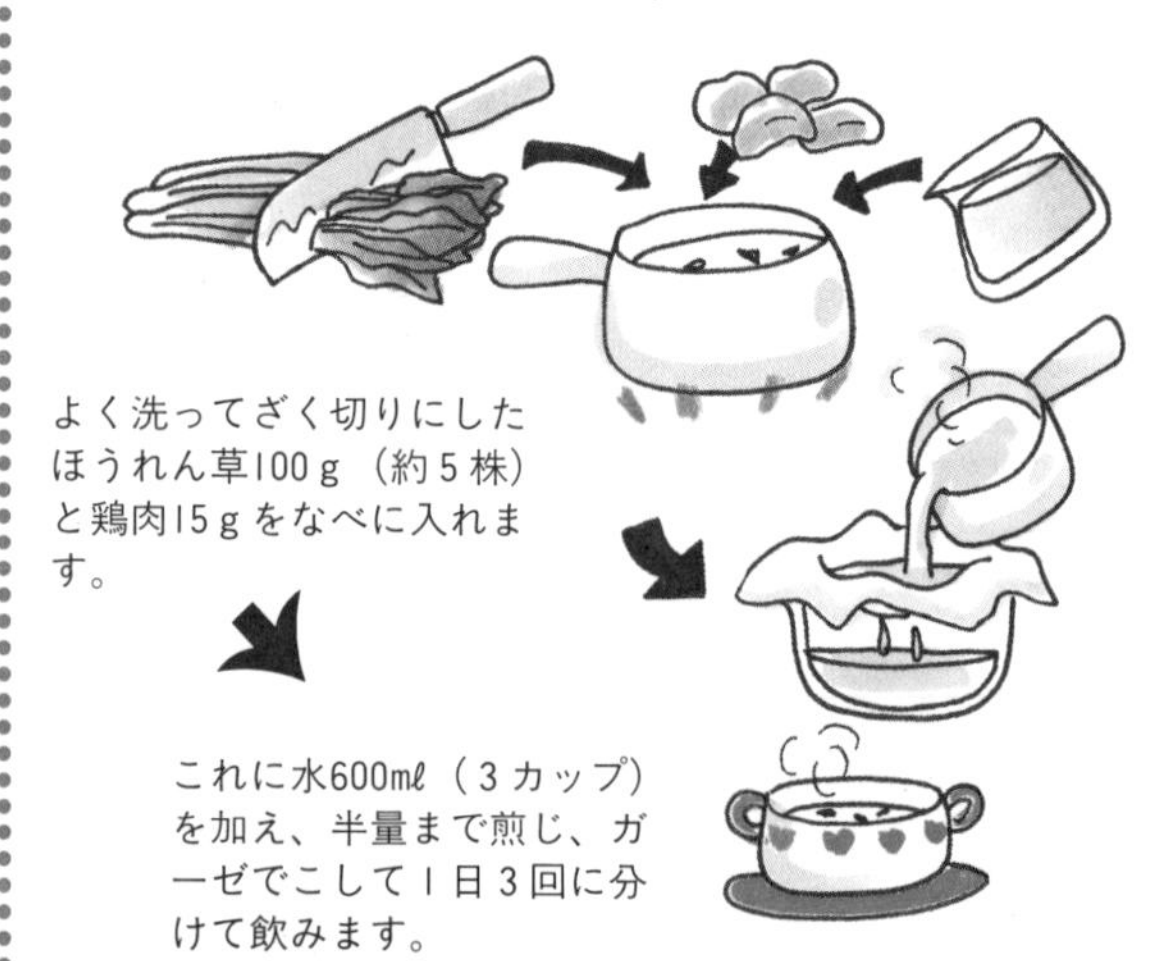

よく洗ってざく切りにしたほうれん草100g（約5株）と鶏肉15gをなべに入れます。

これに水600mℓ（3カップ）を加え、半量まで煎じ、ガーゼでこして1日3回に分けて飲みます。

覚えておくと便利

血糖上昇をおさえる食物繊維

水に溶ける性質をもった食物繊維には、血糖値の急上昇をおさえる働きがあります。代表的なものは、くだものや野菜のペクチン、こんにゃくやワカメのアルギン酸、ラミナリン、フコイジン、グルコマンナンなどです。水溶性の食物繊維はゆっくりと腸に送り出されるため、ブドウ糖の吸収もすこしずつ進み、血糖値の急上昇をおさえ、またインスリンの節約にもなるのです。

水溶性の食物繊維の多い食べものには、ほかにコンブ、いも類、きくらげ、なめこ、干ぴょう、切り干し大根などがあります。

糖尿ぎみのひとは、これらの食品をほかの食品とともにバランスよく食べるようにしましょう。

フジバカマ

フジバカマの煎じ汁

フジバカマの全草を乾燥させたものを、生薬名で蘭草（らんそう）といい、その煎じ汁は糖尿病の治療と予防に効果があります。

蘭草10gを水600mℓで煎じ、1日3回に分けて飲みます。また、これにびわの葉、カキドオシ、タラノキ各5gずつを加えると一層効果的です。

病気編

病気に対する食事

病気に対する食事

食事療法が必要な場合

健康のための食事は、各種の栄養素を過不足なく、バランス良く取るのがたいせつですが、いったん病気にかかってしまったときには、病気によっては特別な献立の食事が必要な場合があります。

かぜなどの比較的軽い感染症の場合や、外科手術後の回復期などでは、食べやすく、消化の良い食材や調理方法を心がける必要はありますが、基本的にバランスのとれた普通の食事でかまいません。

しかし、糖尿病や肝臓病、高血圧、動脈硬化などの成人病では、食材や栄養素の一部について摂取量を制限したり、食事の取り方を工夫したりする必要があります。

慢性疾患の食事療法

一般に成人病のような慢性疾患の場合、短期間で完治するのはむずかしく、かなりの長期間にわたって、食事療法を行う必要があります。したがって、正しい食事療法をいかに長く続けられるかが問題です。それには、本人の病気についての正しい知識、食事療法に対する強い意志、さらに周囲の理解と協力が不可欠です。

また、こうした病気では、薬物療法よりも食事療法のほうが効果的であるとされています。正しい食事療法を続けることで、病気の悪化や症状の再発を防ぐことができ、安定した生活を送ることができるのです。

がんに気をつけたいひとの食事

朝食

材料（1人前）

生揚げと小松菜の煮びたし	
生揚げ	¼枚（55g）
小松菜	50g
しめじ	25g
しょう油	小さじ1
みりん	小さじ1
だし汁	¼カップ
練り辛子	少々（1g）

かぶの梅肉あえ	
かぶ	75g
かぶの葉	25g
ワカメ（乾）	1g
梅肉	5g
みりん	3g

ごはん	
ごはん	165g

白菜のみそ汁	
白菜	30g
生しいたけ	1枚（15g）
万能ねぎ	5g
だし汁	150cc
みそ	10g

フルーツ	
オレンジ	100g

TOTALエネルギー444kcal/塩分3.4g

生揚げと小松菜の煮びたし

①生揚げは熱湯をかけ、食べやすい大きさに切る。
②小松菜はさっとゆで、3cm長さに切る。しめじは石づきを取り、小房に分ける。
③なべにだし汁、みりん、しょう油を入れて火にかけ、煮立ったら、①と②を加えて煮る。
④練り辛子をつけていただく。

かぶの梅肉あえ

①かぶはくし形に切り、かぶの葉はさっとゆでて、2cm長さに切る。ワカメは水でもどし、ひと口大に切る。
②梅肉とみりんをあわせ、①と和える。

白菜のみそ汁

①白菜はそぎ切りに。生しいたけは軸を取り、そぎ切りにする。万能ねぎは小口切りにする。
②なべでだし汁を煮立たせ、野菜を入れて火をとおし、みそを溶き入れる。

がんの発症をまねく要素の35％は食生活によるといわれます。また日本人に多い胃ガンは、日本食に見られる高糖質、低脂肪、高塩分食が関与しているとも考えられています。

ワンプレートサラダ

①卵は好みのかたさにゆでる。②赤ピーマンは種を取って切り、さっとゆで、ブロッコリーは小房に分けてゆでる。③キャベツをさっとゆでて、②の赤ピーマンを巻き、食べやすい大きさに切る。④皿に①～③とツナを盛りあわせ、ドレッシングをかける。

アサリのチャウダー

①なべに水を入れて煮立たせ、固形スープを入れ、ミックスベジタブルを加えて煮る。②アサリを缶汁ごと①に入れ、牛乳も加えて、沸騰する直前に火を止める。

大腸がんは、脂肪の摂取量が多く食物繊維がすくない欧米人に多いがんですが、日本でも食生活の変化とともに増加しています。同様に、乳がんは肥満女性に多く、脂肪摂取量が多くなるにつれて増加傾向にあります。

ガーリックトースト

①食パンは軽くトーストして、にんにくの切り口をまんべんなくすりつける。②オリーブ油を①にたらして、パセリのみじん切りを散らす。

昼食

材料（1人前）

ワンプレートサラダ	
卵	1コ(50g)
ツナ(水煮缶)	小¼缶(25g)
キャベツ	1枚(65g)
赤ピーマン	½コ(25g)
ブロッコリー	30g
ノンオイルドレッシング	小さじ2
アサリのチャウダー	
アサリ(水煮缶)	小½缶(45g)
ミックスベジタブル	大さじ2(18g)
固形スープ	¼コ(1g)
水	¼カップ(50g)
牛乳	½カップ
ガーリックトースト	
食パン(6枚切り)	1枚(60g)
にんにく	½片
パセリ	少々
オリーブ油	小さじ½
ヨーグルト	
プレーンヨーグルト	100g
マーマレード	小さじ1
ミントティー	
紅茶(ミントティー)	

TOTALエネルギー529kcal/塩分3.2g

にらレバー炒め

①にらは5㎝長さに切り、しょうがは千切りにする。赤ピーマンは種を取り、千切りにする。②レバーは血ぬきをして、切る。Ⓐをまぶして、熱湯でさっとゆでる。

夕食

③フライパンを熱して油を入れ、しょうがを先に炒めてから、もやし、赤ピーマン、にらの順に入れて炒める。
④野菜がしんなりしたら、レバーを入れ、Ⓑで調味する。

さつまいものレーズン煮

①さつまいもは厚さ5㎜の輪切りにして、水につけアクをぬく。レモンは薄切り。
②なべに材料を全部入れて紙ぶたをして、やわらかくなるまで煮る。

大根の香りサラダ

①大根は1㎝幅の薄切りにして、塩を少々ふり、しんなりしたら水気をしぼり、千切りの長ねぎとあわせて、Ⓐで和える。
②ごま油にさんしょうの実を混ぜ、①にかける。

五目がゆ

①にんじん、長ねぎ、しょうがは千切り。オクラはさっとゆでて、小口に切る。
②豆腐は水をきり、さいの目にする。
③なべにごはんと鶏ガラスープを入れ、塩を加えて火にかけ、①と②を加える。

材料(1人前)

にらレバー炒め	
豚レバー	70g
にら	50g
もやし	50g
赤ピーマン	½コ(25g)
しょうが	2g
Ⓐ 酒	小さじ½
Ⓐ 片栗粉	小さじ1
サラダ油	小さじ2
Ⓑ 酒	小さじ1
Ⓑ しょう油	小さじ1
Ⓑ 塩	0.2g
Ⓑ こしょう	少々

さつまいものレーズン煮	
さつまいも	70g
レーズン	15g
レモン	15g
水	½カップ
砂糖	小さじ1
バター	小さじ1

大根の香りサラダ	
大根	40g
長ねぎ	5g
塩	0.4g
Ⓐ しょう油	小さじ⅓
Ⓐ 酢	小さじ½
Ⓐ 砂糖	小さじ⅔
ごま油	小さじ1
さんしょうの実	少々(0.5g)

五目がゆ	
ごはん	110g
豆腐(絹ごし)	30g
にんじん	10g
長ねぎ	10g
しょうが	5g
オクラ	1本(8g)
鶏ガラスープ	150cc
塩	1g

TOTALエネルギー637kcal/塩分3.0g

高血圧
成人病に気をつけたいひとの単品メニュー

鶏肉のクリーム煮
①鶏肉にこしょうをふる。
②なべにバターを熱し、鶏肉を焼き、食べやすく切ったにんじん、じゃがいもと、白ワイン、スープ、香草を加え、ふたをして15分ほど煮込む。
③卵黄と生クリームを混ぜあわせ、②のなべに加えて塩をふり、すじを取って切ったさやいんげんを入れ、ひと煮立ちさせ、香草を除いて盛りつける。

きんめだいの香味野菜蒸し
①きんめだいは水気をふき取り、耐熱皿に入れる。
②きざんだ豆豉（トウチ）、Ⓐの調味料とごま油をあわせて①にかけ、蒸し器で10分蒸す。
③長ねぎとしょうがは千切り。みつ葉も切って盛る。

納豆春巻
①長ねぎは小口切りにして納豆に混ぜ、しょう油を加える。
②春巻の皮で①を包み、水溶き片栗粉で止める。
③フライパンに油を熱し、巻き終わりを下にして春巻を並べ、弱火でこんがりと焼く。
④斜め半分に切り、香菜を添えて皿に盛りつけ、練り辛子と酢じょう油でいただく。

材料（1人前）

鶏肉のクリーム煮	
鶏もも肉（骨つき）	1本
こしょう	少々
にんじん	25g
じゃがいも	65g
さやいんげん	3本
卵黄	¼コ分（5g）
香草 ローリエ	1枚
香草 セロリ	5㎝
香草 パセリの軸	1本分
無塩バター	小さじ1
白ワイン	大さじ2
生クリーム	¼カップ
塩	0.7g
固形スープの素	¼コ（1g）
水	½カップ
TOTALエネルギー573kcal/塩分1.6g	

きんめだいの香味野菜蒸し	
きんめだい	1切れ（80g）
豆豉	少々（1g）
長ねぎ	10g
しょうが	5g
みつ葉	5g
Ⓐ オイスターソース	小さじ⅓
Ⓐ 豆板醤	少々（1g）
Ⓐ 減塩しょう油	小さじ⅓
Ⓐ 酒	小さじ1
ごま油	小さじ½
TOTALエネルギー130kcal/塩分0.7g	

納豆春巻	
納豆	80g
長ねぎ	10g
減塩しょう油	小さじ½
春巻の皮	3枚（45g）
香菜	10g
サラダ油	小さじ2
片栗粉	小さじ⅓
水	小さじ1
練り辛子	少々（1g）
減塩しょう油	小さじ½
酢	小さじ½
TOTALエネルギー383kcal/塩分1.3g	

鶏ささみの湯引き

①鶏ささみはすじをのぞき、そぎ切りにして、塩と酒をふり、10分おく。これに片栗粉をまぶし、沸騰湯にひと切れずつ入れ、2分ゆでて冷水に取り、水気をきる。
②Ⓐの野菜はすべて千切り。
③皿に①と②を盛り、Ⓑを混ぜてかける。

和風ステーキ

①牛肉は塩、こしょう、おろしにんにくをすり込んでおく。
②フライパンにバターを溶かし、牛肉を焼く。大根はすりおろして、汁気をきる。
③牛肉を皿に盛り、大根おろしをのせた青じそとトマトを添えて、あわせたⒶをかけ、すだちもしぼりかける。

タラのカレー風味揚げ

①タラは3つに切って塩をふり、しばらくおく。カレー粉と小麦粉を混ぜあわせ、水気をふき取ったタラにまぶす。
②180℃の油で焦がさないように色よく揚げる。
③皿に②を盛り、パセリとレモンを添える。

材料（1人前）

鶏ささみの湯引き

	材料	分量
	鶏ささみ	80g
Ⓐ	きゅうり	15g
	にんじん	15g
	玉ねぎ	15g
	セロリ	15g
	塩	0.2g
	酒	小さじ1
	片栗粉	小さじ1⅓
Ⓑ	大根おろし	30g
	減塩しょう油	小さじ1
	酢	小さじ1
	赤唐辛子（小口切り）	少々
	万能ねぎ（小口切り）	5g

TOTALエネルギー136kcal/塩分0.7g

和風ステーキ

	材料	分量
	牛もも肉	80g
	大根	80g
	おろしにんにく	少々
	青じその葉	2枚（2g）
	プチトマト	3コ（40g）
	すだち	¼コ（2.5g）
	塩	少々
	こしょう	少々
	無塩バター	小さじ2
Ⓐ	しょうが（みじん切り）	小さじ1
	減塩しょう油	小さじ1
	酢	小さじ½
	砂糖	小さじ1

TOTALエネルギー224kcal/塩分1.1g

タラのカレー風味揚げ

材料	分量
生タラ	115g
パセリ	小1枝（5g）
レモン	⅛コ（12g）
塩	少々
カレー粉	小さじ1
小麦粉	小さじ2
揚げ油	

TOTALエネルギー173kcal/塩分0.8g

動脈硬化

成人病に気をつけたいひとの単品メニュー

アサリとしめじのスパゲティ

①しめじは石づきを取って、小房に分ける。アサリは塩でもみ、水でよく洗う。
②なべにサラダ油を熱して①を入れ、ふたをして強火で2～3分蒸す。飾り用に数個残し、残りは殻を取り、むき身に。
③薄切りのしょうがを②に入れ、塩、こしょうをふる。
④ゆでたてのスパゲティに③をかけ、千切りにした青じその葉を散らす。

牛肉のスパイス焼き

①アルミホイルの上に牛肉を少しずつ、ずらして並べ、その上にⒶを散らし、オーブントースターで7～8分焼く。
②①の上にパセリと青じそ、パプリカをふり、ゆでたにんじんとさやいんげんを添える。

たこときゅうりのマスタード和え

①たこはぶつ切りにする。
②きゅうりはひと口大の乱切りにする。
③①と②を、あわせたⒶで和える。

材料（1人前）

アサリとしめじのスパゲティ	
アサリ（殻つき）	200g
しめじ	¼パック（20g）
しょうが	½片（7g）
青じその葉	2枚（2g）
スパゲティ	80g
塩	少々
こしょう	少々
サラダ油	大さじ1
TOTALエネルギー464kcal/塩分1.3g	

牛肉のスパイス焼き	
牛もも薄切り肉（赤身）	80g
パセリ（みじん切り）	¼本（2g）
青じその葉（千切り）	2枚（2g）
にんじん	30g
さやいんげん	10g
Ⓐ 塩	少々
Ⓐ すりおろしにんにく	少々（1g）
Ⓐ 白ワイン	大さじ½
Ⓐ 粗挽きこしょう	少々
パプリカ	少々
TOTALエネルギー135kcal/塩分0.5g	

たこときゅうりのマスタード和え	
たこ	50g
きゅうり	½本（45g）
Ⓐ 塩	少々
Ⓐ 酢	小さじ½
Ⓐ 砂糖	小さじ½
Ⓐ マスタード	小さじ¼
TOTALエネルギー62kcal/塩分0.6g	

鶏肉とピーマンのみそ炒め

①鶏肉はひと口大に切り、Ⓐで下味をつけ、炒める直前に片栗粉をまぶす。
②ピーマンはへたと種を取り、1.5㎝角に切る。
③フライパンにサラダ油を熱し、長ねぎとにんにくを炒め、香りが出てきたら赤唐辛子を入れ、鶏肉、ピーマンの順に

炒める。

④③にⒷを入れ、からめる。

刺し身サラダ

①マグロ、たいはひと口大に切り、にんじん、玉ねぎ、セロリは千切りにして、玉ねぎとセロリは水にさらしてから、水気をきっておく。

②Ⓐをあわせてドレッシングを作り、小口切りの赤唐辛子とごまを混ぜる。

③①を混ぜあわせ、②をかけて小口切りの万能ねぎを散らす。

サバの揚げ団子の野菜あんかけ

①サバはスプーンで、身の部分をこそげ取る。

②①、長ねぎ、卵にⒶをあわせた調味料をまぜ、3つに丸めて、油で揚げる。

③ごぼうとにんじんはささがきにする。

④なべにⒷを入れて煮立たせ、ごぼうとにんじんを煮て、水溶き片栗粉を加え、とろみをつける。

⑤②に④をかけ、みつ葉のざく切りをのせる。

材料(1人前)

鶏肉とピーマンのみそ炒め	
鶏むね肉(皮なし)	80g
ピーマン	1コ(26g)
長ねぎ(みじん切り)	大さじ1(8g)
にんにく	¼片(1.75g)
赤唐辛子(小口切り)	¼本
Ⓐ しょう油	小さじ¼
Ⓐ 酒	小さじ¼
Ⓐ しょうが汁	小さじ¼
片栗粉	小さじ1
Ⓑ 赤みそ	小さじ2
Ⓑ しょう油	小さじ1
Ⓑ 砂糖	小さじ1
サラダ油	小さじ2
TOTALエネルギー228kcal/塩分2.7g	

刺し身サラダ	
マグロ	35g
たい	35g
にんじん	¼本(28g)
玉ねぎ	¼コ(60g)
万能ねぎ	3g
セロリ	½本(45g)
Ⓐ しょう油	小さじ2
Ⓐ レモン汁	小さじ1
Ⓐ オリーブ油	小さじ1
炒りごま(白)	大さじ½(4.5g)
赤唐辛子	½本
TOTALエネルギー195kcal/塩分1.9g	

サバの揚げ団子の野菜あんかけ	
サバ	1切れ(80g)
長ねぎ(みじん切り)	10g
ごぼう	30g
にんじん	20g
みつ葉	5g
卵	5g
Ⓐ 塩	0.3g
Ⓐ 酒	小さじ½
Ⓐ みそ	小さじ¼
揚げ油	
Ⓑ しょう油	大さじ½
Ⓑ 酒	小さじ1
Ⓑ みりん	小さじ1
Ⓑ だし汁	¼カップ
片栗粉	小さじ½
水	小さじ1
TOTALエネルギー314kcal/塩分2.1g	

心筋梗塞

成人病に気をつけたいひとの単品メニュー

ピースごはん

①グリーンピースに塩少々をまぶし、しばらくおいてから、熱湯でゆでる。昆布は細かくきざんでおく。

②①のゆで汁、昆布と酒を入れ、普通の水加減で米を炊く。

③炊きあがったら、①のグリーンピースを入れ、10分くらい蒸してから混ぜあわせる。

ほたての中華炒め煮

①きくらげは水でもどす。

②フライパンに油を熱し、しょうがを炒め、ほたて貝柱、にんじん、さやいんげん、きくらげ、レタスの順に炒め、スープを加え煮立たせる。

③②にⒶを加えて、水溶き片栗粉を入れてとろみをつける。

和風ハンバーグ

①豆腐は水きりしてすりつぶし、鶏ひき肉を混ぜ、Ⓐを加え、小判形に形をととのえる。

②かぼちゃは薄切りにする。

③フライパンに油を熱し、かぼちゃとししとうを炒める。

④フライパンに油を熱して、①の両面を色よく焼き、酒をふり、ふたをして蒸し焼きにする。3分後、Ⓑを加えて煮からめて青じその葉を敷いた皿に盛り、③を添える。

材料（1人前）

ピースごはん	
グリーンピース	20g
米	45g
昆布（乾）	適宜
酒	小さじ½
塩	少々
水	適量
ゆで汁	適量
TOTALエネルギー182kcal/塩分1.0g	

ほたての中華炒め煮	
ほたて貝柱（生）	100g
にんじん（千切り）	20g
さやいんげん（千切り）	3本（24g）
レタス（ひと口大）	50g
しょうが（千切り）	5g
きくらげ（乾）	3枚（1.5g）
鶏ガラスープ	¼カップ
油	小さじ2
Ⓐ 塩	少々
Ⓐ 酒	小さじ2
Ⓐ 砂糖	小さじ½
片栗粉	小さじ1
水	大さじ1
TOTALエネルギー226kcal/塩分1.1g	

和風ハンバーグ	
鶏ひき肉	75g
豆腐（木綿）	75g
かぼちゃ	40g
ししとう	3本（15g）
青じその葉	2枚（2g）
Ⓐ 長ねぎ（みじん切り）	小さじ1
Ⓐ 全卵	大さじ1（18g）
Ⓐ しょう油	小さじ⅓
Ⓐ 酒	小さじ1
Ⓐ 塩	0.5g
Ⓑ しょう油	小さじ1
Ⓑ みりん	大さじ½
Ⓑ 砂糖	小さじ⅓
酒	小さじ1
油	小さじ2
TOTALエネルギー224kcal/塩分1.1g	

牛肉と大根のべっこう煮

①牛肉はひと口大に切る。大根はひと口大の乱切りにする。
②なべにⒶを入れて煮立たせ、牛肉を加えて、はしでほぐしながら煮て取り出す。
③②の煮汁のアクを取り、大根を入れ、ひたひたの水を加えてやわらかくなるまで煮る。
④③に②の牛肉をもどして、煮汁がなくなるまで煮つめ、すじを取り、軽くゆでて切ったさやえんどうを散らす。

えびの蒸しもの

①えびは頭と背わたを取り、腹開きにして、塩、こしょう。
②Ⓐを混ぜあわせ、①にのせ、酒をふりかける。
③②を蒸し器に入れて3～4分蒸し、香菜を添えた皿に盛り、酢じょう油でいただく。

ゆで卵の野菜あんかけ

①卵をゆでて輪切りにする。
②にんじん、玉ねぎ、生しいたけは、さいの目にする。
③なべにⒶを入れて煮立たせ、②の野菜を加えて煮、水溶き片栗粉でとろみをつける。
④①に③をかけ、小口切りにした万能ねぎを散らす。

材料（1人前）

牛肉と大根のべっこう煮

材料	分量
牛もも薄切り肉（赤身）	70g
大根	125g
さやえんどう	1.5枚（3g）
Ⓐ しょうが（薄切り）	1枚（2g）
Ⓐ しょう油	大さじ½
Ⓐ 酒	大さじ1
Ⓐ 砂糖	大さじ½

TOTALエネルギー147kcal/塩分1.5g

えびの蒸しもの

材料	分量
くるまえび	大3尾（90g）
香菜	5g
塩	少々
こしょう	少々
Ⓐ 長ねぎ（みじん切り）	10g
Ⓐ しょうが（みじん切り）	5g
Ⓐ にんにく（みじん切り）	2g
酒	大さじ1
しょう油	小さじ⅓
酢	小さじ½

TOTALエネルギー111kcal/塩分1.1g

ゆで卵の野菜あんかけ

材料	分量
卵	1コ（50g）
にんじん	20g
玉ねぎ	20g
生しいたけ	1枚（15g）
万能ねぎ	6g
Ⓐ しょう油	小さじ½
Ⓐ 酒	小さじ½
Ⓐ みりん	小さじ1
Ⓐ 塩	少々
Ⓐ だし汁	100cc
片栗粉	小さじ1
水	小さじ1

TOTALエネルギー125kcal/塩分1.0g

朝食

材料（1人前）

肉団子入りぞうすい	
ごはん	110g
豚ひき肉（赤身）	50g
長ねぎ（みじん切り）・5㎝分	（2.5g）
しょうが（みじん切り）	¼片（6g）
干ししいたけ（みじん切り）	¼枚（6g）
にら	¼束（25g）
Ⓐ 塩	少々
Ⓐ 酒	大さじ½
Ⓐ ごま油	小さじ¼
塩	少々
しょう油	小さじ⅓
水	200cc
酒	小さじ½

かぶの甘酢漬け	
かぶ	1コ（90g）
紅しょうが	6g
Ⓐ 塩	少々
Ⓐ 砂糖	小さじ½
Ⓐ 酢	小さじ1

豆腐サラダ	
豆腐（木綿）	¼丁（75g）
長ねぎ	⅙本（10g）
青じその葉	1枚（1g）
生ワカメ	5g
プチトマト	2コ（40g）
Ⓐ みそ	大さじ½（9g）
Ⓐ みりん	少々（1g）
Ⓐ 砂糖	小さじ½
Ⓐ 酢	小さじ½
Ⓐ だし汁	大さじ½

フルーツのカッテージチーズあえ	
パイナップル（缶）	100g
カッテージチーズ	30g

TOTALエネルギー483kcal/塩分2.7g

肉団子入りぞうすい

①ごはんをザルに入れ、流水で洗い、水気をきる。

②ボウルに豚ひき肉、長ねぎ、しょうが、干ししいたけ、Ⓐの調味料を入れ、粘りが出るまで手でよく混ぜあわせ、食べやすい大きさに丸める。

③なべに水と酒を入れ、②をゆでて、取り出しておく。

④③のスープをこして、ごはんを入れて煮立て、塩、しょう油で味つけをして、③の肉団子と2㎝に切ってゆでたにらを入れる。

かぶの甘酢漬け

①かぶは薄切りにして塩でもみ、紅しょうがと和え、あわせたⒶの調味料で味をつける。

豆腐サラダ

①長ねぎと青じその葉は千切り。水で塩ぬきしたワカメはひと口大にする。プチトマトはへたを取り、くし形に切る。

②Ⓐの材料をすべて混ぜあわせ、ドレッシングを作る。

③器に豆腐を盛り、①を上に散らし、②をかける。

フルーツのカッテージチーズあえ

①缶詰のパイナップルを食べやすい大きさに切り、カッテージチーズと和える。

肝臓病

昼食

材料（1人前）

鶏肉と大豆のトマト煮込み	
鶏もも肉	75g
ゆで大豆（缶）	35g
トマトの水煮（ホール）	100g
にんにく	¼片（1.7g）
塩	少々
こしょう	少々
油	小さじ1
ポテトサラダ	
じゃがいも	100g
玉ねぎ	50g
きゅうり	10g
サラダ菜	2枚（14g）
ノンオイルドレッシング	小さじ1
マスタード	小さじ⅔
パン	
厚切りパン（4枚切り）	1枚（90g）
イチゴジャム	小さじ1
野菜スープ	
にんじん	15g
さやえんどう	2枚（4g）
大根	20g
コンソメの素	¼コ（1g）
湯	150cc
塩	少々

鶏肉と大豆のトマト煮込み

①鶏肉はひと口大に切り、にんにくはみじん切りにする。

②なべに油を熱し、にんにくをよく炒め、香りが出たら鶏肉を炒める。

③②に大豆とトマトの水煮を加えてまぜ、しばらく煮立たせ、塩、こしょうで味つけをし、器に盛る。

ポテトサラダ

①じゃがいもはひと口大に切り、ラップに包んで、やわらかくなるまで電子レンジで加熱する。

②玉ねぎときゅうりは薄切りにして、①とあわせる。

③器にサラダ菜を敷き②を盛り、ドレッシングにマスタードをまぜて、上からかける。

野菜スープ

①にんじんと大根はたんざくに、さやえんどうは千切りにする。

②なべに湯とコンソメの素を入れて煮立たせ、①を入れて火をとおし、塩で味をととのえる。

肝臓病の三大原因は、肥満、飲酒、糖尿病です。多くの患者は、この2つ以上にあてはまっています。したがって、食べ過ぎ、飲み過ぎに注意することが肝臓病予防では、もっともたいせつです。

TOTALエネルギー642kcal/塩分3.8g

アジのしょうが風味あんかけ

①アジは内臓とぜいごを取り、しょうが汁と塩をふり、片栗粉をまぶして揚げる。
②なべにⒶを入れ、煮立ったら水溶き片栗粉を入れる。
③器に①を盛り②をかけ、万能ねぎとしょうがをのせる。

にんじんとしらたきの炒り煮

①にんじんとさやいんげんは千切り。しらたきは食べやすく切り、きくらげは水でもどしてから千切りにする。
②なべに油を熱し、しらたきを炒め、Ⓐの調味料を加え、野菜ときくらげを入れて2～3分煮る。

大根と干し柿のレモン酢あえ

①大根ときゅうりはたんざく切りにして、塩をふり、しばらくおいてから水気をしぼる。
②干し柿はたんざく切りにする。
③Ⓐの調味料をあわせ、①、②と和える。

かき玉汁

①長ねぎは斜め切りにして、みつ葉は3㎝長さに切る。
②なべにだし汁を煮立て、長ねぎを加え、塩としょう油で調味し、水溶き片栗粉でとろみをつける。
③②に卵を流し込み、みつ葉を散らして、火を止める。

　肝臓のいちばんの大敵はアルコール。アルコールは肝臓に負担をかけるだけでなく、肝臓で脂肪に変わりやすい性質もあります。

　また、アルコール自体が高エネルギーなうえ、食欲を亢進する作用もあるのでしばしば食べ過ぎをもまねくのです。

夕食

材料（1人前）

アジのしょうが風味あんかけ	
アジ	中1尾（110g）
万能ねぎ（小口切り）	2g
しょうが（千切り）	2g
塩	少々
しょうがのしぼり汁	大さじ¼（4g）
片栗粉	大さじ1
揚げ油	
Ⓐ しょうがのすりおろし	小さじ½
Ⓐ しょう油	小さじ⅔
Ⓐ 酢	大さじ¼
Ⓐ だし汁	¼カップ
水	大さじ½
片栗粉	大さじ¼
にんじんとしらたきの炒り煮	
にんじん	¼本（25g）
さやいんげん	2本（10g）
しらたき	¼玉（50g）
きくらげ（乾）	1枚（2g）
Ⓐ 薄口しょう油	小さじ⅔
Ⓐ 酒	大さじ¼
Ⓐ みりん	小さじ⅔
Ⓐ だし汁	大さじ1
油	小さじ½
大根と干し柿のレモン酢あえ	
大根	30g
きゅうり	10g
干し柿	½コ（16g）
塩	少々
Ⓐ 塩	少々
Ⓐ 砂糖	少々（1g）
Ⓐ レモン汁	大さじ½
Ⓐ 炒りごま	小さじ⅓
ごはん	
ごはん	165g
かき玉汁	
長ねぎ	5g
みつ葉	5g
卵	½コ（25g）
塩	小さじ⅙
しょう油	少々
だし汁	150cc
片栗粉	小さじ½
水	小さじ1

TOTALエネルギー540kcal/塩分3.5g

間食　かぼちゃプリンとミルクティー

①かぼちゃは、種と皮を取り除き、薄く切る。
②①のかぼちゃをラップに包み、電子レンジでやわらかくなるまで加熱し、熱いうちにつぶしてから砂糖を加えて混ぜ合わせ、さらに溶いた卵・牛乳を加え、よく混ぜる。
③蒸気の上がった蒸し器で約10分蒸す。

材料（1人前）

かぼちゃプリン	
かぼちゃ	40g
卵	½コ（25g）
砂糖	8g
牛乳	40g
ミルクティー	
紅茶	⅓カップ
牛乳	⅔カップ
砂糖	適宜（4g）

TOTALエネルギー223kcal/塩分0.3g

低タンパク

エネルギー不足を糖質と脂質で補う

タンパク質は、脂質、炭水化物と並ぶ三大栄養素の一つで、砂糖と油以外のほとんどの食品に含まれています。

タンパク質を取りすぎると、タンパク質が分解されたときの老廃物である尿素、尿酸、カリウム、リンなどの蓄積によって腎臓に負担をかけます。また、取りすぎたタンパク質を排出する際にカルシウムが必要となるため、骨粗鬆症の原因ともなります。

低タンパク食では、エネルギー量が不足しがちなため、砂糖や油を通常よりも多く使うことになります。しかし単純に量を増やすと、油っこく甘いメニューばかりになってしまいますから、調理方法には工夫が必要。香味野菜、香辛料などを使って、味に変化をつけたいものです。

レタスのかにあんかけ

①レタスは1枚ずつに分け、湯に油(大さじ1)を入れ、軽くゆでる。
②なべに水とスープの素を入れて煮立たせ、ほぐしたかにを入れ、塩、こしょうする。
③②に水溶き片栗粉を加え、溶いた卵白を流し入れて、軽く混ぜあわせる。
④皿に①を盛り、③を上からかける。

炒め豆腐のすき煮

①豆腐は水気をきり、2㎝厚さに切る。
②しいたけは軸を取って十文字に包丁を入れ、長ねぎは斜め切りに。しらたきはさっとゆでて、食べやすい長さに。
③なべに油を熱し、豆腐を両面炒める。
④③にだし汁を入れ、②をすべて入れ、Ⓐで調味して煮る。
⑤器に④を盛り、すじを取って、さっとゆでて、千切りにしたさやえんどうを飾る。

しそ入りミニつくね(2コ)

①玉ねぎと青じその葉(4枚)はみじん切り。
②①と鶏ひき肉をⒶで味つけし、ねばりが出るまでよく混ぜ、形をととのえて焼く。

栄養素をコントロールした単品メニュー

材料(1人前)

レタスのかにあんかけ	
レタス	½コ(150g)
かに缶(汁をのぞいたもの)	60g
卵白	½コ分(10g)
塩	少々
こしょう	少々
片栗粉	小さじ1
水	小さじ1
鶏ガラスープの素	少々(0.6g)
水	75cc
サラダ油	大さじ1
TOTALエネルギー99kcal/塩分1.9g	

炒め豆腐のすき煮	
豆腐(木綿)	⅓丁(100g)
生しいたけ	1枚(11g)
長ねぎ	¼本(25g)
さやえんどう	1枚(2g)
しらたき	¼玉(25g)
Ⓐ 塩	少々
Ⓐ しょう油	大さじ½
Ⓐ みりん	小さじ½
Ⓐ 砂糖	小さじ½
だし汁	½カップ
サラダ油	大さじ½
TOTALエネルギー173kcal/塩分1.9g	

③Ⓑをなべに入れ、軽く煮つめ、②にからめる。
④③の上に千切りにした青じその葉(2枚)をのせ、くし形に切ったミニトマトを添える。

エスニック春巻

①春雨は水につけもどす。干しえびはぬるま湯につけ、もどしてから細かくきざむ。にらとにんにくはみじん切りに。
②ボールに細かく切った豚肉と①を入れ、塩をふり、よく混ぜて、5等分する。
③1枚分の春巻の皮を4等分して、②をなかに入れて折りたたみ、のり状の水溶き片栗粉で皮をしっかりとつけ、同じものを5コ作る。
Ⓐの調味料はあわせておく。
④③を油で揚げ、サニーレタスに包み、Aをつけて食べる。

白身魚のスイートマリネ

①タラはひと口大に切り、小麦粉をつけて揚げる。
②ミニトマトはくし形に、玉ねぎとピーマンは薄切りに。
③①と②を、混ぜあわせたⒶで和え、レタスの上に盛る。

材料(1人前)

しそ入りミニつくね(2コ)	
鶏ひき肉	50g
玉ねぎ	¼コ(36g)
青じその葉	6枚(6g)
ミニトマト	2コ(40g)
Ⓐ 塩	少々
Ⓐ こしょう	少々
Ⓐ 酒	小さじ½
Ⓐ 片栗粉	小さじ1
Ⓑ しょう油	小さじ1
Ⓑ 酒	小さじ1
Ⓑ みりん	小さじ1
Ⓑ 砂糖	少々
サラダ油	小さじ½
TOTALエネルギー190kcal/塩分1.5g	

エスニック春巻	
豚肉(ロース)	50g
にら	15g
にんにく	¼片(1.75g)
春雨	2g
干しえび	2g
サニーレタス	2枚(14g)
Ⓐ 薄口しょう油	小さじ½
Ⓐ 酢	大さじ1
Ⓐ 砂糖	小さじ½
Ⓐ 赤唐辛子(小口切り)	少々
春巻の皮	1¼枚
塩	少々
揚げ油	
片栗粉	少々(1g)
水	適宜
TOTALエネルギー294kcal/塩分1.5g	

白身魚のスイートマリネ	
生タラ	60g
玉ねぎ	20g
ピーマン	½コ(12g)
レタス	2枚(10g)
プチトマト	2コ(40g)
Ⓐ 塩	小さじ¼
Ⓐ 砂糖	大さじ¼
Ⓐ レモン汁	½コ分(20g)
Ⓐ ローリエの葉	¼枚
小麦粉	小さじ1
揚げ油	
TOTALエネルギー121kcal/塩分1.5g	

高タンパク

脂肪を取り過ぎない注意が必要

　タンパク質は20種以上のアミノ酸が結合したもので、毎日欠かさず摂取しなければなりません。必要量は成人男性で70g、女性で60g程度ですが、成長期の子どもやスポーツをする人は、さらに多く取ります。

　タンパク質が不足すると、貧血、下痢、むくみ、肌荒れ、食欲不振、疲労感などが現れます。

　肉や魚、卵などに含まれる動物性タンパク質は、アミノ酸のバランスがよく、吸収率も高いので高タンパク食に適しています。ただし、コレステロールや脂質も多く含んでいるため、成人病や肥満にはよくありません。また、植物性タンパク質は、脂肪は少ないものの、必須アミノ酸のいくつかを欠いている場合があります。両者をうまく組み合わせてとりいれましょう。

ホタテごはん

①ホタテ水煮は缶汁とホタテに分ける。ホタテは水気をきり、ほぐしておく。
②缶汁と調味料をあわせ、たけのこをさっとゆでて水気を切ってから細かくきざむ。
③みつ葉は3㎝長さに切る。
④温かいごはんに①②を混ぜあわせ、みつ葉を散らす。
⑤食べるときに粉さんしょうをふる。

鶏のレモン蒸し

①鶏むね肉はすじを取りのぞき、ひと口大のそぎ切りにする。
②①を耐熱皿に敷き、塩と酒をふり、薄切りにしたレモンを散らし、蒸し器に入れ、強火で15分蒸す。
③蒸しあがった②に小口切りした万能ねぎを散らす。

まぐろのマスタードフライ

①まぐろはひと口大に切り、塩とこしょうをして、マスタードを塗る。
②小麦粉、卵、パン粉の順につけ、油で揚げる。
③小房に分けてゆでたブロッコリーとレモンを添える。オーロラソースにつけて食べる。

牛肉の包み焼き

栄養素をコントロールした単品メニュー

①Ⓐの材料を手でよく混ぜあわせる。
②牛薄切り肉を広げ、①を巻き込み、小麦粉をまぶす。
③油を熱したフライパンで、②をころがしながら焼き、ワインを加え、ふたをして蒸し焼きにし、皿に盛る。
④③のフライパンでに

材料（1人前）

ホタテごはん	
ホタテ水煮	小1缶(50g)
ゆでたけのこ	20g
みつ葉	5g
ごはん	110g
薄口しょう油	小さじ½
みりん	小さじ½
缶汁	大さじ1
粉さんしょう	少々
TOTALエネルギー223kcal/塩分0.8g	

鶏のレモン蒸し	
鶏むね肉(皮なし)	100g
万能ねぎ	5g
レモン	⅛コ(12g)
塩	少々
酒	小さじ2
TOTALエネルギー131kcal/塩分0.4g	

んにくとしめじ、半分に切ったえのきたけを炒め、スープを加え、塩とこしょうをふり、③にかける。

たこのプロバンス風煮込み

①たこはひと口大のぶつ切りにして、小麦粉をまぶす。
②玉ねぎとにんにくはみじん切り、なすは輪切りにする。
③なべにオリーブ油を入れて熱し、たこを入れて、さっと炒め取り出しておく。
④同じなべでにんにく、玉ねぎ、なすを炒め、粗みじんにしたトマト水煮を汁(1/4カップ)ごと入れ、白ワインを加え、弱火で15分煮る。
⑤④にたこをもどし、塩とこしょうで味をととのえ、パセリをふる。

肉や魚の脂肪が気になるときは、ゆでる、蒸す、網焼きにして油を落とすなどの方法で。

材料(1人前)

まぐろのマスタードフライ	
まぐろ(赤身)	75g
ブロッコリー	50g
レモン	¼コ(24g)
卵	大さじ½(7g)
塩	少々
こしょう	少々
小麦粉	5g
パン粉	7g
揚げ油	
マスタード	大さじ½(3g)
オーロラソース	
ケチャップ	小さじ½(3g)
マヨネーズ	小さじ½(2.5g)
TOTALエネルギー273kcal/塩分0.8g	

牛肉の包み焼き	
牛もも薄切り肉(赤身)	50g
Ⓐ 牛ひき肉	30g
Ⓐ 卵	¼コ(12.5g)
Ⓐ 牛乳	大さじ1
Ⓐ パン粉	大さじ1
Ⓐ 粉チーズ	小さじ1
しめじ	25g
えのきたけ	25g
にんにく(みじん切り)	小さじ½
塩	少々
こしょう	少々
小麦粉	小さじ1
ワイン	大さじ2
スープ	大さじ2
油	小さじ2
TOTALエネルギー315kcal/塩分0.9g	

たこのプロバンス風煮込み	
たこ(ボイル)	100g
玉ねぎ	20g
なす	1本(60g)
にんにく	少々(1g)
トマト水煮(ホール)	50g
パセリ(みじん切り)	小さじ1(1g)
塩	少々
こしょう	少々
小麦粉	小さじ2
白ワイン	大さじ2
オリーブ油	小さじ2
TOTALエネルギー284kcal/塩分1.5g	

高繊維

食事の欧米化で食物繊維不足に

食物繊維には数多くの有益な作用があります。

便秘の予防や治療に役立つのはもちろん、腸内の発ガン性物質の濃度を下げるとともに排泄を促すため、大腸ガンの予防にも効果があります。また、コレステロールの吸収を妨げて血液中のコレステロールを低下させたり、ナトリウムの排出を促してナトリウムによる血圧上昇を抑制したりします。さらに糖質の吸収を遅らせ、血糖値を下げて糖尿病を予防する、胆汁酸を吸着して胆石症を予防するといった効果もあります。

逆にいえば、食物繊維の不足は、これらの病気をもたらすことになります。

肉食型の欧米では、以前から食物繊維不足は大きな問題でしたが、近年は日本でも、食事の欧米化による影響が心配されています。

栄養素をコントロールした単品メニュー

精進混ぜごはん

①切り干し大根とひじきは、それぞれぬるま湯につけてもどす。やわらかくなったら、水気をきり、切り干し大根は3㎝長さに切る。
②油揚げは熱湯で油ぬきをして、たんざくに切る。
③なべに油を熱し、①と②をさっと炒め、酒をふりかけ、水をそそぎ入れる。
④③が煮立ったら、しょう油・みりんを入れ、汁気がなくなるまで煮る。
⑤ごはん、④、千切りの青じその葉を混ぜあわせ、おにぎり型にする。

かぼちゃと糸昆布の炒め煮

①かぼちゃはひと口大に切る。
②糸昆布は水でもどし、食べやすい大きさに切る。もどし汁は別に取っておく。
③なべに油を熱し、糸昆布を炒め、糸昆布のもどし汁、しょうゆ、酒、みりんを入れ、かぼちゃを加えて煮る。
④かぼちゃがやわらかくなるまで煮て、火を止め、そのましばらくおいて、味を含ませる。

ポテトと豆のクリームチーズ和え

①じゃがいもは洗って、ラップに包み、電子レンジで加熱し、皮をむいて、ひと口大に切る。
②クリームチーズをよく練り、牛乳を加えて溶きのばす。
③②に①と赤いんげんを加え、Ⓐで調味する。

材料（1人前）

精進混ぜごはん	
ごはん	165g
切り干し大根	8g
青じその葉	1枚(1g)
ひじき(乾)	8g
油揚げ	1枚(40g)
薄口しょう油	小さじ⅔
酒	小さじ2
みりん	小さじ1
水	25cc
サラダ油	小さじ½
TOTALエネルギー467kcal/塩分1.0g	

かぼちゃと糸昆布の炒め煮	
かぼちゃ	100g
糸昆布	8g
しょう油	小さじ2
酒	小さじ1
みりん	小さじ1
昆布のもどし汁	½カップ
サラダ油	小さじ2
TOTALエネルギー173kcal/塩分2.4g	

④皿にサニーレタスを敷き、その上に③を盛る。

白菜と鶏肉の中華風煮物

①白菜はひと口大に切り、にんじんとゆでたけのこは薄切りにする。干ししいたけはもどして千切りにし、もどし汁はだし汁として使う。もやしは根を取っておく。

②春雨はもどして、食べやすい大きさに切る。鶏肉はひと口大に切り、酒と塩少々をふり、もみ込んでおく。

③フライパンにごま油を熱して鶏肉を炒め、にんじん、白菜、しいたけ、もやし、ゆでたけのこの順で炒め、だし汁を加え、酒としょう油で調味し、しばらく煮る。

④③に春雨を入れ、春雨が透きとおって、味がしみたら、器に盛る。

花野菜のスープ煮

①ブロッコリーとカリフラワーは小房に分ける。

②ベーコンは千切りにする。

③なべでスープをつくり、①と②を入れ、①がやわらかくなったら、ゆでとうもろこしを入れ、調味する。

材料（1人前）

ポテトと豆のクリームチーズ和え	
じゃがいも	1コ（150g）
赤いんげん（生）	50g
サニーレタス	1枚
Ⓐ 塩	少々
Ⓐ こしょう	少々
Ⓐ マヨネーズ	大さじ½
クリームチーズ	20g
牛乳	大さじ1
TOTALエネルギー317kcal/塩分0.6g	

白菜と鶏肉の中華風煮物	
鶏むね肉（皮なし）	70g
にんじん	30g
白菜	100g
もやし	50g
ゆでたけのこ	20g
干ししいたけ	2枚（5g）
春雨（乾）	2g
塩	少々
酒	少々
ごま油	大さじ½
しょう油	小さじ½
酒	小さじ1
だし汁（干ししいたけのもどし汁）	¼カップ
TOTALエネルギー197kcal/塩分1.2g	

花野菜のスープ煮	
ベーコン	1枚（20g）
ブロッコリー	60g
カリフラワー	60g
ゆでとうもろこし（缶ホール）	20g
塩	少々
こしょう	少々
コンソメスープの素	¼コ（1g）
水	200cc
TOTALエネルギー148kcal/塩分1.5g	

高カルシウム

ビタミンDと一緒に適度な運動も必要

カルシウムは私たちの骨の材料であると同時に、体内でつねに消費され続けているものです。しかし、日本の土壌は火山灰土のため作物にカルシウムが少なく、日本人は慢性的にカルシウム不足だといわれています。

カルシウムが不足すると、骨に含まれるカルシウムが溶け出して消費され、その結果、骨がもろくなる骨粗鬆症になります。

カルシウムを多く含む食品には、牛乳・乳製品、小魚類、大豆製品、緑黄色野菜などがありますが、カルシウムの吸収を助けるビタミンDも一緒に取るのが効果的。またカルシウムを骨に定着させるには、適度な運動も必要です。なお、過剰に摂取した分は体外に排出されるので、取り過ぎということはありません。

小松菜と干しえびの炒めもの

①小松菜は5㎝長さに切り、にんにくはみじん切りにする。
②干しえびはひたひたのぬるま湯につけて、もどす。
③フライパンに油を熱してにんにくを炒め、香りが出たら、小松菜を入れ、強火で炒める。
④小松菜がしんなりしたら、②を加え、塩、酒、しょう油を入れて、混ぜあわせる。

わかさぎの三色揚げ

①わかさぎに塩とこしょうをふる。
②ボウルに溶き卵と小麦粉を入れ、水気を取ったわかさぎを加え、からめる。
③②のわかさぎを三等分し、黒ごま、青のり、粉チーズをそれぞれにまぶす。
④180℃の油で③をからりと揚げ、皿に盛り、レモンとパセリを添える。

カルシウムの吸収が最もよいのは、牛乳・乳製品です。牛乳が飲めない人でも、チーズやヨーグルト、乳酸飲料、ホワイトシチューなどで積極的に取りたいものです。

栄養素をコントロールした単品メニュー

材料（1人前）

小松菜と干しえびの炒めもの	
小松菜	80g
にんにく	½片（3.5g）
干しえび	5g
塩	少々
酒	小さじ1
しょう油	小さじ⅓
油	小さじ2
TOTALエネルギー117kcal/塩分0.8g	

わかさぎの三色揚げ	
わかさぎ	90g
レモン	⅛コ（12g）
パセリ	適宜
卵	¼コ（12.5g）
小麦粉	大さじ1.5
塩	少々（0.5g）
こしょう	少々
揚げ油	
炒りごま（黒）	小さじ2
青のり	小さじ2
粉チーズ	小さじ2
TOTALエネルギー280kcal/塩分1.1g	

モロヘイヤのごま和え

①モロヘイヤは軸のかたい部分をのぞき、熱湯でさっとゆで、3㎝長さに切る。
②ごまを半ずりにして、調味料をあわせ、①と和える。

焼きそば

①キャベツはひと口大に切り、生しいたけは軸を取ってそぎ切り、にんじんとピーマンはたんざく切りにし、長ねぎはあらく刻む。
②生揚げはひと口大に切る。
③フライパンに油を熱し、野菜と生揚げ、桜えびを炒め、調味料を加える。
④③を蒸した中華めんにのせる。

チンゲン菜のミルク煮

①チンゲン菜は根もとのほうから四つ割りにし、熱湯でさっとゆで、水気をきっておく。
②ハムはみじん切りにする。
③フライパンに油を熱し、①を炒め、酒を加える。
④③に牛乳を入れ、塩を加えて、水溶き片栗粉を加え、ひと煮立ちしてから、ハムを散らす。

材料(1人前)

モロヘイヤのごま和え	
モロヘイヤ	80g
炒りごま(白)	大さじ1
しょう油	小さじ1
砂糖	小さじ½
TOTALエネルギー127kcal/塩分0.9g	

焼きそば	
中華めん	135g
キャベツ	30g
生しいたけ	2枚(30g)
にんじん	20g
ピーマン	1コ(26g)
長ねぎ	10g
生揚げ	½枚(67g)
桜えび	3g
塩	小さじ⅖
酒	小さじ½
しょう油	小さじ1
砂糖	小さじ½
油	小さじ2
TOTALエネルギー428kcal/塩分3.5g	

チンゲン菜のミルク煮	
ボンレスハム	1枚(20g)
チンゲン菜	1束(150g)
塩	少々
酒	大さじ1
牛乳	½カップ
油	小さじ2
片栗粉	小さじ1
水	大さじ1
TOTALエネルギー205kcal/塩分1.4g	

糖尿病　1日1,600kcalの食事

朝食

材料（1人前）	
焼き豆腐卵とじ	
焼き豆腐	100g
ほうれん草	30g
卵	1コ（50g）
Ⓐ しょう油	小さじ½
Ⓐ みりん	小さじ½
Ⓐ だし汁	適量
白菜のレモン香和え	
白菜	60g
レモンの皮	少々（1g）
Ⓐ 薄口しょう油	小さじ⅓
Ⓐ レモン汁	小さじ½
ごはん	
ごはん	165g
玉ねぎとワカメのみそ汁	
玉ねぎ	15g
長ねぎ	5g
ワカメ（乾）	1g
みそ	10g
だし汁	150cc
フルーツヨーグルト	
マンゴー	120g
プレーンヨーグルト	135g
TOTALエネルギー546kcal/塩分2.5g	

焼き豆腐卵とじ

①ほうれん草はさっとゆで、3㎝長さに切る。
②なべにⒶを入れて煮立たせ、焼き豆腐を切って加え、しばらく煮てからほうれん草を入れ、溶き卵を流し入れる。

白菜のレモン香和え

①白菜は5㎝長さの拍子木切りにし、さっとゆで、水気をしぼる。
②Ⓐをあわせて、①と和え、レモンの皮の千切りをのせる。

玉ねぎとワカメのみそ汁

①玉ねぎは薄切り、長ねぎは小口切りにする。
②ワカメは水でもどしておく。
③なべにだし汁を入れて煮立たせ、玉ねぎ、ワカメ、長ねぎを加え、火がとおったら、みそを溶き入れる。

フルーツヨーグルト

①マンゴーはさいの目に切って、プレーンヨーグルトをかける。

マッシュポテト添え舌ビラメのムニエル

①舌ビラメは下処理をして、塩とこしょうをふり、水気をふき取り、小麦粉をまぶす。
②フライパンに油を熱し、盛りつけるほうから焼き、両面をこんがりと焼く。
③玉ねぎは5㎜角に切り、にんにくはみじん切りにする。
④なべに油を熱し、にんにく、玉ねぎ、トマトを加えて煮つめ、塩で味をととのえる。
⑤レタスはさっとゆで、水気をきり、溶かしバターとしょう油をからめる。
⑥じゃがいもはゆでて、粉ふきにしてから塩とこしょうを

ふり、牛乳を加えて、マッシュポテトにする。
⑦皿に②を盛りつけ、④、⑤、⑥を添え、⑥にみじん切りパセリを散らす。

グリーンアスパラガスのサラダ

①グリーンアスパラガスは根もとのかたい部分をそぎ、熱湯でゆでる。ブロッコリーは小房に分け、熱湯でゆでる。セロリはすじを取りのぞき、斜めに薄く切る。
②サラダ菜を敷いた皿に①を盛り合わせ、ドレッシングをかける。

コンソメスープ

①かぶは薄切り、かぶの葉は1㎝長さに切り、にんじんは千切りにする。
②なべにコンソメスープの素と水を入れて煮立たせ、野菜を加えて、塩で調味する。

サラダのドレッシングはノンオイルのものを。例えば、フレンチドレッシングはノンオイルの約5倍、マヨネーズは9倍のエネルギー量です。

昼食

材料(1人前)

マッシュポテト添え舌ビラメのムニエル	
舌ビラメ	90g
塩	少々
こしょう	少々
小麦粉	小さじ1⅔
油	小さじ2
玉ねぎ	15g
にんにく	⅙片(1g)
トマト水煮(缶)	50g
塩	少々
油	小さじ½
レタス	80g
しょう油	小さじ⅓
バター	小さじ½
じゃがいも	1コ(100g)
パセリ	少々
塩	少々
こしょう	少々
牛乳	大さじ1
グリーンアスパラガスのサラダ	
グリーンアスパラガス	3本(30g)
ブロッコリー	30g
セロリ	10g
サラダ菜	1枚(7g)
ノンオイルドレッシング	小さじ2

パン	
フランスパン	60g
ロールパン	30g
コンソメスープ	
かぶ	30g
かぶの葉	10g
にんじん	15g
塩	少々
コンソメスープの素	⅛コ
水	150cc

TOTALエネルギー541kcal/塩分4.8g

鶏ささみの梅じそ焼き

①鶏ささみはすじを取りのぞき、観音開きにして、酒をふる。
②梅肉はみりんと混ぜる。
③①の上に青じそを広げてのせ、その上に②をのせて包み込み、小麦粉をまぶす。
④フライパンに油を熱し、③をころがすように焼き、食べやすい大きさに切って、サラダ菜を敷いた上に盛りつけ、ミニトマトとレモンを添える。

もやしのごま和え

①もやしは根を取り、さっとゆでて、ザルにあげておく。きゅうりは斜めに薄く切ってから、千切りにする。
②くらげは水にさらして、食べやすい長さに切る。
③ごまとⒶをあわせて、①と②を和える。

ピーマンのじゃこ炒め

①ピーマンはへたと種を取り、ざく切りにする。
②なべに油を熱し、①を入れて炒め、ちりめんじゃこを加え、酒としょう油で調味する。

麦とろごはん

①おし麦と米をあわせてとぎ、精白米だけのときより少し多めの水加減にして、1時間おいてから炊く。
②大和いもは皮を厚めにむき、酢水(水1カップに対して酢小さじ1)につけて、アク出しをする。
③なべにだし汁を入れて火にかけ、塩と薄口しょうゆを加え、ひと煮立ちしたら火からおろし、冷ましておく。
④②の水気をふき取ってすりおろし、卵黄を加えてすり混ぜ、③を加えてすりのばす。
⑤炊きあがった①に④をかけ、青のりとわさびを上にのせる。

糖尿病食は理想のメニュー

糖尿病には、インスリン非依存型糖尿病とインスリン依存型糖尿病の2種類がありますが、日本人の糖尿病の約90パーセントはインスリン非依存型糖尿病です。

インスリン非依存型の糖尿病は、まず遺伝的体質がもとになって、そこに過食、肥満、不規則な生活などが加わり、発病の引き金になるといわれています。なかでも肥満が大きな誘因になることが多く、糖尿病になった人の約80パーセントが、現在肥満しているか過去に肥満していたことがあるという人です。

糖尿病の食事療法は、特定の食品の摂取を禁止するものではなく、標準体重から計算した一日の総エネルギー量を超えた食べものを取らないようにするものです。

たいせつなことは、適正なエネルギー量、バランスの取れた栄養、規則正しい食事習慣の3点。これはすなわち、糖尿病以外の人にとっても理想的なメニューであり、同時に、糖尿病の予防にも適した食事といえるでしょう。

夕食

材料（1人前）

鶏ささみの梅じそ焼き

鶏肉（ささみ）……80g
青じそ……2枚（2g）
サラダ菜……1枚
ミニトマト……3コ（60g）
レモン……1/6コ
梅肉……小さじ3/5
酒……小さじ1/2
みりん……小さじ1/3
小麦粉……小さじ1
サラダ油……小さじ1

もやしのごま和え

もやし……60g
きゅうり……20g
くらげ……20g
Ⓐ しょう油……小さじ2/3
Ⓐ 砂糖……小さじ1/2
Ⓐ だし汁……小さじ1
炒りごま（白）……小さじ1（3g）

ピーマンのじゃこ炒め

ピーマン……40g
ちりめんじゃこ……3g
酒……小さじ1/2
しょう油……小さじ1/2
サラダ油……小さじ1/2

麦とろごはん

大和いも……60g
米……50g
おし麦……5g
卵黄……1/4コ（5g）
塩……少々
薄口しょう油……小さじ1/3
だし汁……大さじ2
青のり……少々
わさび……少々

摂取エネルギー量を抑えたいときは、鶏肉ならささみが一番です。100gあたり105kcal程度で、皮つきのもも肉（211kcal）の約半分。なんと、ごはん（148kcal）よりも低カロリーなのです。もも肉でも皮を除けば、145kcal程度に下がります。

TOTALエネルギー557kcal/塩分2.7g

糖尿病　1日1,800kcalの食事

朝食

材料（1人前）	
えびとパセリのチーズ炒め	
くるまえび	7尾(70g)
パセリ	½束(5g)
にんにく	⅓片(2g)
塩	少々
こしょう	少々
小麦粉	3g
オリーブ油	小さじ1
ピザ用チーズ	15g
さつまいものサラダ	
さつまいも	100g
さやえんどう	15g
マッシュルーム	20g
レモン汁	少々
レタス	3枚(50g)
Ⓐ 塩	少々
Ⓐ こしょう	少々
Ⓐ マヨネーズ	大さじ½
Ⓐ レモン汁	小さじ⅓
Ⓐ コンソメスープ	少々
パン	
ロールパン	2コ(60g)
バター	小さじ½
カフェオレ	
牛乳	⅔カップ
コーヒー	⅓カップ

TOTALエネルギー628kcal/塩分2.4g

えびとパセリのチーズ炒め

①パセリは軸を取ってきざみ、にんにくは薄切りにする。
②えびは背わたを取って半分に切り、小麦粉をまぶす。
③フライパンにオリーブ油を熱してえびとにんにくを炒め、塩、こしょうで味をととのえ、色が変わったらパセリを加え、チーズをかけてとろけさせる。

さつまいものサラダ

①さつまいもは1.5㎝角に切り、さやえんどうは斜め半分に切り、それぞれ軽くゆでる。マッシュルームは薄切りにして、レモン汁をかける。
②Ⓐを混ぜあわせてドレッシングを作る。
③レタスを敷いた皿に①を盛りつけ、②をかける。

カフェオレ

①コーヒーをいれる。
②温めた牛乳を①に入れる。

調味料の使用量を少なくして、レモンやゆずなどの酸味、パセリやしそなどの香味野菜、唐辛子や山椒などの香辛料を上手に活かすのが、低カロリー料理の最大のコツです。

昼食

豚と野菜のワンタン皮蒸し

①豚ヒレ肉はワンタンの皮より少し短めの拍子木に切る。
②大根とにんじんは繊維にそって、①と同じくらいの長さの拍子木に切る。万能ねぎも同じ長さに切る。生しいたけは軸を取り、そぎ切りにする。
③①に塩とこしょうをふり、②を加え、手でもむように混ぜあわせる。
④ワンタンの皮の上に③をおいて巻き込み、皿に並べて10分間蒸して、レタスを敷いた別の皿に盛りつけ、混ぜあわせたⒶをつけて食べる。

チンゲン菜の卵炒め

①チンゲン菜はかためにゆで、5㎝長さに切り、にんにくはみじん切りにする。
②フライパンに油を熱し、にんにくを炒め、香りが出たら卵を入れ、スクランブルエッグ状にして、チンゲン菜を加え、調味する。

スープ

①レタスはひと口大に手でちぎり、トマトは1㎝角に切る。
②なべに湯とスープの素を入れて煮立たせ、①を入れて塩をふり、ごま油をたらす。

材料（1人前）

豚と野菜のワンタン皮蒸し	
豚ヒレ肉	50g
大根	20g
にんじん	10g
生しいたけ	1枚(25g)
万能ねぎ	1本(2g)
レタス	2枚(30g)
ワンタンの皮	5枚(25g)
塩・こしょう	各少々
Ⓐ 長ねぎ(みじん切り)	2g
Ⓐ しょうが(みじん切り)	2g
Ⓐ にんにく(みじん切り)	1g
Ⓐ しょう油	小さじ½
Ⓐ 酢	小さじ½
Ⓐ ごま油	少々(1g)
チンゲン菜の卵炒め	
チンゲン菜	70g
卵	½コ(25g)
にんにく	¼片(1.5g)
塩	少々
こしょう	少々
サラダ油	小さじ1
ちまき	
中華ちまき(市販)	1コ(110g)
スープ	
レタス	⅛コ(40g)
トマト	½コ(120g)
塩	少々
ごま油	小さじ½
中華スープの素	¼コ(1g)
湯	150cc
フルーツ	
りんご	100g

TOTALエネルギー615kcal/塩分3.6g

ホタテと野菜の炊きあわせ

①なすはへたを取り縦半分にし、皮にかのこの切れ目を入れて、水にさらす。にんじんは型ぬきをする。しめじは石づきを取り、小房に分ける。
②ホタテはよく洗い、水気をきっておく。
③なべにだし汁と調味料を入れ、①と②を入れ、しばらく煮込む。
④③を器に盛りつけ、すじを取ってさっとゆで半分に切ったさやいんげんを上にのせる。

れんこんのきんぴら

①れんこんは薄切りにして、しばらく酢水につけておく。
②なべに油を熱し、小口切りした赤唐辛子を炒め、水気をきった①を入れ、しょう油、みりん、砂糖で調味する。

白和え

①豆腐は水気をきって、裏ごしする。
②大根はたんざく切りにする。にんじんもたんざく切りにし、塩をふってもみ洗いし、かたくしぼる。みつ葉は湯どおしをして、3cm長さに切る。
③こんにゃくは千切りにしてゆでる。
④白ごまをすり、①の裏ごしした豆腐を加えて混ぜあわせ、調味料を入れ、②と③を加えて混ぜる。
⑤④を器に盛り、ゆずの皮を上にのせる。

里いものみそ汁

①里いもは1cm幅に切る。
②だし汁に①を入れ、やわらかくなるまで煮る。
③軸を取り、千切りにした生しいたけを②に加え、ひと煮立ちしたら、みそを加える。
④③をお椀に入れ、小口切りした長ねぎを散らす。

きんぴらなどの味つけはあくまで薄めに。味が濃いと、ごはんを食べ過ぎてしまいます。

夕食

材料(1人前)

ホタテと野菜の炊きあわせ	
ホタテ	80g
にんじん	20g
なす	1コ(50g)
しめじ	20g
さやいんげん	10g
酒	小さじ1
しょう油	小さじ1
砂糖	小さじ1
だし汁	100cc

れんこんのきんぴら	
れんこん	40g
赤唐辛子	¼本
しょう油	小さじ½
みりん	小さじ1
砂糖	小さじ½
サラダ油	小さじ½

白和え	
豆腐(絹)	60g
大根	25g
にんじん	10g
塩	少々
みつ葉	少々(2g)
こんにゃく	25g
炒りごま(白)	大さじ½(4.5g)
ゆずの皮	少々(0.5g)
みりん	小さじ½
砂糖	小さじ½
塩	少々

ごはん	
ごはん	165g

里いものみそ汁	
里いも	1コ(56g)
生しいたけ	1枚(25g)
長ねぎ	2g
みそ	10g
だし汁	150cc

TOTALエネルギー551kcal/塩分3.9g

糖尿病の合併症

糖尿病の典型的な症状は、のどが渇き、大量の水を飲み、ひんぱんに大量の尿をすることです。またそれ以外でも、体重の減少、視力の減退、性欲の減退、疲労感、皮膚のかゆみなどさまざまな症状があります。

ただしこれらの症状は、糖尿病がある程度進んでいるか、または糖尿病に付随する血行障害、高血圧、神経障害、皮膚病、感染症などの合併症による症状です。糖尿病の初期には、ほとんど自覚症状はありません。

糖尿病の食事療法では、とくに禁止される食品はありませんが、合併症がある場合は、その病気ごとに制限される食品があります。

さらに、現代では糖尿病で(高血糖で)死亡することはほとんどありませんが、合併症によって苦しんだり寿命を短くすることは少なくありません。

つまり、糖尿病の食事療法がもつ最大の目的は、合併症を予防することです。そのため、たとえ血糖が低下しても、食事療法は続けていかなければなりません。

病気編

病気にあわせた食事によって、回復を促したり、悪化や再発を防いだり。特定の栄養素を制限した食事を長続きさせるには、調理方法や味つけにも工夫を。

病気と食欲

病気に対応した食事療法を行う場合、まず最初に調節しなければならないのは、食事全体の量、つまり総エネルギー量です。これはもちろん病気の種類や症状によって異なりますが、食欲を増進させてより多く食べなければならない場合と、食欲を抑制して量を制限しなければならない場合のふたとおりに分けることができます。

胃腸疾患や肝臓病、腎臓病、がん、および外科手術前後などは、食欲が低下して量が食べられなくなります。こうした際には、少量でも高エネルギーの食材を使ったり、味つけや見た目で食欲を刺激したりといった工夫も必要でしょう。

逆に、糖尿病や高血圧、高脂血症、心臓病、肥満などの場合は、食欲をおさえる必要があります。空腹感をやわらげるために、低エネルギーでかさのある食物繊維が多い食材を利用したり、できるだけよく噛んでゆっくり食べ、満腹感を得るといったことが重要です。また、各栄養分が不足しないよう、たとえ少量でもバランスをととのえる必要もあります。

タンパク質と脂肪の制限

病気によっては、食事の全体量ではなく、その中に含まれる特定の栄養素の摂取量をコントロールする必要があります。

たとえば肝臓病や腎臓病では、おもにタンパク質の摂取量を調節します。1日の摂取量が60g以下の場合は低タンパク質食、80g以上の場合は高タンパク質食となりますが、同じ肝臓疾患であっても、代償性肝硬変では高タンパク質食、非代償性肝硬変では低タンパク質食となるなど、病気の種類や症状によって必要となる摂取量は異なります。

低タンパク質食では、脂肪や糖分によってエネルギー量を確保することが大事です。また高タンパク質食では、食事の全体量が増えがちなため、いかにして食欲の増進をはかるかがポイントとなります。

同様に脂肪の摂取量を調節した食事もあり、肝炎やすい炎、胆石症などでは1日の摂取量を20～30g程度におさえた低脂肪食が用いられます。

低脂肪食では、食材や調理方法がかなり制限されるので、あきないで長く続けるためには、調理方法や味つけなどに十分な工夫が必要でしょう。

減塩食

1日に摂取する食塩の量を制限した食事を減塩食といい、高血圧、心臓病、脳卒中、腎臓病などさまざまな病気に用いられます。厚生省の指針では1日の食塩摂取量は10g以下となっていますが、通常は7g以下のものを減塩食としています。この摂取量とは、いうまでもなく使用した食塩そのものの量ではなく、みそ、しょう油などの調味料に含まれる塩分も合わせた量です。

多くの場合、減塩食は低エネルギー食や低タンパク質食と同時に適用されるものです。その結果、どうしても味がとぼしくなりがちです。長続きさせるためには、香りの強い食材を使ったり、味つけに香辛料や酸味を利用したりするとよいでしょう。

高血圧

高血圧の大半は本態性高血圧、食塩、ストレス、肥満などが引き金

タンパク質、カルシウムを多く取る

心臓が血液を送り出すときに血管にかかる圧力を、血圧といいます。WHO（世界保健機関）では、最大血圧が140mmHg以下で最小血圧が90mmHg以下を正常血圧としています。高血圧では血管に加わる負担が大きいため血管がじわじわとむしばまれていき、放置していると、やがて脳や心臓、腎臓などの重要な血管が損傷します。

高血圧の90%は原因のはっきりしない本態性高血圧です。このタイプは中年からすこしずつ血圧が上がってきます。その引き金として食塩の取り過ぎ、ストレス、肥満、喫煙、飲酒などがあげられていて、これらが複雑にからみあって高血圧になると考えられます。

なかでも食塩の主成分であるナトリウムは血圧の敵としてよく知られています。料理法や味つけを薄くして食塩を減らし、また、血圧上昇をおさえ、血圧を低下させる作用のあるタンパク質、カルシウム、カリウムを取ることがたいせつです。脂肪のすくない肉、卵、牛乳、大豆製品、イワシやサンマに代表される背の青い赤身の魚、野菜、くだものなどを多く食べましょう。

果汁や酢そして海藻で減塩対策

知っておきたい One Point

1日の食塩量は健康なひとで10g以下、高血圧のひとは7g以下におさえます。みそ汁1杯には、約1gの食塩が含まれていますから、はじめはたいへんに思いますが、あまり無理をせずにおさえられるものです。

減塩対策のひとつとして塩やしょう油のかわりにレモンやユズなど、果汁や酢を利用してみましょう。海藻に多く含まれる水溶性の食物繊維は腸からナトリウムが吸収されるのを防ぐので、ワカメやひじき、コンブなどは血圧対策に役立ちます。

牛乳を飲んでくだものを食べる

高血圧の引き金となる食塩を減らすには、塩やしょう油、みそなど塩分の多い調味料の量を減らし、薄味に慣らすようにすることがたいせつです。

食塩の摂取量を減らすいっぽうで、食塩の主成分であるナトリウムの作用を抑制したり、あるいはナトリウムが体に吸収されるのを防いだりする、いわば高血圧に強い食品を積極的に取ることも必要です。

その役割をになう一番手がカリウムとカルシウムという二つのミネラルです。カリウムはナトリウムの作用を抑制して血圧が上昇するのを防いでくれますし、また、カルシウムが不足すると血圧が上昇することがわかっています。したがって、カリウムやカルシウムは血圧対策には欠くことのできない食品なのです。

カリウムは野菜やくだもの、豆類、きのこなどに多く含まれています。カリウムを多く含む食品にはバナナやアボカド、イチゴ、さつまいも、じゃがいも、ほうれん草、牛乳やオレンジなどの果汁などがあります。

カルシウムは、日本人に不足している栄養素の代表です。カルシウムを多く含む食品には乳製品、小魚、緑黄色野菜などがありますが、なかでも、牛乳に含まれるカルシウムは体に吸収されやすいので、カルシウムを補うには毎日牛乳を1~2本飲むようにしたいものです。牛乳が苦手なひとはヨーグルトで代用してはいかがでしょう。

もうひとつ、頼りになるのが食物繊維です。とくに水に溶ける水溶性の食物繊維は、ナトリウムが腸から吸収されるのを防いでくれます。しかも、カリウムを放出しますから、血圧の上昇を抑制する効果も期待できます。

のり、ワカメ、コンブなどの海藻には水溶性の食物繊維がたっぷり含まれていますし、みかん、もも、りんごなどのくだものにも水溶性の食物繊維が含まれています。

食品選びの目安

分類	食品	目安
主食	ごはん、パン	○
	めん類	△
主菜	肉類	○
	卵	○
	魚介類	◎
	大豆・大豆製品	◎
副菜	緑黄色野菜	◎
	いも、かぼちゃ	○
	海藻、きのこ、こんにゃく	◎
	漬けもの	▲
	くだもの	◎
	牛乳・乳製品	◎
調味料	植物油	◎
	砂糖	△
	塩、しょう油、みそ	▲
	酢	◎
嗜好品	お菓子	△
	お酒	▲
	お茶、コーヒー、炭酸飲料	△

★積極的に　△ひかえたい
◎多めに　▲できるだけひかえたい
○ふつうに　×禁止食品

ミネラルの豊富な野菜は血管を広げ、塩分を体外に排出します

アジの塩焼き

アジ …………1尾(110g)
塩……………………小さじ2/3
レモン(くし形) …1/6個(20g)
おろし大根……………35g

アジはぜいごと内臓をのぞく。塩をふって30分おき、水気をふきとる

表側を3～4分焼いたら、裏に返して火を弱めて火をとおす

ツルナのおひたし

ツルナ……………………50g
かつおぶし……………適宜
Ⓐ しょう油小さじ2/3(2g)
　 水……………………小さじ2/3
　 だしの素 ………0.2g

ツルナは1分半ゆでる

水に取ってしぼり4cm長さに切る

ツルナにⒶを入れてまぜ、かつおぶしを散らす

くし形レモン

おろし大根

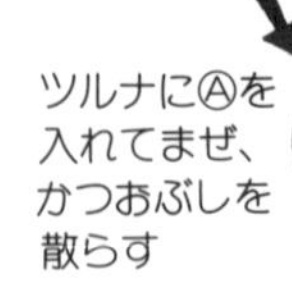

かつおぶし

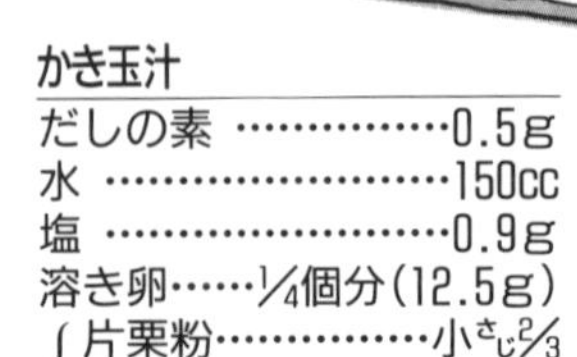

煮立ったら汁をかきまぜ、よく溶きほぐした卵汁を円を描くようにし、細く流し入れる

かき玉汁

だしの素 ……………0.5g
水 ………………………150cc
塩 ………………………0.9g
溶き卵……1/4個分(12.5g)
{ 片栗粉……………小さじ2/3
{ 水……………………小さじ1

なべにだしの素と水を入れて温め、塩を入れる

水で溶いた片栗粉を入れてよくまぜる

昼

油の取り方に注意。植物油３、動物性脂肪１の割合で

鶏肉の香り焼き

鶏むね肉（皮なし）…60ｇ
しょう油…………小さじ１
みりん……………小さじ１
白炒りごま……………１ｇ
青じそ…………１枚（１ｇ）

鶏肉にしょう油、みりんをからめ、白ごまをふって10分おく

オーブントースターで５〜７分焼く

青じそはせん切りにし水にさらす

水気をしぼり鶏肉にのせる

ほうれん草のソテー

ほうれん草……………50ｇ
しめじ…………………10ｇ
コーン油…………小さじ１
塩 ………………………0.4ｇ
こしょう………………少々

しめじは食べやすくほぐす

ぶどうパン60ｇ

ほうれん草は４〜５㎝幅に切る

炒めて塩、こしょうする

りんご入りきんとん

さつまいも……………60ｇ
りんご…………………45ｇ
上白糖……………小さじ２
日本酒……………小さじ½
牛乳 …………………200ｇ

りんごは皮をむきいちょう切り

砂糖、酒、ひたひたの牛乳でやわらかく煮る

さつまいもは蒸してつぶす

混ぜる

TOTAL
エネルギー542kcal
塩分2.2ｇ

夜

肉や魚、大豆製品などを十分に取り、タンパク質不足にならないように

豆腐のクリームコーンあんかけ

絹ごし豆腐……¼丁（75g）
クリームコーン………20g
生しいたけ……１枚（10g）
{ コンソメスープの素 …１g
{ 湯…………………………50cc
酒……………………小さじ１
{ 塩 ……………………0.7g
{ しょうが汁…………少量
{ 片栗粉………………２g
{ 水……………………小さじ１
さやえんどう…２枚（５g）

豆腐は３cm角１cm厚さに切ってゆでる

しいたけは細切り

ざるに上げる

コンソメスープの素と湯でしいたけを煮、酒とコーンを入れてひと煮し、塩としょうが汁を加える

水で溶いた片栗粉をまぜる

豆腐にあんをかけてゆでたさやえんどうを細く切って散らす

里いもと油揚げのみそ汁

{ だしの素 …………0.2g
{ 水 …………………150cc
{ みそ………………７g
里いも………………40g
油揚げ…………¼枚（５g）
長ねぎ………………５g

里いもは皮をむいてひと口大に切る

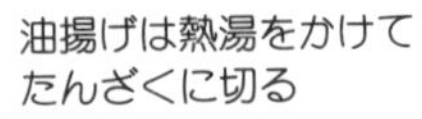

油揚げは熱湯をかけてたんざくに切る

だしと水で里いもと油揚げを煮て、みそを溶き入れる

オクラ納豆

オクラ…………………25g
糸引き納豆……………40g
{ 練りがらし…………少量
{ しょう油…………小さじ⅓
{ だしの素 …少量（0.2g）
{ 水…………………小さじ１
のり …………⅛枚（0.5g）

オクラは輪切り

からし、しょう油、だし、水をあわせたものに納豆とオクラをまぜ、きざんだのりをのせる

TOTAL
エネルギー470kcal
塩分2.8g

間食

ミネラルの豊富なフルーツを積極的に

バナナのフリッター

バナナ ………1本(100g)
レモン汁……………小さじ1/2
粉砂糖………………大さじ1/4
ラム酒……………………3cc
卵…………1/4個(12.5g)
牛乳……………………大さじ3/4
小麦粉(薄力粉)……20g
揚げ油

かたく泡立てた卵白に、卵黄、牛乳をまぜ、ふるった小麦粉を加える

バナナはたて半分に切ってレモン汁とラム酒、砂糖をふる

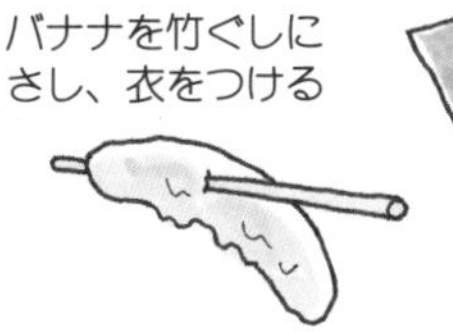

バナナを竹ぐしにさし、衣をつける

油で揚げる

TOTAL
エネルギー252kcal
塩分0.0g

バリエーション

アジの塩焼き

⇩

イサキの塩焼き

イサキ ………1尾(100g)
塩……………………小さじ1/2
大根おろし……………35g

イサキに塩をして焼き、大根おろしを添える

鶏肉の香り焼き

⇩

サケのハーブ焼き

サケ…………1切れ(80g)
ハーブ…………………少量
油………………………小さじ1/2

サケを油焼きし、ハーブを散らす。ハーブはバジル、パセリ、タラゴンのうち、好みのものを。レモンとパセリを添える

里いもと油揚げのみそ汁

⇩

じゃがいもと油揚げのみそ汁

じゃがいも……………50g
油揚げ…………1/4枚(5g)
長ねぎ……………………5g
だし汁 ……………150cc
みそ……………………10g

じゃがいもと油揚げをだし汁で煮て、みそを溶き入れる。仕上げにきざんだねぎを散らす

高脂血症

高脂血症にも種類がある。コレステロールと中性脂肪に注意

タイプにより食事対策は異なる

高脂血症には総コレステロールが高い（総コレステロール値220mg以上）タイプと、中性脂肪が高くてHDLコレステロールが低い（中性脂肪150mg以上でHDLコレステロール40mg以下）タイプとがあります。

前述のHDL（高比重リポタンパク）は、コレステロールを分解する肝臓にコレステロールを運ぶことから善玉コレステロールとも呼ばれ、逆にLDL（低比重リポタンパク）は、体のすみずみにコレステロールを運ぶために、悪玉コレステロールともいわれています。

高脂血症の食事対策は、タイプによってやや異なります。

総コレステロールが高いひとは、

●腹八分で摂取エネルギーを抑制

●コレステロールの多い鶏卵や魚卵、レバーなどをひかえめに

●肉より植物油や魚を多く

●海藻に多い水溶性の食物繊維を取る

中性脂肪が高いひとは、

●腹八分

●砂糖や甘いもの、お酒を制限

HDLが低いひとは減量に取り組むとともに、肉をひかえて植物油や魚を

サバ、イワシでコレステロール低下

知っておきたい One Point

サバ、イワシ、サンマ、マグロなどの背の青い赤身の魚には、EPA（エイコサペンタエン酸）やDHA（ドコサヘキサエン酸）が多く含まれています。EPAやDHAにはコレステロールを下げたり、血栓（血のかたまり）をできにくくする作用があることから、成人病予防によい食品としてこれらの魚ががぜん注目されるようになりました。

EPAやDHAは多価不飽和脂肪酸と呼ばれ、植物油に多く含まれるリノレン酸も同じ仲間で、同様の作用があります。

多く取るようにします。また、ビール1本もしくは1合程度の日本酒には、HDLをふやす作用があります。

肉よりも魚や大豆がよい

総コレステロール値の高いひとは肉類よりも魚、とくにマグロやサバ、イワシ、アジといった背の青い赤身の魚を食べるようにします。

調理する場合も、バターよりも植物性のマーガリンや植物油を使うようにするとよいでしょう。ただし、油脂類そのものが高カロリーですので、つかい過ぎないように注意することが必要です。カロリーオーバーは中性脂肪をふやします。カロリーの取り過ぎもまた、高脂血症対策の敵であることを忘れないようにしましょう。

カロリーの高いケーキやまんじゅうなどのお菓子、清涼飲料水の取り過ぎにも注意しなくてはいけません。お酒を飲み過ぎると中性脂肪をふやします。中性脂肪が高いタイプのひとは、しばらくお酒をひかえましょう。

食品選びの目安

区分	食品	目安
主食	ごはん、パン	△
	めん類	△
主菜	肉類	△
	卵	△
	魚介類	○
	大豆・大豆製品	◎
副菜	淡色野菜	◎
	緑黄色野菜	◎
	いも、かぼちゃ	△
	海藻、きのこ、こんにゃく	◎
	くだもの	△
	牛乳・乳製品	○
調味料	植物油	○
	砂糖	▲
	塩、しょう油、みそ	○
嗜好品	お菓子	▲
	お酒	▲
	お茶、コーヒー	▲
	炭酸飲料	×

★積極的に　△ひかえたい
◎多めに　▲できるだけひかえたい
○ふつうに　×禁止食品

野菜や海藻などに含まれる食物繊維は、コレステロールの吸収を妨げますから、積極的に取るようにしたいものです。なかでも、ワカメやひじき、のりなどの海藻に多く含まれている水溶性の食物繊維は、コレステロールが体に吸収されるのを防ぐ働きがあります。とくにワカメは、みそ汁やスープに入れたりといったように、手軽につかえます。

大豆、豆腐などの大豆食品も総コレステロール値や中性脂肪値の高いひとにはおすすめの食品です。大豆タンパクの主成分であるグリシニンには、コレステロールを下げる作用があることがわかっています。

大豆にはまた、大豆サポニンという成分が含まれています。この大豆サポニンも高脂血症に対する効果が期待できる物質です。動物実験などでは、大豆サポニンをあたえると、総コレステロールや中性脂肪が低くおさえられることが確認されています。

コレステロールを多く含む食品をひかえ、野菜は多めに

サラダ

- レタス……………………20g
- ブロッコリー…………30g
- プチトマト…… 1個(20g)
- ゆで卵…………½個(25g)
- キウイフルーツ1個(50g)
- サラダ油…………小さじ1
- 酢……………………小さじ1
- 塩 ……………………0.1g
- こしょう………………少々

ブロッコリーはゆでる

輪切りにした卵、プチトマト、キウイフルーツを盛り、ドレッシングをかける

クリームスープ

- クリームコーン(缶詰)50g
- 牛乳 ……………………200g
- 水…………………………50cc
- こしょう………………少々
- コンソメスープの素…½個(2g)

マーガリン10g

食パン60g

なべにクリームコーン、牛乳、水、コンソメスープの素を入れて煮立てる

こしょうで味をととのえる

TOTAL
エネルギー550kcal
塩分3.0g

血中コレステロールを下げる効果の高い油をじょうずに利用

魚の照り焼き

カジキマグロ1切れ(60g)
- みりん……………小さじ1/3
- しょう油…………小さじ1
- 砂糖………………小さじ1

みりん、しょう油、砂糖にカジキマグロをつけて10分おく

10分

両面を焼く

ごはん160g

TOTAL
エネルギー373kcal
塩分1.8g

ワカメのおろしあえ

大根……………………50g
生ワカメ………………10g
- 砂糖……………小さじ1
- 酢………………小さじ1

大根はすりおろす

ワカメは水につけて塩出しする

二杯酢を加えてあえる

ほうれん草のおひたし

ほうれん草……………70g
- だし汁……………小さじ2
- しょう油…………小さじ2/3

ほうれん草はゆでて3cm長さに切る

だし汁で割ったしょう油であえる

豚肉をいただくときは余分な脂肪をぬいて

豚肉のからし酢みそあえ

豚薄切り肉……………70g
しめじ……1/4パック(25g)
貝割れ菜………1/8束(25g)
トマト…………1/6個(40g)
レタス…………………20g
{ 酢……………………大さじ1/2
 みそ……………………大さじ1/4
 砂糖……………………大さじ1/4
 溶きがらし………小さじ2/5
 豚肉のゆで汁……大さじ1/4 }

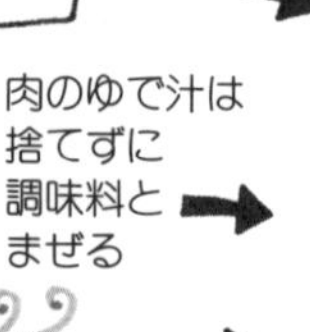

肉のゆで汁は捨てずに調味料とまぜる

ゆでたしめじ

材料をまぜあわせ、半分に切った貝割れを散らす

ちぎったレタスにのせトマトを添える

ごはん160g

しらたきとひじきの炒め煮

しらたき………1/5玉(40g)
ひじき(乾燥品)……… 5g
にんじん…………………10g
枝豆……………………20g
サラダ油……………小さじ1
{ 砂糖……………………小さじ1
 しょう油…………小さじ1
 だし汁……………大さじ1
 酒…………………小さじ1/2 }

アスパラといんげんのサラダ

グリーンアスパラガス　1本(25g)
いんげん…………………20g
{ おろし玉ねぎ…小さじ1(5g)
 おろしにんじん　小さじ1(5g)
 酢…………………小さじ1
 砂糖　………………0.5g }

しらたきはゆでて、4～5cm長さに切る

ひじきは水につけてもどす

太めのせん切りにしたにんじん、枝豆を入れて炒め、調味料とだし汁を加え、煮汁がなくなるまで煮る

玉ねぎ、にんじん、調味料をまぜる

ゆでたアスパラガス、いんげんを3cm長さに切る

野菜にかける

間食

ビタミンAやミネラルの多い野菜をおやつにも活用

かぼちゃの茶巾しぼり

かぼちゃ……………………50g
砂糖………………………小さじ2

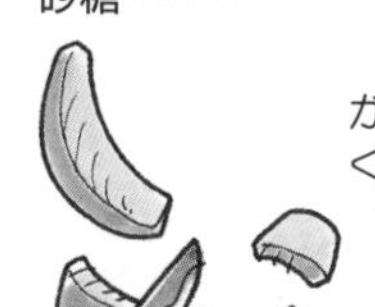

かぼちゃは3cm角
くらいに切る

蒸して
やわらかくする

つぶして砂糖をまぜる

ラップにのせる

ギュッとしぼって形をつくる

TOTAL
エネルギー60kcal
塩分0.0g

バリエーション

クリームスープ
⇩

トマトのトマトジュース煮

トマト ………1個(240g)
青じそ…………2枚(2g)
{ トマトジュース½カップ
 酒…………………大さじ¼
 砂糖………………小さじ⅓ }

トマトは皮をむき、トマトジュースと調味料で煮てから、青じそのせん切りを散らす

ワカメのおろしあえ
⇩

いんげんののりあえ

いんげん…………………30g
えのきたけ………………30g
{ しょう油…………小さじ⅓
 ごま油……………小さじ½ }
もみのり……………………少量

いんげんはゆで、えのきたけはさっと熱湯にくぐらせ、しょう油とごま油であえてのりをふる

豚肉のからし酢みそあえ
⇩

ゆで豚の梅ソースあえ

豚薄切り肉……………50g
しめじ……¼パック(20g)
貝割れ菜………¼束(10g)
梅ソース { 梅干し(減塩) 1個(5g)
 みりん…………小さじ1
 しょう油…少々(1g) }

豚肉はさっとゆでて食べやすく切り、ゆでたしめじ、貝割れ菜とともに梅ソースであえる

動脈硬化

高血圧、高脂血症、肥満…。たくさんある動脈硬化の危険因子

コレステロールの多い食品をひかえる

動脈硬化は古い水道管がつまるのに似ています。

血管の内側にコレステロールなどの脂質がべっとりと付着して、血管内が細くなり、弾力性も失われてしまう、こうした状態が動脈硬化です。動脈硬化が進むと血管がつまり、脳梗塞や心筋梗塞を起こしやすくなります。

「人間は血管とともに老いる」といわれ、年を取るにつれて動脈硬化は自然に進んでいきます。問題なのはそれを促進する危険因子です。

動脈硬化の危険因子には高血圧、高脂血症、肥満、糖尿病、痛風、運動不足、ストレス、喫煙などがあります。したがって、これらに対する対策が必要になります。

食事の面でみると、まず肥満の対策が必要です。肥満は動脈硬化、高血圧、高脂血症、糖尿病など多くの病気とかかわっています。太っているひとはまず摂取エネルギーを制限することです。つぎに食塩を減らし、脂肪を取り過ぎないようにして、コレステロールの多い食品をひかえめにします。

まず肥満対策

鶏の卵は食べないほうがよい？

知っておきたい One Point

動脈硬化や高脂血症では、コレステロールの多い食品をひかえめにすることが望まれます。ふつうのひとで1日のコレステロール摂取量は600mg、動脈硬化が進んでいるひとや高脂血症のひとはその半分の300mg以下を1日の目安にします。

鶏卵1個には約280mgのコレステロールが含まれていますが、その80%以上が卵黄に含まれています。卵黄を食べないようにしたり、すくなめにすればコレステロールもそれほど気にせずにすみます。

植物油もときには逆効果になる

動脈硬化を促進するものには高血圧、高脂血症、肥満、糖尿病などがあります。もしこうした病気や症状があれば、その改善に取り組むことが必要です。したがって、動脈硬化対策には、高血圧や高脂血症を防ぐ食事法と共通する面が多々あります。

積極的に取りたい食品としては、海藻、きのこ、こんにゃくなどの食品があげられます。これらの食品には食物繊維が豊富に含まれています。そのうえ、こんにゃくにはカロリーがありませんから肥満対策にも適しています。野菜やくだもの、豆腐や納豆などの大豆製品もおおいに取りたい食品です。

動脈硬化の危険因子のひとつにコレステロールがあげられます。そのコレステロールを下げる効果がある食品として植物油があることは高脂血症のところで説明したとおりです。

ところが最近、その植物油も取り過ぎればかえって害になりかねないという研究が発表され、注目を集めています。

植物油にはリノール酸が多く含まれています。このリノール酸がコレステロールを下げるとされているのですが、リノール酸ばかり取り過ぎると、逆に動脈硬化の引き金になったり、さらにはがんやアレルギーを引き起こす可能性があるというのです。

何事も「過ぎたるは及ばざるがごとし」で、どんな食品も取り過ぎれば問題が生じてきます。リノール酸も例外ではありません。

サフラワー油やべに花油に多く含まれるリノール酸だけを集中して取るのではなく、植物油のなかでも菜種油などに多く含まれるリノレン酸、オリーブ油などに多く含まれるオレイン酸、魚に含まれるEPA、DHAといった油をバランスよく取ることがたいせつです。料理用の植物油などは一種類に限定せず、いろいろな種類をつかうとよいでしょう。

食品選びの目安

分類	食品	目安
主食	ごはん、パン	○
	めん類	○
主菜	肉類	△
	卵	△
	魚介類	◎
	大豆・大豆製品	◎
副菜	野菜類	◎
	いも、かぼちゃ	◎
	海藻、きのこ、こんにゃく	★
	くだもの	○
	牛乳・乳製品	○
調味料	植物油	◎
	動物油	▲
	塩、しょう油、みそ	△
	香辛料	○
嗜好品	お菓子	△
	お酒	▲
	お茶、コーヒー	▲
	炭酸飲料	▲

★積極的に　△ひかえたい
◎多めに　▲できるだけひかえたい
○ふつうに　×禁止食品

パンにつけるのはバターでなく、植物性油脂のマーガリンを

ロールパン

ロールパン……２個(60g)
いちごジャム…………10g
マーガリン……………５g

ロールパンに切り目を入れる

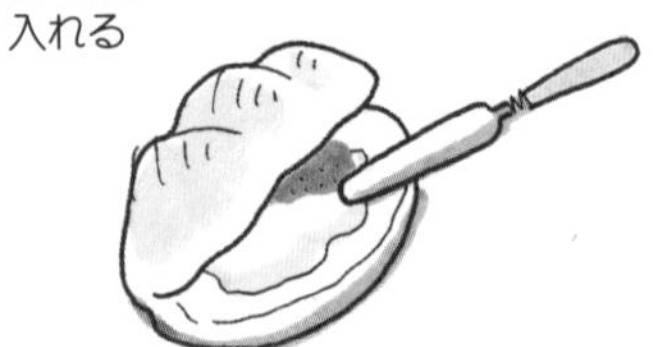

ジャムとマーガリンをぬる

カフェ・オ・レ

スキムミルク…………大さじ３
インスタントコーヒー ……小さじ１
砂糖……………………小さじ１
湯 ……………………150cc

キャベツとハムの蒸し煮

キャベツ ……………150g
ボンレスハム…１枚(20g)
スイートコーン(缶詰)30g
コンソメスープの素 …１g
塩 ……………………0.2g
こしょう……………少々

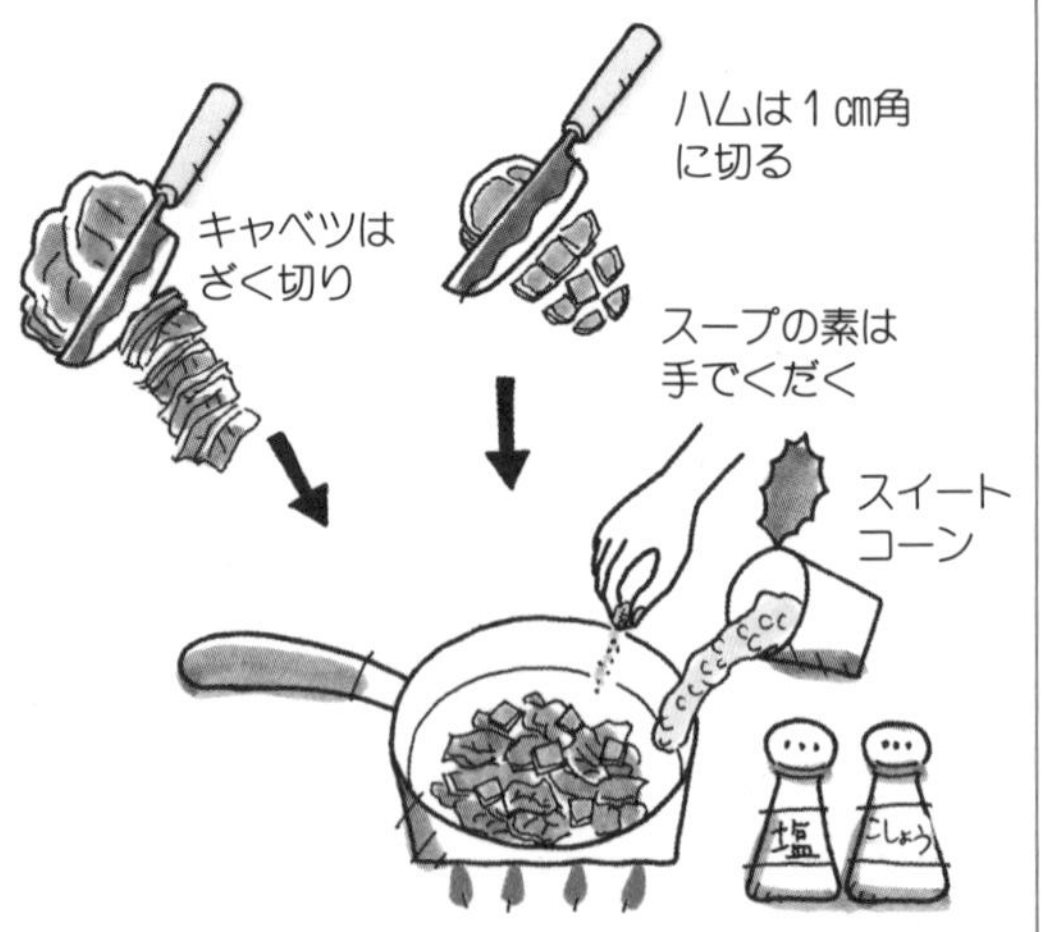

オレンジ

オレンジ ……………100g

TOTAL
エネルギー425kcal
塩分2.7g

魚の脂肪は不飽和脂肪酸でコレステロールを下げます

イワシの塩焼き

イワシ………… 2 尾(96g)
塩 ……………………1.0g
レモン(くし形)………1/8個

なめこおろし

なめこ…………………20g
大根おろし……………50g
しょう油……………小さじ2/3

野菜の五目炒め煮

ごぼう…………………15g
にんじん………………10g
れんこん………………15g
こんにゃく……………25g
きくらげ……………… 1 g
ごま油………………… 2 g
{ だし汁………………20cc
砂糖……………小さじ 1
酒………………小さじ 1
みりん…………小さじ2/3
しょう油………小さじ 1 }
さやえんどう…………10g

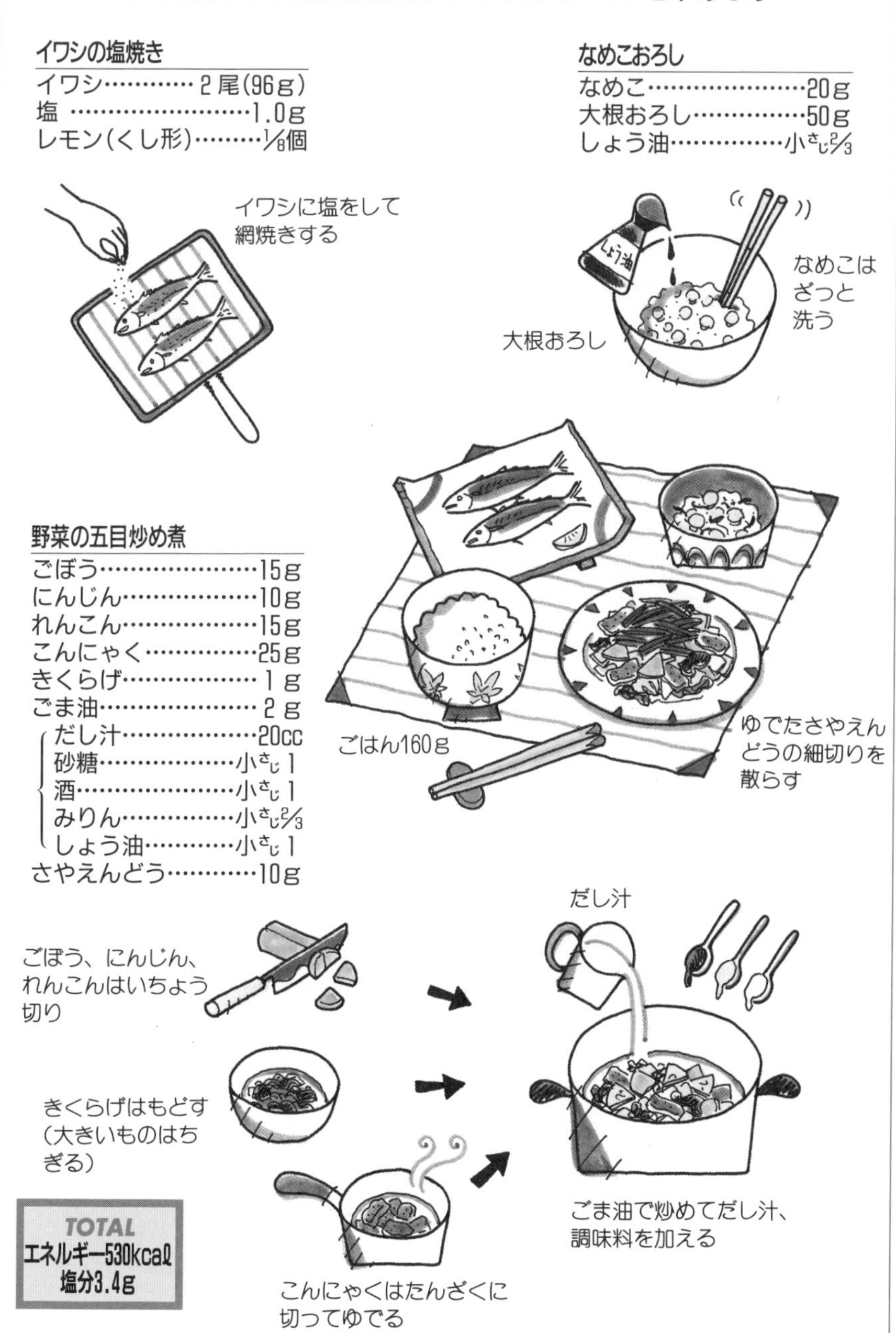

TOTAL
エネルギー530kcal
塩分3.4g

鶏肉を紅茶で煮て余分の脂肪をぬき、風味よくいただく

鶏肉の紅茶煮

鶏むね肉……………100g
- 紅茶(ティーバッグ)…1個
- 塩……………………小さじ1/5
- 湯……………………200cc

- しょう油…………小さじ1
- みりん……………小さじ1
- 酒…………………小さじ1
- 酢…………………小さじ1

トマト……………………30g
キウイフルーツ…………20g
レタス……………………10g
みょうが…………………10g
青じそ…………1枚(1g)

かぼちゃの甘煮

かぼちゃ……………100g
- だし汁……………100cc
- 砂糖………………小さじ2
- 塩…………………0.6g
- 酒…………………小さじ1
- しょう油…………小さじ1/6

玉ねぎのみそ汁

玉ねぎ…………………30g
卵……………1/2個(25g)
- だし汁……………150cc
- みそ…………………10g

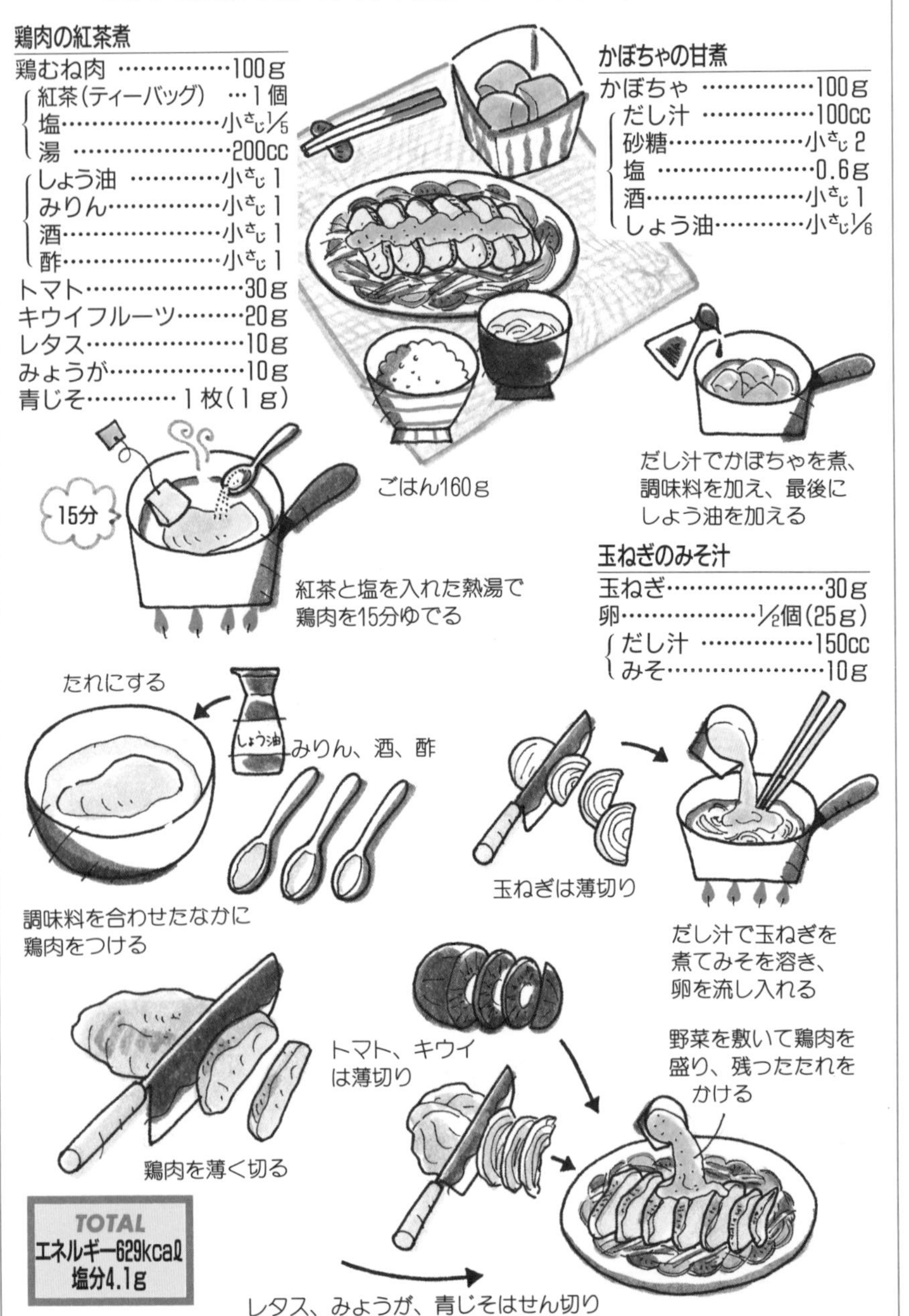

TOTAL
エネルギー629kcal
塩分4.1g

間食

脂肪の少ないカッテージチーズはカルシウムの豊富なタンパク源

黄桃のカッテージチーズ添え

黄桃（缶詰）…１切れ（50g）
カッテージチーズ…………15g

TOTAL
エネルギー57kcal
塩分0.2g

黄桃は取り出して缶汁をきる

黄桃を盛り付け、穴のところにカッテージチーズをのせる

バリエーション

キャベツとハムの蒸し煮
⇩
ゆでキャベツと豚肉のサラダ

キャベツ ……………200g
豚ロース肉……………40g
Ⓐ しょう油………大さじ1/4
Ⓐ 酢………………大さじ1/4
Ⓐ ごま油…………大さじ1/4

キャベツはさっとゆでて２㎝角に、豚肉もさっとゆでてひと口大に切り、Ⓐを混ぜてキャベツと豚肉をあえる

なめこおろし
⇩
ヤマイモの二杯酢

ヤマイモ…………………25g
きゅうり………1/4本（25g）
酢……………………大さじ1/2
しょう油…………大さじ1/2
もみのり………………少量

ヤマイモは酢水につけてせん切り、きゅうりもせん切りにして二杯酢であえ、もみのりをのせる

かぼちゃの甘煮
⇩
さつまいものオレンジ煮

さつまいも……1/2本（55g）
オレンジのしぼり汁 …1/4カップ
水…………………1/2カップ
砂糖………………大さじ1/2

さつまいもは輪切りにして皮をむき、オレンジ汁と水、砂糖で煮る

脳卒中

脳梗塞と脳出血は動脈硬化と高血圧が引き起こす

便秘対策が脳出血を予防する

脳卒中には大きく分けて、脳梗塞、脳出血、クモ膜下出血があります。

脳梗塞は脳の血管内が著しく細くなったり、血栓（血のかたまり）が脳の血管につまって起こります。原因は動脈硬化や高血圧などです。脳出血は、脳の血管が切れて出血するもので、原因の多くは高血圧です。30歳代の若いひとにも起こるクモ膜下出血は、脳の外側にあるクモ膜下で出血が起こり、脳の動脈瘤の破裂が最大の原因です。

脳出血の予防には、高血圧と動脈硬化に注意することです。食事面では減塩対策に加えてタンパク質、ビタミン、ミネラルをバランスよく取るようにします。コレステロールは多過ぎると脳梗塞の危険がありますが、すくな過ぎると逆に脳出血が起きやすくなります。高脂血症でなければ、鶏卵や肉類もしっかりと食べるようにしましょう。

トイレでのいきみが血圧を急上昇させて、脳卒中を引き起こすことがしばしばあります。食物繊維、なかでも豆類や野菜、こんにゃくに多く含まれる水に溶けない食物繊維を取り、日ごろから便秘対策を心がけることも必要です。

水分不足は要注意、寝る前に水を１杯

知っておきたい One Point

体内の水分が不足すると脳梗塞が誘発されることがあります。とくに高齢者の場合は、暑い日には定期的に水分を補うようにします。また、睡眠中は牛乳びん1～2本分の汗をかきますから、寝る前に水をコップに1杯飲んでおくのも効果的です。

また、高齢者は味覚や嗅覚がおとろえているため濃い味つけを好みがちです。みりんや酢などで味にアクセントをつけ、しょう油や食塩のかわりに塩分のすくないケチャップ、香辛料などを使うとよいでしょう。

減塩、低塩食品を利用して

脳卒中の予防でまず注意したいのが、塩分の摂取量をいかにすくなくするかということです。血圧の高いひとは日ごろから、減塩しょう油や減塩みそなどの減塩食品や低塩食品を利用するとよいでしょう。

普通の食品にくらべてどのくらい塩分がすくないかといいますと、たとえば減塩しょう油ではふつうのしょう油の半分程度に塩分がおさえられています。しょう油は使用頻度が高いものですから、しょう油だけでも減塩に切り替えれば、かなりの効果が期待できると思います。

薄口しょう油は、減塩しょう油とは違いますので注意しましょう。薄口しょう油は色が薄いことから塩分もすくないように錯覚しがちですが、ふつうのしょう油と同じか、もしくはそれ以上の塩分を含んでいます。

減塩食品や低塩食品には、しょう油以外にもソースやカレー、めん類、ソーセージなどいろいろあります。

脳卒中やその原因となる高血圧に効果があるとして注目されているものに、ルチンがあります。ビタミンPなどとも呼ばれ、そばに多く含まれています。ただし、そばつゆが濃かったり、つけ過ぎたりしては塩分過剰となり、ルチンの効果も期待できません。

脳卒中の言い伝えに「ごはんを食べ過ぎると脳卒中になりやすい」というものがありますが、これは間違いです。脳卒中が、米どころの東北地方に多いところから生まれた俗説にすぎません。問題はごはんではなく、主菜、副菜のひものや漬けものなどの塩蔵品の取り過ぎなのです。

脳卒中の危険因子は、高血圧だけではありません。高脂血症や肥満なども要注意です。

近年は、脳の血管が破れる脳出血よりも、脳の血管がつまる脳梗塞のほうが多いのです。動脈硬化にも注意してください。

食品選びの目安

		(脳出血)	(脳梗塞)
主食	ごはん、パン	○	○
	めん類	○	○
主菜	肉類	○	△
	卵	○	△
	魚介類	○	◎
	大豆・大豆製品	○	◎
副菜	野菜類	○	◎
	いも、かぼちゃ	○	○
	海藻、きのこ	○	◎
	こんにゃく	○	◎
	漬けもの	▲	▲
	牛乳・乳製品	○	○
調味料	植物油	◎	◎
	砂糖	○	△
	塩、しょう油、みそ	▲	▲
嗜好品	お菓子	○	△
	お酒	△	△
	お茶、コーヒー	○	△
	炭酸飲料	○	△

★積極的に　△ひかえたい
◎多めに　▲できるだけひかえたい
○ふつうに　×禁止食品

大豆加工品には血管を丈夫にするルチンなどの成分があります

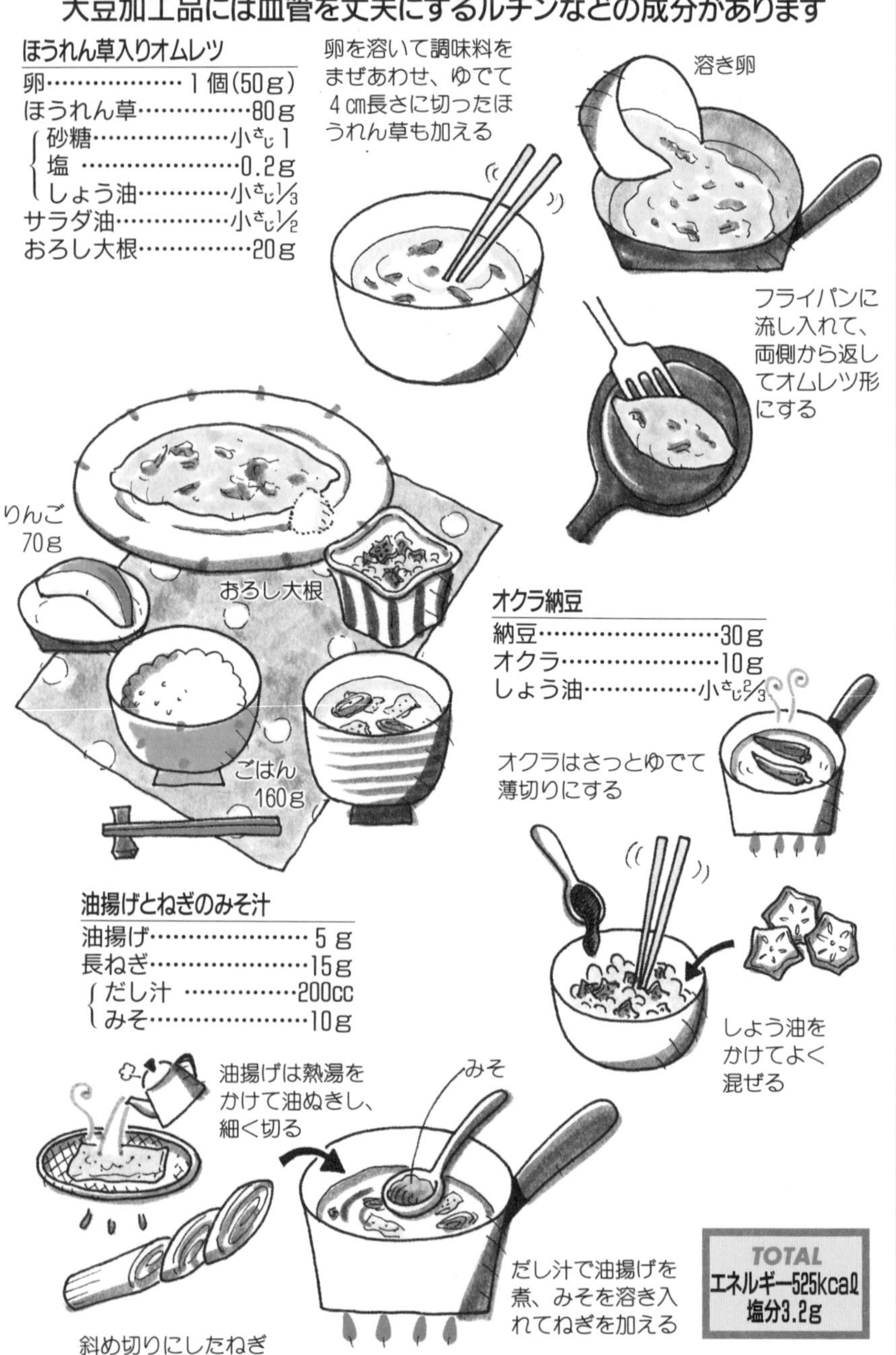

ほうれん草入りオムレツ

- 卵……………………1個(50g)
- ほうれん草……………80g
- 砂糖……………………小さじ1
- 塩 ……………………0.2g
- しょう油……………小さじ1/3
- サラダ油……………小さじ1/2
- おろし大根……………20g

オクラ納豆

- 納豆……………………30g
- オクラ…………………10g
- しょう油……………小さじ2/3

油揚げとねぎのみそ汁

- 油揚げ…………………5g
- 長ねぎ…………………15g
- だし汁 ………………200cc
- みそ……………………10g

TOTAL
エネルギー525kcal
塩分3.2g

肉や魚、卵、大豆製品を十分に取ってタンパク質を確保

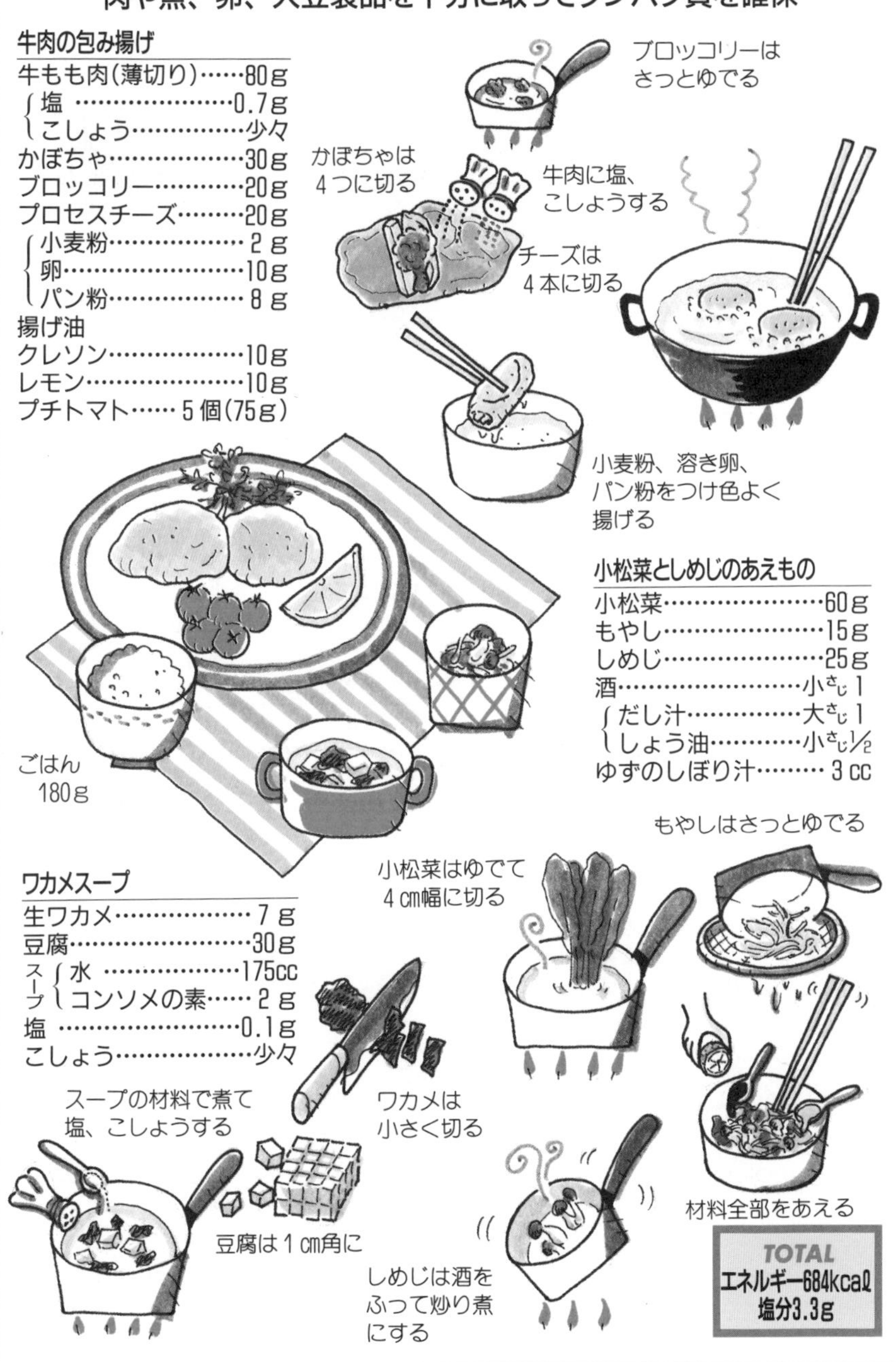

牛肉の包み揚げ

牛もも肉(薄切り)……80g
{ 塩 ……………………0.7g
{ こしょう……………少々
かぼちゃ………………30g
ブロッコリー…………20g
プロセスチーズ………20g
{ 小麦粉………………2g
{ 卵……………………10g
{ パン粉………………8g
揚げ油
クレソン………………10g
レモン…………………10g
プチトマト…… 5個(75g)

小松菜としめじのあえもの

小松菜…………………60g
もやし…………………15g
しめじ…………………25g
酒…………………小さじ1
{ だし汁……………大さじ1
{ しょう油…………小さじ½
ゆずのしぼり汁……… 3cc

ワカメスープ

生ワカメ………………7g
豆腐……………………30g
スープ { 水 ………………175cc
スープ { コンソメの素……2g
塩 ……………………0.1g
こしょう………………少々

TOTAL
エネルギー684kcal
塩分3.3g

柑橘類のしぼり汁や香味野菜で薄味をカバー

サワラのみそ風味焼き

サワラ………1切れ(80g)
{酒…………………小さじ1/5
おろししょうが …0.3g}
{みそ…………………小さじ1/2
みりん………………小さじ1/2
おろししょうが …0.3g}

好みで木の芽を添える

酒としょうがをふっておく

焼く途中でみそ、みりん、おろししょうがをまぜたものをぬる

小女子(こうなご)ごはん

ごはん ………………150g
小女子……………………5g
青じそ…………1枚(1g)
炒り白ごま …………0.8g

青じそ
ごま
材料全部をまぜる

さつまいものレモン煮

さつまいも……………75g
{水……………………50cc
砂糖 …………………2.2g
レモン汁 …………2.5g}

さつまいもは皮つきのまま1㎝の輪切り

中火で汁気がなくなるまで煮る

TOTAL
エネルギー579kcal
塩分2.3g

切り干し大根の炒め煮

切り干し大根…………10g
にんじん………………30g
セロリ…………………20g
にんにくの芽…………30g
サラダ油………………小さじ1
{しょう油…………小さじ2/3
酒……………………小さじ1/4}

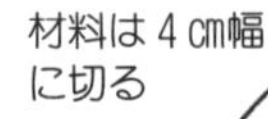
材料は4㎝幅に切る

切り干し大根は水でもどして、しぼる

にんにくの芽、にんじんを炒め、セロリ、切り干し大根を加え、炒めて調味する

間食

干したフルーツには鉄分をはじめとするミネラルが豊富

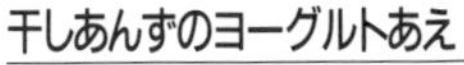

干しあんずのヨーグルトあえ

干しあんず……………20g
プレーンヨーグルト…60g

干しあんずは
半分に切る

ヨーグルトであえる

TOTAL
エネルギー85kcal
塩分0.1g

バリエーション

ほうれん草入りオムレツ
⇩
野菜の炒め合わせ

ほうれん草……………50g
ゆでたけのこ…………10g
生しいたけ……1枚(10g)
もやし……………………25g
炒り卵………1個分(50g)
しょう油、酒……各小さじ1

たけのこ、しいたけ、ゆでたほうれん草、もやしの順に炒めてしょう油と酒で調味し、炒り卵をまぜる

ワカメスープ
⇩
きのこのスープ

生しいたけ……………1枚
しめじ……………………10g
えのきたけ……………10g
スープ { 水 ………………150cc
　　　 { コンソメの素……1g

しいたけは薄切り、しめじは小房に分け、えのきたけは長さを半分に切ってスープで煮る

切り干し大根の炒め煮

⇩
大根のカレー煮

大根 ……………………150g
大根の葉………………10g
にんにく…………………2g
しょうが…………………2g
バター…………………大さじ1/2
カレー粉………………大さじ1/2
スープ { 水 ………………100cc
　　　 { コンソメの素……1g

大根は拍子木に切る。みじん切りのにんにくとしょうがをバターで炒め、大根を加え炒めて、カレー粉、スープを加えて煮、ゆでた大根の葉を散らす

心筋梗塞

一刻をあらそう危険な病気。サバやイワシ、緑黄色野菜を取る

ゆっくり食べることも忘れずに

心臓のまわりには、心臓に酸素と栄養を補給する冠状動脈という血管があります。この血管の動脈硬化が進んで血管内が細くなり、心臓に酸素や栄養を十分に供給できなくなった状態が狭心症です。さらに動脈硬化が進んで血液がほとんど流れなくなり、心臓に酸素や栄養を供給できなくなる病気が心筋梗塞です。

心筋梗塞や狭心症では、発作時によく激しい胸痛をともないます。狭心症は、じっとしていたり薬を飲んだりすれば発作はおさまりますが、心筋梗塞は一刻をあらそうこわい病気なので、発作が起こったら、ただちに専門医の治療を受けなくてはなりません。

食事面では日ごろから高血圧や高脂血症、動脈硬化を防ぐような食事を心がけましょう。また、心臓の筋肉に十分な栄養を補給するためにタンパク質、ビタミン、ミネラルを取るようにします。たとえば脂肪のすくない肉、サバやイワシなど背の青い赤身の魚、にんじんやほうれん草といった緑黄色野菜などです。

心臓の負担を大きくする食べ過ぎに注意し、30分以上時間をかけてゆっくりと食べるようにしましょう。

心筋梗塞は性格が大きな原因？

知っておきたい One Point

心筋梗塞について興味深い説があります。アメリカのフリードマンとローゼンマンの2人の医学者が分類した性格と行動パターンには、AとB2つの型があります。ストレスを感じないような精力的なタイプのA型は心筋梗塞を起こしやすく、その危険度は高脂血症やたばこに匹敵するといわれるほどです。

食事をするのがはやい、残業が苦にならない、車で追いこされたらぬき返そうとする、信号待ちはイライラする、といったひとがA型タイプです。

心筋梗塞を誘発する便秘に注意

　脂身の多い肉が好きで毎日のように食べる、お菓子も大好きでたばこもプカプカ、野菜は嫌いでほとんど食べない、しかも肥満体、こんなタイプは遠からず心筋梗塞に襲われる危険があります。

　心筋梗塞対策は原因や誘因となる動脈硬化、高脂血症、肥満などに注意することが基本です。とくにコレステロールや中性脂肪がふえ過ぎないようにしましょう。

　心筋梗塞や狭心症を誘発する大きな危険因子がたばこです。喫煙中の、心臓が締めつけられるような痛みは、狭心症の発作の一種です。なかなかたばこがやめられないひとは、まず食後のたばこをやめるなどして、極力、喫煙本数を減らしていくようにしましょう。

　一般にはあまり知られていないようですが、便秘も心筋梗塞の引き金になります。日ごろから便秘に注意することもだいじです。

　食事面では、便の材料となり、排便をうながす食物繊維が不足しないようにします。また、食物繊維にはコレステロールが腸から吸収されるのを防ぐ働きもありますから、この点でも心筋梗塞対策に役立ちます。

　しいたけ、しめじなどのきのこ類、ワカメやのりといった海藻類には食物繊維がたっぷりと含まれていますから、おすすめの食品といえるでしょう。同様にほうれん草や春菊といった緑黄色野菜も積極的に取りたいものです。

　心臓の筋肉の材料となるタンパク質もしっかりと取る必要があります。肉や魚介類にはタンパク質が豊富に含まれています。肉ならば脂身のすくない部分が、魚ならコレステロールを下げる作用のあるアジやサンマなどの背の青い赤身の魚がよいでしょう。牛乳もよいと思います。

　お酒、コーヒーなどカフェインを多く含む飲みもの、炭酸飲料などもできるだけひかえめにしましょう。

食品選びの目安

分類	食品	目安
主食	ごはん、パン	○
	めん類	○
主菜	肉類	△
	卵	△
	魚介類	○
	大豆・大豆製品	○
副菜	淡色野菜	○
	緑黄色野菜	◎
	いも、かぼちゃ	◎
	海藻、きのこ、こんにゃく	◎
	くだもの	○
	乳製品	○
調味料	植物油	◎
	砂糖	△
	塩、しょう油、みそ	▲
嗜好品	お菓子	▲
	お酒	△
	お茶、コーヒー	▲
	炭酸飲料	△

★積極的に　△ひかえたい
◎多めに　▲できるだけひかえたい
○ふつうに　×禁止食品

1回の食事量を少なくして心臓への負担を軽減します

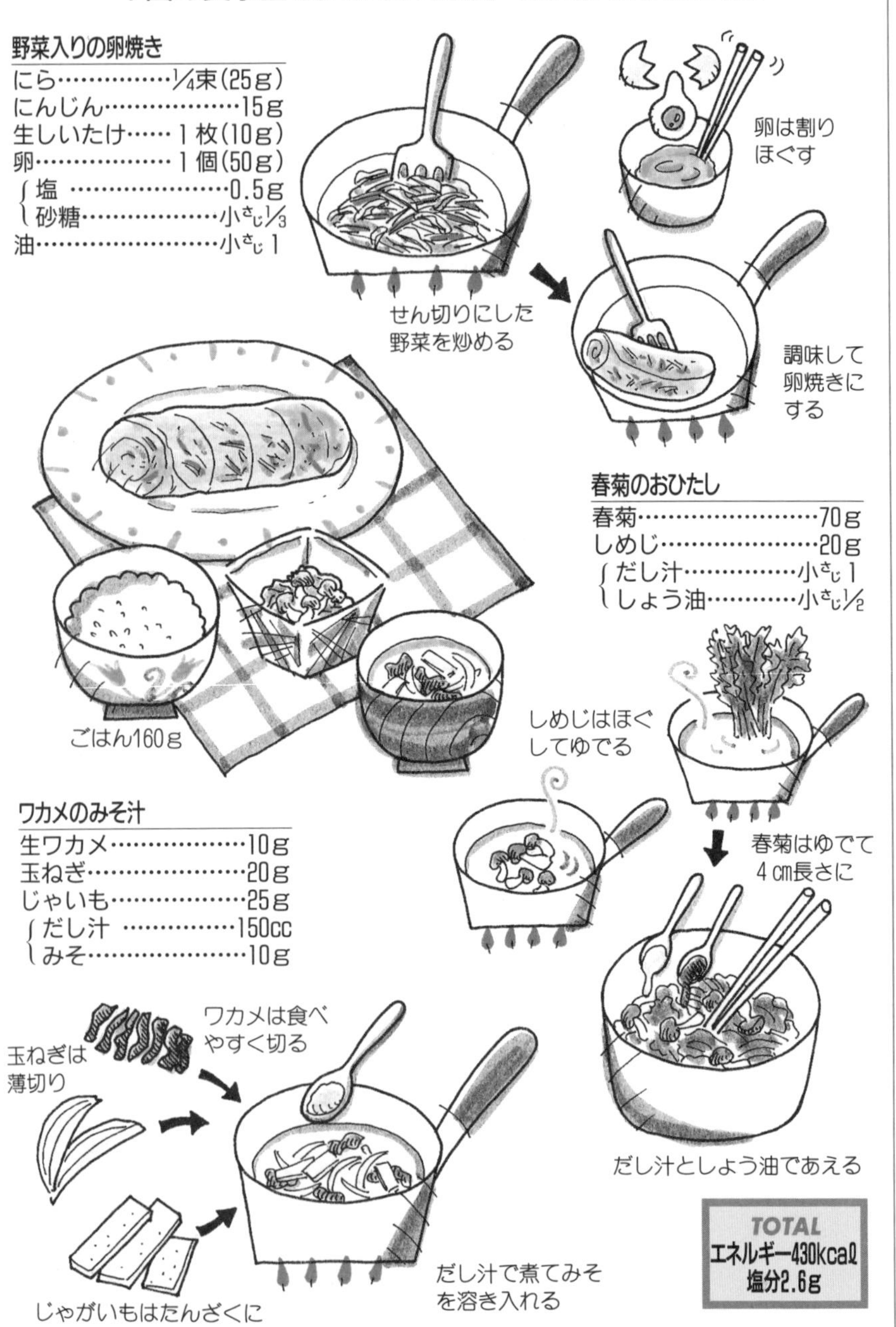

野菜入りの卵焼き

にら……………1/4束(25g)
にんじん……………15g
生しいたけ……1枚(10g)
卵……………1個(50g)
{塩……………0.5g
{砂糖……………小さじ1/3
油……………小さじ1

春菊のおひたし

春菊……………70g
しめじ……………20g
{だし汁……………小さじ1
{しょう油……………小さじ1/2

ワカメのみそ汁

生ワカメ……………10g
玉ねぎ……………20g
じゃがいも……………25g
{だし汁……………150cc
{みそ……………10g

TOTAL
エネルギー430kcal
塩分2.6g

だしをしっかりとり、だしの風味のよさで薄味を補います

五目うどん

うどん……………………220ｇ
鶏むね肉(皮なし)……30ｇ
油揚げ…………½枚(15ｇ)
かまぼこ……１切れ(15ｇ)
生しいたけ……１枚(10ｇ)
ほうれん草……………30ｇ
長ねぎ……………………10ｇ
だし汁 ………………150cc
しょう油…………大さじ１
みりん……………大さじ½

TOTAL
エネルギー553kcal
塩分2.8ｇ

夜

ごまやレモン、青じそなどの香りを添えると薄味でもおいしく感じます

魚のホイル焼き

生タラ……… 1切れ(70g)
酒……………………小さじ1
しめじ………………25g
にんじん……………10g
レモン…………¼個(30g)

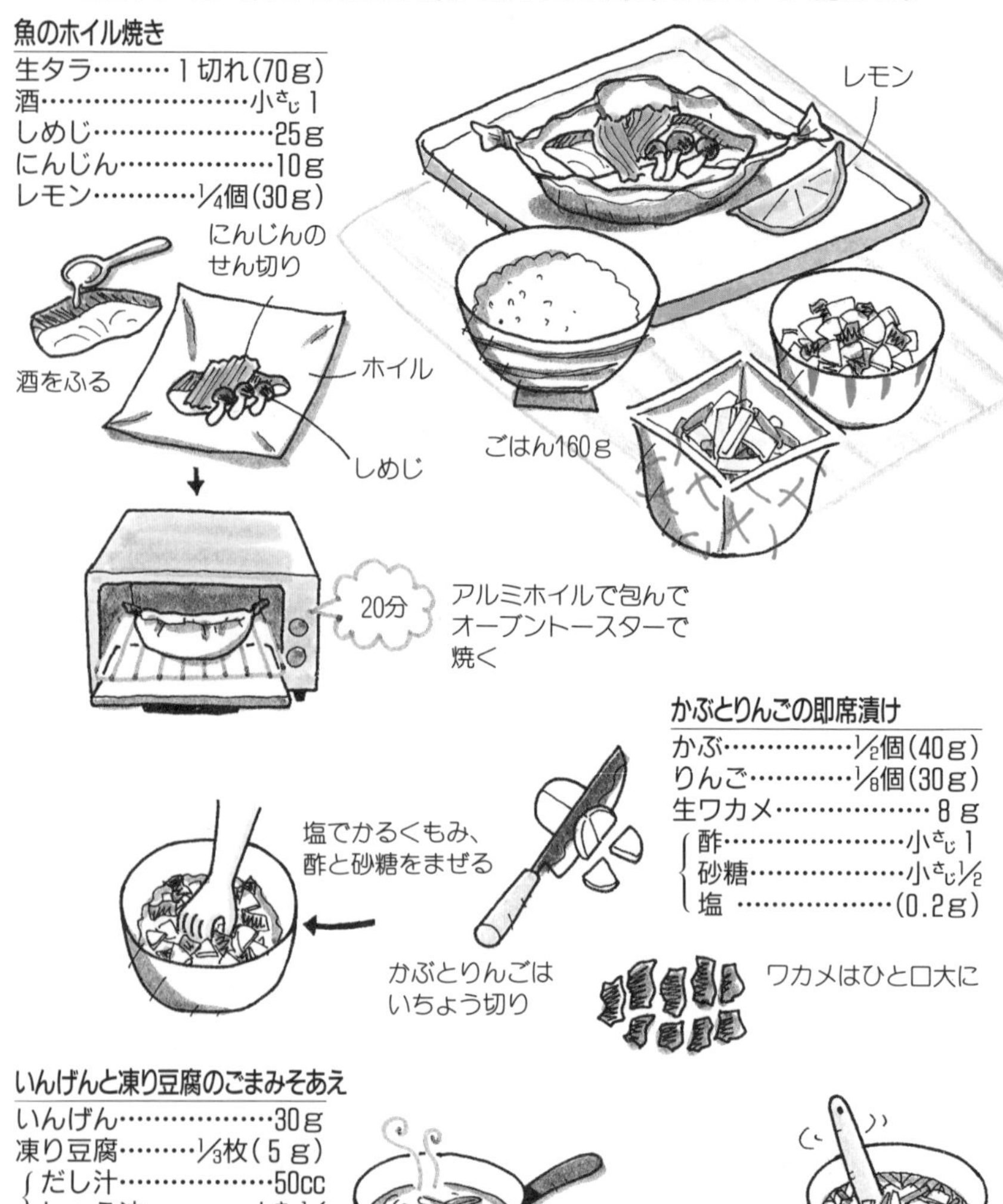

かぶとりんごの即席漬け

かぶ……………½個(40g)
りんご…………⅛個(30g)
生ワカメ………………8g
- 酢……………………小さじ1
- 砂糖…………………小さじ½
- 塩 ……………………(0.2g)

いんげんと凍り豆腐のごまみそあえ

いんげん………………30g
凍り豆腐………⅓枚(5g)
- だし汁………………50cc
- しょう油…………小さじ½

白ごま…………………2g
みそ………………小さじ½
砂糖………………小さじ⅓
みりん……………小さじ⅓

TOTAL
エネルギー400kcal
塩分1.5g

間食

1回の食事量を少なくするので間食はボリュームたっぷりに

白玉だんごのきなこまぶし

白玉粉……………………30g
きなこ……………大さじ1
砂糖………………小さじ1

白玉粉に水を加えて耳たぶくらいのかたさに練る

だんごに丸めてゆで、冷水にとって水気をきる

器に入れ、砂糖をまぜたきなこをまぶす

TOTAL
エネルギー158kcal
塩分0.0g

バリエーション

春菊のおひたし
⇩
チンゲン菜の炒めびたし

チンゲン菜 …1株(110g)
にんにく………………2g
サラダ油……………小さじ1/2
しょう油……………小さじ1/2
塩……………………小さじ1/4

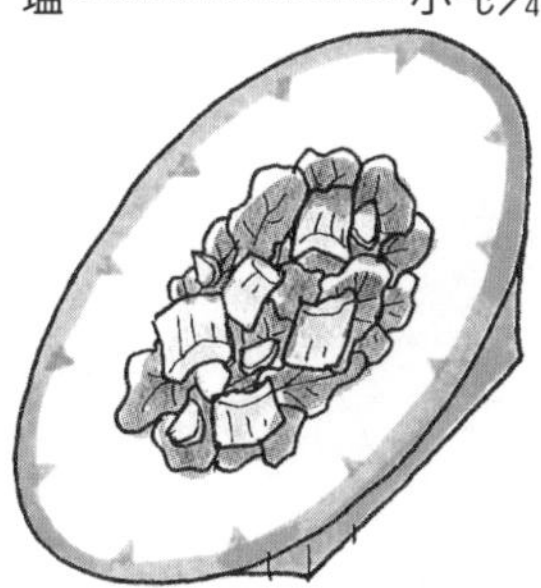

にんにくの薄切りを炒め、香りが出たらざく切りにしたチンゲン菜をざっと炒めて水大さじ1を加え、しょう油と塩をふって色よくなるまで炒め煮する

フルーツと牛乳
⇩
いちごのヨーグルトかけ

いちご…………5粒(75g)
プレーンヨーグルト 大さじ2

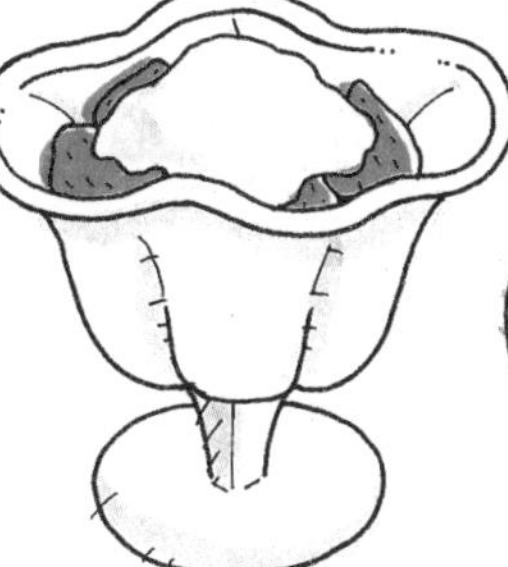

いちごは洗って水気をふき、器に盛ってヨーグルトをかける

魚のホイル焼き
⇩
魚のパン粉焼き

カジキマグロ 1切れ(100g)
塩 ……………………0.8g
こしょう……………少々
パン粉………………大さじ1/4
粉チーズ……………小さじ1/2
ほうれん草……………60g
レモン(くし形)………10g

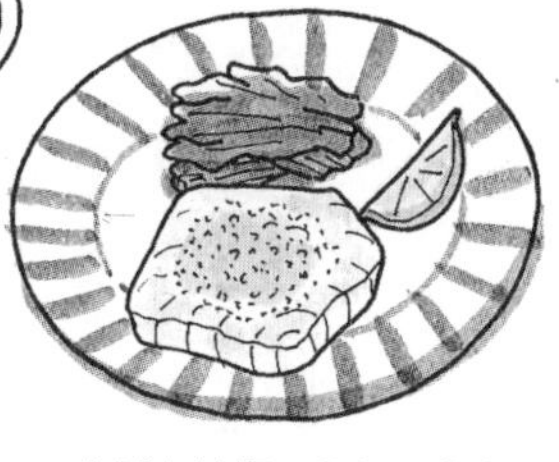

カジキは塩、こしょうをして30分おき、パン粉と粉チーズをふってオーブンで焼く。レモンとほうれん草のおひたしを添える

糖尿病

年々ふえる糖尿病患者。食べ過ぎ、飲み過ぎ、肥満に注意

食卓には野菜料理を忘れずに

わが国の糖尿病患者は約600万人といわれ、40歳以上では10人に1人が糖尿病と推測されています。糖尿病は自覚症状にとぼしく、のどのかわきや多尿などがあらわれたときには、すでに病気が進んだ状態です。糖尿病はゆっくりと進行します。糖尿病の合併症である糖尿病性網膜症や糖尿病性腎症の多くは、糖尿病と診断されて数年から10年後くらいにあらわれてきます。

したがって定期的に検診を受け、糖尿病と診断されたひとは、たとえ自覚症状がなくても食生活などに注意して、悪化させないことがたいせつです。

糖尿病の多くは中高年で発症するインスリン非依存型糖尿病で、このタイプは体質に加えて食べ過ぎや肥満、ストレスなどが発病のきっかけとなります。食べ過ぎや飲み過ぎ、カロリーオーバーにはふだんから注意しましょう。タンパク質、脂質、糖質、ビタミン、ミネラルはバランスよく取り、食物繊維を含む野菜、海藻、きのこ、こんにゃくをおおいに取るようにしましょう。野菜類は毎食1～2品は食べるようにしたいものです。

食事回数が減ると糖尿病が悪化する

知っておきたい One Point

糖尿病は、インスリンというホルモンが不足したり、働きが悪かったりするために起こります。その原因や誘因となるのが体質によるものもありますが、食べ過ぎ、インスリンを分泌するすい臓の異常などです。

朝食をぬいたりして食事の回数が減ると1回の食事量がふえ、血糖値が著しく上昇します。その結果、インスリンの需要量もふえて、すい臓の負担が増大します。

1日3食、規制正しく、よくかんでゆっくり食べることです。

トロより赤身、霜降りよりモモ肉

太った中高年に多くみられるインスリン非依存型糖尿病では、エネルギー摂取量を制限することが基本。つねに腹八分を心がけることが必要です。また、ケーキやまんじゅうなどのお菓子や清涼飲料水は高エネルギーですから、取り過ぎないように注意します。

こうした高エネルギー食品を食べ過ぎると、それだけで必要なエネルギー量が確保できてしまい、ほかの食品が食べられないことになってしまいます。その結果、栄養がかたよって、エネルギー源となる糖質や脂肪は足りても、ビタミンやミネラルなどの栄養素が不足することになりかねません。同様に、お酒の飲み過ぎにも注意しましょう。

子どもの場合は親が注意しましょう。最近は、中高年に多いインスリン非依存型糖尿病が子どもにもふえてきています。とくに、清涼飲料水をがぶ飲みして糖尿病や肥満になるケースが問題になっています。清涼飲料水のペットボトルから、「ペットボトル症候群」などとも呼ばれています。

食品の選び方も工夫しましょう。たとえば肉や魚は脂身のすくないもの、霜降りより脂身のすくないヒレやモモ肉、トロより赤身という具合です。ちなみに、和牛サーロインは脂身のない和牛モモ肉の2倍のエネルギー量がありますし、脂肪はじつに5倍近くも多いのです。また、すしネタとしても人気の高いホンマグロの脂身（トロ）は、赤身の部分の約2・5倍もエネルギー量が高く、脂肪にいたってはなんと20倍以上です。

また、味つけを薄くしたり料理につかう砂糖などの量を減らすために、ステビオサイトなどをつかった低カロリー甘味料で代用するのもよいでしょう。

糖尿病には体質が大きく関係します。今は糖尿病ではなくても、30歳を過ぎたらいつ発病しても不思議ではありません。健康なうちから注意したいものです。

食品選びの目安（インスリン非依存型）

区分	食品	目安
主食	ごはん、パン	△
	めん類	△
主菜	肉類	△
	卵	△
	魚介類	△
	大豆・大豆製品	△
副菜	野菜類	○
	いも、かぼちゃ	△
	海藻、きのこ、こんにゃく	◎
	くだもの	△
	牛乳・乳製品	○
調味料	油脂	△
	砂糖	▲
	塩、しょう油、みそ	○
	香辛料	○
嗜好品	お菓子	×
	お酒	×
	お茶、コーヒー	△
	炭酸飲料	×

★積極的に　△ひかえたい
◎多めに　▲できるだけひかえたい
○ふつうに　×禁止食品

規則正しく、数多くの食品をかたよらずに取ることがたいせつ

じゃがいもとツナのオムレツ

じゃがいも……½個(75g)
玉ねぎ……………………25g
鶏卵…………… 1個(50g)
サラダ油……………小さじ½
ツナ水煮缶………………20g
パセリ(みじん切り) …大さじ1
塩……………………小さじ⅕
こしょう………………少々
油……………………小さじ1
レタス…………………10g
プチトマト… 2個(40g)

じゃがいもはゆでてつぶす

玉ねぎは薄切りにして炒める

卵を割りほぐし、ツナ、パセリも加え、塩、こしょうする

油をひいたフライパンに流し入れて焼く

レタスは手でちぎりプチトマトを添える

ロールパン60g
マーガリン10g

ミルクティー

牛乳 ……………………100g
砂糖…………………小さじ1
紅茶(ティーバッグ)… 1個
湯…………………¼カップ

なべに牛乳、砂糖、紅茶、湯を入れてわかす

カップにそそぐ

TOTAL
エネルギー549kcal
塩分2.5g

昼

食物繊維を含み、カロリーの少ない食品は血糖値を急激に上げない効果もあります

ぞうすい

- ごはん……………………110g
- えのきたけ……1/4袋(25g)
- 大根………………………50g
- だし汁 ……………300cc
- しょう油…………小さじ1/2
- 塩…………………小さじ1/4
- 卵……………1/2個(25g)
- 貝割れ菜…………………10g

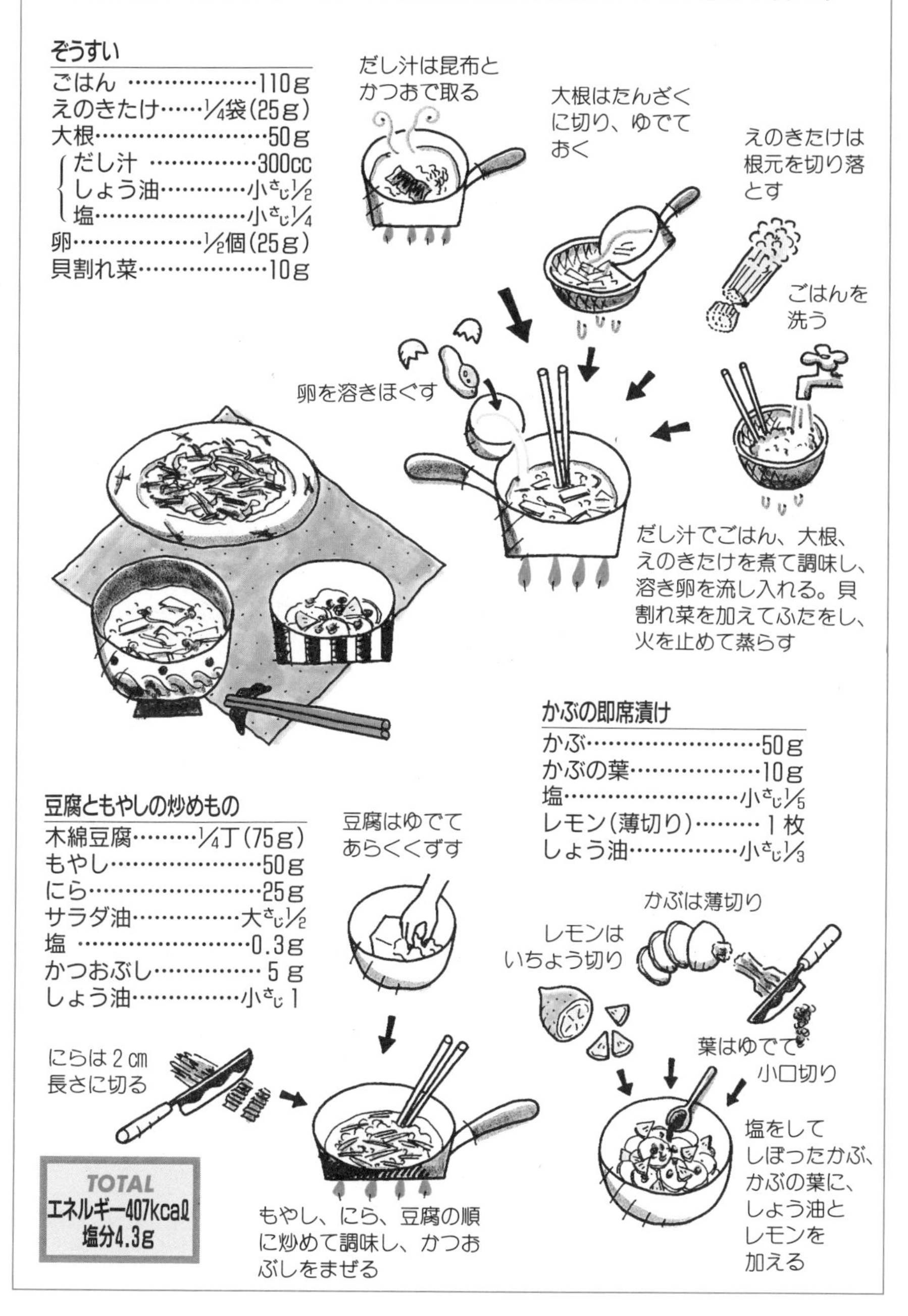

かぶの即席漬け

- かぶ………………………50g
- かぶの葉…………………10g
- 塩…………………小さじ1/5
- レモン(薄切り)………1枚
- しょう油…………小さじ1/3

豆腐ともやしの炒めもの

- 木綿豆腐………1/4丁(75g)
- もやし……………………50g
- にら………………………25g
- サラダ油…………大さじ1/2
- 塩 ………………………0.3g
- かつおぶし………………5g
- しょう油……………小さじ1

TOTAL
エネルギー407kcal
塩分4.3g

夜

食物繊維の多い食品は、糖質の吸収を遅らせる効果も大

鶏肉のラビゴットソース

鶏むね肉……………100g
塩……………………0.5g
こしょう……………少々
酒……………………小さじ1
トマト………………30g
玉ねぎ………………30g
ピーマン……………5g
パセリ(みじん切り)…1g
Ⓐ サラダ油………小さじ2
Ⓐ 酢………………小さじ1
Ⓐ レモン汁………小さじ½
Ⓐ 塩………………0.6g
Ⓐ こしょう………少々
レタス………………10g
きゅうり……………10g

ごはん130g

ひじきの梅煮

ひじき(干)……………8g
油揚げ…………………5g
にんじん………………10g
梅干し………¼個(2g)
だし汁…………1カップ
しょう油…………小さじ1
みりん……………小さじ½

鶏肉に塩、こしょうをして酒をふり、ふたをして蒸し煮に 
↓
細くさく
↓
かける

トマトはさいの目に切る

玉ねぎはみじん切りにし、水にさらしてしぼる

ピーマンはみじん切り

パセリとⒶを加えてまぜる

レタスときゅうりのせん切りを敷く

ひじきは水でもどして水気をきる

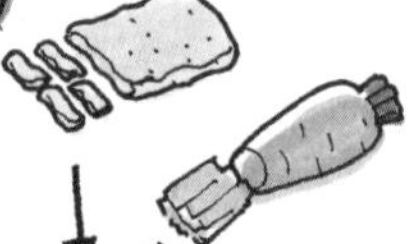

油揚げ、にんじんはたんざくに切る

だし汁でひじき、油揚げ、にんじんを煮、みりんと梅干しを加えてさっと煮、しょう油を加えて炒り煮

キャベツのみそ汁

キャベツ………………40g
油揚げ…………………10g
だし汁…………………150cc
みそ……………………10g

キャベツはざく切り、油揚げはたんざく切り。だし汁で煮てみそを溶き入れる

TOTAL
エネルギー596kcal
塩分4.1g

間食

甘味のない炭酸水のフルーツポンチでビタミンを補給

フルーツポンチ

フルーツミックス(缶詰)…60g
りんご……………………30g
レモン汁……………小さじ1/2
炭酸水……………………50cc

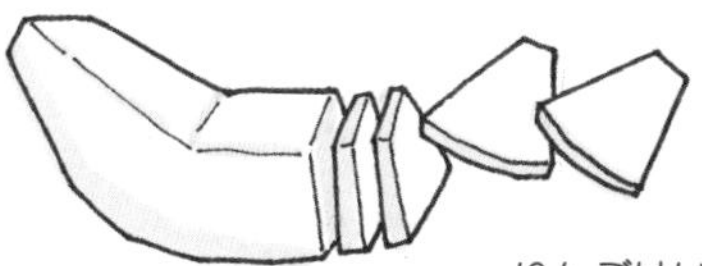

りんごはいちょう切りに

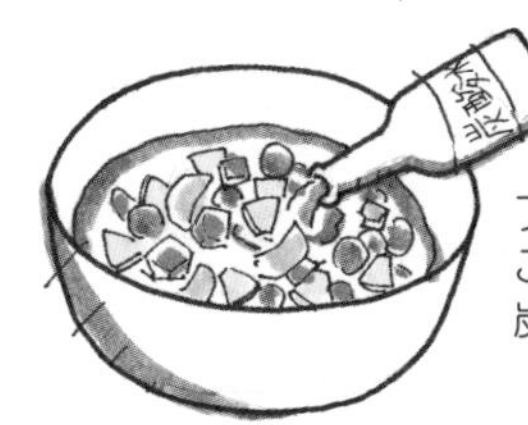

フルーツミックス、りんご、レモン汁を器に入れ、炭酸水をそそぐ

TOTAL
エネルギー77kcal
塩分0.0g

バリエーション

じゃがいもとツナのオムレツ
⇩
スペイン風オムレツ

卵………………1個(50g)
玉ねぎ…………1/4個(35g)
トマト…………1/10個(25g)
しめじ……………………20g
ハム……………1枚(20g)
サラダ油……………小さじ1/2
塩 ……………………0.5g
こしょう…………………少々

溶き卵に食べやすく切った、野菜とハムをまぜて塩、こしょうをし、フライパンに流し入れて焼く

豆腐ともやしの炒めもの
⇩
豆腐のサラダ

木綿豆腐………1/4丁(75g)
貝割れ菜……………………10g
プチトマト …8個(120g)
生ワカメ……………………20g
Ⓐ{しょう油………小さじ1
酢……………………小さじ1/2
ごま油………………小さじ1/2
ラー油………………小さじ1/4}

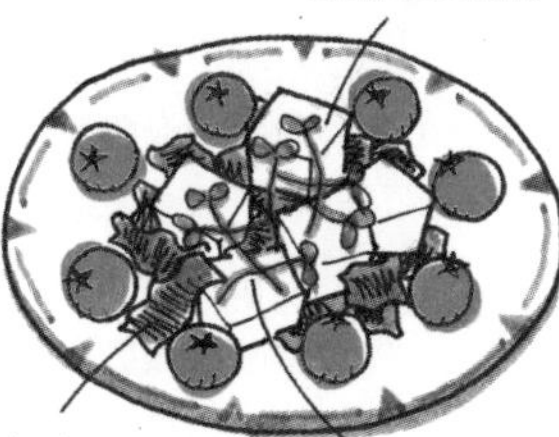

食べる直前にⒶを混ぜたドレッシングをふる

鶏肉のラビゴットソース
⇩
鶏肉の照り焼き

鶏もも肉(皮なし)……60g
{しょう油…………小さじ1
みりん……………小さじ1/2}
ピーマン(大)…1個(35g)
塩…………………………少々
こしょう…………………少々
サラダ油……………小さじ1/2

ピーマンは炒めて塩、こしょうする

鶏肉はしょう油とみりんに10分つけ、油で焼いて油をあけ、つけ汁をからめる

食事とがん

がん予防の第一歩は食生活の改善から。発がん性物質を含む食べものを避ける

がんは早期発見・早期治療が大原則

がんは体にできる悪性の腫瘍の総称です。これをさらに大きく分けると、がん腫、肉腫、白血病の3種類になります。がん腫には、胃がん、肺がん、子宮がん、乳がん、皮膚がんなどがあります。肉腫は、骨や筋肉、リンパ節などに発生するがんです。白血病は血液をつくる細胞から発生するがんです。

がんは体内の正常な細胞がなんらかの原因によってがん細胞に変わり、異常増殖をはじめて、体のいろいろな臓器を冒していく病気です。同時に体のあらゆるところに転移し、そこでさらに増殖して全身をむしばんでいき、やがては死につながるおそれもあります。しかし、がん治療技術の目覚ましい進歩によって、早期に発見すれば完治する確率が飛躍的に高まっています。

早期発見のためには、医学的検査のほかに、日ごろから自分の体調をこまめにチェックする習慣を身につけることがたいせつです。早期に発見して適切な治療を受ければ、決してこわい病気ではありません。

主ながんと食生活・生活習慣との関係

がんの種類	がんにかかりやすい食生活・生活習慣
胃がん	塩分の取り過ぎ、熱いものを多く取る、飲酒と喫煙を同時におこなうなど
肺がん	喫煙、大気汚染など
食道がん	アルコール度の高い酒、熱いものを多く取るなど
大腸がん	肉食中心の高タンパク・高脂肪の摂取、食物繊維の不足など
乳がん	高脂肪・高エネルギー中心の食事、肥満など
肝臓がん	毎日多量の飲酒、ウイルスなど

がんにかかりやすい食習慣

- 食事時間が不規則で短い
- 塩辛いものが好き
- 熱い飲みもの、料理が好き
- 好き嫌いが多い
- アルコールを毎日大量に飲む
- ヘビースモーカー
- 野菜嫌い
- 肉類中心の献立が多い
- チーズなどの乳製品が嫌い
- 動物性脂肪の摂取が多い
- 食物繊維の摂取が少ない
- 魚や肉の焦げたところを好む
- 同じ食べものを毎日大量に取る

食生活の改善でがんの原因の大半を予防できる！

喫煙、飲酒、大気中の粉塵・汚染などが、がんの原因の大半を占めるといわれます。とくに日常の食生活とがんは、密接な関係にあるといわれ、こうしたがんの環境性因子の大部分は食生活の改善によって、取り除くことが可能です。

そこで、普段の食生活をあらためて見直し、がんになりやすいと思われる食べものの摂取を避け、タバコやアルコール類をひかえるなどして、少しでもがん発生のリスクを軽減させる努力をすることが必要になります。

発がん性が高いと思われる食べものの摂取を避ける

発がん性物質とは、正常な細胞をがん細胞に変える可能性が高い物質のことです。現在までにいろいろな発がん性物質が発見されています。

身近な食品では、ワラビやふきのとうに発がん性物質が含まれていることが確認されています。しかし、毎日大量に食べるわけではないので、それほど神経質に考えなくてもよいでしょう。

それより食品の保存やいろどりをよくするために使われる保存料、着色剤などといった添加物を多く含む加工食品の取り過ぎに注意する必要があります。以前とくらべると加工食品の安全基準はきびしくなっていますが、度をこえた不自然な着色、賞味期限があまりにも長い加工食品をひんぱんに大量摂取することは避けましょう。

また、湿ったピーナッツやとうもろこしに発生するカビのなかに発がん性物質が含まれるといわれていますので、古くなったこれらの食べものは口にしないよう心がけてください。

さらに焼き魚の焦げたところには、微量ながら発がん性物質が含まれていますので、避けるようにしましょう。

がん予防に効果のある食べもの

がんの予防に効果のある食べものはいろいろあります。そのなかで代表的なものをいくつか紹介しましょう。

じゃがいも

いも類を多く食べる国では、胃がんの発生が少ないといわれています。これはいも類に含まれる豊富なビタミンCの働きによるものです。ビタミンCは熱に弱く壊れやすいのですが、じゃがいもは、加熱してもデンプン質がビタミンCを包み込んで保護する働きがあるため、ビタミンCが効率よく体内に吸収され、胃での発がん性物質の生成をおさえます。

しいたけ

しいたけは、きのこ類のなかでもレンチナンという成分を多く含んでいます。レンチナンには、抗がん作用があって以前から注目され、積極的な研究が進んでいます。実際に、がん治療にも利用されはじめています。

海藻類（ワカメ、ひじき、コンブ）

日本人にとっては馴染みの深い食べものです。海藻類を多食すれば大腸がんを予防する効果があります。これは大腸内で、発がん性のある有害物質の生成を抑制するからです。みそ汁やサラダ、煮ものなど、料理のバリエーションを変えて、ぜひ毎日の食卓にのせたいものです。

キャベツ

キャベツに多く含まれるビタミンCには、発がん性物質のひとつであるニトロソアミンの生成をおさえる働きがあります。同じアブラナ科の野菜であるブロッコリー、カリフラワー、かぶ、白菜などのビタミンCにも、同様の働きがあります。

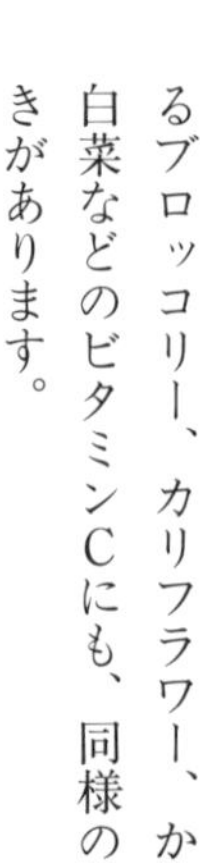

玄米

玄米に含まれるパントテン酸とビタミンB_6には、がんに対する抵抗力を高める働きがあります。玄米スープや玄米がゆなど、調理を工夫して積極的に食べるように心がけましょう。

レバー

レバーにはビタミンA、Cが豊富に含まれています。ビタミンAは、発がん作用を抑制する働きがあり、抗がんビタミンともいわれています。また、ビタミンCにも同様の働きがあります。さらに、ビタミンEを含んでおり、これがビタミンAの働きを助けてくれるため、がんの予防には理想的な食べものです。

ハトムギ

ハトムギには、良質なタンパク質が多く含まれていますので、体内の新陳代謝をさかんにし、細胞の活性化をうながすと同時に、がんに対する抵抗力を高める効果があります。また、ハトムギの煎じ汁には制がん効果があるといわれています。

牛乳

牛乳に含まれるビタミンB_2には肝臓の解毒作用を活発にさせる働きがあるため、発がん性物質の解毒に効果があるといわれています。

アロエ

アロエは別名「医者いらず」といわれ、むかしから広く利用されています。アロエの成分のひとつ、アロミシンは、制がん効果が高く、副作用もないので注目されています。食べ方の一例としては、1日1回アロエ10~15gをすりおろして、レモン汁やハチミツを適量加えて飲みます。

緑黄色野菜

にんじん、かぼちゃ、小松菜、ほうれん草などの緑黄色野菜にはカロチンが豊富に含まれています。カロチンはがん予防の切り札として注目されており、サラダ、おひたし、煮ものなどで、積極的に取るようにしましょう。とくに、にんじんには多くのカロチンが含まれています。

ごぼう

ごぼうには食物繊維が豊富に含まれています。この食物繊維には、大腸の働きを活発にする作用があり、この働きによって発がん性物質を体外に排出してくれますので、大腸がんの予防とともに便秘にも効果があります。

冬虫夏草(とうちゅうかそう)

冬虫夏草は、冬は虫で夏は草になる意味で、土中の昆虫やクモなどに寄生した菌糸から地上に子実体をつくるしのう菌類のきのこの総称で、生薬として用いられます。

この冬虫夏草が、がんに効果があると注目されています。とくに、〝きんせんか〟(セミの冬虫夏草)と、〝びゃくきょうさん〟(ムスカルジン菌にカビが生えて死んだ蚕を乾燥させたもの)と呼ばれる冬虫夏草が、がんに効くといわれているようです。どちらも漢方薬局で手に入ります。

ヨーグルト

ヨーグルトは牛乳を乳酸菌で発酵させたものです。ヨーグルトは体内に入ると腸内でビフィズス菌などの善玉菌を増やします。これによって整腸作用が高まり、大腸がんの予防になります。また、乳酸菌には体の免疫機能を活発にする働きがあり、いろいろながんの予防につながります。

トマト

トマトの赤は、リコピンとカロチンという色素によるものです。最近になってリコピンには、発がんを防ぐ働きがあることがわかりました。さらにビタミンC、Eも含まれていますので、これらの効果も期待できます。

このほかにも、がん予防に効果のあるビタミンA、C、Eを多く含む食べものはたくさんあります。つぎに、こうしたビタミンを豊富に含む食べものを個別に紹介しましょう。

がん予防には、ここにあげる食材を日常的に取り入れるとともに、なるべくストレスをためないように、心身をリラックスさせることがたいせつです。

★ビタミンAを多く含む食べもの★

野菜・くだもの

かぼちゃ・しそ・パセリ・にんじん・とうがらし葉・よもぎ・にら・春菊・みつば・大根の葉・プルーン・びわ・スイカ・アンズなど。

動物性食品

鶏、豚、牛のレバー・鶏肉・卵黄・チーズなど。

魚介類

うなぎ・うに・あんこう(肝)・はも・あなご・あこうだい・ぎんだら・あゆ(内臓)・うるめいわし・たたみいわし・ししゃも・どじょう・やつめうなぎ・ほたるいかなど。

★ビタミンEを多く含む食べもの★

野菜・くだもの

かぼちゃ・からしな・しそ・にら・大根・パセリ・ほうれん草・アスパラガス・アボカド・レモン・オリーブ・きんかんなど。

動物性食品

牛肉・鯨肉・卵黄・チーズ・バターなど。

魚介類

あこうだい・すじこ・ししゃも・たらこ・あんこう(肝)・うに・うなぎ・ほたるいか・カキ・えび・さざえなど。

★ビタミンCを多く含む食べもの★

野菜・くだもの

パセリ・ブロッコリー・レモン・ピーマン・小松菜・じゃがいも・さつまいも・れんこん・とうがん・とうもろこし・キャベツ・きゅうり・チンゲンサイ・ナシ・りんご・もも・みかん・夏みかん・グレープフルーツ・いちご・柿・パパイヤ・キウイフルーツなど。

動物性食品

鶏、豚、牛のレバーに多く含まれる。

魚介類

たたみいわし・すじこ・はまぐり・ほや・ほたるいかなど。

column

注意したい食品の食べあわせ

がん予防に効果のある食べもののなかには、ほかの食品といっしょに食べると発がん性の物質であるニトロソアミンをつくるものがあります。

これは肉や魚介類に含まれるタンパク質のアミン類と、亜硝酸がいっしょになったときに、化学反応を起こすためです。たとえばスモークソーセージ・ハム・たらこ・干したらなどとほうれん草・小松菜・白菜・春菊・大根をいっしょに食べた場合などには、ニトロソアミン物質ができやすいことがわかっています。

がんを防ぐための条件

国立がんセンターが発表している、「日常生活における、がん予防12カ条」を参考までに紹介しましょう。

第１条　バランスのとれた栄養を取る
第２条　毎日、変化のある食生活を
第３条　食べ過ぎを避け、脂肪は控えめに
第４条　お酒はほどほどに
第５条　たばこは少なくするか禁煙を
第６条　適量のビタミンと繊維質のものを取る
第７条　塩からいものは少なめに、熱いものは冷ましてから
第８条　焦げた部分は避ける
第９条　カビの生えたものに注意
第10条　日光に当たりすぎない
第11条　適度にスポーツをする
第12条　体を清潔に

アドバイス

がん予防に効果的な調理方法アラカルト

がんを予防するには、まず健康であることです。そのためには食生活を充実させることがたいせつです。それと同時に発がん性物質を含んでいる食べものや、がんを促進させるような食べものの摂取を避ける注意が必要です。

このほかに調理方法を工夫することも、がんの予防にはたいせつです。そこでがんを予防するといわれている調理の仕方を紹介します。

魚は焦がさない

焦げた部分には、微量ながら発がん性物質が含まれているので焦がさないように調理します。こまめに上下をひっくり返したり、軽くあぶったあと電子レンジで調理したりするなど、魚を焦がさない工夫をしましょう。これに、つけあわせで、大根おろしを添えるようにしましょう。

肉は直火で焼くか、ゆでる

高脂肪・高エネルギーの食事はがんにかかりやすいので、余分な脂肪を落とすため直火で焼くか、ゆでるようにします。さらに肉料理には、緑黄色野菜を必ず添えることを忘れないようにします。

味つけは薄味

濃いみそ汁や甘辛い味つけは、塩分の取り過ぎになり、胃に大きな負担をかけます。胃がんの発生につながるだけではなく、高血圧などほかの病気の引き金にもなります。

野菜は生のほかに煮たり、炒めて量を多く食べる

がんを予防する各種ビタミン類や食物繊維を多く含む野菜は、毎日多く食べましょう。しかし、野菜嫌いの人や子どもたちには苦手なものです。そこで、野菜を煮る、炒めるなどして食べやすくする工夫が必要です。こうすることによって野菜嫌いの人も、多くの野菜を食べることができます。

アツアツのものは少し冷ましてから

熱すぎる料理や飲みものを長い間取っていると、胃がんや食道がんをまねく危険があります。したがって、アツアツのみそ汁やかゆなどは、冷めるまで待ってゆっくりと飲んだり、食べたりするようにしましょう。

中高年からの肥満を防ぐ食事学

肥満大敵

中年を過ぎたら食事は量より質を重視。ダイエットは食事と運動でゆっくりと

肥満は成人病と密接な関係がある

肥満は、摂取したエネルギーのうち、消費されない余分なエネルギーが脂肪に変わって、体内に過剰蓄積されることです。とくに、中年層の肥満者は一般の人にくらべて、成人病にかかる可能性がきわめて高いことが、統計上でもわかっています。

肥満が進むと、それだけで心臓に負担をかけます。

たとえば、心臓に脂肪がたまれば心臓病の引き金になります。血管に脂肪が沈着すれば動脈硬化が進み、やがては高血圧や心筋梗塞をまねきます。肝臓に脂肪がたまれば、脂肪肝が起こります。

さらに、肥満が進めば、糖尿病にもかかりやすくなります。いずれにしても死亡率の高い成人病ですので、注意が必要です。

column

肥満の判断には BMI 指数や体脂肪率をみる

肥満の判断には、BMI（Body Mass Index：体格指数）方式の指数と、体脂肪率（脂肪が体重に占める割合）数値をもちいることが一般に広く普及しています。

BMI指数は体重(kg)を身長(m)の2乗で除して求めることができます。BMIを提言している日本肥満学会では、20～24を標準指数として、24～26・4が太りぎみ、26・4以上を太り過ぎとしています。統計的に指数22前後が、病気にかかりにくいとされています。

また、この22から逆算した体重を標準体重とします。たとえば体重50kg、身長160cmの人のBMI指数を計算すると、50÷1.6^2＝19・5となり、標準指数より小さいので、肥満ではないことになります。また、この人の標準体重は22×1.6^2＝56・32kgになります。

代表的な肥満体型

★水太り型

女性肥満者の多くがこのタイプ。この原因は、体の新陳代謝機能が低下して、体内の余分な水分が排出されにくいことが考えられる。

★下半身太り型

若い女性の肥満者に多いタイプ。上半身にくらべて、下半身にぜい肉がついている。このタイプの人は一般に腹筋力が弱く、頑固な便秘に悩むことが多いといわれる。

★脂肪太り型

男女共通して中年を過ぎた人の肥満者に多いタイプ。おなかが出て（太鼓腹）、体全体の肉づきがよい。高カロリーメニューを好む。

★かた太り型

筋肉質で骨格が太く、柔道などのスポーツマンに多いタイプ。脂肪太り型と同様に食欲が旺盛。

肥満の防止は規則正しい食生活から

太る最大の原因は、食べ過ぎにあります。これに運動不足が加わればだれでも肥満体になる可能性があります。つまり、摂取したエネルギーを上回るので太るのです。

したがって、まず現在の生活環境を見直して、肥満につながるような食習慣をあらためることが先決です。

たとえば、太らないように朝食を取らない人がいますが、これは逆効果です。食事の回数を減らすと、体内の脂肪蓄積能力を高めます。それに空腹感が強まっていますので、食べ過ぎにつながり、太る原因になるからです。

現実に大相撲の世界では、朝食ぬきの1日2回の食習慣によって、体重の増加に努めています。

そのほかにもあらためたい食習慣はいろいろありますので、一度自分の食生活やライフスタイルをチェックすることが必要です。

日ごろからこうしたことを注意するだけでもある程度肥満は防げますが、すでに肥満している場合は、きちんと食べて減量するのが基本です。食事の量・回数を極端にすくなくしたり、特定のものだけを食べるような減量方法は危険です。基礎体力を低下させ、抵抗力を弱めて病気にかかりやすくなるなど、弊害が大きいのです。

肥満につながる食習慣チェック表

- 食事をぬく（1日の食事回数を減らす)。
- テレビなどを見ながら食べる（ながら食い)。
- まとめ食い（ドカ食い）をする。
- 就寝前に飲食する。
- よくかまない・早食いである。
- 偏食による同じ食べものの摂取。
- 間食が多く、糖質を大量に取る。
- 飲酒と高カロリーのつまみを好む。

肥満の防止や減量を助ける食べもの

肥満を防ぐには、食べ過ぎないことですが、あまり神経質に考えると、拒食症などといった別の病気をまねいてしまう危険があります。

また、食事量・回数を減らす減量法は、逆効果であるだけではなく、体に悪影響を与えることはすでに述べたとおりです。したがって、バランスのとれた食事をしながら減量することが基本と考えましょう。

肥満を防止し、減量を助ける食べものは、私たちの身の回りにいろいろありますので、普段の食生活にうまくとり入れたいものです。

そこで肥満を防止し、減量を助ける代表的な食べものを紹介します。ただし、繰り返しになりますが、これらの食べものだけを取るのではなく、必ず主食（ごはん）、タンパク質（白身魚、卵など）、緑黄色野菜などをいっしょに取ることが必要です。

ワカメ

ワカメは食物繊維が豊富で、便通をよくして体内の老廃物の排出を助けてくれます。しかも低カロリーの食べものです。さらに、ミネラルが多いので新陳代謝を活発にします。また、水にもどすとボリュームが出ますので、満腹感も得られます。サラダにして毎日食べたいものです。

豆腐

豆腐は、植物性のタンパク質が豊富に含まれた低カロリーの食べものです。そのうえ、脂質、ミネラル、カルシウム、ビタミンB_1、Eが多く含まれています。脂質は肉類にないリノール酸を含み、血液中のコレステロールを低下させる働きがあります。さらにカルシウム分は、豆腐1丁で牛乳1本分に匹敵します。湯豆腐や冷ややっこ、豆腐サラダなど、メニューを工夫して、積極的に食べましょう。

きのこ類（しいたけ、えのき、しめじ、まいたけなど）

きのこ類はカロリーが低いだけではなく、うまみ成分を含んでいますので、薄味で食べられます。また、ビタミンB群が豊富に含まれていますので、炭水化物や脂肪の代謝をうながし、減量には最適です。さらに焼く、蒸す、炊き込みごはんの具など、料理のバリエーションが多く、調理も簡単なので、利用価値は大きいものです。また、歯ごたえがあって満足感も得られます。

こんにゃく

こんにゃくの9割以上が水分で、残りが水溶性の食物繊維です。これによって中性脂肪やコレステロールなどの余分な脂肪や塩分が体外に排出されるので、肥満や成人病の予防に効果があります。食べかたの一例として、こんにゃくの刺身や、こんにゃくごはん（米といっしょに、こんにゃくを入れて炊く）などがあります。

トマト

トマトにはビタミンA、B群、Cが豊富に含まれています。このほか鉄、リン、カリウムなどのミネラル成分も含まれた低カロリーな食べものです。トマトの酸味が胃液の分泌をさかんにさせますので、タンパク質の消化を促進します。このため、肥満の解消にはうってつけの食べものといえます。栄養的には、よく洗って生で食べるのがベストですが、青くさいのが苦手な人は、湯むきして表皮をのぞいて食べたり、ジューサーでしぼってレモンを加えて飲むなど、工夫をしてみましょう。

また、市販のトマトジュースのなかには、飲みやすくするため塩分を多く入れたものもありますので、購入の際には注意が必要です。

べに花油

べに花油は、植物のべに花の種をしぼったもので、別名サフラワー油ともいいます。べに花油に豊富に含まれるリノール酸は、血液中のコレステロールを低下させる作用があるため、肥満者のコレステロールを下げるとともに肥満の予防にもなります。ただし、リノール酸は熱、光、酸素などに弱く、これらに長時間さらされると、過酸化脂質という有害物質に変わってしまうので、サラダのドレッシングにするなど、できるだけ生で利用しましょう。

天然醸造酢

酢は、原料や製造方法によって栄養価が違います。このなかで、むかしながらの製法でつくった天然醸造酢は肥満の予防に役立つようです。その理由は、天然醸造酢に含まれているアミノ酸にあります。とくに肥満予防に効果がある7種類のアミノ酸がバランスよく含まれ、肥満のもとである中性脂肪ができるのを防ぐのです。

一般に利用されている合成酢やアルコール酢には、これらのアミノ酸は微量か、もしくは含まれていませんので、肥満の予防効果が期待できません。

ダイエットには有酸素運動が効果的

効果的なダイエットは、食生活の改善に加えて、適度な運動を毎日続けることがだいじです。これによって体内の余分な脂肪を効率的に燃焼させます。

とくに有酸素運動、つまり酸素を大量に摂取する運動が適しています。有酸素運動にはウォーキング、ジョギング、水泳、縄跳び、エアロビクス、トレッキングなどがありますので、自分の体力や好みにあった運動を取り入れ、ゆっくりとしたペースで10分から20分程度、体を動かし続けることがもっともダイエットに効果があります。

ただし、こうした運動は、事前に血圧や心臓などに異常がないか調べてから始めることが基本です。最初は数分間といった短い時間からスタートして、体調をみながらすこしずつ時間を延ばしていきましょう。最初から激しい運動をすれば、体に無理な負担がかかるだけではなく、結局は長続きもしないでしょう。

健康づくりのための適当な運動の例
（毎日おこなう場合の１日の運動時間）

運動例	分
速足（100m／分）	25
水泳（ゆっくり）	
エアロビクス	
サイクリング（18km／時間）	
ジョギング（120m／分）	20

＊この数字は、おおむね30歳代の健康な者を対象にしたものである。
（健康づくりのための運動所要量策定検討会より）

おもな日常活動と運動の消費エネルギーの例（単位Kcal／時）

日常活動と運動例	消費エネルギー 男性	消費エネルギー 女性
ゆっくりとした歩行（散歩など）	90	70
ふつうの歩行（通勤、買物など）	130	100
急ぎ足（速足）	210	170
階段の上り下り	280	220
サイクリング（時速10km）	200	170
エアロビクス	240	200
ジョギング（120m／分）	360	290
同（160m／分）	510	420
ランニング（200m／分）	720	590
水泳、クロールで50mを軽く流す	1200	980

＊20〜29歳の男性（体重60kg）、女性（同50kg）の概算値。厚生省資料より抜粋

アドバイス

中途半端なダイエットはかえって太る

ダイエットの中断・再開の繰り返しや、適切な運動をともなわない食事制限などといった中途半端なダイエットは、かえって太る場合が多いものです。

こうしたダイエットでは、タンパク質の摂取が慢性的に不足しがちで、その上、運動不足によって全身の筋肉が落ちています。そこでダイエットをやめると、以前より食欲が増し、筋肉に脂肪がついて太るのです（リバウンド）。

こうしたことを繰り返していけば、以前に増して体内に脂肪が蓄積されて肥満を助長し、ダイエットを再開しても思ったような効果が出ません。

したがって、ダイエットは一度計画したら、目標数値を達成するまでは安易に中断したり、やめたりすることは極力避けましょう。そのためには、専門家のアドバイスや意見を十分に取り入れながら、自分に適した無理のない目標数値やスケジュールをつくり、気長に実行していくことがダイエットを成功させる重要なポイントになります。

主要な低エネルギー食品リスト

野菜類

きゅうり・サラダ菜・とうがん・緑豆もやし・セロリ・うど・ふき・つるな・白菜・キンツァイ・小松菜・みつば・レタス・トマト・つるむらさき・たかな・ずいき・なす・にら・チンゲンサイ・春菊・じゅんさい・さんとうさい・かぶ・からしな・キャベツなど。

くだもの類

スイカ・アンズ・いちご・もも・夏みかん・グレープフルーツ・レモン・みかん・なし・いちじく・ビワ・ぽんかん・メロン・りんご・ぶんたん・まくわうりなど。

魚介・肉類

なまこ・えい・きす・きびなご・さより・したびらめ・しらうお・たら・どじょう・とびうお・はぜ・ふぐ・ひらめ・メルルーサ・カキ・あかがい・あさり・あわび・たこ・しじみ・あまえび・かに・くらげ・いがい・あおやぎ・たいらがい・まぐろ・すっぽん・鶏ささみなど。

肝臓病

肝臓に脂肪がべっとり。食べ過ぎ、飲み過ぎから起こる脂肪肝

低脂肪、高タンパク、高ビタミン

肝臓病の最大の原因はウイルス感染です。代表的な肝炎ウイルスにはA、B、C型などがあります。いっぽう、食事やお酒と深いかかわりがあるのが脂肪肝です。脂肪肝は肝臓に脂肪が多量にたまった状態で、飲み過ぎや食べ過ぎ、肥満、糖尿病などが原因となります。

脂肪肝の自覚症状はほとんどなく、肝機能検査の値も軽度の異常なので軽視しがちですが、油断大敵。長い間には肝硬変にいたる場合もあります。

脂肪肝は食生活や肥満の改善、糖尿病対策でよくなります。食事面ではまず禁酒。アルコールが肝臓に負担をかけるばかりか、アルコール自体が肝臓で脂肪に合成されやすいのです。つぎに、摂取エネルギーをこれまでよりも減らします。糖質の多いごはんやパン、菓子、脂肪の多いあぶらっこい食品を減らして、牛乳や鶏卵、魚、脂身のすくない肉などに含まれる良質のタンパク質は、毎日かならず取るようにします。タンパク質には肝臓の細胞の再生をうながす作用があります。また肝臓の代謝機能を正常に保つビタミンとミネラルの補給には、緑黄色野菜がかかせません。

ビール1本でハンバーガー1個

知っておきたい One Point

アルコールは意外に高カロリー。ビールでも、大ビン1本のエネルギー量は約250キロカロリーありますが、これはハンバーガー1個分にも相当するエネルギーです。しかも、唐揚げなどのあぶらっこいものを食べながらグイグイ飲めば、脂肪肝や肥満をさそうようなもの。健康なひとでもお酒はビール1〜2本にとどめ、つまみは油ものをひかえ、豆腐や魚、野菜を中心にしたいものです。飲んだあとのラーメンやお茶漬けも、脂肪肝や肥満のもとです。

シジミ、アサリは肝臓によい食品

むかしから「肝臓にはシジミがよい」といわれてきました。

シジミは良質のタンパク質がバランスよく含まれているうえ、脂肪の量もすくないのです。しかも低エネルギーで、たとえば、ホンマグロの赤身の刺身4～5切れとシジミ160gがほぼ同カロリー。160gあれば家族4人分程度のシジミのみそ汁ならゆうにつくれるでしょう。シジミはビタミンA、B_2、B_{12}なども豊富です。

いっぽう、肝臓の悪いひと、とくに脂肪肝のひとはタンパク質をしっかり取って、脂肪と摂取エネルギーを低くおさえる必要があります。さらに、各種のビタミンも十分に取らなくてはならないのです。

こうしてみると、肝臓にシジミがよいというのは、栄養学的にも理にかなっていることがわかります。

また、アサリやハマグリもシジミと栄養成分が似ています。

シジミやアサリ、ハマグリ、さらにサザエ、タコ、イカ、エビ、アジといった魚介類には、タウリンというアミノ酸の仲間が豊富に含まれています。タウリンには肝臓の機能を促進したり、肝臓の細胞の再生をうながしたりする効果のあることが最近の研究でわかってきました。慢性の肝臓病などではタウリンを多く含む食品を取るのもよいでしょう。

ただし、貝類やイカ、エビなどは一般にコレステロールを多く含んでいますので、高脂血症のひとはあまり取り過ぎないように注意しましょう。

たとえ肝臓が悪くなくても、お酒をよく飲むひとはビタミンB_1、B_2、B_{12}などのB群やCが不足しがちです。飲み過ぎないこと、また飲むとしてもビタミンB群を多く含むシジミ、アサリなどの魚介類や脂身のすくない肉、ビタミンCを多く含むブロッコリーやピーマンなどの緑黄色野菜などを必ずいっしょに食べることです。

食品選びの目安（脂肪肝）

区分	食品	目安
主食	ごはん、パン	△
	めん類	△
主菜	肉類	○
	卵	○
	魚介類	○
	大豆・大豆製品	○
副菜	淡色野菜	○
	緑黄色野菜	◎
	いも、かぼちゃ	△
	海藻、きのこ、こんにゃく	★
	くだもの	○
	牛乳・乳製品	○
調味料	油脂	△
	砂糖	△
	塩、しょう油、みそ	○
嗜好品	お菓子	▲
	お酒	×
	お茶、コーヒー	○
	炭酸飲料	▲

★積極的に　△ひかえたい
◎多めに　▲できるだけひかえたい
○ふつうに　×禁止食品

肉や魚、卵、大豆製品、レバーなど良質のタンパク質を含む食品を十分に

レバーペースト

レバー……………………10g
バター…………………小さじ1/4
塩 ……………………0.1g
こしょう………………少々
ローリエ………………1枚

レバーはそぎ切りにして塩水にさらす

フライパンにレバーを入れ、ひたひたの水にローリエを入れて煮込む

ミキサー（またはすり鉢）に入れ、塩、こしょう、バターを加えてまぜあわせる

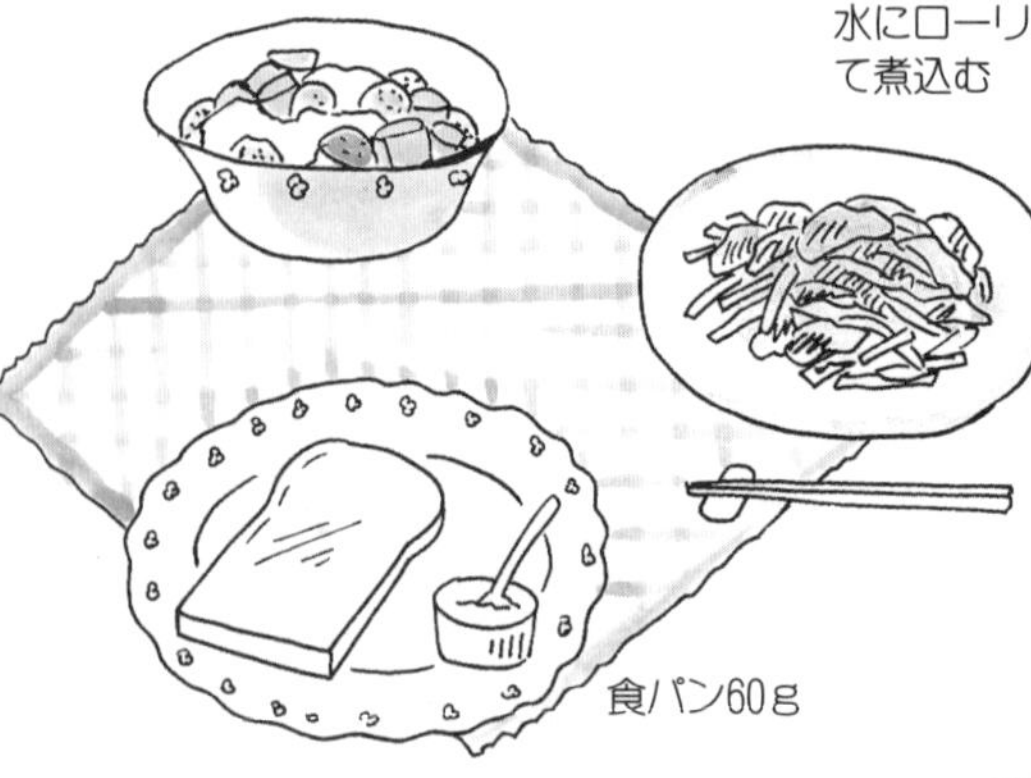

食パン60g

野菜のみそ炒め

豚もも肉………………20g
{にんにく……………2g
{しょうが……………2g
にんじん………………20g
ピーマン………………10g
キャベツ………………50g
玉ねぎ…………………20g
油………………………小さじ1
Ⓐ{みそ…………………10g
Ⓐ{みりん…………小さじ1/3

豚肉はせん切り、にんじんは5㎜幅のせん切り、ピーマンはせん切り、キャベツは2㎝幅のせん切り、玉ねぎは2㎝幅のくし形に

Ⓐをまぜあわせる

せん切りのにんにくとしょうがを炒め、豚肉と野菜を加え炒めて、Ⓐで調味する

フルーツのヨーグルトかけ

プレーンヨーグルト ……150g
バナナ…………………30g
いちご…………………30g
砂糖……………………6g

バナナといちごはひと口大に切って砂糖を混ぜ、ヨーグルトをかける

TOTAL
エネルギー449kcal
タンパク質19.3g
塩分2.4g

適正な摂取エネルギーを満たすことを心がけましょう

アサリのぞうすい

胚芽精米のごはん …110g
アサリ(むき身)………50g
大根……………………20g
小松菜…………………10g
だし汁 ……………150cc
塩 ……………………0.8g
しょう油…………小さじ1/3

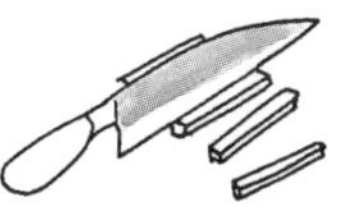

大根は拍子木、小松菜は3cm長さに切ってさっとゆでる

アサリは水の中でふり洗い

だし汁と塩、しょう油で大根を煮、ごはん、アサリ、小松菜を入れてひと煮する

豆腐と豚肉の卵とじ

木綿豆腐 ……………100g
豚肉(こま切れ)………30g
酒……………………小さじ2
砂糖…………………大さじ1/2
しょう油……………小さじ1
卵………………1個(50g)
さやえんどう…………10g

豚肉に酒をふって炒りつける

砂糖、しょう油、豆腐を加え、煮立ってから2分煮て、ななめに切ったさやえんどうを加えてさらに2分煮る

溶き卵を流し入れて半熟状にする

TOTAL
エネルギー579kcal
タンパク質31.2g
塩分2.8g

良質のタンパク質も野菜も、たっぷり取ることが大切

胚芽精米のごはん130g

小アジの南蛮漬け

アジ(小)……50g
塩……0.5g
片栗粉……5g
揚げ油……小さじ2
玉ねぎ……30g
にんじん……10g
ピーマン……10g
砂糖……2g
酢……8g

アジは塩をして片栗粉をまぶし、170℃の油で揚げる

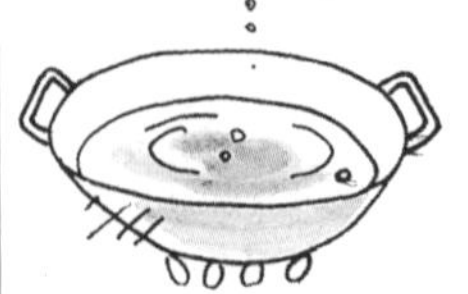

揚げたてのアジにせん切りにした野菜をのせ、2杯酢をかける

青菜の白菜巻き

ほうれん草……40g
白菜……60g
しょう油……小さじ5/6

巻きすにゆでた白菜とほうれん草をのせる

3㎝幅に切りしょう油をふる

なすとワカメのみそ汁

なす……20g
生ワカメ……10g
だし汁……150g
みそ……大さじ1/2

なすは細切り、ワカメはひと口大に切り、だし汁で煮てみそを溶く

さつまいもとりんごの重ね焼き

さつまいも……70g
りんご……50g
砂糖……大さじ1強(10g)

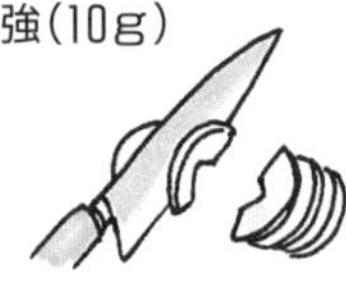

さつまいもは輪切り、りんごは4つ割りにして芯を取り、1㎝の厚みに切る

なべにさつまいもを入れ、りんごをかぶせるようにのせてひたひたの水、砂糖を入れる

落としぶたをし、汁気がなくなるまで煮る

TOTAL
エネルギー650kcal
タンパク質20.0g
塩分3.0g

間食

消化しやすく、ミネラルも豊富な乳製品をじょうずに活用して

レアチーズケーキ

カッテージチーズ……20g
Ⓐ{ 生クリーム………10g
　 卵白 ……………2.5g
Ⓑ{ 卵黄 ……………2.5g
　 牛乳………………20g
　 生クリーム……小さじ2
　 砂糖………………10g
　 レモン汁………… 2 g
粉ゼラチン………… 3 g

TOTAL
エネルギー228kcal
タンパク質8.2g
塩分0.3g

バリエーション

野菜のみそ炒め
⇩
豆腐とキャベツのみそ炒め

豆腐……………………50g
キャベツ………………65g
長ねぎ(みじん切り)…少々
しょうが(　〃　)……少々
ピーマン………………10g
みそ、砂糖………各小さじ1
サラダ油…………小さじ1

長ねぎとしょうがを炒め、食べやすく切った豆腐、キャベツ、ピーマンを加えて炒め、砂糖とみそを加える

豆腐と豚肉の卵とじ
⇩
アナゴの卵とじ

アナゴの白焼き………10g
にんじん………………20g
しいたけ……… 1 枚(10g)
さやえんどう… 2 枚(4 g)
卵……………½個(25g)
だし汁……………½カップ
砂糖、しょう油…各大さじ½

だし汁、砂糖、しょう油でアナゴ、細切りのにんじんとしいたけを煮、ゆでたさやえんどうを散らして、溶き卵を流し入れて半熟状に火をとおす

小アジの南蛮漬け
⇩
キスのから揚げ南蛮酢

キス ………… 3 尾(120g)
小麦粉……………小さじ1
揚げ油
{ 酢…………………15g
　砂糖……………… 2 g
　しょう油………… 3 cc
　長ねぎ……………50g
　赤唐辛子…………少々

キスに小麦粉をまぶして揚げ、長ねぎ、赤唐辛子を入れたあわせ酢をかける

食道静脈瘤

血管が破裂し大出血。肝硬変が引き起こす食道静脈瘤

代償性と非代償性とで異なる食事法

食道静脈瘤は、食道の粘膜下にある静脈を流れる血液が一部で長期にわたってうっ血し、その部分が瘤のようにふくらんだ状態をいいます。血管の壁が薄くなっているため、大きな食べものを飲み込んだ場合や、せきなどの刺激でも瘤が破れやすく、大出血を起こして死亡することもあります。

食道静脈瘤の最大の原因は、肝硬変です。肝硬変には、肝臓の機能がカバーされて自覚症状もすくない代償性肝硬変と、肝臓の機能が著しく低下し、手のひらが赤くなり、腹水やむくみなどの症状があらわれる非代償性肝硬変とがあります。食道静脈瘤は、おもに非代償性肝硬変のときに起こります。

非代償性肝硬変では、タンパク質をふつうのひとの半分程度に制限します。ごはんやパンなどの糖質がエネルギー源で、肉や魚、大豆製品はごく少量しか食べられません。油脂は調理にも使わないようにします。

代償性肝硬変は、肥満がなければ逆にエネルギーを十分に補給し、タンパク質やビタミン類を多く取るようにし

肝硬変で利用したいタンパク源

知っておきたい One Point

代償性肝硬変では、積極的にタンパク質を取ることがたいせつです。脂肪のすくない肉、魚、大豆製品などをバランスよく食べるようにしましょう。

なかでもサケ、カキ、ドジョウ、ニシン、ハンペン、アジ、イワシ、サンマ、イカ、サバ、鶏肉、そら豆などは分岐鎖アミノ酸が多く、肝硬変によいタンパク質といえます。

タンパク質のほかにも牛乳、卵、野菜、くだものなどで、ビタミンやミネラル類を補給しましょう。

ます。植物油なら、料理などふつうにつかうことができます。

やわらかい料理をよくかんで食べる

すでに指摘したように、食道静脈瘤は肝硬変によって引き起こされることが多い病気です。肝硬変には非代償性と代償性とがあり、食事上の注意も異なります。

非代償性では、タンパク質や脂肪を制限しながらエネルギーを十分確保しなくてはなりません。したがって、食品や食事の内容そのものがかなり制限されることになります。そうした不自由な状況のなかで利用したいのが、ハチミツやジャム、砂糖などです。

たとえば、やわらかいパンにハチミツやジャムをぬって食べたり、糖分の豊富なくだものにハチミツや砂糖をかけて食べたり、飲みものに砂糖やハチミツを入れたりすればエネルギー不足にならずにすみます。

非代償性では料理法や食べ方にも注意が必要です。食道静脈瘤がすでにできていたとしたら、静脈瘤を破裂させないように注意しなくてはなりません。しかも食道静脈瘤がある場合には、胃に潰瘍を合併することが多いのです。

まず、料理はできるだけやわらかくします。野菜などは、サラダのようにかたい料理は避けて、やわらかく煮込むようにします。料理の素材は小さくきざんでおくほうがよいでしょう。

食べものはできるだけよくかんで、ゆっくりと時間をかけて取ります。こうすれば食道の圧迫が防げ、胃にも負担をかけません。ただ、やわらかい料理だとつい早食いになりがちです。この点は十分に注意しましょう。

胃腸への負担を軽くするためには1日3食ではなく、たとえば5回、6回といった具合に、小量に分けて食べるのもひとつの方法です。

代償性の場合は非代償性ほど食事に制限はありませんが、ゆっくりよくかむ食べ方は守るようにしましょう。

食品選びの目安

区分	食品	目安
主食	ごはん、パン、めん類	○
	おかゆ	◎
主菜	肉類	○
	卵	○
	魚介類	○
	大豆・大豆製品	▲
	豆腐	○
副菜	野菜類	△
	いも、かぼちゃ	○
	海藻、きのこ、こんにゃく	×
	牛乳・乳製品	○
調味料	油脂	△
	砂糖	◎
	塩、しょう油、みそ	○
	酢	○
	香辛料	△
嗜好品	お菓子（軟らかい物）	○
	お酒	×
	お茶、コーヒー	×

★積極的に　△ひかえたい
◎多めに　▲できるだけひかえたい
○ふつうに　×禁止食品

体に負担をかけないように、食材をごくやわらかく煮ます

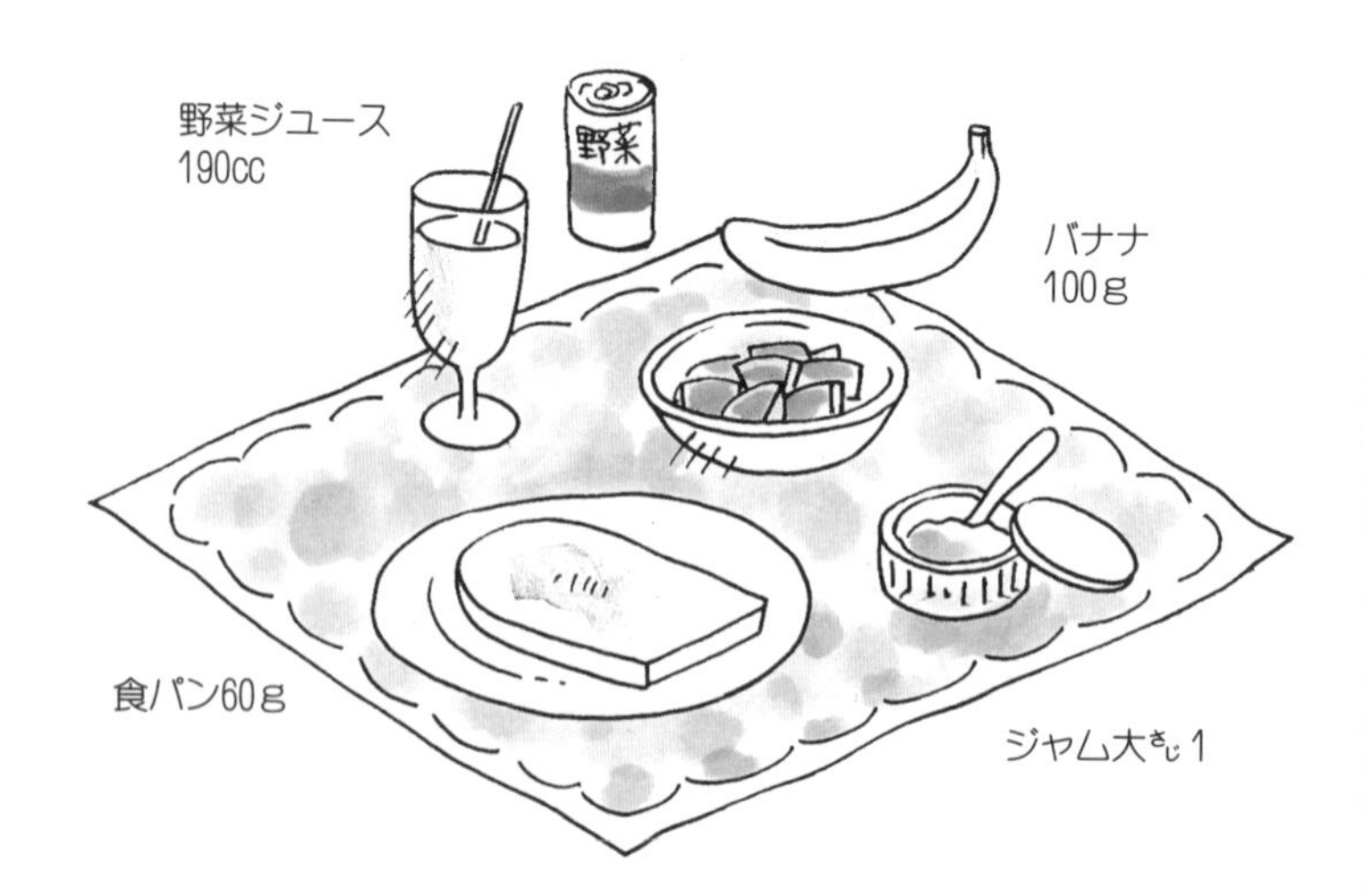

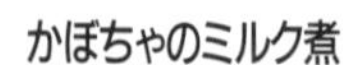

かぼちゃのミルク煮

かぼちゃ……………………60g
牛乳 ……………………100cc
砂糖……………………小さじ1

かぼちゃは5㎜厚さくらいの薄切りにする

なべにかぼちゃ、牛乳、砂糖を入れ、煮汁が少ないときはひたひたになるまで水をたす

MILK

かぼちゃがやわらかくなるまで煮る

TOTAL
エネルギー433kcal
塩分2.3g

食品をバランスよく、食べやすく、消化しやすい調理方法で

おかゆ

米……………………………40g
水 …………………………300cc

米は洗って水気を切り、分量の水を加えて火にかけ、煮立ったら弱火にしてコトコトと煮る

さつまいもとりんごの甘煮

さつまいも……………50g
りんご…………1/8個(25g)
{ 砂糖………………小さじ1
{ はちみつ…………小さじ2/3
{ 水…………………大さじ2

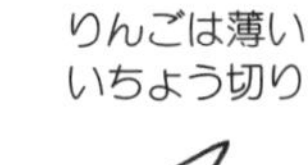

りんごは薄いいちょう切り

さつまいもは薄切り

砂糖、はちみつ、水を加えて煮る

ブロッコリーのクリームコーン煮

ブロッコリー…………40g
クリームコーン(缶詰)50g
{ 水………………………50cc
{ 塩 ……………………0.9g

ブロッコリーは小房に分けてゆでる

茶こし

クリームコーンは裏ごす

クリームコーン、水、塩にブロッコリーを入れて煮る

TOTAL
エネルギー306kcal
塩分1.3g

夜

野菜や果物など取りにくい食品は、ジュースや水煮缶を利用

野菜入りぞうすい

ごはん ………………110g
卵……………… 1個(50g)
にんじん…………………20g
ほうれん草……………30g
だし汁 ……………200cc
塩……………………少々
しょう油…………小さじ1
青じそ(せん切り)… 1枚(1g)

にんじんは
みじん切り

ほうれん草は
ゆでて2㎝に切る

ごはんはさっと洗って
水気をきる

にんじんをだし汁で煮て、やわらかくなったらごはんと調味料を加え、最後にほうれん草と、溶き卵を加える

器に盛って青じそ
を散らす

TOTAL
エネルギー323kcal
塩分1.5g

オレンジゼリー

粉ゼラチン………小さじ1
水…………………大さじ1
オレンジジュース …100cc
砂糖………………小さじ1

湯せんにかけて
ゼラチンを溶かす

粉ゼラチンを水に
ふり入れておく

型に入れ冷や
し固める

オレンジジュースと砂糖
を温めたところに入れる

間食

1回の食事量がすくないので食事の回数を多くします

ほうれん草入りうどん

ゆでうどん …………150g
はんぺん………½枚(40g)
だし汁 ……………150cc
しょう油…………大さじ1
みりん……………大さじ½
ほうれん草……………30g
長ねぎ…………………15g

だし汁と調味料でうどんと、ひと口大に切ったはんぺんを煮、ゆでて切ったほうれん草と、小口切りの長ねぎを加える

フルーツのヨーグルトあえ

みかん(缶詰)…………20g
桃(缶詰)…… 1切れ(60g)
プレーンヨーグルト……100g

みかんと桃は食べやすく切って、ヨーグルトをかける

TOTAL
エネルギー352kcal
塩分3.9g

バリエーション

かぼちゃのミルク煮
⇩
かぼちゃのレモン蒸し

かぼちゃ…………………50g
レモン(薄切り) 1枚(10g)
砂糖…………………小さじ½

かぼちゃを薄切りにし砂糖をふりかけて、いちょう切りにしたレモンをのせて蒸す

ブロッコリーのクリームコーン煮
⇩
ほうれん草の豆腐あえ

ほうれん草……………50g
油揚げ…………½枚(15g)
しらす干し………………5g
絹ごし豆腐……………50g
しょう油、だし汁　各大さじ½

ほうれん草はゆでて3cm幅に。油揚げは焼いて細切り、豆腐はゆでてあらくくずす。これらをしょう油とだし汁であえる

オレンジゼリー
⇩
りんごのシロップ煮

りんご…………¼個(55g)
レモン汁……………小さじ¼
砂糖…………………小さじ½

りんごは1cm角に切ってレモン汁をからめ、砂糖と少量の水を加えて煮る。あればミントの葉を添える

胆石症

女性に多い「体の石」。コレステロール系の石がふえている

マグロを食べるならトロより赤身

胆のうや胆管に石ができる病気が、胆石症です。胆石ができると、腹部を中心に非常に激しい痛みが起こることがあります。暴飲暴食や、疲労などがしばしば激痛の引き金となりますが、まったく誘因がないのに痛みが突然起こることもあります。胆石症は中年からふえ、おもに太ったひとや、過食、運動不足、食生活の不規則な場合に多く、また男性より女性に多いようです。

胆石はその成分から、コレステロール系の石とビリルビン系の石とに大別できます。かつて日本人にはビリルビン系の胆石が多かったのですが、近年、コレステロール系の胆石がふえていきます。その背景のひとつに食事の洋風化、とりわけ脂肪の摂取量の増加があげられています。したがって胆石症の対策としてはまず、脂肪を取り過ぎないようにすることがたいせつです。

具体的には揚げものを避け、肉や魚も、霜降り肉よりモモやヒレ肉、トロより赤身というように、脂肪のすくないものを選びましょう。逆に胚芽米、大豆、野菜類、くだもの、海藻、きのこなどに多い食物繊維を積極的に取るようにします。

お酒やコーヒーが胆石発作を誘発

知っておきたい One Point

暴飲暴食が発作を誘発することはすでに述べたとおりですが、お酒、カフェインを含んだコーヒーやお茶、炭酸飲料水、香辛料なども、激痛の引き金になります。

これらの食品や飲料には胃液の分泌を高め、食欲を増進させる作用がありますが、胃液の分泌が活発になると胆のうの収縮がうながされ、発作が誘発されやすいのです。胆石がある場合は、これらはできるだけひかえます。とくに空腹でのお酒やコーヒーはつつしみましょう。

油ものを取り過ぎない

　コレステロール系の胆石は食事と関係がありますが、ビリルビン系の胆石は、肝臓と十二指腸とを結び、肝臓でつくられた胆汁を十二指腸に送り込む胆道の細菌感染や、胆汁に含まれるいろいろな成分が何かの原因で胆道にうまく流れ込んでいかないことなどによって生成されます。したがって、食事で防ぐことができる胆石はコレステロール系の胆石ということになります。

　コレステロール系の胆石を防ぐには鶏卵の黄身、かずのこやたらこなどの魚卵、レバーなどの内臓肉、エビ、ウニ、イカ、ウナギといったコレステロールの多い食品の取り過ぎに注意することがたいせつです。これは食べてはいけないということではなく、あくまでも食べ過ぎない、ということです。

　脂肪の多い食品も取り過ぎないようにしましょう。マヨネーズやドレッシングなど、調味料のなかにも油が多く含まれているものがありますので、気をつけましょう。最近はノンオイルタイプのドレッシングもありますので、油の取り過ぎが気になるひとは利用するとよいでしょう。

　インスタント食品には油をたっぷりとつかっているものが多く、できるだけ避けるようにします。

　コレステロールが体に吸収されるのを防ぐ食物繊維を多く取ることもたいせつです。きのこや海藻、こんにゃく、じゃがいもやさつまいもなどの芋類がおすすめです。コーンフレークや納豆などにも食物繊維が豊富に含まれています。

　胆石にはサイレントストーンといって、たとえ胆石があっても食生活などに注意することで、痛みなどの発作を一生起こさずにすむケースもあります。そのためには先にあげた注意を守るとともに、発作を誘発する暴飲暴食をはじめ、お酒や炭酸飲料、コーヒーなどのカフェインを含む飲みもの、香辛料などの取り過ぎに注意しましょう。

食品選びの目安

分類	食品	目安
主食	ごはん、パン	○
	オートミール、コーンフレーク	◎
主菜	肉類	○
	卵	○
	魚介類	○
	大豆・大豆製品	◎
副菜	淡色野菜	◎
	緑黄色野菜	◎
	いも、かぼちゃ	◎
	海藻、きのこ、こんにゃく	◎
	くだもの	◎
	牛乳・乳製品	○
調味料	油脂	△
	砂糖	○
	塩、しょう油、みそ	○
	香辛料	△
嗜好品	お菓子	△
	お酒	▲
	お茶、コーヒー	△

★積極的に　△ひかえたい
◎多めに　▲できるだけひかえたい
○ふつうに　×禁止食品

卵はコレステロールを含むが、1日1個までなら許容範囲のうち

コーンフレーク

コーンフレーク………40g
バナナ…………½本(50g)
牛乳 ………………180g
砂糖…………………小さじ1

バナナは薄切りにする

器にコーンフレークとバナナを入れて砂糖をふり、牛乳をかける

りんごのカッテージチーズサラダ

りんご ………………100g
レーズン……………10g
カッテージチーズ…30g
塩 ……………………0.3g
レモン汁…………… 2cc
サラダ菜……………適宜

半熟卵

卵……………… 1個(50g)
塩 ……………………0.5g

たっぷりの水に塩を入れて火にかけ、卵を入れ、沸騰してから5分ゆでる

水にとって冷まし、殻をむいて、塩をふる

りんごはいちょう切りにして塩水につける

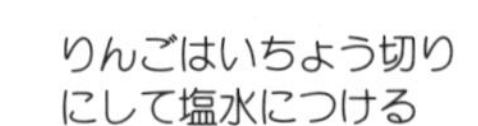

カッテージチーズにレモン汁、塩をまぜる

サラダ菜は水にさらす

カッテージチーズにりんご、レーズンを加えてまぜ、サラダ菜と盛りつける

TOTAL
エネルギー512kcal
塩分2.3g

海草やきのこ、根野菜、こんにゃくなど食物繊維の多い食品を多めに

カレイのおろし煮

カレイ……………………70g
Ⓐ
- だし汁………1/4カップ
- しょう油………小さじ1
- 砂糖……………小さじ1
- 酒………………小さじ1
- おろししょうが…5g

大根……………………50g

Ⓐを煮立ててカレイを入れて煮る

大根はおろして軽く水気をしぼる

おろし大根を加えて温める程度に煮る

きゅうりとワカメ、トマトの酢のもの

きゅうり………………50g
塩 ……………………0.5g
トマト…………………50g
生ワカメ………………10g
- 酢……………………小さじ2
- 砂糖…………………小さじ1/2
- しょう油……………小さじ1/2

きゅうりは輪切りにして塩をふり、しんなりとしたら水気をしぼる

ワカメは洗ってひと口大に切る

トマトは皮をむいてひと口大に切る

すべてをまぜあわせ、調味する

ごはん150g

じゃがいものみそ汁

じゃがいも……………50g
長ねぎ…………………20g
- だし汁 ……………150cc
- みそ…………………10g

いちょう切りのじゃがいもをだし汁で煮てねぎを加え、みそを溶き入れる

TOTAL
エネルギー410kcal
塩分3.7g

夜

動物性脂肪を含むひき肉をひかえ、消化のよい植物性タンパク質を

豆腐とひき肉のハンバーグ

木綿豆腐……………100g
ねぎ(みじん切り)……20g
鶏ひき肉………………50g
卵……………1/5個(10g)

- 小麦粉…………大さじ1/2
- 塩………………小さじ1/5
- しょう油………小さじ1/2
- 砂糖……………小さじ1/4

サラダ油…………小さじ1

- レモン汁…………1cc
- 酢………………小さじ1
- しょう油………小さじ1

サニーレタス…1枚(15g)

豆腐はゆでてゆで汁をきり、ねぎ、ひき肉、卵、小麦粉、塩、しょう油、砂糖を練りまぜる

3等分して
小判形にする

油で両面を焼いて、レモン汁、酢、しょう油をからめる

ほうれん草のサラダ

ほうれん草……………75g
ボンレスハム…1/2枚(10g)
のり…………1/4枚(0.8g)

Ⓐ
- しょう油………小さじ1
- 酢………………小さじ1
- ごま油…………小さじ1/4
- 砂糖……………小さじ1/3

ゆでて3cm長さに切ったほうれん草と三角に切ったハムにⒶの合わせ酢をかける

あぶってもんだのりを散らす

中華スープ

きくらげ……………0.5g
干ししいたけ…1/2枚(2g)
ゆでたけのこ…………10g

- 鶏ささみ……………20g
- 片栗粉………………2g
- 水……………………150cc

- しょう油…………小さじ1/4
- 塩……………………0.8g
- こしょう……………少々
- 酒……………………3g
- 酢……………………2g

みつ葉…………………5g

みつ葉は仕上げに散らす

せん切りにして片栗粉をまぶしたささみを沸騰湯でゆで、せん切りにした野菜類を加えて調味する

TOTAL
エネルギー582kcal
塩分4.8g

間食

脂肪分をひかえた食べものを取る

TOTAL
エネルギー131kcal
塩分0.1g

おまんじゅう50g
お茶200cc

バリエーション

半熟卵
⇩
巣ごもり卵

卵	1個(50g)
にんじん	10g
塩	0.8g
こしょう	少々

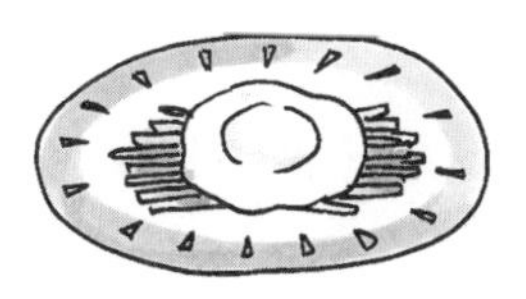

にんじんはせん切りにしてさっとゆで、器に盛る。湯をわかして卵を割り入れ、白身で包むようにして火をとおしてゆで汁をきり、にんじんにのせて塩、こしょうをふる

カレイのおろし煮
⇩
カレイの酒蒸し

カレイ	1切れ(70g)
にんじん	10g
ゆでたけのこ	8g
さやえんどう	8g
塩	小さじ1/8
酒	大さじ1/2
だし汁	3/4カップ
しょう油	小さじ1/2
水溶き片栗粉	小さじ1/2

カレイに塩をふり、せん切りの野菜をのせ、酒と塩をふって蒸す。だし汁としょう油を煮立てて片栗粉でとろみをつけ、カレイにかける

豆腐とひき肉のハンバーグ
⇩
豆腐バーグのきのこソース

木綿豆腐	100g
長ねぎ(みじん切り)	20g
鶏ひき肉	50g
卵	1/5個(10g)
小麦粉	大さじ1/2
塩	1g
サラダ油	小さじ1
しめじ	10g
トマトケチャップ	大さじ1/2

しめじを小房に分け、ハンバーグを焼いたあとの油で炒め、ケチャップと水少々で煮、ハンバーグにかける

胃・十二指腸潰瘍

ストレスが引き起こす。
完治には食事療法がかかせない

刺激物を避け、食物繊維はひかえめに

胃や十二指腸にできた傷のことで、患部に穴があき大出血することもあります。胃・十二指腸潰瘍は、消化液中の胃酸やペプシンなどの攻撃因子と、攻撃因子によって胃や十二指腸が消化されないように守っている粘膜の血流や粘液、ホルモンなどの防御因子とのパワーバランスがくずれ、攻撃因子の力が優勢になると起こる、と考えられています。その有力な原因がストレスです。近年、たいへんよい薬が開発されて手術せずに潰瘍をなおせるようになりましたが、再発率も高く、治療と再発防止には、食事療法や規則的な生活の厳守など生活の改善が必要です。

食事面では、やわらかくて食物繊維のすくない消化のよいものをよくかんで食べるようにします。胃酸の分泌を活発にする香辛料やコーヒー、炭酸飲料水、お酒、レモンなどの酸味の強い食品、にら、にんにくのような香りの強い食品は避けます。食物繊維の多い野菜、海藻、きのこ、こんにゃくなどもひかえめにします。料理は熱過ぎずつめた過ぎず、味つけも濃過ぎたり、辛過ぎたり、すっぱ過ぎないように。

肉や魚介は素材と料理に工夫

知っておきたい One Point

消化のよい食品というと肉や魚を避けるひともいるようですが、胃・十二指腸潰瘍では肉や魚をひかえる必要はありません。

肉はなるべく脂肪のすくないものを、魚は新鮮なものを選びます。干ものは消化が悪いので避けたほうがよいでしょう。卵や牛乳なども消化がよい食品です。料理は薄味で煮たり、ゆでたり、蒸したりするとよいのです。このとき、加熱し過ぎてかたくならないように注意します。刺し身も、白身魚などはよいでしょう。

牛乳で傷んだ胃・十二指腸の粘膜補強

胃・十二指腸潰瘍のひとは、傷ついた胃の粘膜を補強するために、粘膜の材料となるタンパク質やミネラルを取ることと、タンパク質を効率よく働かせるためにかかせないビタミンを多く取ることがたいせつです。しかし、肝心の食べものを消化するところが傷んでいるのですから、食べものや料理法にはよく注意しなくてはなりません。

海藻やきのこ、ごぼうのように食物繊維の多い食品やかたい食品は、消化が悪いのでひかえめにしなくてはなりませんし、肉なども料理法によってはひかえめにしたほうがよい場合もあります。たとえば、シチューのようにやわらかく煮込んだ料理ならともかく、分厚いステーキなどは普段よりもよくかむ、量をすくなくする、などの配慮が必要です。考えながらタンパク質、ミネラル、ビタミンを補給しましょう。

もっともあまり気をつかい過ぎれば、それが新たなストレスとなって症状を悪化させかねません。

そこで、おすすめなのが牛乳です。牛乳はタンパク質をたっぷり含んでいるうえ、各種ミネラルやビタミンもバランスよく含んでいます。しかも胃や十二指腸にかかる負担は小さいときていますから、胃・十二指腸潰瘍のひとにはうってつけといえるでしょう。

胃・十二指腸潰瘍では、食事の時間の間隔があくと、胃に食べものが入ってこないために胃液濃度が濃くなります。これは胃によくありません。仕事などで食事がなかなか取れないときなどに、応急処置的に牛乳を飲んでおくのもよいでしょう。手軽に飲めるのも牛乳の利点のひとつです。ただ、つめた過ぎる牛乳や熱過ぎる牛乳は避けるほうが無難です。

牛乳が苦手なひとはヨーグルトで代用してもかまいません。なお、同じ乳製品でも、バターは消化が悪いのでおすすめできません。

食品選びの目安

区分	食品	目安
主食	ごはん、パン、めん類	○
主菜	肉類	○
主菜	卵	○
主菜	魚介類	○
主菜	大豆・大豆製品	○
副菜	野菜類	○
副菜	いも、かぼちゃ	○
副菜	海藻、きのこ、こんにゃく	△
副菜	くだもの	○
副菜	牛乳・乳製品	◎
調味料	油脂	○
調味料	砂糖	○
調味料	塩、しょう油、みそ	△
調味料	酢	○
調味料	香辛料	△
嗜好品	お菓子	△
嗜好品	お酒	▲
嗜好品	お茶、コーヒー	▲
嗜好品	炭酸飲料	×

★積極的に　△ひかえたい
◎多めに　▲できるだけひかえたい
○ふつうに　×禁止食品

胃に負担がかからないように、消化のよい食品や調理方法を

凍り豆腐の含め煮

凍り豆腐……………… 4g
大根……………………50g
にんじん………………10g
だし汁…………1/2カップ
しょう油…………小さじ1/2
みりん……………小さじ1/5

凍り豆腐はぬるま湯でもどしてひと口大に

大根は輪切りにしてゆで、にんじんはたんざくに切ってさっとゆでる

凍り豆腐、だし汁、しょう油、みりんを加え、落としぶたをして煮含める

やわらかく炊いたごはん160g

チキンサラダ

鶏ささみ………………30g
キャベツ………………30g
ホワイトアスパラガス……20g
マヨネーズ……………10g

ささみはゆでてほぐす

キャベツはゆでてひと口大に切る

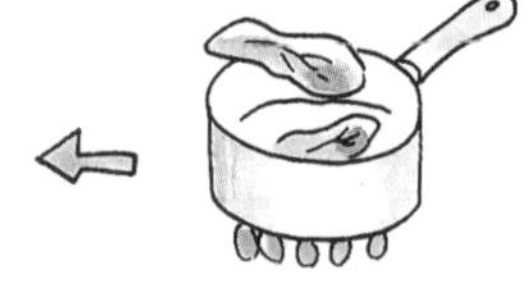

ホワイトアスパラガスは2㎝長さに切る

材料全部をマヨネーズであえる

TOTAL
エネルギー353kcal
塩分1.0g

じゃがいもには粘膜を強くするビタミンCが多く含まれています

サケのムニエル

サケ……………………60g
- 塩 ……………………0.3g
- こしょう……………少々
- 小麦粉…………小さじ1

サラダ油…………小さじ1/2
バター……………小さじ1/2
- じゃがいも…………30g
- 塩 ……………………0.1g

プチトマト(小)(2個)20g

やわらかいごはん160g

サケに塩、こしょうをし、小麦粉をまぶしてバターとサラダ油で焼く

じゃがいもはゆでてゆで汁をきり、塩をふって鍋をゆすり、粉ふきにする

野菜スープ

白菜……………………20g
にんじん………………10g
玉ねぎ…………………15g
- コンソメの素 ……1.5g
- 水 ……………………150cc

白菜はざく切り

にんじんはせん切り

玉ねぎは薄切り

なべにコンソメの素、水、野菜を入れ、やわらかくなるまで煮る

TOTAL
エネルギー409kcal
塩分1.5g

ハンバーグは肉の量をひかえ、消化しやすい豆腐で補います

ひと口ハンバーグ

牛ひき肉	40g
木綿豆腐	40g
にんにく	0.5g
しょうが	0.2g
炒り白ごま	2g
しょう油	0.5g
ごま油	小さじ½g

やわらかいごはん150g

豆腐は水切りする

にんにくとしょうがはすりおろす

3等分して、ひと口大に

水切りした豆腐を、ひき肉、にんにく、しょうが、ごま、しょう油とまぜ、ひと口大のハンバーグにする

ごま油で焼く

TOTAL
エネルギー440kcal
塩分0.5g

白菜の煮込み

白菜	100g
中華スープの素	0.5g
水	40cc
しょう油	0.5g
砂糖	0.3g
酒	小さじ⅖
サラダ油	小さじ½

白菜は3センチ幅のざく切りにする

サラダ油で白菜を炒める

中華スープの素、水、調味料を加えて煮る

間食

鉄、カルシウムも豊富な食品で貧血予防を

TOTAL
エネルギー167kcal
塩分0.3g

プレーンヨーグルト200g
プルーン20g

バリエーション

凍り豆腐の含め煮
⇩
厚揚げとかぶの含め煮

厚揚げ	60g
かぶ	½個(45g)
にんじん	⅛本(25g)
{ だし汁	150cc
しょう油	小さじ½
みりん }	小さじ½

厚揚げは3㎝角に、かぶは2㎝のくし形に、にんじんはいちょう切りにして、だし汁、しょう油、みりんで煮含める

サケのムニエル
⇩
舌びらめのムニエル

舌びらめ	1尾(80g)
{ 塩	0.4g
こしょう	少々
小麦粉 }	小さじ1
サラダ油	小さじ½
バター	小さじ½
{ じゃがいも	30g
塩 }	0.1g
レモン	20g

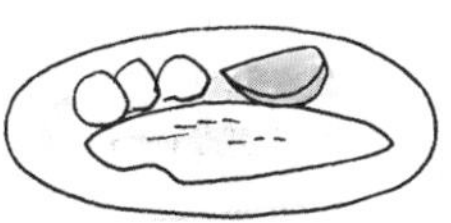

舌びらめは塩、こしょうをして小麦粉をまぶし、サラダ油とバターで焼いて、粉ふきいも、レモンとつけあわせる

白菜の煮込み
⇩
白菜のクリーム煮

白菜	100g
ハム	1枚(20g)
{ 中華スープの素	0.5g
牛乳	40g
水	20cc
塩 }	0.1g

白菜はせん切りにし、みじん切りのハムとともに牛乳、水、中華スープの素で煮、塩で味をととのえる

潰瘍性大腸炎

血便や下痢、腹痛。まじめな性格のひとに多い病気

食物繊維の多い食品はひかえめにする

大腸にただれや傷ができる病気で、血便、下痢、腹痛などの症状をともないます。原因は不明ですが、ストレスが関係すると考えられています。治療は薬物療法や食事療法が中心ですが、再発を繰り返したり、貧血や体の衰弱が著しい場合は、患部の切除手術をおこなうこともあります。便に血がまじっているときは、「痔」と決め込まず、医師の検査を受けてください。

食事は、大腸を刺激する食品をできるだけ避けるようにします。食物繊維の多いこんにゃく、海藻、きのこはひかえます。野菜やくだものはビタミンやミネラルの補給源としてかくことができませんので、食物繊維の多いたけのこやごぼうなどを避け、トマトやきゅうり、ぶどうのような食物繊維のすくないものを取りましょう。お酒や炭酸飲料水、ケーキなどの洋菓子もひかえ、刺激の強い香辛料、つめたい食品なども避けるようにします。

この病気は、まじめで几帳面な性格のひとに多くみられます。趣味やスポーツなど、好きなことをやってストレスを発散することも必要です。

栄養と水分補給で下痢対策

知っておきたい One Point

この病気は下痢をともないます。軽い場合は1日1～2回程度の下痢ですが、症状が進むにつれ、しだいに回数がふえていきます。下痢が続くと栄養が不足し、体が衰弱して命取りになることもありますから、魚やおかゆ、スープなどやわらかくて消化のよい食品を選んで食べるようにしましょう。

下痢が続くと脱水を起こしやすいので、水分補給も必要です。冷水やジュースは避け、温かい白湯、野菜スープやお茶などを定期的に飲むようにします。

砂糖やハチミツでエネルギー補給

潰瘍性大腸炎では、禁止すべき食品やひかえめにしたい食品がすくなくありません。胃・十二指腸潰瘍では多めに取るようにしたい牛乳さえも、潰瘍性大腸炎では、できるだけひかえるようにする必要があります。

なぜなら、潰瘍性大腸炎の場合は下痢を起こさないように気をつける必要があり、そのためには腸を刺激するような食品は、避けたいからです。

牛乳を飲むとおなかの調子が悪くなるひとが、すくなからずいることはご承知のとおりです。しかも、牛乳などの乳製品を取ると、大腸にいる腸内細菌によって発酵し、ガスや脂肪酸が発生します。こうしてできたガスや脂肪酸は、大腸の粘膜を刺激して、症状をさらに悪化させる可能性が高いのです。

これは、なにも乳製品だけに起こる現象ではありません。ごぼうやたけのこ、いも類、豆類、こんにゃく、海藻といった食物繊維の多い食品についても同じことがいえます。

しかし、牛乳などの乳製品はさまざまな栄養素をバランスよく含んでおり、日ごろの健康管理や維持にかかせない食品でもあります。したがって、潰瘍性大腸炎でも症状が落ち着いている場合は、料理などにすこしずつ利用するとよいでしょう。

いっぽう、エネルギー供給源として利用したいのが砂糖やハチミツです。砂糖やハチミツは消化・吸収がよく、すぐにエネルギーに変わってくれる利点があります。どちらも温かいお湯に入れて飲んだり、料理に利用したりできます。

とくにハチミツは、わずかですがビタミンCやナイアシンといったビタミン、カリウムやカルシウムなどのミネラルを含んでいます。そのため、下痢が続いているときには、それだけいろいろな栄養分が失われるのですから、ビタミンやミネラルの補給にはハチミツのほうが役に立ちます。

食品選びの目安

区分	食品	目安
主食	ごはん、パン、めん類	○
	ラーメン	×
主菜	肉類	○
	卵	○
	魚介類	○
	大豆・大豆製品	△
副菜	野菜類	△
	海藻、きのこ、こんにゃく	×
	くだもの	△
	牛乳・乳製品	▲
調味料	油脂	△
	砂糖	◎
	塩、しょう油、みそ	○
	酢	○
	香辛料	▲
嗜好品	和菓子	○
	洋菓子	×
	お酒	×
	お茶、コーヒー	▲

★積極的に　△ひかえたい
◎多めに　▲できるだけひかえたい
○ふつうに　×禁止食品

腸の粘膜を刺激するので食物繊維の多い食品は避けて

はんぺんの黄身焼き

はんぺん………1枚(80g)
卵黄…………½個分(10g)
しょう油……………小さじ½

卵黄をほぐして、
しょう油をまぜる

はんぺんに卵黄をぬって
網焼きにする

やわらかい
ごはん160g

ほうれん草と麸(ふ)のみそ汁

ほうれん草……………30g
麸……………………… 4g
{ だし汁 ……………150cc
{ みそ…………………10g

ほうれん草はざく切り、
麸は水でもどして
しぼり、だし汁で
煮てみそを溶き
入れる

にんじんの甘煮

にんじん………………45g
{ 水 …………………100cc
{ 砂糖……………大さじ½

にんじんは薄いいちょう
切りにして、砂糖と水で
やわらかく煮る

バナナヨーグルト

バナナ(小)…… 1本(50g)
プレーンヨーグルト …100g

バナナは輪切りにして
ヨーグルトであえる

TOTAL
エネルギー525kcal
塩分3.3g

消化のよい卵の蒸しものをメインに、ビタミンAも十分に

小田巻き蒸し

うどん……………………220g
卵……………………1個(50g)
{ だし汁…………¾カップ
しょう油…………小さじ⅔
塩…………………小さじ⅛ }
鶏ささみ……………………30g
ほうれん草…………………30g
あさつき(小口切り)………大さじ1

卵はほぐしてだし汁、しょう油、塩とまぜて、こす

卵液

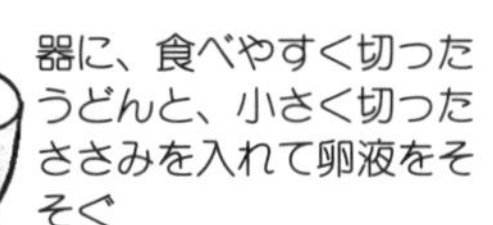

器に、食べやすく切ったうどんと、小さく切ったささみを入れて卵液をそそぐ

温めた蒸し器に入れて弱火にし、15分蒸す

ゆでて小さめに切ったほうれん草と小口切りのあさつきをのせる

TOTAL
エネルギー388kcal
塩分1.6g

かぼちゃの含め煮

かぼちゃ……………………60g
{ 砂糖……………………大さじ½
水……………………1カップ }

かぼちゃは小さめの角切りにする

切ったかぼちゃをなべに入れ、水をそそいでやわらかく煮、砂糖を加えて煮詰める

白身魚、豆腐などやわらかくて消化のよいタンパク質源を

かれいの煮つけ

かれい………1切れ(70g)
- 酒………………………大さじ1
- 砂糖……………………大さじ1/2
- しょう油………………大さじ1/2

なべに酒、砂糖、しょう油とかれいがかぶるくらいの水を入れて火にかけ、煮立ったらかれいを入れて落としぶたをし、10分ほど煮る

やわらかいごはん160g

大根とにんじんのスープ煮

大根…………………………30g
にんじん……………………20g
ほうれん草…………………20g
トマト…………1/8個(30g)
- 水 ……………………150cc
- コンソメスープの素 ……1g

5cm角に切った野菜をスープで煮る

豆腐のあんかけ

絹ごし豆腐 …1/3丁(100g)
鶏ひき肉……………………20g
- だし汁…………1/3カップ
- しょう油…………小さじ1
- みりん……………小さじ1
- 片栗粉……………小さじ1
- 水…………………小さじ2

豆腐はゆでて温め、ゆで汁をきる

ひき肉はだし汁と調味料で煮、水で溶いた片栗粉をまぜてとろみをつける

豆腐にひき肉のあんをかける

TOTAL
エネルギー501kcal
塩分3.1g

ビタミンAやミネラルの豊富なにんじんをおやつにも

にんじん入り蒸しパン

蒸しパンミックス……30g
にんじん……………………50g
牛乳………………大さじ2
水…………………大さじ1

TOTAL
エネルギー144kcal
塩分0.1g

バリエーション

はんぺんの黄身焼き
⇩
豆腐のステーキ

絹ごし豆腐 …½丁(150g)
塩…………………………小さじ⅛
こしょう……………………少々
小麦粉………………小さじ1
サラダ油……………小さじ½
バター………………小さじ½
しょう油……………小さじ1
貝割れ菜……………………10g

水気をきった豆腐に塩、こしょうをして小麦粉をまぶし、サラダ油とバターで焼きつけ、器に盛ってしょう油をふり、貝割れ菜を散らす

小田巻き蒸し
⇩
みそ煮込みうどん

うどん ………………220g
鶏ささみ…………………50g
かまぼこ…………………20g
だし汁 ……………300cc
みそ………………大さじ1
みりん……………大さじ1
ゆでたほうれん草……30g

だし汁でうどんと小さく切った鶏ささみ、かまぼこを煮、みそとみりんで味つけをして、ゆでたほうれん草をのせる

かれいの煮つけ
⇩
きんめだいの煮つけ

きんめだい… 1切れ(80g)
しょうが汁…………小さじ¼
水………………1カップ
酒…………………………30cc
砂糖…………………大さじ1
みりん………………大さじ½
しょう油……………大さじ2
貝割れ菜……………………20g

水と調味料、しょうが汁をあわせて煮立て、きんめだいを入れ、落としぶたをして煮る。貝割れ菜をさっと煮て、つけあわせにする

すい炎

死亡率の高い急性すい炎、ジワリと進行する慢性すい炎

お酒の飲み過ぎや脂肪過多に注意

　急性すい炎と慢性すい炎があります。急性すい炎では突然、猛烈な腹痛が発生します。痛みは数日でやわらぎますが、後日、急性呼吸不全や急性腎不全、敗血症などを起こす危険があり、死亡率も高くてこわい病気です。急性すい炎が疑われる場合は早急に受診し、病気が確定したら入院治療が必要です。

　急性すい炎の原因や誘因として胆石症、感染症、糖尿病、暴飲暴食、脂肪の取り過ぎ、お酒の飲み過ぎなどが考えられていますが、原因不明のものもすくなくありません。

　慢性すい炎は、ジワジワと病気が進んでいきます。急性すい炎同様、胆石症や糖尿病などが原因になることもありますが、原因不明のケースもあります。また近年、お酒による慢性すい炎が増加傾向にあります。慢性すい炎では腹痛のほかにも、腹部がはれた感じがしたり、食欲不振や嘔吐などをともなうこともあります。そして、これらの症状をしばしば繰り返します。定期検診でアミラーゼの値が高かったひとは、慢性すい炎の可能性がありますので、詳しい検査を受けてください。

油ものやコーヒー、香辛料をひかえる

知っておきたい One Point

　ふだんから油ものはひかえるようにしましょう。肉や魚は油のすくないものを選び、フライや天ぷらなどの揚げものは避けたほうが無難です。ドレッシングのかけ過ぎにも注意しましょう。また、洋菓子もバターやクリームをつかった洋菓子はひかえるようにしたいものです。慢性すい炎では脂肪以外の栄養素や食物繊維をひかえる必要はありませんが、胃液分泌をうながすコーヒーや炭酸飲料水、香辛料、にら、にんにくなど香りの強い野菜はひかえめにします。

消化しやすいように料理をしよう

すい臓でつくられるすい液には、脂肪、タンパク質、糖質の3大栄養素の消化にかかせない消化酵素が含まれています。したがって、急性すい炎、慢性すい炎を問わず、すい臓に異常が起こると、しだいに食べものを消化する力がおとろえてきます。

急性すい炎、慢性すい炎ともに、消化のよい食品を選ぶことが望まれます。と同時に、食べものが消化されやすいように料理の仕方にも気を配るようにしたいものです。たとえば野菜を食べるにしても、生のサラダではなく、煮つけたり、ゆでたりするようにします。食品によっては裏ごしにしたり、細かくきざんだりするのもよいでしょう。

よくかんで食べることもたいせつです。せっかく消化しやすいように料理しても、よくかまないで飲み込んでしまっていてはなんにもなりません。

また、唾液にはすい液に含まれているアミラーゼという糖質を消化する酵素が含まれていますから、よくかんで唾液の分泌をうながせば、食べものの消化にも結びつきます。すい炎などの病気のときに限らず、ふだんからよくかむことを心がけたいものです。

すい炎では、脂肪をひかえることが要求されます。しかし、神経質になり過ぎて、油ものはまったく取らないということのないようにしましょう。脂肪は、ビタミンA、D、E、Kなど、油に溶けるビタミンの吸収にかかせません。しかも、脂肪も少量ならば、すい炎の引き金ともなる過剰なすい液や胆汁を体の外に出す働きもあります。

料理に油をたっぷりとつかったり、サーロインステーキについた脂肪を食べたりするのは問題ですが、料理に少量の油をつかうことや、ヒレ肉やモモ肉のように脂肪のすくない肉を食べるのは差し支えありません。とくに、慢性すい炎では、症状が落ち着いているときなら、1日に大さじ1杯程度の植物油は取るようにしたいものです。

食品選びの目安

区分	食品	急性	慢性
主食	ごはん、パン	○	○
	ラーメン、そうめん	▲	▲
主菜	肉類	○	○
	卵	△	○
	魚介類	○	○
	大豆・大豆製品	○	○
副菜	野菜類	○	○
	海藻、きのこ	△	△
	こんにゃく	△	△
	くだもの	○	○
	牛乳・乳製品	○	○
調味料	油脂	×	▲
	砂糖	○	△
	塩、しょう油、みそ	○	○
	香辛料	△	△
嗜好品	和菓子	○	△
	洋菓子	×	×
	お酒	×	×
	お茶、コーヒー、炭酸飲料	▲	▲

★積極的に　△ひかえたい
◎多めに　▲できるだけひかえたい
○ふつうに　×禁止食品

肉や野菜などはやわらかく煮て、体への負担をすくなくします

鶏肉と野菜のスープ煮

鶏むね肉……………………70g
じゃがいも…………………50g
白菜…………………………60g
にんじん……………………30g
水 ………………………200cc
コンソメの素½個（2g）
こしょう……………………少々

オレンジジュース 150cc

いちごジャム10g

パン60g

鶏肉はひと口大に切る

にんじんとじゃがいもは
いちょう切り

白菜はそぎ切りにする

水、コンソメの素、こしょう
をあわせ、鶏肉、にんじん、
じゃがいも、白菜を十分にや
わらかくなるまで煮る

TOTAL
エネルギー444kcal
塩分2.0g

消化吸収がおとろえているので、消化酵素を含む食品を

卵とじうどん

ゆでうどん …………250g
春菊……………………30g
だし汁 ……………1カップ
しょう油…………大さじ1
みりん……………大さじ1
卵………………1個(50g)

溶き卵を流し入れて火を止め、ふたをして半熟程度に火をとおす

だし汁と調味料でうどんを煮、ゆでて刻んだ春菊を散らす

ツナのおろしあえ

ツナ(水煮缶)…………40g
おろし大根……………50g
しょう油…………小さじ1

ツナは缶汁を切って、あらくほぐす

おろし大根を加えてさっとあえ、しょう油をかける

TOTAL
エネルギー508kcal
塩分4.6g

消化しやすい食品を選び、すりおろす、小さく切るなどの工夫を

マグロの山かけ

マグロ(赤身)…………70g
やまといも……………70g
もみのり………少々(1g)
しょう油……………小さじ1

マグロはひと口大に切ってしょう油をからめ、すりおろしたやまといもをかけてもみのりを散らす

やわらかいごはん180g

豆腐のおすいもの

絹ごし豆腐……………40g
みつば…………………5g
｛だし汁 ……………150cc
　塩 ……………………0.8g
　しょう油……………小さじ1/4

だし汁を煮立てて調味し、食べやすく切った豆腐とみつばを入れる

ふろふき大根

大根 ……………………100g
だし汁 …………………100cc
｛みそ……………………10g
　砂糖…………………… 5g
　だし汁…………………10cc
　ゆずの皮……………… 1g

大根は米のとぎ汁（分量外）でゆでて、ゆで汁をあける

だし汁で煮る

みそ、砂糖、だし汁を弱火で練りまぜ、すりおろしたゆずの皮をまぜる

器に大根を盛り、練りみそをかける

白菜の即席漬け

白菜(ざく切り)………60g
にんじん(せん切り)…10g
きざみ昆布……………2g
塩…………………………1g

きざみ昆布は洗ってもどす

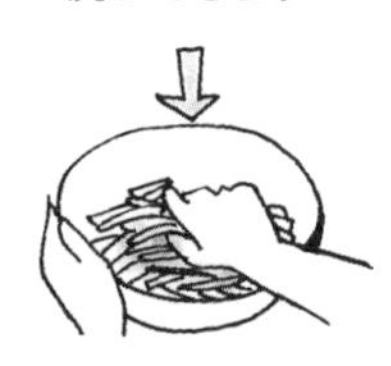

材料全部をあわせてもみ、しばらくおいてしぼる

TOTAL
エネルギー503kcal
塩分4.5g

間食

栄養価の高い牛乳とフルーツを消化しやすい調理方法で

バナナセーキ

バナナ ………1本(100g)
牛乳 ……………………150g
砂糖……………………小さじ1

バナナは皮をむいて
輪切りにする

バナナ、牛乳、
砂糖を入れて
ミキサーにかける

TOTAL
エネルギー187kcal
塩分0.2g

バリエーション

鶏肉と野菜のスープ煮
⇩
鶏ひき肉とじゃがいものトマト煮

鶏ひき肉…………………50g
じゃがいも……½個(70g)
玉ねぎ…………¼個(50g)
トマト(水煮)…………20g
こしょう………………少々
サラダ油……………小さじ½

じゃがいもは4つ割り、玉ねぎは薄切りにする。ひき肉と玉ねぎを炒めて、じゃがいも、あらくきざんだトマト、こしょう、ひたひたの水を加えて20分ほど煮る

ツナのおろしあえ
⇩
ひものと貝割れ菜のおろしあえ

あじのひもの…………40g
貝割れ菜………………10g
おろし大根……………50g
しょう油……………小さじ¼

あじはあぶり焼きにしてほぐし、長さを半分に切った貝割れ菜とともにおろし大根であえ、しょう油をふる

白菜の即席漬け
⇩
キャベツの即席漬け

キャベツ………………60g
にんじん(せん切り)…10g
しょうが(せん切り)… 5g
塩………………………… 1g

キャベツはざく切りにし、にんじん、しょうがとあわせ、塩をふってもみ、水気をしぼる

トピック 9

お酒、コーヒー、お茶

お酒の効用

お酒の効用としては、

①血液の循環をよくし、体を温める。
②消化を助け、食欲を増進させる。
③大脳皮質の働きを抑制するのでストレス解消に役立つ。
④血中の善玉コレステロールを増加する。
⑤眠りを助ける。

などがあげられます。

むろん飲み過ぎは、肝機能障害を引き起こす原因にもなりますので体によくありませんが、節度あるたしなみかたは、有益かつ無害です。

お酒とじょうずにつきあうには

飲み過ぎてお酒におぼれたり、お酒しか楽しみがないようでは困ります。その人なりに、度をこさない量の見当をつけておくべきです。また、栄養を配慮したつまみを食べながら飲むということもたいせつです。さらに、肝臓のためだけではなく、アルコール中毒への進行にブレーキをかける意味でも、お酒を飲まない日をつくるべきです。

コーヒーの効用

コーヒーの効用としては、

①注意力と集中力を保つ。
②気分を高揚させる。
③肉体的持久力を高める。
④虫歯を予防する。

などがあげられます。

そのためには、レギュラーコーヒーを朝、夕1杯ずつ飲むのが適量とされています。1日5杯以上飲むのは避けましょう。また、不眠症の人は夜に飲んではいけません。

お茶の意外な効果

お茶のなかでもっとも含有率の高い成分は、お茶のもつ渋みであるタンニンです。このタンニンは、日本茶で10%、紅茶で20%、中国茶で10～20%含まれています。タンニンが人体にもたらすおもな効用は、

①動脈硬化のもとになる過酸化脂質の生成を防ぐ。
②脂肪の代謝を促進する。
③抗がん作用がある。
④強力な殺菌作用がある。
⑤利尿作用がある。

などがあげられます。

さらに、コーヒーと同じくらいのカフェインを含有しているので、覚醒作用、興奮作用、耐久力の向上などの作用が認められます。

緑茶、紅茶、ウーロン茶の特徴

緑茶にはビタミンCが含まれていて、ほかの野菜やくだものよりもはるかに多いといえます。紅茶やウーロン茶、プーアル茶にはビタミンは含まれていないので、この点が緑茶がほかのお茶と大きく違うところといえるでしょう。また、体を冷やす作用もあります。

つぎに紅茶は、緑茶と違って体を温める作用があります。また、疲労回復剤としてたいへんによいものです。さらに、動脈硬化を防ぐ働きがある上に、利尿作用もあります。

そしてウーロン茶には、肥満解消、タバコ・アルコールの解毒、血圧調整作用などがあげられます。

このように効用がそれぞれありますので、自分の体調などと相談して、どのお茶を飲むかをそのときどきに合わせて飲むとよいでしょう。

嗜好飲料の成分比較

（100ｇ中・お茶類は浸出液100ｇ中）

	エネルギー（kcal）	ビタミンC（mg）	カフェイン（%）	タンニン（%）
清酒	110	0		
ビール	39	0		
ワイン（赤）	73	0		
焼酎（25度）	141	0		
ウイスキー	231	0		
ブランデー	244	0		
ウォッカ	231	0		
ジン	213	0		
ラム	262	0		
緑茶（玉露）	0	10	0.16	0.23
緑茶（せん茶）	0	4	0.02	0.07
ほうじ茶	0	0	0.02	0.04
ウーロン茶	0	0	0.02	0.03
紅茶	0	0	0.05	0.1
麦茶	0	0		
コーヒー	0	0	0.04	0.06

腎臓病

成人に多い慢性腎炎。腎不全予防のために日常生活に注意

カロリーオーバーに気をつける

腎臓病には急性腎炎、慢性腎炎、ネフローゼ症候群、さらには糖尿病の合併症である糖尿病性腎症などいろいろありますが、そのなかで成人の腎臓病でもっとも多いといわれる慢性腎炎について解説します。

慢性腎炎の多くは原因不明のもので、大半は定期検診などの尿検査によって発見されます。慢性腎炎で注意しなくてはならないのは腎不全です。腎不全になると、やがて体にたまった老廃物を排泄できなくなり、専門の医療機関で定期的に透析を受けるか、腎臓移植をしなくてはなりません。慢性腎炎では、腎不全への進行をおさえるために、食事など日常生活での注意をしっかりと守ることが望まれます。

食事面ではまずエネルギーを取り過ぎないことと食塩を減らすことに加え、腎機能が低下しているときはタンパク質を制限し、高カリウム血症のある場合はくだものに多いカリウムを制限します。

また、むくみがあるとか、尿の量がすくないなどというときには、水分の制限も必要です。

きびしい減塩食に無塩食品を利用

知っておきたい One Point

腎臓病では、状態に応じてきびしい減塩対策が必要です。慢性腎不全で高血圧やむくみ、タンパク尿などがあれば、1日の食塩は3~5gにおさえます。食パン1枚に含まれる食塩が0・8gですから、食パン4枚で3gをこえます。1日3gにおさえるには、加工食品など塩の入った食品は除外し、外食も避けます。パンやバター、めん類は無塩のものを利用し、調理には食塩をつかわず、料理を食べるときに少量の減塩しょう油などで食べるようにします。

低タンパクで高エネルギー食品を

慢性腎炎でも、腎臓の機能が低下してむくみなどの症状がなければ、特別な食事療法の必要はありません。しかし、腎臓の働きが悪化していてむくみや高血圧などがあらわれてきたときには、症状を悪化させないよう、食事療法に取り組む必要があります。

高血圧やむくみのある場合は、その程度に応じてふだんの半分、あるいは3分の1という具合に食塩を減らします。慢性、急性を問わず、塩分のコントロールがたいへん重要なのです。

同様に腎機能が低下していて、タンパク尿をともなうときには、タンパク質も制限し、肉や魚、卵、乳製品などタンパク質を多く含んでいる食品は、いつもよりもすくなめにします。

なお、タンパク質を制限しなければならない場合、すくないタンパク質を効率的に利用するためにも、砂糖や油脂などは、逆に普段よりも多めに取るようにして、十分なエネルギー量を確保しておきます。また、タンパク質の量を減らして、エネルギー量をふやした特殊な食品もありますから、これらを利用するのもよいでしょう。

慢性腎炎の特効薬は、今のところありません。といって、放置していればすこしずつ悪化し、やがては人工透析を受けるか、腎臓移植をおこなう以外、治療方法はなくなってしまいます。慢性腎炎のひとにとっては、食事療法がもっとも有効な治療法といってもよいほどです。そのためにも定期的に医療機関で検査を受け、自分の体調をつねに把握しておくことがたいせつです。

また、のどや扁桃に炎症を起こす溶血性連鎖球菌などの感染が関係する急性腎炎では、一般に発病後の1～2週間は入院治療を要します。退院後、むくみなどの症状が消えても、完治するには半年くらいかかります。たとえ症状がない場合でも、念のため塩分はつねにひかえめにすることです。

食品選びの目安（慢性腎炎）

区分	食品	目安
主食	ごはん、パン	○
	めん類	△
主菜	肉類	△
	卵	△
	魚介類	△
	大豆・大豆製品	△
副菜	野菜類	○
	いも、かぼちゃ	○
	海藻、きのこ	○
	漬けもの	▲
	くだもの	○
	牛乳・乳製品	○
調味料	油脂	◎
	砂糖	◎
	塩、しょう油、みそ	▲
	香辛料	○
嗜好品	お菓子	○
	お酒	△
	お茶、コーヒー、炭酸飲料	○

★積極的に　△ひかえたい
◎多めに　▲できるだけひかえたい
○ふつうに　×禁止食品

朝

タンパク質は十分に、かつ取り過ぎに注意。塩分とバランスよく

炒り豆腐

豆腐	20g
玉ねぎ	20g
にんじん	5g
さやえんどう	3g
サラダ油	5g
しょう油	小さじ1/3

玉ねぎは薄切り、にんじんはせん切り、さやえんどうはすじを取って斜め半分に

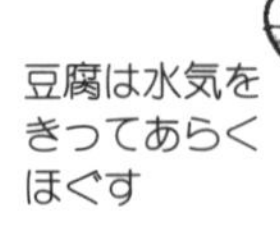

豆腐は水気をきってあらくほぐす

玉ねぎ、にんじんを炒め、豆腐を加え炒めてしょう油をふり、さやえんどうを加えて炒める

ひじきときゅうりのごま酢

生ひじき	15g
きゅうり	30g
炒り白ごま	5g
酢	小さじ2
砂糖	小さじ1
しょう油	小さじ1/8

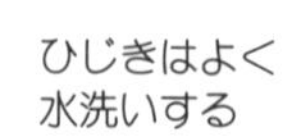

ごはん160g

ひじきはよく水洗いする

ごま、酢、砂糖、しょう油を加えてあえる

きゅうりは小口切り

里いものみそ汁

里いも	15g
長ねぎ	15g
だし汁	150cc
みそ	10g

里いもは皮をむいて輪切りにする

長ねぎは斜め切り

だし汁で里いもを煮て長ねぎを加え、みそを溶き入れる

TOTAL
エネルギー389kcal
塩分2.3g

食欲を低下させないように香味野菜、香辛料をじょうずに利用

ゆで鶏ときゅうりのごまだれかけ

鶏もも肉……………………60g
きゅうり……………………30g
トマト………………………25g
長ねぎ………………………10g
しょうが…………………… 3g
水 ……………………………300cc
練りごま…………………… 5g
しょう油…………………小さじ5/6
酢…………………………小さじ3/5
ごま油……………………… 2g
豆板醤……………………… 1g
砂糖………………………… 1g

水300ccとともに火にかけ、アクを取りながら15分ゆで、とり出してそぎ切り

ゆで汁はすてずにスープに利用する

長ねぎとしょうがのみじん切りと、練りごま、調味料をまぜる

器にきゅうり、鶏肉、くし形切りのトマトを盛りごまだれをかける

ごはん160g

しいたけのとろみスープ

ベーコン（2cm幅に切る）12g
生しいたけ（そぎ切り）12g
みつ葉 ……………………0.7g
卵……………………………7g
スープ（鶏のゆで汁） 200cc
塩 …………………………0.1g
こしょう…………………少々
片栗粉……………………小さじ1
水…………………………小さじ1

スープでベーコンと生しいたけを煮、塩、こしょうをし、水溶き片栗粉をまぜる

溶き卵を流し入れて酒を加え、みつ葉を散らす

キャベツとワカメのサラダ風

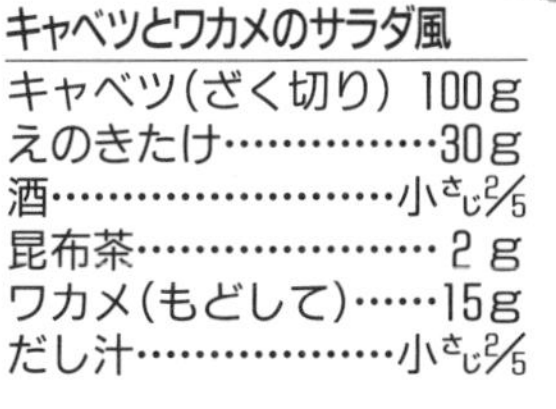

キャベツ（ざく切り） 100g
えのきたけ………………30g
酒…………………………小さじ2/5
昆布茶…………………… 2g
ワカメ（もどして）……15g
だし汁……………………小さじ2/5

えのきたけに酒をふってさっと炒り煮する

TOTAL
エネルギー471kcal
塩分2.7g

キャベツ、えのきたけを昆布茶とまぜてボウルに入れ、20～30分漬けて軽くもむ

→

まぜる

エネルギー量が不足しないように糖質の食品も十分に

揚げさばのみぞれあえ

さば……………………60g
酒……………………3g
塩……………………0.1g
片栗粉…………………4g
揚げ油
大根……………………70g
青じそ…………3枚(3g)
だし汁……………大さじ4/5
酢……………………11cc
しょう油………………5g
砂糖……………………0.7g

ごはん160g

さばはひと口大のそぎ切りにして塩と酒をふり、片栗粉をまぶして170度の油でカラッと揚げる

大根はすりおろし、水気を軽くしぼってのせる

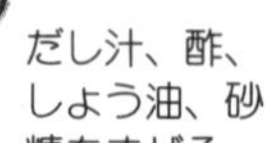

だし汁、酢、しょう油、砂糖をまぜる

器に青じそを敷いてさばをのせる

TOTAL
エネルギー478kcal
塩分1.6g

ほうれん草の山かけ

ほうれん草……………50g
やまといも……………20g
しょう油…………小さじ1/2
だし汁……………小さじ1
のり……………………少量

やまといもはすりおろしてしょう油、だし汁とまぜる

ゆでて3cm長さに切ったほうれん草にかけてもみのりを散らす

なめこ汁

なめこ…………………20g
絹ごし豆腐……………20g
だし汁………………150cc
みそ……………………8g

なめこは水洗い、豆腐は1cm角に

なべにだし汁、豆腐、なめこを入れて火にかけ、みそを溶き入れる

間食

消化のよいタンパク源、カルシウムの多い乳製品をおやつに

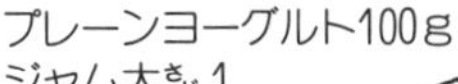
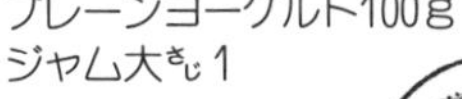

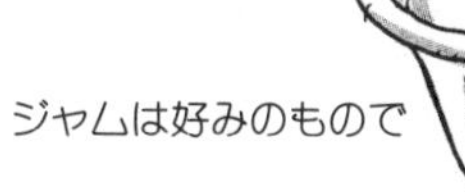

TOTAL
エネルギー118kcal
塩分0.1g

バリエーション

炒り豆腐
⇩
湯豆腐

豆腐…………½丁(150g)
長ねぎ…………½本(40g)
春菊……………………20g
昆布…………………… 3cm
{ポン酢……………小さじ½
{しょう油…………小さじ1

なべに昆布を敷いて豆腐と斜め切りにした長ねぎ、春菊を入れ、適量の水を加えて温める。ポン酢としょう油をあわせ、煮汁で薄めたものをつけながら食べる

キャベツとワカメのサラダ風
⇩
ワカメのレモン酢

乾燥ワカメ…………… 5g
{レモン汁…………小さじ1
{しょう油 …………0.6g
{だし汁………………少々
レモン………………… 4g

ワカメは水でもどして熱湯にくぐらせ、すぐ冷水に取って水気をしぼり、しょう油、だし汁をまぜたレモン汁であえる

ほうれん草の山かけ
⇩
にらの山かけ

にら……………………50g
やまといも……………20g
{しょう油…………小さじ½
{だし汁……………小さじ1
のり……………………少量

にらはゆでて3cm長さに切る。やまといもはすりおろしてしょう油とだし汁でのばし、にらにかけてのりをもんで散らす

痔

もっとも多いのはいぼ痔。便秘を防ぐことが大きな課題

食物繊維の多い食品を積極的に取る

痔は一般的に、「いぼ痔」といわれる痔核、「切れ痔」と呼ばれる裂肛(痔裂)、そして痔瘻の3つのタイプがあります。

痔核は痔のなかでもっとも多く、排便時間が長く、いきむくせのあるひとや便秘や下痢を繰り返すひとがなりやすい病気です。薬と生活改善が治療の中心で、以前のように手術による切除は減っています。裂肛は比較的若い女性に多く、便秘によるかたい便が肛門部を傷つけるのが大きな原因です。痔瘻は膿の管が肛門にでき、痛みや膿が出る病気で、痔のなかでもっともやっかいです。症状にもよりますが、手術の必要なことが多い病気です。

痔の予防・治療にはまず、正常な便通をつねに維持することがたいせつで、食物繊維の多い食品を食べるなど、食事の工夫と腹筋の運動で便秘を防ぐことが望まれます。便秘が改善されて便がやわらかくなれば、強くいきまなくてもスムーズに排便できて、トイレにいる時間も短時間ですみます。便意をつける目的で、無理にトイレでがんばるのは避けたほうが無難です。

便秘対策の決め手は「ごはん」

知っておきたい One Point

便通をよくするには、食物繊維の量を多くすることです。ごはんなどの穀物、野菜、豆類、きのこなどに多く含まれる、水に溶けない食物繊維は便の材料になり、海藻やくだもの、こんにゃくに多い、水に溶ける食物繊維は便をやわらかくします。

最近はごはんを食べる量が減っていますが、ごはんには食物繊維が含まれているうえ、ごはんのデンプン質の一部は完全に消化されず、食物繊維のような働きをします。便秘対策に、ごはんはかかせません。

便秘を防ぐ朝のつめたい牛乳

　痔を誘発したり、悪化させたりする大きな原因が便秘です。したがって、便秘を防ぐことが痔の対策になります。

　便秘には、大腸中の便を大腸の終点にあたる直腸に運んでいく蠕動運動が低下するために起こる弛緩性の便秘と、逆にストレスなどのために蠕動運動が強過ぎて、便がなかなか直腸に進んでいかないけいれん性の便秘とがあります。弛緩性の便秘の便の多くがある程度つながった便なのに対し、けいれん性の便秘では、ウサギの糞のようなコロコロとした便が出ます。便秘の多くは弛緩性のタイプです。

　弛緩性とけいれん性とでは、食事面での対策も異なります。両者に共通するのは、規則正しく食事を取ることで、夜遅くまでお酒を飲んだり、朝食をぬくような食生活はあらためることです。

　弛緩性の便秘では、食物繊維をたくさん取ることが必要です。たけのこ、ごぼう、いも、かぼちゃといった食物繊維の多い野菜は積極的に取りたい食品です。こんにゃくやきのこ、海藻などにも食物繊維が多く含まれています。これらの食品をまんべんなく取るようにしましょう。主食も、消化のよいパンやめん類よりも、未消化のものが多く出るごはんがおすすめです。食物繊維がより多い玄米にすれば、頑固な便秘にも効果的です。

　またいもや豆類、バナナなどは腸のなかで発酵してガスを発生します。このガスには、腸を刺激して便通をよくする働きがあります。これらは弛緩性の便秘対策になる食品です。

　朝、つめたい水や牛乳を飲むのもよいでしょう。腸が刺激されて排便がうながされますので、弛緩性の便秘には効果があります。

　けいれん性の便秘の場合は、弛緩性の便秘とは逆に、食物繊維の多いものや消化の悪い食品、腸を刺激する食品はひかえて、パンなどの消化のよいものをよくかんで食べるようにします。

食品選びの目安（弛緩性便秘）

区分	食品	目安
主食	ごはん	◎
	めん類、パン	○
主菜	肉類	○
	卵	○
	魚介類	○
	大豆・大豆製品	◎
副菜	野菜類	◎
	いも、かぼちゃ	◎
	海藻、きのこ	◎
	くだもの	◎
	牛乳・乳製品	◎
調味料	油脂	○
	砂糖	○
	塩、しょう油、みそ	○
	酢	○
	香辛料	▲
嗜好品	お菓子	○
	お酒	▲
	お茶、コーヒー、炭酸飲料	○

★積極的に　△ひかえたい
◎多めに　▲できるだけひかえたい
○ふつうに　×禁止食品

朝

食物繊維を多く含む食品を十分に取り、お通じをよくします

小松菜の煮びたし

小松菜……………………50g
しめじ……………………20g
生ワカメ…………………10g
｛だし汁……………大さじ1
｛しょう油…………小さじ1
｛みりん……………小さじ1/2

小松菜は５cm長さに切る。ワカメは水につけてから水気をきり、食べやすい大きさに切る

しめじは小房に分ける

だし汁と調味料で煮る

ごはん160g

納豆

納豆………１パック（50g）
長ねぎ……………………５g
｛しょう油……………５cc
｛練りがらし………小さじ1/3

納豆に小口切りの長ねぎ、しょう油、からしを加えてよくまぜる

大根と油揚げのみそ汁

大根……………………30g
油揚げ…………1/5枚（６g）
｛だし汁…………3/4カップ
｛みそ…………………10g

大根はせん切り

油揚げは、熱湯をかけて油ぬきし、細く切る

だし汁で大根と油揚げを煮て、みそを溶き入れる

TOTAL
エネルギー410kcal
塩分2.9g

油をつかう料理はビタミンの吸収をよくし、腸の働きを円滑に

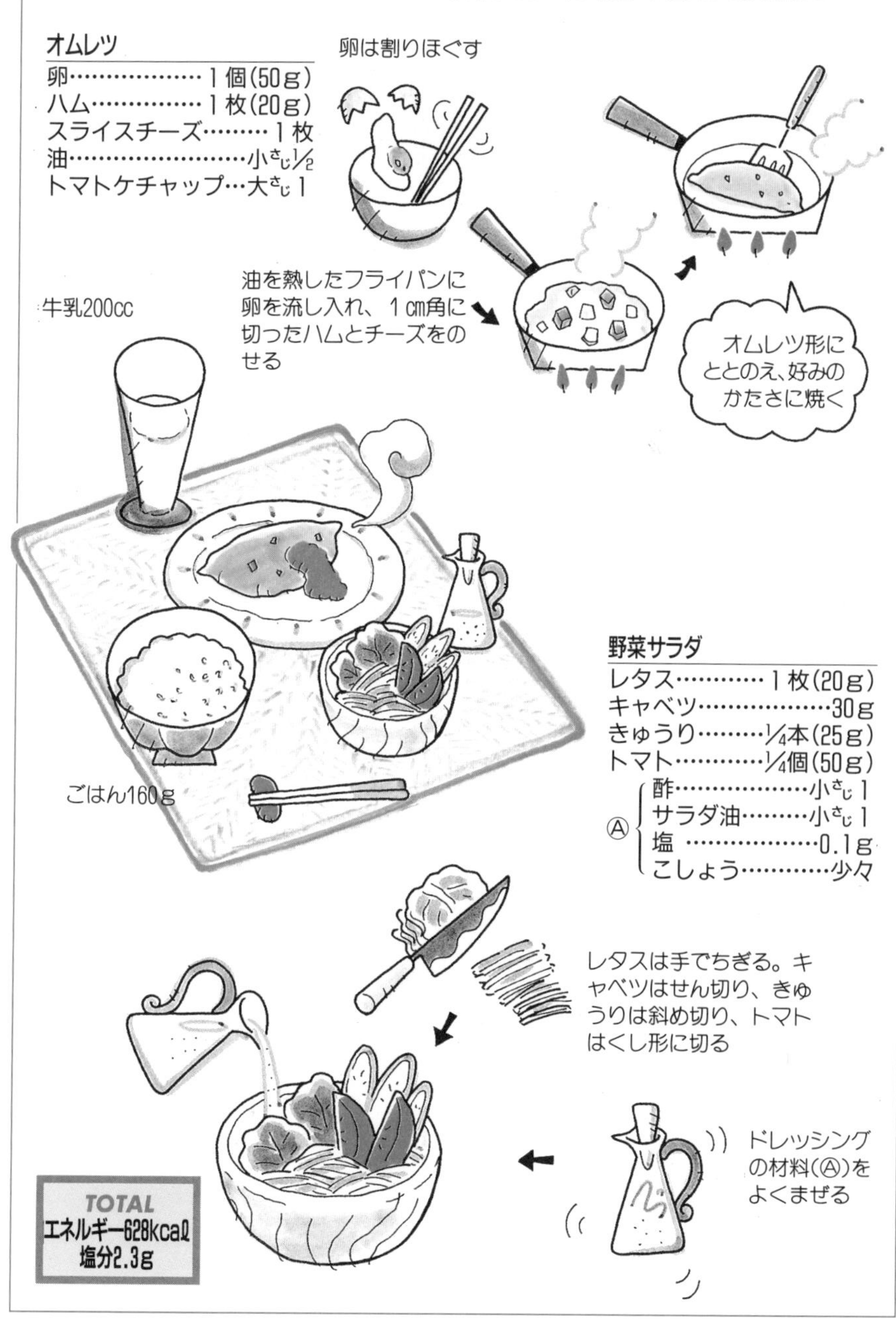

夜

肉類を食べるときは、その3倍量の野菜がよいバランスの目安

ごはん160g

豚肉の野菜巻き

豚もも肉（薄切り）……70g
さやいんげん…2本（10g）
にんじん………………20g
えのきたけ……1/4束（25g）
小麦粉………………小さじ1
サラダ油……………小さじ1
砂糖………………小さじ1/2
しょう油…………小さじ1
みりん……………小さじ1/2

豚肉は広げ、少し重ねて並べ、ゆでたさやいんげんとにんじん、えのきたけをのせて巻く

小麦粉を同量の水で溶いたものをつける

油を熱したフライパンに入れ、ころがしながら焼く

調味料を入れてからめる

ブロッコリーのおろしあえ

ブロッコリー…………30g
大根……………………50g
しらす干し…………… 5g
しょう油…………小さじ5/6

小房に分けてゆでたブロッコリー

もやしとピーマンのソテー

もやし……………………80g
ピーマン（大）…1個（35g）
にんじん………………10g
油…………………小さじ1
塩 ……………………0.9g
こしょう………………少々

せん切りのピーマンと、にんじん、もやしを炒め、塩、こしょうをする

TOTAL
エネルギー522kcal
塩分3.2g

間食

さつまいもは食物繊維が多く、ビタミンCの供給源でもあります

フルーツきんとん

さつまいも……………50g
りんご…………1/8個(30g)
キウイフルーツ1/4個(25g)
レーズン……小さじ2(10g)
砂糖…………………小さじ1/2

さつまいもは皮をむき、ゆでてつぶす

TOTAL
エネルギー128kcal
塩分0.0g

りんごは、薄くいちょうに切る

さつまいも、りんご、キウイ、レーズン、砂糖をまぜる

バリエーション

小松菜の煮びたし
⇩
春菊としめじのゆずびたし

春菊……………1/4束(48g)
しめじ……1/4パック(20g)
ゆず…………1/4個(30g)
{ 酒…………………大さじ1
{ しょう油…………小さじ1/2

春菊はゆでて3cm長さに切り、しめじは酒としょう油をふって蒸し煮する。蒸し汁にゆずのしぼり汁を加えて春菊としめじをあえる

オムレツ
⇩
トマトとチーズ入りオムレツ

卵……………… 1個(50g)
プチトマト…… 1個(20g)
プロセスチーズ………10g
牛乳…………………大さじ1
塩、こしょう………各少々
バター………………大さじ1/2

トマトとチーズはみじん切りにして溶き卵にまぜ、塩、こしょうをして、バターで焼いてオムレツにする

豚肉の野菜巻き
⇩
キャベツと豚肉の炒め

豚もも肉薄切り………50g
キャベツ………………50g
にんじん………………20g
ピーマン………1/2個(15g)
{ みそ………………大さじ1/2
{ しょう油…………大さじ1/2
{ 砂糖………………小さじ1/4

豚肉はさっとゆでてひと口大に、キャベツはざく切り、にんじんとピーマンはたんざく切りに。これらを炒めて、調味料で味をつける

痛風

太ったひとに多い痛風。足の親指に突然起こる激しい痛み

食べ過ぎないように注意する

痛風は、中年以降の男性に多い病気です。原因は体の老廃物である尿酸が血液中に異常にふえるためで、血液中にふえた尿酸は結晶化して関節に沈着し、痛風発作と呼ばれる激しい痛みを引き起こします。痛風発作の多くは、足の親指のつけ根の関節に突然起こります。患部が赤くはれて、激しく痛みます。

痛風対策では、まず尿酸のもとになるプリン体を取り過ぎないようにすることがたいせつです。もっとも、プリン体は細胞の遺伝子である核酸の構成成分であり、量の差こそあれ、ほとんどの食品に含まれています。したがって、プリン体を取り過ぎないためには、ふだんから食べ過ぎないように注意することがだいじです。実際、痛風は太ったひとに多くみられますが、減食して減量することで尿酸値は下がってきます。また、プリン体を多く含む料理はひかえめにします。

尿酸の排泄も重要です。尿をふやし、尿酸の排泄をうながすためにも、水やお茶を十分補給します。ただし、お酒は尿酸の排泄を妨げるうえ高カロリーなので、痛風のひとには焼き鳥で一杯は大敵です。

減量の敵リバウンドを防ぐには

知っておきたい One Point

減量でやっかいなのが、減量後しばらくすると、もとの体重にもどるリバウンド。しかも、減量とリバウンドを繰り返していると、しだいに減量しにくい体質になります。

体重のリバウンドを避けるには、1カ月に1kg程度の無理のないペースで減量します。食事は3食取って、酒やお菓子は避け、夜食は取らないことです。また、減量で、エネルギーを消費する筋肉を減らさないために、運動も必要です。筋肉が減ればやせるのがむずかしくなります。

砂糖ぬきの紅茶やコーヒーがよい

痛風のひとや尿酸値が高めのひとは、尿酸のもとになるプリン体を多く含んだ食品を取り過ぎないことと、食べ過ぎによってエネルギー過剰とならないことに注意します。

プリン体を多く含んでいる食品には、鶏や牛、豚のレバーをはじめとする、内臓の肉がまずあげられます。焼き鳥やレバー炒めなど、内臓肉をつかった料理は避けるようにします。メザシのように、内臓も丸ごと食べてしまうような魚も避けるようにしましょう。エビ、カツオ、サンマやアジの干もの、カキ貝などもプリン体が多い食品です。

一般に、肉類や魚介類にはプリン体が多く含まれています。これらの食品は食べ過ぎないようにしましょう。

これ以外に、納豆もプリン体を多く含んでいます。「朝ごはんに納豆はかかせない」というひとは、1日おきに食べるようにしてはいかがでしょう。

食品選びの目安

区分	食品	目安
主食	ごはん、パン、めん類	○
主菜	肉類	△
	卵	○
	魚介類	△
	肉、魚介類の内臓	×
	大豆・大豆製品	○
副菜	緑黄色野菜	◎
	いも、かぼちゃ	○
	海藻、きのこ	◎
	くだもの	○
	牛乳・乳製品	○
調味料	油脂	○
	砂糖	△
	塩、しょう油、みそ	△
	香辛料	○
嗜好品	お菓子	△
	お酒	▲
	お茶、コーヒー	○
	炭酸飲料	△

★積極的に　△ひかえたい
◎多めに　▲できるだけひかえたい
○ふつうに　×禁止食品

脂肪の多い食品や料理、甘いお菓子類などもひかえめにしておきます。とくにごはんやパンなどの糖質を取らずに、脂肪の多い肉やフライのような脂肪分の多い食品を取り過ぎると、尿酸の排泄に支障をきたすことがありますし、同じ糖質でも、菓子類に多い砂糖やくだものに含まれる果糖は、尿酸値を上げる働きがあるからです。

天ぷらやフライのようなあぶらっこい料理は食べ過ぎない、肉の脂身はあらかじめ取り除く、などの注意を心がけましょう。ケーキやまんじゅう、チョコレートなどもできるだけひかえめにしましょう。

尿の量をふやすことが尿酸の排泄につながるのは先ほど述べたとおりですが、水、お茶のほか、砂糖ぬきの紅茶やコーヒーなど、利尿作用のあるものを積極的に飲むようにするとよいでしょう。

なお、高血圧や動脈硬化は痛風に多い合併症です。塩分をひかえめにすることもだいじです。

牛乳やお茶など糖分を含まない水分をどんどん飲みます

スクランブルエッグトースト

{ 食パン……… 1枚(60g)
{ マーガリン………… 5g
卵………………… 1個(50g)
牛乳……………………大さじ1
粉チーズ………………大さじ1
ピーマン………………20g
サラダ油……………小さじ1

卵に牛乳、粉チーズ、みじん切りのピーマンを加えまぜ、フライパンであらめのいり卵にする

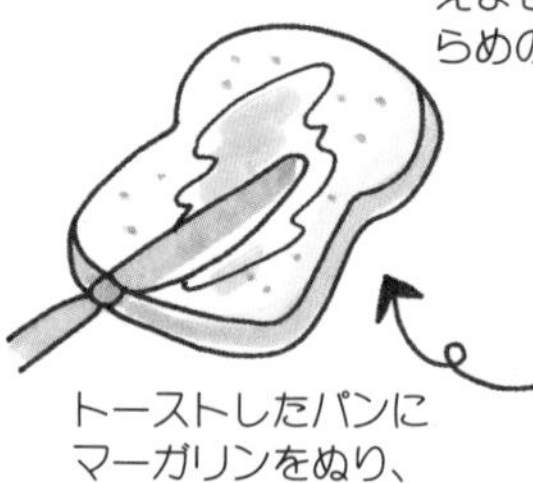

トーストしたパンにマーガリンをぬり、具をのせる

牛乳140g

フルーツ盛りあわせ

りんご…………¼個(50g)
パイナップル(缶詰) ½枚(35g)
プルーン……… 1個(8g)
{ レモン汁…………小さじ1
{ 缶汁………………大さじ1

りんごはいちょう切り

4つに切ったプルーンとあわせて器に入れ、レモン汁と缶汁を加えてよくまぜる

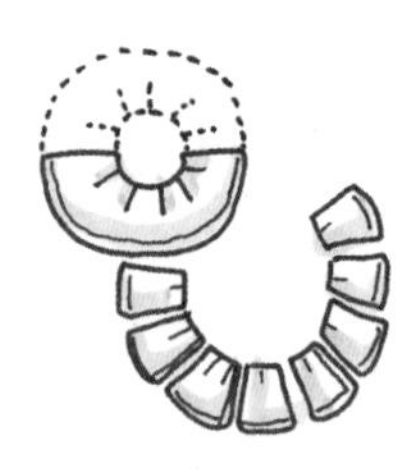

パイナップルは8つに切る

野菜には尿酸増加の原因になるプリン体がわずかで、利尿効果も

鶏肉の幽庵焼き

鶏むね肉……………………80g
つけ汁
- しょう油 …………大さじ1/2
- 酒…………………小さじ1
- みりん……………小さじ2/3
- ゆず汁……………… 1cc

サラダ油……………小さじ1
ピーマン……………………20g

鶏肉は皮目をフォークでついて穴をあけ、つけ汁につけておく

油で鶏肉の両面を焼いてそぎ切りに

ピーマンは4つ割りにしてソテーする

ごはん130g

漬けものサラダ

きゅうり……………………50g
かぶ………………………20g
にんじん……………………10g
セロリ……………………20g
塩………………………1g
- サラダ油…………小さじ1
- 酢…………………小さじ1
- 塩、こしょう……各少々

きゅうりとかぶは薄切り、にんじんとセロリはたんざくに切って塩をふる

（ドレッシング）

サラダ油、酢、塩、こしょうを合わせてふる

しんなりしたら水気をしぼり、ドレッシングをかける

豆腐とワカメのみそ汁

木綿豆腐……………………40g
生ワカメ……………………10g
- だし汁 ……………150cc
- みそ…………………10g

長ねぎ……………………20g

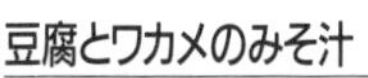

豆腐はさいの目

ワカメはひと口大に

だし汁で豆腐とワカメを煮てみそを溶き入れ、長ねぎを散らす

TOTAL
エネルギー522kcal
塩分4.1g

夜

根菜やおからなど食物繊維の多い食品を積極的に

うの花汁

鶏もも肉……………………25g
ごぼう………………………10g
れんこん……………………15g
にんじん……………………10g
里いも………………………30g
干ししいたけ…………… 5g
だし汁 ………………150cc
おから………………………25g
しょう油…………小さじ1/2
みりん……………小さじ1/2
塩 ………………………0.5g

鶏もも肉は2㎝角に、野菜はいちょうに切る

だし汁で野菜を煮、鶏肉を加えてアクを取りながら煮る

しょう油、みりん、塩で調味し、おからを加えてひと煮立ちさせる

小松菜のごまあえ

小松菜………………………75g
だし汁…………………小さじ1
しょう油………………小さじ1/3
炒り白ごま……………小さじ2
しょう油………………小さじ2/3
砂糖……………………小さじ2/3

ごま、しょう油、砂糖をすりまぜ、ゆでて下味をつけた小松菜とあえる

サバの立田揚げ

サバ…………………………80g
しょう油……………小さじ1/2
酒……………………小さじ1/2
しょうが汁………………少々
片栗粉………………小さじ2
揚げ油
ししとう………2本(8g)
レモン(くし形)1/8個(5g)
大根おろし………………40g

サバはそぎ切りにして、しょう油、酒、しょうが汁のつけ汁に15分つける

片栗粉をまぶして色づくまで揚げる

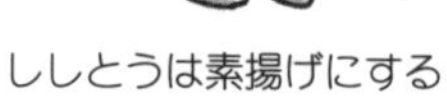

ししとうは素揚げにする

TOTAL
エネルギー651kcal
塩分2.9g

利尿効果の高いフルーツや野菜を取り、アルコールはひかえて

パパイアのヨーグルトかけ

パパイア……………………50g
プレーンヨーグルト ……30g

TOTAL
エネルギー43kcal
塩分0.0g

バリエーション

スクランブルエッグ
⇩
巣ごもり卵

卵…………………1個(50g)
玉ねぎ…………1/4個(50g)
ピーマン………1/2個(15g)
トマト…………1/4個(60g)
サラダ油……………小さじ1/2
塩、こしょう………各少々

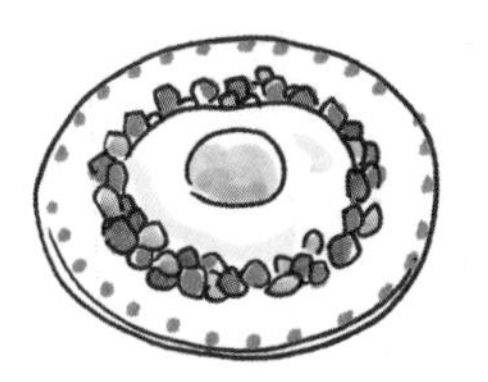

玉ねぎ、ピーマン、トマトは1㎝角に切って炒め、卵を割り入れて、目玉焼きにし、塩、こしょうをする

鶏肉の幽庵焼き
⇩
蒸し鶏のさんしょうだれ

鶏もも肉…………………80g
酒、塩…………………各少々
たれ
- 粒さんしょう…… 5粒
- 酒………………小さじ1/2
- ごま油…………小さじ1/2

あさつき…………………少量

鶏肉に塩と酒をふって蒸し煮し、そぎ切りにしてさんしょうだれをかけ、あさつきを散らす

サバの立田揚げ
⇩
揚げ出し豆腐

木綿豆腐 ……1/2丁(150g)
なす……………1個(60g)
ししとう………3本(15g)
小麦粉…………………大さじ2
揚げ油
天つゆ…………………75g

なす、ししとうは素揚げにし、水切りした豆腐は小麦粉をまぶして揚げる。盛り合わせて天つゆをはる

甲状腺の病気

発汗、ふるえ、食欲増進。若い女性に多い甲状腺機能亢進症

亢進症と低下症で食事も異なる

甲状腺の病気の代表的なものには、甲状腺ホルモンの分泌量が著しくふえる甲状腺機能亢進症と、逆に、甲状腺ホルモンの分泌量がすくなくなる甲状腺機能低下症とがあります。

甲状腺機能亢進症はバセドウ病とも呼ばれ、20歳代や30歳代の若い女性に多い病気です。甲状腺機能亢進症になると体の代謝が活発になり過ぎて、首のつけ根がはれてくる、動悸や息切れがする、汗をかきやすい、指がふるえる、食欲がさかんになるのに太らない、体重が減る、目が突き出てくるといった症状があらわれてきます。

甲状腺機能低下症では、疲れやすい、皮膚が乾燥してはれぼったい、寒さに弱くなる、髪の毛がぬけるなどといった症状があらわれます。

どちらの病気も専門医の治療が必要ですが、甲状腺機能亢進症では、タンパク質とビタミンを十分補給するために、牛乳や乳製品、緑黄色野菜を積極的に取るいっぽうで、海藻を取り過ぎないようにします。

また、甲状腺機能低下症では海藻は積極的に取り、カロリーが高く脂肪の多い菓子類は避けます。

甲状腺機能亢進症は海藻ひかえめ

知っておきたい One Point

甲状腺ホルモンの主成分はヨードです。ヨードを多く含む食品がワカメなどの海藻です。最近は、甲状腺機能亢進症でも海藻をまったく食べられないというものではないようですが、やはりひかえめにします。

逆に甲状腺機能低下症のひとは、海藻類を取るようにしましょう。なお甲状腺機能低下症では、高脂血症を合併することがしばしばあります。コレステロールが高い場合は動物性の油をひかえ、中性脂肪が高い場合はお菓子や酒などをひかえます。

たっぷり食べてエネルギー補給

甲状腺機能亢進症と低下症とでは、まるっきりといってよいほど食事の注意が異なります。両者を分けて食事をするうえでの注意をあげてみます。

●甲状腺機能亢進症

甲状腺機能亢進症では、エネルギーを消費する力が高まります。それにともなって食欲も増し、びっくりするほどたくさん食べるのに太らない、太るどころかやせてくる、という状態になることがあります。

エネルギーの消費力が高まっているときは、それに見あっただけのエネルギーを補給してやります。最大のエネルギー源となるごはんやパンなどの主食は、しっかりと食べることです。朝食をぬくなどということのないように。

肉や魚、牛乳、卵、にんじん、ほうれん草などの緑黄色野菜もたっぷり取るようにします。なかでも、タンパク質や、ビタミンを取るうえで、牛乳や卵、緑黄色野菜はかかすことができません。少々食べ過ぎかなと思うほど食べても太ることはまずありませんから、とくに肥満に注意することはないでしょう。

取り過ぎに注意したいのが、ヨードを多く含んでいるワカメ、のり、ひじきといった海藻類です。

多くの場合、薬などで治療を進めていくうちに食欲も自然に落ち着いてきます。そうしたら食べる量も減らしていきます。

●甲状腺機能低下症

この場合、食べ過ぎは肥満をまねきますから、ごはんやパンなどの主食は普通よりすくなめにして、カロリーの高い菓子などは食べないようにします。

甲状腺機能亢進症とは逆に、ヨードを多く取る必要があるのでワカメ、のり、ひじきなどは積極的に取るようにします。ヨードは油といっしょに料理すると、体に吸収されやすくなりますが、植物油、バターともに高カロリーなので、量を加減する必要はあります。

食品選びの目安

	食品	（亢進症）	（低下症）
主食	ごはん、パン、めん類	◎	△
主菜	肉類	◎	○
	卵	◎	○
	魚介類	◎	○
	大豆・大豆製品	◎	○
副菜	緑黄色野菜	◎	○
	いも、かぼちゃ	○	○
	海藻	▲	★
	きのこ、こんにゃく	○	○
	くだもの	○	△
	牛乳・乳製品	◎	○
調味料	油脂	◎	△
	砂糖	○	△
	塩、しょう油、みそ	○	○
	香辛料	○	○
嗜好品	お菓子	○	×
	お酒	○	▲
	お茶、コーヒー	○	▲
	炭酸飲料	○	▲

★積極的に　△ひかえたい
◎多めに　▲できるだけひかえたい
○ふつうに　×禁止食品

タンパク質、ビタミンA・B群・Cもしっかり取ります

ほうれん草のココット

ほうれん草 …………100g
サラダ油……………3g
塩 ……………………0.7g
こしょう……………少々
卵………………1個(50g)

ほうれん草はゆでて3㎝長さに切り、油で炒めて塩、こしょうをする

強(150W)
1分20秒

卵黄を竹串でついて穴をあけておく

ほうれん草を器に入れ、中央に卵を割り入れ、電子レンジで加熱する

バターロール30g

切り干し大根のサラダ

切り干し大根…………10g
きゅうり………………15g
にんじん………………10g
貝割れ菜………………5g
サラダ油…………小さじ1
酢………………小さじ1
塩 …………………0.5g
だし汁……………小さじ1
レタス…………………20g

サラダ油、酢、塩、だし汁をまぜドレッシングをつくる

切り干し大根はもどしてさっとゆでる

切り干し大根は適当な長さに、きゅうり、にんじん、レタスはせん切り、貝割れ菜は根を切りまぜあわせる

TOTAL
エネルギー443kcal
塩分1.5g

野菜をたっぷりと取り、海藻類はひかえめにします

野菜と豚肉の重ね煮

白菜……………………100g
もやし…………………25g
にら……………………25g
豚バラ肉………………100g
{ 塩……………………0.2g
こしょう………………少々
コンソメの素……3.5g
湯……………………150cc }
{ しょう油…………小さじ1/2
酢……………………小さじ1
ゆず汁………………少々 }

もやし
にら
肉

なべに白菜を敷き、適当な大きさに切った豚肉と野菜を重ねていく

塩、こしょう、コンソメの素をふり入れて湯をそそぎ、ふたをして煮る

ポン酢しょう油で

ごはん200g

しらたきとえのきの炒り煮

しらたき………………50g
えのきたけ……………50g
{ かつお節……………1g
しょう油……………小さじ1/2 }
ごま油…………………1g

しらたきはゆでて4～5㎝長さに切る

えのきたけは根元を切ってほぐす

ごま油でしらたき、えのきたけを炒め、かつお節、しょう油を加えて炒り煮する

TOTAL
エネルギー705kcal
塩分3.5g

夜

エネルギーがオーバーしないよう、脂肪の取り過ぎに注意

鶏団子のトマトソース

白菜……………………60g
- 鶏ひき肉……………50g
- 木綿豆腐……………50g
- 長ねぎ（みじん切り）……11g
- 卵……………………10g
- 酒…………………… 3g
- 塩 …………………0.6g

小麦粉………………大さじ1
揚げ油
トマトソース（市販品） ………50g

鶏ひき肉に水切りした豆腐、長ねぎ、卵、酒、塩を加えてよく練りまぜ、ひと口大の団子にして、小麦粉をまぶして揚げる

トマトソースに鶏団子を入れて煮からめる

春菊のホットサラダ

春菊（葉先のみ）………40g
にんにく……………… 7g
桜えび…………………10g
- サラダ油…………大さじ1
- しょう油…………小さじ½
- レモン汁…………小さじ1
- 塩 …………………0.4g

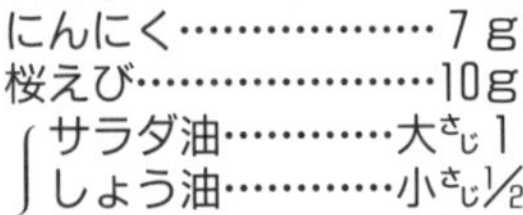

春菊にかけてあえる

サラダ油でにんにくと桜えびを炒め、しょう油、レモン汁、塩をまぜる

ビシソワーズ

じゃがいも …………100g
玉ねぎ…………………30g
バター………………… 6g
- コンソメの素……… 1g
- パセリの茎…………少量
- 牛乳……………¾カップ
- 塩 …………………0.1g

あさつき………………少量

バターでじゃがいも、玉ねぎの薄切りを炒め、コンソメ、水1カップ、パセリの茎を加えて煮る

ミキサーにかける

なべにもどして牛乳を加え、塩味をつける

TOTAL
エネルギー876kcal
塩分4.6g

間食

タンパク質を十分に。おやつには乳製品がおすすめです

カスタードプリン（プリン型１個分）

卵……………… １個（50g）
牛乳…………………60g
砂糖…………………15g
バニラエッセンス……少々

TOTAL
エネルギー134kcal
塩分0.1g

バリエーション

ほうれん草のココット
⇩
ほうれん草と卵の炒めもの

ほうれん草……………80g
卵………………½個（25g）
サラダ油……………大さじ１
長ねぎ（みじん切り）… ３g
塩、こしょう…………少々

半量の油で４㎝に切ったほうれん草を炒め、塩、こしょうをし、湯１カップを入れ、ひとまぜして湯をきる。残りの油でねぎを炒め、溶き卵を入れてかきまぜ、ほうれん草を入れて炒める

しらたきとえのきの炒り煮
⇩
にんじんとえのきの炒り煮

にんじん……………………30g
えのきたけ…………………50g
｛かつお節………………１g
　しょう油…………小さじ⅔
　ごま油……………小さじ¼｝

せん切りのにんじんとえのきたけをごま油でさっと炒め、かつお節としょう油を加えて炒り煮する

春菊のホットサラダ
⇩
小松菜の炒めサラダ

小松菜……………………80g
ベーコン…………………25g
にんにく…………………４g
レモン汁……………大さじ１
サラダ油……………大さじ½
塩 ……………………0.6g

ベーコンとにんにくの薄切りを炒め、４㎝に切った小松菜を加えて炒め、塩とレモン汁をふる

貧血

もっとも多い鉄欠乏性貧血、生理や痔などで出血のあるひとはご用心

レバーなどで鉄分を十分補給する

貧血には鉄欠乏性貧血、巨赤芽球性貧血、溶血性貧血、再生不良性貧血などがあります。もっとも多い鉄欠乏性貧血は、鉄分の不足から起こります。生理や痔などで周期的、あるいは慢性的に出血があるひとに多く、一般的には貧血といえば、この鉄欠乏性貧血を指します。

鉄欠乏性貧血はふだんから鉄分の多い食品を取ることがたいせつです。豚や鶏のレバー、アサリ、カキ貝、アオヤギ、ワカサギなどの魚介類、緑黄色野菜などは鉄分の多い食品です。

鉄欠乏性貧血は無理なダイエットによる栄養不足からも起こります。とくに生理のある女性は、男性よりも鉄分を多く取る必要があります。

巨赤芽球性貧血は、ビタミンB_{12}と葉酸の2つのビタミン不足から起こります。ビタミンB_{12}は牛、豚の肉、レバー、ニシン、イワシ、カキ貝などの魚介類に多く含まれ、また葉酸はレバー、緑黄色野菜、ピーナッツやアーモンドなどに多く含まれています。

溶血性貧血と再生不良性貧血は、食事と直接の関係はありません。

鉄分取るなら野菜よりも肉、魚

知っておきたい One Point

肉や魚などに含まれるヘム鉄は、鉄分全体の15〜25%が体に吸収されます。

いっぽう、野菜や穀類に含まれるのはおもに非ヘム鉄で、体への吸収率は2〜5%とヘム鉄よりも吸収率が低く、鉄欠乏性貧血では動物性食品を中心に取るようにします。

逆に、緑茶や紅茶、コーヒーに含まれるタンニンは、鉄分と結合し吸収を妨げます。食事中や食後の一〜二杯はいいのですが、お茶が好きだからと何杯もがぶ飲みするのはやめましょう。

肉と魚を積極的に食べる

鉄欠乏性貧血では鉄分、また巨赤芽球性貧血ではビタミンB_{12}と葉酸がそれぞれ不足しないように注意することがたいせつです。

鶏や牛、豚のレバーや肉、魚には鉄分やビタミンB_{12}、葉酸が多く含まれていますし、ほうれん草や小松菜といった緑黄色野菜にも鉄分や葉酸が多く含まれています。これらの食品は貧血対策にかかせません。

同じ鉄分でも、肉や魚に含まれている鉄はヘム鉄といって体に吸収されやすいのに対し、緑黄色野菜に多い非ヘム鉄は体に吸収されにくいのです（352頁・知っておきたいワンポイント参照）。しかし、動物性のタンパク質には非ヘム鉄の吸収をよくする作用がありますから、たとえば、肉と緑黄色野菜といっしょに料理して食べれば、緑黄色野菜に含まれている体に吸収されにくい非ヘム鉄も、体に吸収されやすくなります。また、いちご、みかんなどに多いビタミンCにも鉄分の吸収をよくする働きがあります。

貧血には鉄分さえ取ればよいと思い込みがちですが、鉄分を効率よく取るには鉄分の多い食品を積極的に取ることに加えて、前述のように鉄の吸収を高めるタンパク質やビタミンCもしっかり取るようにする必要があります。しかも、タンパク質が不足すると、骨髄の血をつくる機能もおとろえてきます。鉄分とタンパク質の多い肉、魚などは、貧血のひとは積極的に取りたい食品の代表といえるでしょう。

胃酸の分泌のよし悪しも、鉄分をはじめとする栄養素の吸収に影響します。高齢者や胃の悪いひとなどは胃酸の分泌量が低下していて、栄養素の体への吸収が悪くなっています。こうしたケースでは、カレー粉やコショウ、唐辛子といった香辛料をつかって胃酸の分泌をうながしてやります。にんにくなどのにおいの強い野菜を利用するのもよいでしょう。

食品選びの目安

区分	食品	目安
主食	ごはん、パン、めん類	○
主菜	肉類	◎
	レバー	★
	卵	○
	魚介類	◎
	大豆・大豆製品	○
副菜	緑黄色野菜	◎
	海藻、きのこ、こんにゃく	○
	くだもの	◎
	牛乳・乳製品	○
調味料	油脂	○
	砂糖	○
	塩、しょう油、みそ	○
	酢	◎
	香辛料	◎
嗜好品	お菓子	○
	お酒	○
	お茶、コーヒー	△
	炭酸飲料	○

★積極的に　△ひかえたい
◎多めに　▲できるだけひかえたい
○ふつうに　×禁止食品

朝

ビタミンB_{12}、葉酸を多く含むレバーや青菜をたっぷりと

鶏レバーのみそ炒め

鶏レバー……………………50g
下味 ｛しょう油………小さじ1/2
　　 　酒………………小さじ1/2
　　 　しょうが汁………少々
｛片栗粉………………小さじ1/4
　揚げ油………………大さじ3/4
ピーマン……………………65g
長ねぎ………………………10g
にんじん……………………10g
にんにく……………………1g
｛みそ…………………大さじ1/2
　酒……………………大さじ1/2
　砂糖…………………小さじ1/2
　しょう油……………小さじ1/4

レバーは洗ってそぎ切りにし、下味をつけ、片栗粉をまぶして揚げる

ピーマンは1㎝幅、ねぎは斜め切り、にんじんはひし形に切り、にんにくはつぶす

にんにくを炒め、野菜とレバーを加えて炒める

みそと調味料をあわせて加える

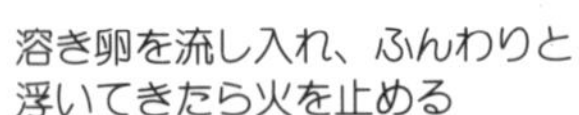

ごはん130g

トマトとパセリの中国風スープ

トマト………………………40g
玉ねぎ………………………10g
ごま油………………………小さじ1/2
｛チキン味中華スープの素 …小さじ1/4
　塩 ………………………0.8g
　こしょう…………………少々
パセリ………………1本(15g)
卵…………………1/4個(12.5g)

パセリの葉先をゆで、水に取ってしぼる

くし形切りのトマト、薄切りの玉ねぎを炒めスープの素、水150ccを加えて煮、塩、こしょうをしてパセリを加える

溶き卵を流し入れ、ふんわりと浮いてきたら火を止める

TOTAL
エネルギー457kcal
鉄7.4mg

昼
ほうれん草は鉄やビタミンCを多く含む食品
ほうれん草のソテー
ほうれん草……………95g
バター…………………大さじ½
塩 ………………………0.5g
こしょう………………少々
ほうれん草は塩少々を入れた熱湯でゆで、4～5㎝幅に切る
バターで炒めて塩、こしょうをする
BUTTER
牛乳200g
大根サラダ
大根………………………40g
生ワカメ…………………10g
レタス………… 1枚(20g)
マヨネーズ…大さじ1～1½
プチトマト…… 3個(45g)
プチトマト
クロワッサン80g
大根はせん切り
ワカメは洗ってひと口大に切る
MAYO
マヨネーズであえる
レタスを敷いた器に盛る
TOTAL
エネルギー739kcal
鉄5.1mg

カキは造血に効果的なビタミンB_{12}が豊富です

小松菜と油揚げの煮びたし

小松菜 ………………100g
油揚げ……………½(15g)
しょう油…………小さじ1
酒…………………大さじ¼
みりん……………小さじ½

ゆでて3cmに切った小松菜

半分にして5cm幅に切った油揚げ

だし汁150ccと調味料で油揚げを煮る

小松菜を入れて、ひと煮たちさせる

カキとベーコンの鉄板焼き

カキ(大)……… 5個(80g)
ベーコン……… 1枚(20g)
木綿豆腐………¼丁(70g)
生しいたけ…… 2枚(20g)
ピーマン………½個(15g)
油……………………小さじ2
ソース
- 明太子……………10g
- 酒…………………小さじ½
- みりん……………小さじ½
- しょう油…………小さじ½
- だし汁……………小さじ1

レモン……………………⅙個

ソースの材料をまぜあわせて用意しておく

豆腐は縦半分に切ってから厚みを半分にする

TOTAL
エネルギー600kcal
鉄8.1mg

＊鉄板に油を熱してベーコンを焼き、脂が出てきたら材料を焼いて、ソースかレモン汁をつけて食べる

間食

ビタミンCを多く含む食品は鉄の吸収を助けます

グレープフルーツ½個(80ｇ))

TOTAL
エネルギー29kcal
鉄0.1mg

バリエーション

鶏レバーのみそ炒め
⇩
にらレバー炒め

レバー……………………50ｇ
Ⓐ にんにく(すりおろし)…2ｇ
　しょうが(みじん切り)…1ｇ
　しょう油………大さじ½
　酒………………小さじ1
にら…………¼束(25ｇ)
油……………………大さじ½
塩、こしょう………各少々

レバーはそぎ切りにして湯にとおし、Ⓐにつける。半量の油でレバーを炒めて取り出し、残り半量でにらを炒めレバーをもどして塩、こしょうをする

大根サラダ
⇩
大根とツナのサラダ

大根……………………100ｇ
ツナ(水煮缶)…………40ｇ
レモン…………………⅛個
あさつき………………4本
酢…………………大さじ½
サラダ油…………大さじ1
塩……………………少々
こしょう……………少々

大根のせん切り、ほぐしたツナ、いちょう切りのレモンをドレッシングであえてあさつきを散らす

小松菜と油揚げの煮びたし
⇩
菜の花のからしあえ

菜の花…………½束(80ｇ)
ちくわ…………………30ｇ
溶きがらし…………少々
しょう油…………大さじ½
だし汁……………大さじ½

菜の花はゆでて冷水に取り、3㎝長さに切り、ちくわは輪切り。からしにしょう油とだし汁をまぜてあえる

かぜ

かぜの特効薬はない。安静にして栄養をしっかり補給する

発熱したときこそ食事は豪華に

かぜの多くはウイルスが原因です。健康なひとなら体のなかに少々のウイルスがいても、抵抗力があるのでびくともしません。しかし過労、飲酒後や入浴後のうたた寝、寒い場所に長くいたり、汗をかいたのにそのままにしていると抵抗力が低下してウイルスが増殖します。勢いを得たウイルスは体のなかで暴れだし、それを食い止めようとする体内の免疫などとの間で闘いが起こります。その結果、鼻水、せき、喉の痛み、頭痛、発熱といった症状があらわれてきます。

ウイルスだけをやっつける特効薬はありません。したがって、かぜをひいたときは体の抵抗力をつけて、ウイルスを撃退することがたいせつです。安静にして体を休め、栄養をしっかり取ることが何よりの援軍になります。

体温が1度上がると基礎代謝量が13%もふえますから、発熱しているときはタンパク質をはじめビタミン、ミネラルが激しく消耗します。熱があるときこそ、ごはんやパン、牛乳、卵、肉、魚、野菜などをしっかり食べるようにしましょう。

発熱で食欲のないときには流動食

知っておきたい One Point

熱のあるときは食欲がおとろえがちです。タンパク質やビタミン、ミネラルなどの栄養素の消費が激しい発熱時にこそ食欲がわいてほしいのですが、食欲は低下します。食べやすいおかゆも、それだけでは栄養不足です。

そこで、食欲のないときは、口あたりのよいつめたい牛乳や果汁、アイスクリーム、スープなどの流動食を利用します。スポーツドリンクや、卵酒もよいでしょう。ただし発熱時に、お酒そのものを飲むのは禁物です。

砂糖で熱による体力低下を防ぐ

かぜの予防と治療には、安静と栄養補給、保温の3点がたいせつです。仕事や勉強で無理をしない、睡眠をよく取る、体を冷やさない、食事をしっかり取る、といった注意を日ごろから守るようにしましょう。

熱のある場合は食欲が低下しているため、おかゆなどあっさりした口あたりのよいものにかたよりがちですが、発熱時はエネルギーの消耗が激しく、タンパク質やビタミンなどの栄養素も失われやすいのです。熱のあるときこそボリュームたっぷりの食事がふさわしいのですが、食欲がないときは、ごちそうもなかなかのどをとおりません。

そこで、手っ取りばやく効率的にエネルギーを補給するために、紅茶やコーヒーに砂糖を多めに入れて飲みます。牛乳やみかん、グレープフルーツなどのくだものもよいでしょう。みかんやグレープフルーツに多く含まれているビタミンCは、かぜの予防と治療に効果があるという説もあります。

かぜの治療にはいろいろな民間療法が利用されています。卵酒、温かいお湯に梅干しやしょうがを入れる、お湯のなかにみかんを絞って入れ、さらに砂糖などを加えるなどの方法があります。こうした方法は体を温めることになるし、エネルギーやいろいろな栄養素を補給することにつながります。

最近の研究で、卵に含まれるシスタチンという物質にはウイルスの感染を防ぐ作用があり、大豆やインゲン、じゃがいもに多いレクチンという物質は、体の免疫力を高める働きがあるらしいということがわかってきました。とくに、卵は牛乳とともにさまざまな栄養素を含んでおり、栄養補給の面からも積極的に取りたい食品といえます。

なお、かぜで下痢をともなう場合は食物繊維の多いたけのこ、ごぼうなどの野菜、きのこ、海藻、こんにゃく、腸を刺激する牛乳などはひかえめにします。

食品選びの目安

分類	食品	目安
主食	ごはん、パン、めん類	○
主菜	肉類	◎
	卵	◎
	魚介類	◎
	大豆・大豆製品	○
副菜	淡色野菜	○
	緑黄色野菜	◎
	いも、かぼちゃ	○
	海藻、きのこ、こんにゃく	○
	くだもの	◎
	牛乳・乳製品	◎
調味料	油脂	○
	砂糖	◎
	塩、しょう油、みそ	○
	酢	○
	香辛料	◎
嗜好品	お菓子	○
	お酒	△
	お茶、コーヒー	○

★積極的に　△ひかえたい
◎多めに　▲できるだけひかえたい
○ふつうに　×禁止食品

消化のよいものを選び、水分の補給も十分に

アップルティー

りんごジュース ……150g
紅茶(ティーバッグ)… 1個

小なべにりんごジュースとティーバッグを入れて温め、紅茶を煮出す

フレンチトースト

食パン………… 1枚(60g)
- 卵……………½個(25g)
- 牛乳 ………………100cc
- 砂糖………………小さじ1

バター………………小さじ1
あんずジャム…………小さじ1

溶き卵に牛乳と砂糖をまぜ、食パンをひたす

バターで両面を1分ずつ焼いて、ジャムをかける

ヨーグルトサラダ

りんご……………………50g
バナナ…………¼本(25g)
みかん(缶詰)…………20g
プレーンヨーグルト…50g
サラダ菜……… 1枚(7g)

りんごはいちょう切り、バナナは輪切り、みかんは缶汁をきってヨーグルトであえ、サラダ菜にのせる

TOTAL
エネルギー472kcal
塩分1.0g

ビタミンやミネラルの豊富な食品で体力の消耗を防ぎます

肉うどん

- ゆでうどん …………250g
- 鶏もも肉………………50g
- 長ねぎ…………………20g
- えのきたけ……………25g
- にんじん………………20g
- 煮汁
  - だし汁 …………200cc
  - みりん…………大さじ1
  - しょう油………大さじ1
- ゆで卵…………½個(25g)
- 貝割れ菜………………10g
- 炒り白ごま……………1g

煮汁を煮立てて鶏肉、食べやすく切った長ねぎ、えのきたけ、にんじんを煮る

ゆでてゆで汁をきったうどんに煮汁をかける

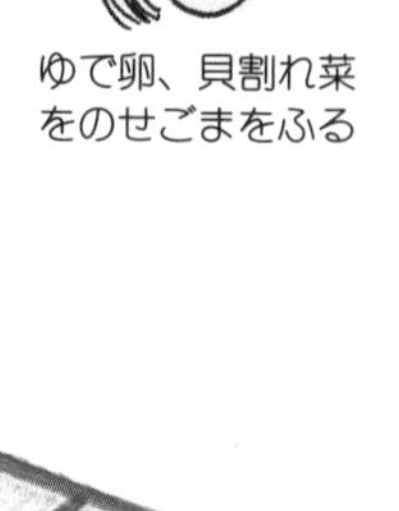

ゆで卵、貝割れ菜をのせごまをふる

ほうれん草と菊のおひたし

- ほうれん草……¼束(75g)
- 食用黄菊………………5g
- Ⓐ
  - だし汁…………小さじ2
  - しょう油………小さじ1

黄菊は酢入りの熱湯（分量外）でゆで、水にさらしてしぼる

Ⓐの⅓量でゆでたほうれん草と菊をあえてしぼり、残りをかけてもう一度あえる

TOTAL
エネルギー485kcal
塩分4.0g

のどの痛みのあるときは、のどごしのよい調理方法を工夫

白身魚としいたけのリゾット

ごはん………………110g
白身魚(たら)…………50g
生しいたけ……………15g
玉ねぎ…………………20g
みつ葉…………………10g
油……………………小さじ1
{湯 …………………300cc
{コンソメの素…1/4個(1g)
塩 ……………………0.2g
こしょう………………少々

白身魚はひと口大に、玉ねぎはみじん切り、しいたけは薄切り、みつ葉は3cmに切る

玉ねぎを炒め白身魚を加え、スープとごはん、しいたけ、みつ葉を加えて煮、塩、こしょうをする

豆腐のあんかけ

絹ごし豆腐 …1/2丁(150g)
{だし汁 ……………150cc
{しょう油…………大さじ1
{みりん……………大さじ1/2
{片栗粉……………小さじ1
{水…………………小さじ2
おろししょうが………5g

さつまいものクリーム煮

さつまいも……………60g
Ⓐ{牛乳…………………50cc
Ⓐ{砂糖…………………小さじ1
Ⓐ{バター………………小さじ1/2
Ⓐ{塩 …………………0.3g

輪切りにしてゆでたさつまいもをⒶで煮る

だし汁と調味料を煮立て水溶き片栗粉でとろみをつけたものを上からかける

おろししょうがをのせる

ゆでた豆腐

TOTAL
エネルギー507kcal
塩分4.1g

間食

熱のあるときは氷菓のひんやりとした感触が心地よい

TOTAL
エネルギー180kcal
塩分0.3g

バニラアイスクリーム100g

バリエーション

ヨーグルトサラダ
⇩
プルーンの甘煮

プルーン……… 3個(60g)
砂糖……………………小さじ2
プレーンヨーグルト…50g

プルーンはやわらかくなるまで煮て砂糖を加えて煮含める。冷やしておきヨーグルトをかける

肉うどん
⇩
にゅうめん

そうめん…………………70g
煮汁
- だし汁 …………200cc
- しょう油………大さじ1
- みりん…………小さじ1/2

油揚げ…………1/2枚(20g)
あさつき………………10g
おろししょうが………10g

そうめんはゆでて水にさらして水気をきる。油揚げを煮汁で煮、そうめんを加えて温め、あさつきとおろししょうがをのせる

白身魚としいたけのリゾット
⇩
トマトとチーズのリゾット

ごはん ………………110g
トマト ………1/2個(100g)
玉ねぎ…………1/4個(50g)
- 湯 ………………300cc
- コンソメスープの素 1/4個(1g)

粉チーズ……………小さじ1
パセリ………………少々

玉ねぎのみじん切りを炒め、スープとごはん、ざく切りにしたトマトをまぜて煮、粉チーズとパセリをふる

市販薬の上手な利用法

くすりの保存について

くすりは、医師が処方する医療用医薬品(処方薬)と、薬局で購入できる一般用医薬品(市販薬)とに分けられます。

くすりは、長期間保存しておくと効力が落ちます。処方薬の場合、保存方法についての注意が薬袋などに記載されているので、それを守ることがたいせつです。

また、どこの家庭にもある胃腸薬やかぜ薬、虫さされ軟膏などの家庭常備薬は、ほとんどが市販薬です。この市販薬にも、使用期限を表示したものが増えてきました。ただし表示期限内だからと安心してはいけません。使用期限とは、未開封のまま正しい方法で保存した場合に効力を得られる期限のことなのです。一度開封したもので、色や形が変わっているときは、期限内でも使わないほうがよいでしょう。

くすりの保存方法の基本は、直射日光を避けることと、湿気の少ない涼しい場所に置くことです。とくに目薬や水薬のように同じ容器を何度も使用する液剤は、細菌などの汚染防止のために冷蔵庫に保存しましょう。また坐薬も、体温で溶けるようになっていますので、同様に冷蔵庫に保存したほうがよいでしょう。

市販薬と処方薬の併用は危険

従来、市販薬というと、処方薬に比べて効きがわるいと言われてきました。それは、個々の症状に合わせて処方されるのではなく、一つの病気の幅広い症状に合うように処方されるため、いわゆる「強い」成分は控えめで安全性が重視されていたからです。しかし10年ほど前から、厚生省などの「セルフメディケーション（患者が自己診断して市販薬を用いる自己治療）」の方針にそって、それまでは処方薬にのみ使用されてきた「強い」成分が市販薬にも使用されるようになってきました。

その結果、処方薬と市販薬の併用による成分の重複・相互作用のトラブルなどが増えつつあります。医師から治療を受けている場合は、市販薬との併用は避けてください。もし併用したい場合は、服用している薬を持参して、医師や薬剤師から病気や薬に対する説明を十分に受けることがたいせつです。

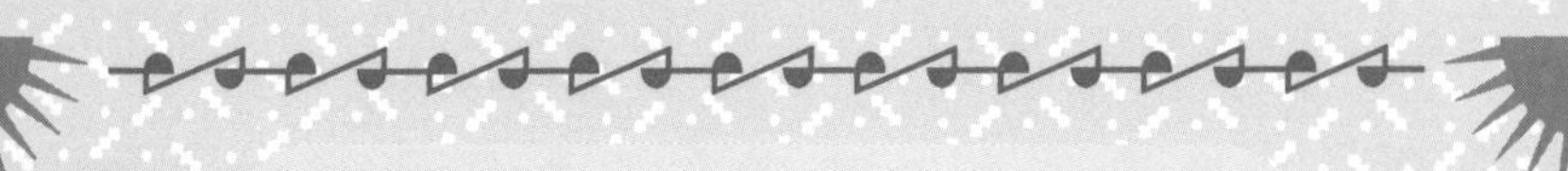

女性編

女性が気をつけたい食事

女性が気をつけたい食事

女性に多い便秘や冷えは、バランスのとれた食事と正しい生活習慣で。とくに意識して取りたいのは鉄分とカルシウム。妊娠・出産時には成人男子の約2倍も。

鉄分とカルシウム

一般的に、貧血や便秘、冷え症などはとくに女性に多く見られる症状です。また月経痛（生理痛）や更年期障害、妊娠・出産は、病気ではありませんが、女性だけが経験する苦労だともいえます。こうした症状をやわらげるのにも、食事療法は有効です。つまり、いいかえれば、とくに女性が気をつけたい食事の仕方があるということです。

たとえば、若い女性に多い貧血の原因の多くは、鉄分の不足です。また、高齢の女性に多く見られる骨粗鬆症は、カルシウムの不足が原因です。これらの栄養素は、平均的な日本人の食生活ではもともと摂取量が不足しがちなものです。それに加えて、女性においては、月経時の失血のために、鉄分は男性よりも2割ほど多く必要とされ、またもともと骨の量が少ないため、カルシウムも男性より多く取ったほうがよいのです。

妊娠・出産時にはさらに注意

さらに妊娠・出産時においては、胎児の骨のもとになるカルシウムと、血液のもとになる鉄分は、いっそう意識して取る必要があります。

とくに妊娠後期から授乳期には、鉄分とカルシウムはそれぞれ成人男子の2倍程度の量が必要となります。レバーや牛乳・乳製品、緑黄色野菜などを意識して多めに取りましょう。

そのほか、若い女性の多くが悩む症状に冷え症と便秘があります。

冷え症の原因は血液の循環が悪くなることであり、ひどい場合は頭痛や腰痛などをともなうこともあります。

食べものでは、体を温めて血行を良くするタンパク質やビタミン類、そして造血を助ける鉄分を多く取るのが有効です。逆に、生野菜や生のくだものなど、体を冷やす働きのある食べものの取り過ぎには注意しましょう。

便秘には、食物繊維がとても有効です。また食物繊維には、脂肪や糖分、塩分の吸収を抑える働きもあり、エネルギー摂取量を抑えて肥満を防止するのにも役立ちます。

賢い食生活を身につけよう

ただし、一般的に見ると、貧血や便秘、冷え症、あるいは生理痛などに悩む女性の多くは、生活が不規則だったり、朝食を取らなかったり、偏食が激しかったり、間食が多かったり、さらにふだんほとんど運動をしなかったりというケースがすくなくありません。また、仕事をしているなどの理由で、外食やインスタント食品の利用が多い場合にも、こうした症状が多く見られます。

外食やインスタント食品で、もっとも不足しがちなのが、ビタミン類と鉄やカルシウムなどのミネラル類です。したがって、まずは規則正しい生活と適度な運動を心がけ、1日3食をバランスよくきちんと食べることがたいせつなのです。

バランスのとれた食事は、女性にとって、病気の予防や健康づくりに役立つだけでなく、内面からの美しさをもたらす重要な要素です。規則正しい生活習慣と賢い食生活を身につけましょう。

肌と健康

肌は健康状態のバロメーター。規則正しい食事と生活が基本

張りとうるおいのある肌は

肌の張りやうるおいは、健康状態に大きく関係しています。かぜをひいたり体調をくずしたりしているときには、うるおいのないカサカサした肌になり、夜ふかししたときなどは肌の色つやが悪くなります。また便秘をしていると、肌荒れや吹き出ものの原因となります。

つまり肌を健康に保つことは、全身の健康を保つことでもあるわけです。したがって、基本となるのはバランスの取れた食事と規則正しい生活です。

肌に重要な栄養素としては、各種ビタミン類があげられます。たとえば、ビタミンAが不足すると肌がカサつき、ビタミンBが足りないと脂性の肌になります。これらは乳製品や緑黄色野菜、卵、レバーなどに多く含まれます。ビタミンCは肌の張りを保つコラーゲンの合成に不可欠なうえ、メラニン色素の沈着を防ぐ働きもあり、しみやそばかすに効果があります。また植物油に多く含まれるビタミンEは、肌の新陳代謝に重要な働きをします。

さらに、肌の大敵となる便秘には、食物繊維を多く取ることと、1日3回の規則正しい食事がたいせつです。

紫外線と肌の関係

知っておきたい One Point

日光に含まれる紫外線は、肌の大敵といわれています。たとえばしみは、紫外線に対するメラニン色素の部分的かつ過剰な合成がその原因です。また紫外線には、皮膚の弾力を失わせて老化をはやめる作用もあります。

しかし、だからといってまったく紫外線にあたらないと、ビタミンDを体内で合成できず、別の病気になってしまう可能性があります。要は、なにごともほどほどにというわけです。

朝

栄養バランスを取り、規則正しく食事をすることが美肌の基本

目玉焼き

卵	1個（50g）
油	小さじ½
レタス	20g
トマト	¼個（60g）
いんげん	2本（15g）

フライパンに油を入れて熱し、卵を割り入れて焼く。レタスは手でちぎり、トマトはくし形に、いんげんはゆでる

フルーツヨーグルト

りんご	⅙個（40g）
オレンジ	¼個（25g）
キウイ	½個（50g）
プレーンヨーグルト	100g

りんごとキウイは皮をむいていちょう切り。オレンジは実を取り出しヨーグルトであえる

バターロール60g

豆腐とワカメのスープ

豆腐	⅙丁（50g）
生ワカメ	10g
長ねぎ	10g
スープ　コンソメの素	¼個（1g）
スープ　水	150cc

豆腐はさいの目に、ワカメは洗って食べやすく切り、長ねぎは小口切りにする。スープは煮立てて豆腐とワカメを煮、長ねぎを入れる

TOTAL
エネルギー433kcal
塩分1.8g

間食

お茶は食べるビタミンC。肌を美しく保つのに効果「大」です

抹茶入り牛乳かん

粉寒天	0.4g
水	20cc
牛乳	100g
砂糖	8g
抹茶	0.5g

TOTAL
エネルギー90kcal
塩分0.1g

なべに寒天と水を入れて煮溶かし、牛乳を加えて火を止め、砂糖をまぜる

湯少量で溶いた抹茶を入れ、型に入れてかためる

脂溶性のビタミンA、Eを多く含む食品をしっかりと取りましょう

手巻きごはん

- ごはん……………………160g
- のり…………………1枚(4g)
- ツナ(油漬け)………………40g
- 納豆…………………………20g
- { しょう油…………小さじ1/3
- { 長ねぎ(小口切り)…5g
- 青じそ…………2枚(2g)
- きゅうり………1/4本(25g)
- 貝割れ菜……………………10g

のりは切って

ツナはほぐす。納豆にしょう油と長ねぎをまぜる。青じそは洗って水気をふく。きゅうりは棒状に切る。貝割れ菜は根を切る。のりにごはんをのせ、好みの材料をのせて巻く

すまし汁

- とろろ昆布………………5g
- 長ねぎ……………………10g
- かつお節…………………1g
- しょう油……………小さじ1
- 湯 ………………………150cc

長ねぎは小口切り

椀にとろろ昆布、長ねぎ、かつお節、しょう油を入れて、熱湯をそそぐ

かぶの即席漬け

- かぶ(小)………1個(50g)
- かぶの葉…………………15g
- にんじん…………………10g
- 昆布………………………少量
- 塩 ………………………0.5g
- しょう油……………小さじ1/4

かぶは薄切りにして、葉はさっとゆでて細かく切る。にんじん、昆布はせん切りにする

塩としょう油をふり、しんなりするまでおく

TOTAL
エネルギー429kcal
塩分2.8g

かぶの即席漬け ⇨ かぶのレモン漬け

- かぶ…………………1個(90g)
- かぶの葉…………………10g
- レモン(輪切り)…1枚(10g)
- 塩……………………小さじ1/2

かぶは薄切り、かぶの葉は小さく切り、塩をふってもみ、レモンを加えてしぼる

ほうれん草のごまあえ ⇨ ほうれん草とささみのごまあえ

- 鶏ささみ…………………30g
- ほうれん草………………50g
- Ⓐ { 炒り白ごま……小さじ1
- Ⓐ { 砂糖……………小さじ1/2
- Ⓐ { しょう油………小さじ1/2

ささみはゆでて細くさく。ほうれん草をゆでてささみとまぜ、Ⓐであえる

夜

食物繊維を含む食品を取って、肌荒れの原因になる便秘を予防

豚肉のソテー

豚ロース肉(脂身なし)…70g
Ⓐ{おろししょうが…5g / しょう油………小さじ1/2 / 酒………………小さじ1/2}
ゆでたけのこ…………15g
生しいたけ……1枚(10g)
ピーマン………1/2個(15g)
玉ねぎ…………1/5個(40g)
サラダ油……………小さじ1
Ⓑ{スープ…30g(固型スープ1g分) / 塩……………0.2g / 酒……………4cc / 砂糖…………小さじ2/3 / こしょう…………少々}
{片栗粉……………小さじ1/2 / 水………………小さじ1/2}

片栗粉は水溶きする

豚肉はⒶで下味をつけてソテーする

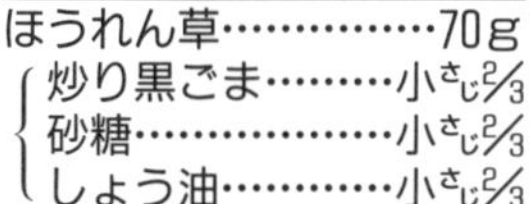

野菜はせん切りにして炒め、Ⓑで調味して水溶き片栗粉でとろみをつける

豚肉にかける

ごはん160g

ほうれん草のごまあえ

ほうれん草……………70g
{炒り黒ごま………小さじ2/3 / 砂糖………………小さじ2/3 / しょう油…………小さじ2/3}

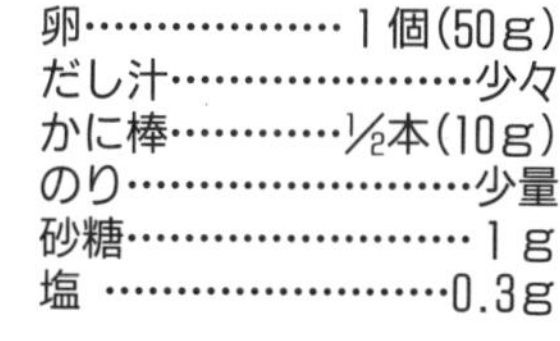

黒ごまはすって砂糖、しょう油とまぜ、ゆでたほうれん草をあえる

甘酢漬け

大根…………………40g
きゅうり………………20g
にんじん………………10g
Ⓐ{酢………………大さじ1/2 / 砂糖……………小さじ2/3}

野菜は小さめの乱切りにして、Ⓐの甘酢であえる

TOTAL
エネルギー559kcal
塩分2.0g

バリエーション

目玉焼き ⇨ かに棒入り卵焼き

卵……………1個(50g)
だし汁………………少々
かに棒………1/2本(10g)
のり…………………少量
砂糖…………………1g
塩……………………0.3g

溶き卵にだし汁と砂糖、塩をまぜてフライパンに流し入れ、のり、かに棒をのせて巻く

妊娠と出産

子どもの発育に必要な栄養を十分に。ただしカロリー過多の肥満には注意

不足しがちな鉄分とカルシウム

妊婦の食事は、ひと昔前のように「子どもと二人分」といったものではなく、胎児に必要な栄養素を、いかに効率よく摂取するかがポイントです。とくに意識的に取りたいものとして、タンパク質、ビタミン、ミネラル類、そして食物繊維があげられます。

タンパク質は体のもとになる栄養素ですから、十分な量が必要です。ただし、高カロリーにならないように動物性脂肪や糖分はひかえめにします。

ビタミン、ミネラル類では、カルシウムと鉄分が不足しがちです。とくに妊娠中は、胎児にとってはそれぞれ骨と血液のもとになるものですから、レバーや牛乳・乳製品、緑黄色野菜などを意識して多めに取ることです。

食物繊維は、脂肪や糖分、塩分の吸収をおさえる働きがあり、また便秘にも効果があります。とくに妊婦は便秘になりがちですから、注意が必要です。

さらに注意したいのは、カロリー摂取過多による肥満です。肥満は高血圧や糖尿病、妊娠中毒症を引き起こしたり、また肥満による運動不足で難産になったりすることもあります。

知っておきたい One Point

つわりを乗りきる食事

「赤ちゃんのために栄養を…」と思っていても、つわりの時期にはなかなか食が進まないものです。そうした際には、食べたいものを食べることが先決です。何も食べないでいると、つわりはかえって重くなります。

つわりが起きるのは妊娠初期ですから、それほど栄養価を考える必要はありません。また、つわりは空腹時に多くあらわれるので、いつでも何か食べられるものを用意しておくことです。

タンパク質、ビタミン、カルシウム、鉄分、食物繊維を重点的に

ピザトースト

食パン（4枚切り）1枚（90g）
ピザソース…………大さじ1/2
玉ねぎ……………………30g
ピーマン…………………10g
ボンレスハム…1/2枚（10g）
ピザ用チーズ…………20g

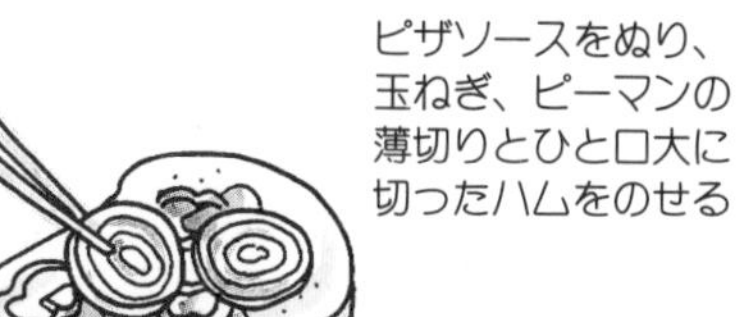

ピザソースをぬり、玉ねぎ、ピーマンの薄切りとひと口大に切ったハムをのせる

チーズをのせて焼く

ヨーグルトのあんずジャム添え

レモンティー
紅茶1杯分に、レモン（薄切り）5gを入れる

ブロッコリーと桜えびのソテー

ブロッコリー…………50g
桜えび……………………3g
きくらげ…………………1g
塩 ……………………0.5g
こしょう………………少々
バター……………………3g

ヨーグルトのあんずジャム添え

プレーンヨーグルト 100g
あんずジャム………小さじ1

TOTAL
エネルギー471kcal
塩分3.1g

もどしたきくらげ

桜えび

小房に分けてゆでたブロッコリーをバターで炒め、桜えび、きくらげを加えて塩、こしょうをする

間食

カルシウムやミネラルを豊かに含む乳製品を中心に

かぼちゃのプディング

かぼちゃ…………………50g
牛乳………………………50g
砂糖……………………小さじ2
卵……………1/2個（25g）
砂糖…………………大さじ1
水……………………大さじ1

TOTAL
エネルギー161kcal
塩分0.1g

小なべに砂糖と水を入れ、茶色になるまで熱し、カラメルをつくり、プリン型に入れる

かぼちゃを蒸してつぶし、牛乳、砂糖、卵をまぜて型に入れる

型から取り出す

15分蒸す

3食きちんと食べ、摂取カロリーの取り過ぎによる肥満に注意

五目焼きそば

蒸し中華めん	150g
豚もも肉	30g
むきえび	20g
イカ	30g
キャベツ	50g
にんじん	20g
チンゲンサイ	30g
もやし	20g
油	10g
ウスターソース	9g
青のり	1g
卵	25g
紅しょうが	10g

豚肉はひと口大に切り、えびは背わたを取り、イカはたんざくに切る

キャベツとにんじんはたんざくに切り、チンゲンサイは3㎝長さに切り、もやしは洗って水をきっておく

具を炒めたら、めんをほぐしながら加えて炒め、ウスターソースで味つけする

みかん100g

トマトと玉ねぎのかき卵スープ

トマト	50g
玉ねぎ	25g
油	3g
スープ 水	150cc
スープ コンソメの素	¼個(1g)
塩	0.6g
こしょう	少々
卵	10g

溶き卵を細く流し入れる

トマトと玉ねぎのかき卵スープ ⇨ キャベツとベーコンのスープ

キャベツ	1枚(55g)
さやえんどう	3枚(6g)
ベーコン	½枚(10g)
スープ 水	150cc
スープ コンソメの素	¼個(1g)
スープ こしょう	少々

たんざくに切ったキャベツとベーコン、さやえんどうをスープで煮てこしょうをふる

ワカサギの若草揚げ ⇨ ワカサギの南蛮酢

ワカサギ	75g
片栗粉	大さじ2
揚げ油	
Ⓐ だし汁	大さじ½
Ⓐ 酢	大さじ2
Ⓐ 砂糖	大さじ½
Ⓐ しょう油	大さじ½
長ねぎ	¼本(25g)

ワカサギは片栗粉をまぶして揚げ、焼いた長ねぎとともにⒶにひたす

カルシウムの多い小魚や、ビタミン、ミネラルの多い緑黄色野菜を十分に

ワカサギの若草揚げ

ワカサギ……………………75g
Ⓐ｛塩 ………………0.5g
　｛酒……………………小さじ1
｛卵……………………………10g
｛水…………………………大さじ1
｛小麦粉……………………大さじ2
｛抹茶………………………… 2g
揚げ油
｛レタス………………………10g
｛トマト………………………30g
｛レモン(くし形) …1/8個(10g)

ワカサギにⒶで下味をつける

卵と水をまぜ、小麦粉と抹茶を加えて、ころもをつくる

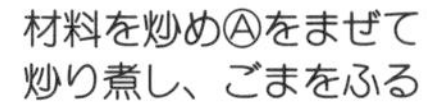

ワカサギにころもをつけて揚げる

炒りなます

大根(たんざく切り) …25g
にんじん(たんざく切り) …10g
れんこん(いちょう切り) …30g
油揚げ(たんざく切り) …10g
こんにゃく(たんざく切り) …25g
炒り白ごま…………………1g
ごま油………………………2g
Ⓐ｛しょう油………小さじ1
　｛酒……………………小さじ1
　｛みりん……………小さじ1/2

材料を炒めⒶをまぜて炒り煮し、ごまをふる

かぶと厚揚げのみそ汁

かぶ(いちょう切り) …30g
かぶの葉(3㎝長さ) …10g
厚揚げ(たんざく切り) …20g
｛だし汁 ……………150cc
｛みそ…………………10g

バリエーション

ピザトースト ⇨ サーディンのピザトースト

食パン(4枚切り) …1枚(90g)
ピザソース…………大さじ1/2
オイルサーディン… 5尾(30g)
玉ねぎ(薄切り)………30g
トマト(さいの目切り) …20g
ピザ用チーズ…………20g

食パンにピザソースをぬり、具をのせてオーブンで焼く

生理痛

不快な症状を重くするのは、栄養のバランスのかたよりと精神的ストレス

ビタミン、ミネラルをバランスよく

月経痛（生理痛）は、個人差が大きいものです。下腹部の圧迫感や痛み、腰の痛みなどが一般的な症状ですが、頭痛や眠気、憂鬱（ゆううつ）感やイライラ感といった精神症状を訴える場合もあり、また、なんの症状もない場合もあります。

月経痛の原因はホルモンのバランスがくずれることとされ、病気ではありません。したがって、食事の基本は、栄養のバランスを心がけることです。

月経痛は、仕事をしている女性に重い場合が比較的多く、外食やファーストフード、インスタント食品の利用による栄養バランスのかたよりと、精神的なストレスとが関係していると考えられます。外食などで不足しがちな栄養素はビタミン類と鉄分などのミネラル類ですから、乳製品や緑黄色野菜、肉類、魚介類、大豆製品をバランスよく取ることが第一。さらに、十分な睡眠やリラックスがたいせつなことはいうまでもありません。またふだんから、軽い運動を心がけて、下半身の血液の循環をよくするようにしておくと、症状が緩和される場合もあるようです。

ひどい痛みの場合は迷わず医師に相談を

知っておきたい One Point

月経にともなう腹痛の症状が重く、痛さで動けなくなったり寝込んだりしてしまうという場合には、専門医に相談してください。鎮痛剤の処方を受けることで楽になることも多いのです。ムダに苦しむ必要はありません。

場合によっては子宮筋腫や子宮内膜症といった病気の可能性もあります。これらは不妊症の原因となることもあるため、はやめに適切な治療を受けることがたいせつです。

摂取エネルギーは多過ぎず、すくな過ぎないよう適量を

ツナとトマトのスクランブル

卵……………………………50g
ツナ（油漬け缶）………20g
トマト（あらみじん切り）30g
ピーマン（1㎝角）……10g
｛塩 …………………0.1g
｛こしょう……………少々
サラダ油………………… 3g

ゆで野菜のサラダ

グリーンアスパラガス30g
にんじん………………15g
キャベツ………………30g
｛プレーンヨーグルト15g
｛マヨネーズ………… 8g
｛塩 ……………………0.1g

アスパラガス、薄切りのにんじん、ざく切りのキャベツをそれぞれゆでる

MAYO
ヨーグルト

ヨーグルト、マヨネーズ、塩をまぜて野菜にかける

TOTAL
エネルギー605kcal
塩分2.6g

間食

甘いものの取り過ぎに注意、間食は野菜かフルーツで

さつまいものレーズン煮

さつまいも……………60g
レーズン………………10g
｛砂糖………………… 2g
｛水……………………適量

輪切りにしたさつまいも、レーズン、砂糖をひたひたの水でやわらかく煮る

TOTAL
エネルギー113kcal
塩分0.0g

肉、魚、卵、大豆製品は十分に取り、海藻類、乳製品もしっかりと

牛肉といんげん豆のトマト煮

牛もも肉……………100g
Ⓐ ローリエ…………1枚
　 パセリの茎………1本
　 セロリの葉………少量
玉ねぎ(みじん切り)…35g
トマト(水煮)…………50g
いんげん豆(水煮)……32g
油…………………………3g
Ⓑ ペッパーソース…0.5g
　 タイム…………0.3g
　 塩…………………1.2g
　 こしょう…………少々
ピーマン…………………30g
パセリ(みじん切り)…少量

牛肉はひと口大に切り、Ⓐの香草を入れた熱湯でアクを取りながら、30分煮る

途中でせん切りのピーマンを加える

玉ねぎを炒め、ざく切りにしたトマトと缶汁、牛肉、2つに切ったいんげん豆を加え、水1カップ(分量外)とⒷを加えて煮込む

仕上げにパセリをふる

バナナ100g

ごはん180g

TOTAL
エネルギー688kcal
塩分3.5g

シーフードサラダ

ワカメ(塩蔵品)………15g
帆立貝(刺し身用)…1個(70g)
ゆでだこ(足)…………15g
糸寒天……………………3g
Ⓐ しょうが(みじん切り)…3g
　 サラダ油…………6g
　 酢…………………10cc
　 しょう油……小さじ1 1/6

Ⓐをまぜ、あえる

ワカメは熱湯にくぐらせて水に取り、ざく切りにする。糸寒天は水につけて5cmに切る

たこは湯にとおして薄切りにし、帆立貝も薄切り

シーフードサラダ ⇨ のりサラダ

もみのり……1枚分(4g)
しいたけ………3枚(30g)
ピーマン(大)…1個(35g)
アルファルファ………50g
Ⓐ 酢…………………小さじ1
　 おろししょうが小さじ1
　 しょう油………小さじ1/3

しいたけとピーマンは焼いて細切り、もみのり、アルファルファとともにⒶであえる

野菜スープ ⇨ かぼちゃのスープ

かぼちゃ………………80g
牛乳……………………200cc
バター…………………大さじ1/2
塩………………………小さじ1/4
こしょう………………少々
パセリ(みじん切り)…少々

かぼちゃはゆでてつぶし、牛乳とまぜて温め、バターを落としてパセリをふる

夜

野菜、とくにビタミンAやミネラルの豊富な緑黄色野菜をたっぷりと!!

アサリとブロッコリーの炒めもの

アサリ(殻つき)……100g
ブロッコリー…………37g
{ 長ねぎ(みじん切り) 8g
{ しょうが(みじん切り) … 1g
{ にんにく(みじん切り) … 1g
サラダ油………………… 3g
塩 ………………………0.2g
Ⓐ{ 薄口しょう油…小さじ1/2
Ⓐ{ 酒…………………小さじ1 1/2
ごま油………………… 1g

半量のサラダ油を熱して塩を加えブロッコリーを炒め、水小さじ1（分量外）で炒め煮、汁を切る

残りのサラダ油でねぎ、しょうが、にんにくを炒め、香りが出たらアサリを入れて炒め、ブロッコリーとⒶを加えてごま油をまわしかける

ごはん 180g

鶏肉の鹿の子蒸し

鶏ひき肉(脂身なし)…40g
Ⓐ{ 玉ねぎ(みじん切り) 10g
Ⓐ{ 生しいたけ(みじん切り) 5g
Ⓐ{ おろししょうが … 4g
Ⓐ{ 塩 ……………………0.7g
Ⓐ{ こしょう………………少々
Ⓐ{ 酒…………………小さじ1/2
Ⓐ{ パン粉…………………2g
Ⓐ{ 片栗粉…………………1g
Ⓐ{ 卵 ………………………7.5g
{ スイートコーン(ホール) …40g
{ 片栗粉……………………6g
Ⓑ{ 水……………………30cc
Ⓑ{ 固形スープの素… 1g
Ⓑ{ しょうが汁…………1g
Ⓑ{ 片栗粉…………小さじ1/4
Ⓑ{ 氷………………小さじ1/2
サラダ菜………………60g
油…………………小さじ1/4

肉とⒶをまぜ団子をつくる。片栗粉をコーンにまぶし、その上で団子をころがしまわしつける。10分蒸し、Ⓑであんをつくり、かける

野菜スープ

にんじん………………15g
玉ねぎ…………………18g
キャベツ………………50g
セロリ…………………25g
さやえんどう…………5g
スイートコーン(ホール) …20g
水 ……………………150cc
固形スープの素 ……… 2g
こしょう………………少々

スープでせん切りにした野菜を煮、さやえんどうとコーンを入れて、こしょうをふる

TOTAL
エネルギー562kcal
塩分3.9g

バリエーション

ツナとトマトのスクランブル ⇨ トマトのココット焼き

卵………………1個(50g)
トマト ………1個(200g)
塩 ……………少々(0.3g)
こしょう………………少々
粉チーズ…………小さじ1

トマトを薄い輪切りにして器の周囲に入れ、卵を割り入れて塩、こしょうをし、粉チーズをふってオーブンで焼く

更年期障害

女性ホルモンの低下が原因。気持ちのゆとりが症状を軽くする

不足しがちな栄養素を重点的に

女性の閉経前後の期間を更年期と呼び、この時期にみられるさまざまな症状を更年期障害といいます。これは、卵巣機能の低下によるホルモンバランスの変化が引き起こすもので、自律神経失調症の一種です。

症状は、急激なのぼせや動悸、頭痛、肩こり、腰痛、関節痛など全身にわたるほか、憂鬱(ゆううつ)感やイライラ感などの精神症状をともなう場合もあります。ただし個人差が激しく、また精神的な状態にかなり左右されます。

更年期の食事では、まず食欲不振によるタンパク質の不足が心配されます。また女性ホルモンの分泌の低下によってカルシウムの吸収が減り、胃液の分泌量低下によって鉄分の吸収が減ります。したがって、これらの栄養素を多く含む乳製品や大豆製品、緑黄色野菜などを、とくに意識して取ることがだいじです。

さらに、ごまや青魚などに多く含まれるビタミンEには血液の循環をよくする働きがあるので、肩こりや腰痛、耳鳴りやめまいといった、血液の循環障害による症状に効果があります。

知っておきたい One Point

ホルモン療法について

更年期障害の原因は閉経にともなう卵胞ホルモン(エストロゲン)の減少です。そこで、閉経前からエストロゲンの錠剤を服用し、更年期障害を遠ざけます。

この療法は、更年期障害の諸症状をやわらげ、老化による動脈硬化や高血圧にも効果があります。しかしそのいっぽう、長期間の服用による肝臓への負担や、自然の老化現象に逆らうことへの潜在的な危険を指摘する声もあるというのが現状です。

タンパク質と鉄分は不足しないよう、バランスのとれた食事を

親子煮

鶏もも肉(皮なし)……30g
玉ねぎ…………¼個(60g)
卵…………………1個(50g)
みつ葉…………1本(1g)
Ⓐ｛水…………………50cc
　 しょう油………大さじ½
　 砂糖……………小さじ1

溶き卵

仕上げにみつ葉をのせる

Ⓐで鶏肉と薄切りの玉ねぎを煮、溶き卵を流し入れる

ごはん160g

ゆかりあえ

きゅうり………¼本(25g)
かぶ……………½個(40g)
ゆかり　……小さじ¼(0.7g)

材料を小さめの乱切りにして、ゆかりであえる

＊ゆかり…梅干しにつけたしそを乾燥させて粉状にしたもの

小松菜と油揚げのみそ汁

小松菜…………………30g
油揚げ…………⅙枚(5g)
乾ワカメ………………8g
｛だし汁　……………150cc
　みそ…………小さじ1⅔

だし汁で細切りの油揚げを煮、ゆでた小松菜、もどしたワカメを切って入れ、ひと煮してみそを溶き入れる

TOTAL
エネルギー455kcal
塩分3.1g

間食

さつまいもは、柑橘類と同じくらいにビタミンCが多い

いももち

さつまいも……………60g
もち……………⅓個(16g)
｛きなこ……………大さじ1
　砂糖………………小さじ1

さつまいもを輪切りにして15分蒸す、もちを途中で加えて一緒に蒸す

蒸しあがったら、つぶしてまぜる

だんごに丸め、きなこと砂糖をまぶす

TOTAL
エネルギー149kcal
塩分0.0g

カルシウムを豊富に含むひじきは毎日でも

豆腐のグラタン

木綿豆腐………1/8丁(40g)
ほうれん草……………20g
しめじ……1/4パック(25g)
ツナ(油漬け缶)………20g
{ マヨネーズ………大さじ1
{ しょう油…………小さじ1/4
{ こしょう……………少々
ピザ用チーズ…………20g
パン粉…………………大さじ1

ほうれん草はゆでて2cm長さに切る

小房に分けたしめじ、ツナ、マヨネーズ、しょう油、こしょうをまぜる

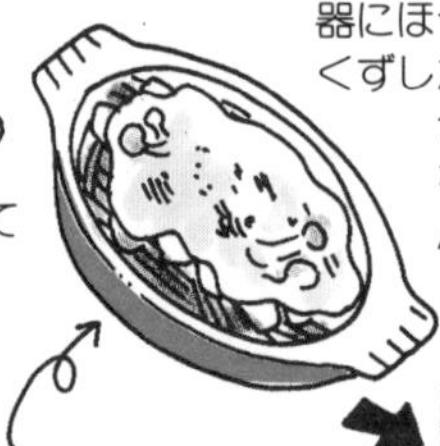

器にほうれん草を敷いてくずした豆腐をのせ、ツナ入りマヨネーズをかけてチーズとパン粉をふる

200℃のオーブンで20分焼く

ロールパン60g

TOTAL
エネルギー490kcal
塩分3.3g

ひじきのサラダ

生ひじき……………25g
大根…………………40g
きゅうり……………25g
青じそ………1枚(1g)
{ 梅干し………1/2個(5g)
{ サラダ油…………小さじ1
{ 酢…………………大さじ1/2
{ 砂糖 ………少々(0.5g)

梅干しはタネを取って細かくきざむ

サラダ油、酢、砂糖とまぜる

ひじき、せん切りにした野菜をあえる

切り干し大根の甘酢漬け ⇨ 切り干し大根の納豆あえ

切り干し大根…………10g
納豆……………………30g
{ からし………………少々
{ しょう油…………小さじ1/2
あさつき(小口切り)…少量

納豆にからしとしょう油をまぜ、もどして水気をしぼった切り干し大根をあえ、あさつきをふる

さんまの梅干し煮 ⇨ さんまの照り焼き

さんま…………1/2尾(50g)
Ⓐ{ 酒………………………小さじ1/2
Ⓐ{ しょう油………小さじ1
Ⓐ{ しょうが汁……小さじ1/8
サラダ油…………………小さじ1/2

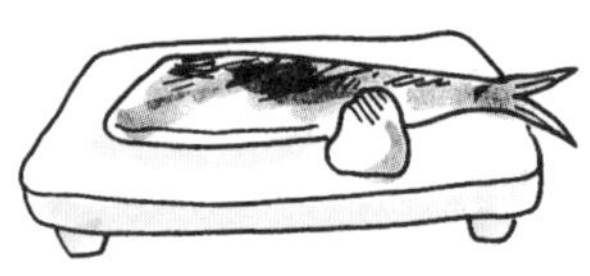

さんまをⒶにつけて5～10分おいてから、油を熱したフライパンで焼く

夜

血液の循環をよくする成分やビタミンEを含む青魚を

枝豆ごはん

ごはん……………………150g
枝豆………40g（正身20g）
シラス干し…………大さじ½
炒り白ごま…………小さじ1

ごはんに、ゆでた枝豆、シラス干し、ごまをまぜる

さんま　牛乳煮　甘酢漬け

さんまの梅干し煮

さんま…………½尾（50g）
おろししょうが………10g
梅干し………… 1粒（6g）
Ⓐ
水……………⅓カップ
酒……………………小さじ1
砂糖…………………小さじ½
しょう油………小さじ1

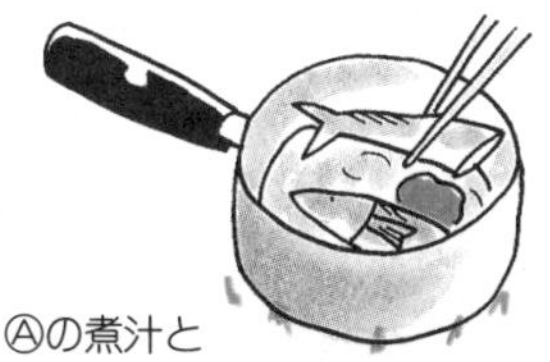

Ⓐの煮汁と
おろししょうが、梅干しをあわせて煮立て、さんまを入れて煮る

かぼちゃの牛乳煮

かぼちゃ…………………60g
牛乳 ………………………100cc

かぼちゃの薄切りを牛乳で煮る

TOTAL
エネルギー600kcal
塩分4.1g

春菊のおひたし

春菊…………………………65g
しょう油…………小さじ1
だし汁……………小さじ1

春菊をゆで、だし汁で割ったしょう油であえる

アサリのすまし汁

アサリ（殻つき）………50g
水 …………………………150cc
塩 ……………少々（0.8g）
長ねぎ……………………10g

水を煮立たせてからアサリを入れ、火が通ったら塩で調味し、吸い口にねぎを加える

切り干し大根をもどし、せん切り野菜と甘酢であえ、ごまをふる

切り干し大根の甘酢漬け

切り干し大根…………10g
にんじん…………………10g
きゅうり………¼本（25g）
炒り白ごま…小さじ1（2g）
酢……………………大さじ½
砂糖…………………小さじ1

バリエーション

親子煮 ⇨ ひき肉入り卵焼き

鶏ひき肉………………30g
長ねぎ…………………50g
しょう油…………小さじ1
砂糖………………小さじ1
卵………………… 1個（50g）
サラダ油…………小さじ¼

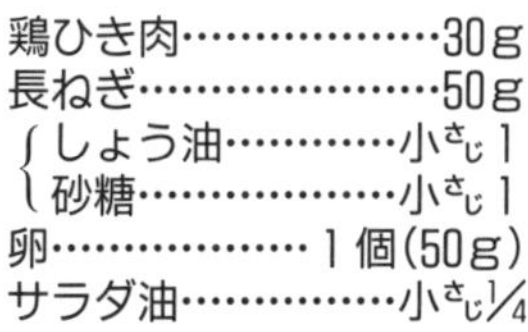

鶏ひき肉とみじん切りのねぎを炒めて調味し、溶き卵にまぜて卵焼きにする

鉄欠乏性貧血

若い女性に多い貧血の原因は、過度のダイエットやかたよった食生活

鉄、タンパク質、ビタミンCを

貧血のほとんどは、機能的な障害によらない鉄欠乏性貧血です。これは若い女性に圧倒的に多い症状で、文字どおり鉄分の摂取不足によるもの。とくに過度のダイエットや、かたよった食生活が原因となっているようです。

女性は、月経時の失血のため男性よりも2割ほど多くの鉄分が必要で、さらに妊娠後期から授乳期には男性のほぼ2倍の量が必要となります。しかし貧血の女性の多くはやせ型で、食事の絶対量からして不足しています。その場合、まずは1日3食きちんと食べることを心がけましょう。

食品中の鉄分は、ヘム鉄と非ヘム鉄の2種類に分けられます。ヘム鉄は非ヘム鉄より吸収されやすく、レバーなどの内臓や肉類、魚の赤身に多く含まれています。同時にこれらのタンパク質は、鉄とともに赤血球の材料となりますから、毎日取りたいものです。

いっぽう、やや吸収されにくい非ヘム鉄は、野菜や豆類に多く含まれますが、ビタミンCと一緒に取ると吸収されやすくなります。くだものや緑黄色野菜も意識してとりましょう。

知っておきたい One Point

食後のお茶はほどほどに

ビタミンCが鉄の吸収を助けることは前述したとおりですが、逆に鉄の吸収を妨げるものもあります。その代表格が、コーヒーや紅茶に含まれるタンニンです。食後すぐにこれらを飲むと、タンニンが鉄と結合し、水に溶けなくなって吸収率が半分以下になってしまうといわれます。したがって、貧血ぎみの人は、食事中や食後のお茶はできるだけひかえておいたほうがよいといえます。

ほうれん草は鉄と、鉄の吸収をよくするビタミンC、葉酸も豊か

ほうれん草のココット

ほうれん草……………95g
油……………………3g
卵……………1個(50g)
塩……………………1.0g
こしょう………………少々

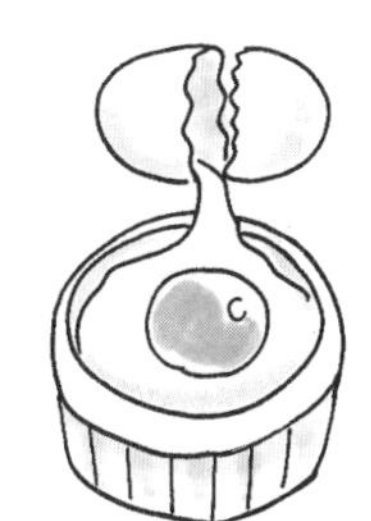

卵黄に竹串で穴をあける

器にほうれん草のソテーを入れ、中央に卵を割り入れ、ラップをかけて電子レンジ強(500W)で1分20〜30秒加熱する。仕上げに塩、こしょうで味をととのえる

みかんジュース(天然果汁)200g

食パン60g

バター大さじ½

いんげん豆のサラダ

いんげん豆(水煮)……50g
玉ねぎ(みじん切り)小さじ1
パセリ(みじん切り)小さじ½
Ⓐ 酢………………小さじ1
Ⓐ サラダ油………小さじ2
Ⓐ 砂糖……………小さじ¼
Ⓐ 塩………………0.1g
Ⓐ こしょう…………少々

玉ねぎ、パセリにⒶをまぜたドレッシングをいんげん豆にかける

TOTAL
エネルギー567kcal
鉄6.5mg
塩分2.3g

間食

さつまいもはビタミンCが豊富、鉄の吸収をよくする効果があります

さつまいものミルク煮

さつまいも……………80g
牛乳……………………80cc
砂糖……………小さじ1½

さつまいもは皮つきのまま8㎜の輪切りにする

牛乳にさつまいもを入れて弱火で煮、砂糖を加えやわらかく煮る

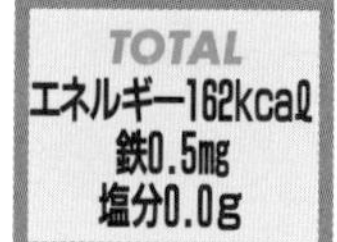

マグロの赤身は良質のタンパク源。鉄も多く、吸収のよいヘム鉄です

マグロの照り焼き

マグロ（赤身）1切れ（70g）
Ⓐ｛しょう油………大さじ1/2
　　みりん…………大さじ1/2
サラダ油……………大さじ1/2
ししとう……… 3本（15g）

Ⓐをあわせたつけ汁に、マグロを20分漬ける

油でマグロの両面を焼いて、Ⓐの残りをからめる

ししとうも焼く

ごはん180g

がんもどきとれんこんの煮もの

がんもどき …………100g
れんこん……………………50g
さやえんどう…………10g
｛だし汁…………1/2カップ
　しょう油 …………小さじ2/3
　砂糖……………………大さじ1/2
　みりん…………………大さじ1/2
　塩…………………………小さじ1/5

がんもどきは熱湯にくぐらせる

れんこんは乱切りにして水にさらす

ゆでたさやえんどう

だし汁でれんこんを2～3分煮、調味料とがんもどきを加えて15分煮、さやえんどうを散らす

沢煮椀

にんじん（せん切り）…25g
ごぼう（ささがき）……15g
干ししいたけ（細切り）1枚
豚薄切り肉（細切り）…10g
Ⓐ｛だし汁………… 1カップ
　　塩 ………………小さじ1/6
　　しょう油 ………小さじ1/3
酒……………………………小さじ1/4
みつ葉…………………… 5g

豚肉は熱湯でアクを取る

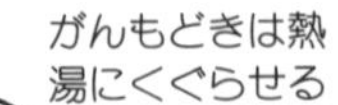

Ⓐを煮立てて材料全部を煮る

椀に盛ってみつ葉、針しょうが（適量）を天盛りにする

TOTAL
エネルギー744kcal
鉄5.8mg
塩分4.8g

がんもどきとれんこんの煮もの ⇨ 厚揚げとチンゲンサイのキムチ煮

厚揚げ………………………1/2枚
チンゲンサイ………… 1株
しめじ……………1/2パック
白菜のキムチ ………100g
Ⓐ｛キムチの汁……大さじ1/2
　　水……………………1/2カップ
　　中華スープの素　小さじ1
　　酒…………………………大さじ1/2
　　しょう油…………少々

Ⓐで厚揚げを煮、残りの材料を加えてさっと煮る

じゃがいもとワカメのみそ汁 ⇨ じゃがいものきんぴら

じゃがいも……………… 1個
サラダ油……………小さじ1
｛砂糖……………………小さじ1/2
　しょう油……………小さじ1/2

じゃがいもはせん切りにしてさっと炒め、砂糖としょう油を加えて炒り煮する

レバーを豚肉とあわせて食べやすく。青菜のビタミンCは鉄の吸収を助けます

レバー入り肉団子のからあげ

豚ひき肉……………50g
豚レバー……………30g
Ⓐ｛長ねぎ（青い部分）適宜
　 しょうが（皮）……適宜
Ⓑ｛ねぎ（みじん切り）8g
　 干ししいたけ（みじん切り）2g
　 しょうが汁……小さじ1
　 卵……………1/6個
小麦粉……………小さじ2
揚げ油
チンゲンサイ…………70g
Ⓒ｛かぼすのしぼり汁大さじ1 1/2
　 しょうゆ油………小さじ1/3

なべに水とⒶを入れてレバーをゆで、火がとおったら小さく切る

ひき肉とレバー、Ⓑを混ぜて団子に丸め、小麦粉をまぶして揚げる

ゆでたチンゲンサイの上に盛り、Ⓒをかける

アサリと大根の煮もの

アサリ（むき身缶詰）…40g
大根（乱切り）………110g
さやいんげん…………5g
ごま油…………………小さじ1
Ⓐ｛だし汁………1カップ
　 酒……………大さじ2
Ⓑ｛みりん………小さじ2
　 薄口しょう油…大さじ1/2

ごま油で大根を炒め、Ⓐを入れて10分煮、Ⓑを加えて10分、アサリを加えて5分煮、ゆでたいんげんを添える

ひじきごはん

米……………………45g
乾燥ひじき（もどす）…4g
切り干し大根（もどす）…4g
にんじん（せん切り）…6g
Ⓐ｛だし汁……………30cc
　 しょう油………小さじ3/5
　 みりん…………小さじ3/5
　 酒………………小さじ3/5

ひじき、大根、にんじんをⒶで炒り煮し、米、水とあわせて炊く

じゃがいもとワカメのみそ汁

じゃがいも……………45g
乾ワカメ………………2g
｛だし汁 ……………150cc
　みそ…………………10g

ひと口大のじゃがいもをだし汁で煮、みそを溶いて、切ったワカメを散らす

TOTAL
エネルギー696kcal
鉄13.2mg
塩分4.9g

バリエーション

トースト、バター ⇨ 牛乳ごはん

ごはん ……………130g
ハム…………………30g
ミックスベジタブル …大さじ3
塩、こしょう………各少々
パセリ（みじん切り）…少々
牛乳 ………………200cc

ハムは1cm角に切り、ごはん、ミックスベジタブルとともに牛乳で煮、塩、こしょうをしてパセリを散らす

骨粗鬆症

乳製品や小魚でカルシウムをたっぷりと。適度な運動とビタミンDもたいせつ

「骨」を健康に保つには

　私たちの体は、つねに一定量のカルシウムを消費し続けています。そのため、消費した分のカルシウムは食べものから補う必要があります。

　体内のカルシウム量が不足すると、骨のなかに含まれるカルシウムを溶かして消費しはじめます。一時的な不足の場合は、その後の摂取で骨のなかのカルシウムは補充されます。しかし慢性的な不足が長く続くと、やがて、骨はもろく、折れやすくなってしまいます。これが骨粗鬆症です。

　これを予防するには、いうまでもなくカルシウムを多く取ることです。カルシウムを多く含む食品には、牛乳・乳製品、小魚類、大豆製品、緑黄色野菜、海藻類などがあります。なかでも牛乳・乳製品に含まれるカルシウムは体に吸収されやすいので、牛乳が苦手な人も、グラタンやシチューなど調理の工夫で取るようにしましょう。

　また同時に、カルシウムの吸収を助けるビタミンDの摂取も心がけると一層効果的です。さらに、カルシウムの骨への定着をうながすためには、適度な運動もかかせません。

知っておきたい One Point
妊娠中や授乳期のカルシウム

　骨粗鬆症は、男性より女性に多くみられます。もともと女性は男性の7～8割程度しか骨の量、すなわちカルシウムの蓄えがないうえ、出産と授乳で赤ちゃんに大量に分けあたえることがあるからです。したがってこの時期には、とくにカルシウムを通常の2倍近く必要とします。

　よくしたもので、妊娠中や授乳期の女性はカルシウムの吸収率が非常に高くなるようになっています。

朝

小魚、青菜、大豆製品、乳製品などカルシウムの豊富な食品を

凍り豆腐とシラス干し野菜の卵とじ

- 凍り豆腐………1/2枚（8 g）
- シラス干し…………小さじ2
- にんじん（たんざく切り）…25g
- 生しいたけ（薄切り）…10g
- にら（3cm長さに）……12g
- 卵………………1/2個（25g）
- サラダ油…………小さじ1弱
- Ⓐ
  - 水…………………1/4カップ
  - しょう油……小さじ1/2強
  - 砂糖…………小さじ2強
  - 塩 ……………0.3g

にんじん、しいたけ、にらの順に炒め、Ⓐと凍り豆腐、シラス干しを加えて炒める

溶き卵をまわし入れ、ふたをして弱火で半熟状にする

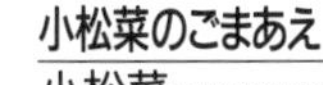

小松菜のごまあえ

- 小松菜……………………65g
- ｛だし汁…………小さじ3
- ｛しょう油………小さじ1/3
- 炒り白ごま………小さじ1 1/2
- 砂糖………………………小さじ1
- しょう油…………………小さじ1/3

小松菜はゆで、だし汁としょう油であえてからしぼる

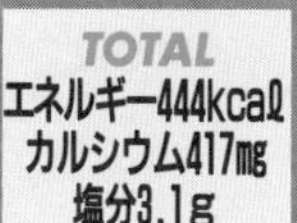
白ごまはよくすって砂糖としょう油をまぜ、小松菜をあえる

ごはん110g

油揚げと大根のみそ汁

- 油揚げ…………1/4枚（8 g）
- 大根……………………30g
- ｛だし汁 …………150cc
- ｛みそ…………………大さじ1/2

せん切りの大根、たんざく切りの油揚げをだし汁で煮て、みそを溶く

TOTAL
エネルギー444kcal
カルシウム417mg
塩分3.1g

間食

カルシウムの多いヨーグルトで間食を

バナナヨーグルト

- プレーンヨーグルト…50g
- バナナ………………60g

バナナは輪切り

ヨーグルトとまぜる

TOTAL
エネルギー82kcal
カルシウム57mg
塩分0.1g

大豆は栄養豊富で、成人病予防にも効果的

みそ煮込みうどん

ゆでうどん …………225g
ちくわ（5㎜幅に）……20g
厚揚げ（縦半分5㎜幅）…30g
白菜（ひと口大に）……50g
にんじん（たんざく切り）30g
長ねぎ（斜め切り）……20g
しめじ（ほぐす）………10g
さやいんげん（ゆでて4㎝長さ）10g
｛だし汁 ……………300cc
　みりん……………大さじ½
　みそ………………大さじ1｝
卵…………………1個（50g）

だし汁で白菜、にんじんを煮、長ねぎ、しめじ、厚揚げ、ちくわ、さやいんげんとみりんを加えてしばらく煮、みそを溶き入れる

うどんを湯に入れてほぐす

うどんを入れて1～2分煮て、溶き卵を流し入れる

オレンジ65g
りんご85g

ゆで大豆のサラダ

大豆（水煮）……………50g
シラス干し……………5g
大根おろし …………100g
青じそ…………1枚（1g）
しょう油……………小さじ½

シラス干しは熱湯をかけて水気を切る

大根おろしと大豆、シラス干しをまぜ、青じそのせん切りを散らしてしょう油をかける

TOTAL
エネルギー632kcal
カルシウム285mg
塩分3.6g

ゆで大豆のサラダ ⇨ 豆たこ

大豆（水煮）………¼カップ
ゆでたこ…………………40g
大根………………………40g
だし汁……………………適宜
Ⓐ｛しょう油………大さじ½
　酒…………………大さじ½
　みりん……………大さじ½｝

小さく切ったたこと大根、大豆をかぶるくらいのだし汁で煮、Ⓐで味をつける

豚肉のチーズロール焼き ⇨ 豚肉のチーズ巻き

豚薄切り肉 …………150g
塩、こしょう………各少々
プロセスチーズ………70g
青じそ…………3～4枚
サラダ油……………大さじ½
Ⓐ｛しょう油…………大さじ½
　酒…………………大さじ⅓｝

豚肉を広げて塩、こしょうをし、青じそをのせ棒状に切ったチーズをのせて巻く。油で焼き、Ⓐをからめる

カルシウムの摂取は乳製品からでもよく、取りやすい調理方法で

豚肉のチーズロール焼き

豚薄切り肉（赤身）…100g
- 塩……………………0.3g
- こしょう……………少々

プロセスチーズ………30g
ピクルス…………………15g
サラダ油…………大さじ½
トマトソース
- Ⓐ
  - トマト（水煮）…100g
  - 玉ねぎ（みじん切り）30g
  - ピーマン（〃）½個（15g）
  - にんにく（〃）¼個（14g）
  - 塩……………………0.2g

パセリ（みじん切り）…少量
- Ⓑ
  - じゃがいも………60g
  - 塩……………………0.2g
  - こしょう……………少々

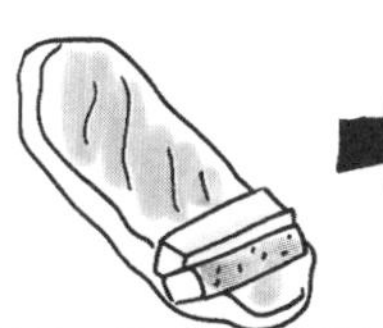

棒状に切ったチーズとピクルスを豚肉にのせて巻く

油を熱したフライパンで焼いて中まで火を通す

器に盛り、Ⓐを煮込んでつくったトマトソースをかけてパセリをふる（Ⓑの粉ふきいもをつけ合わせに）

TOTAL
エネルギー783kcal
カルシウム312mg
塩分4.9g

レタスとトマトの酢のもの

トマト（1cm角に）……40g
生ワカメ（2cm角に）…10g
レタス（手でちぎる）…30g
みょうが（せん切り）…2g
- Ⓐ
  - ごま油…………0.5g
  - 酢…………………小さじ2
  - しょう油………小さじ⅓
  - 砂糖……………小さじ⅓

Ⓐをまぜて材料全部をあえる

コーンポタージュスープ

スイートコーン（クリーム）50g
玉ねぎ（あらみじん切り）25g
バター…………………大さじ½
小麦粉…………………大さじ1弱
- Ⓐ
  - 水……………………150cc
  - 固形スープの素…2g
  - 牛乳…………¼カップ

塩、こしょう………各少々
生クリーム…………大さじ1

玉ねぎをバターで炒めて小麦粉をふり入れ、Ⓐとコーンを加えて煮、塩、こしょうをして生クリームをまぜる

バリエーション

小松菜のごまあえ ⇨ ピーマンのからしじょう油

ピーマン……………………2個
かまぼこ……………………2きれ
- Ⓐ
  - 溶きがらし……小さじ½
  - しょう油………大さじ½

しょうが……………………少量

ピーマンは焼いてひと口大に切り、かまぼこもひと口大に切ってⒶであえ、せん切りしょうがを散らす

「医食同源」の思想

人体のバランスを重視する

東洋医学、とくに中国医学では、紀元前から「医食同源」という考えかたが日常の健康管理や病気の治療における基本とされてきました。これは、読んで字のごとく、「医薬品と食品は同じ源である」という考えかたです。

この考えかたの基本となっているのは、中国の古代哲学である陰陽五行の理論です。陰陽とは、宇宙のすべてが陽と陰、正と負という反対の性質から成り立っているという考えかたで、そのバランスを保つことがもっとも重要であるとされます。また五行とは、自然界のすべてのものは木、火、土、金、水のいずれかの性質をもっているとするものですが、ここでもそれぞれのバランスがもっとも重視されます。

五行説においては、人体のさまざまな組織や器官も五行に分類します。そして、病気とは、これらのバランスの崩れが原因であるとしているのです。

薬物と食物を組み合わせる薬膳

人間の心身のバランスをよりよく保ち、回復させるのが、薬物と食物を組み合わせた料理「薬膳」です。

薬膳の処方においては、さらに中国古来の医学理論である臓腑経絡の理論が重視されます。これは、人間の体のなかの組織や器官はお互いに関係しあい、影響しあっているとするもので、五行説にも通じるものです。

五行説では、水は木を育て、木は火を生じ、火は燃えて土に帰り、土は金を生む、という強める関係と、木は土を痩せさせ、土は水をせき止め、水は火を消し、火は金をとかすという弱める関係を定めています。

そのため、木に相当する臓器が弱っているときは水の臓器が助けますが、その結果、火の臓器を弱めることにもなります。こうした複雑な関係にてらして、もっとも適した食材と調理方法を選ぶのが薬膳です。

薬膳は、3千年以上にわたる歴史をもつ、先人の知識と経験が集約された膨大な料理の大系です。そのすぐれた成果の一部は、もちろん本書の中にも生かされています。

子ども編

子どものための食生活

子どものための食生活

肥満の子どもは、将来、成人病にかかる可能性が。子どもの健康は親が管理するもの。偏食、間食、欠食、ひとり食べを避けて、子どもに正しい食習慣を。

子どもの肥満が増えている

成長期にある子どもにとっては、じゅうぶんな量の栄養を取ることがもっともたいせつです。しかし、現代の日本において食事や栄養の量が足りないという子どもはきわめてすくなく、むしろ食事の取り過ぎから肥満になる子どもが増えています。

また、食生活の欧米化によって、日本人全体として脂肪の摂取量が増えているという問題もあります。その結果、肥満からくる成人病が増えているともいえるでしょう。

肥満の原因は、食べ過ぎと運動不足です。とくに都会の子どもたちは、体を思いきり動かして遊べる場所がすくないうえ、コンビニエンスストアやファーストフードショップで間食をする機会も多くなっています。

偏食・間食、欠食の悪循環

子どもの肥満は親がつくるものです。逆にいうと、太っている子どもの親もまた太っていることがすくなくありません。そうした家庭では、献立に洋食や揚げ物が多く、また家族で外食する回数も多いはずです。

子どもの正しい食生活を妨げるものとして、偏食、間食、欠食の弊害がよく指摘されます。

偏食（好き嫌い）のある子どもは、嫌いなものを食べないために、間食（おやつ）で空腹を満たそうとします。その結果、脂肪分や糖分を取り過ぎてしまうのです。

欠食（食事―おもに朝食―を抜くこと）の子どもは、昼食時にお腹が空くあまり、ろくに噛まずにものすごい勢いで食べます。その結果、つい量を多く食べてしまうのです。同時に、1日2食だと、3食のときよりもカロリーの吸収力も高くなりがちです。

子どもが欠食する理由は、「朝は食欲がない」「時間がなくて食べられない」といったことですが、これらは夜ふかししたり、寝る直前に夜食を食べたりするからです。つまり、大人に合わせた夜型の生活サイクルによるものなのです。

食事は家族と一緒に

さらに、近年の核家族化の進行にともなって問題とされているのが、子どものひとり食べの習慣です。大人でも同じことですが、食事は多人数でしたほうが、雰囲気も楽しく食欲も進みます。1人だけの食事では食も進まず、その結果、後からお腹が空いて間食や夜食を求めたりするのです。

また食事をつくる際も、1人分よりは何人分も用意するほうが、より多くの食材や調理方法を工夫でき、バランスのよい食事を用意できるものです。逆に子ども1人だけの食事は、カレーやスパゲティー、やきそばやラーメンなど、手軽な一品料理で子どもが好きなものになりがちです。

子どもにとって、家族と一緒に食事の準備をしたり、食事を取ったりすることは、単に栄養補給だけでなく、しつけやコミュニケーションの重要な機会です。できるだけ家族と一緒に、できれば朝食は必ず子どもと一緒に取るように習慣づけましょう。

アトピー性皮膚炎

子どもの湿疹のなかでもっとも多い。原因をつき止め、食生活に注意を

◆アトピーとは

アトピーとはアレルギーとほぼ同じ意味のことばですが、より正確にはアレルギーのなかでもとくに遺伝傾向が強く、体内にアレルゲン（アレルギーの原因物質）が入ると即時（約15分程度）に反応があらわれるタイプのものをいいます。

ただし、遺伝によってアトピーの素因をもっていても、発症しないケースもあります。

また、アレルゲンが体内に入ってから反応があらわれるまでに、1～3日かかる遅延型があることも最近わかってきました。

このように、アトピーにはまだまだ不明な点が多く、治療の効果も思うようにあがらないのが現状です。

◆子どもとアトピー性皮膚炎

子どもの湿疹のなかでもっとも多いのがアトピー性皮膚炎です。アトピー性皮膚炎は慢性化しやすく、激しいかゆみをともないます。

一般的には生後3～6カ月ころから多く発症し、乳幼児、小・中学生くらいまでみられます。症状に個人差があるとともに、年齢によってもかなりの違いがあります。青年期に激減することが多いのですが、逆に青年期になってから発症するひともいます。

◆アトピー性皮膚炎の原因と日常のケア

アトピー性皮膚炎のアレルゲンは、おもに食べものと考えられていますが、行動範囲が広がる乳児期になると、ダニ、ハウスダストや花粉など環境のなかにあるものも影響してきます。

アトピー性皮膚炎を悪化させないためには、日常生活でのケアがとても重要です。

まず、育児日記や食事日記などをこまめにつけて、原因をつき止めます。これらのメモが、医師による診断の役に立つことも多いのです。原因がわかったら、できるだけそれを避けるようにします。つぎに、つねに皮膚の清潔さを保つようにします。汗をかいたら、こまめにシャワーを浴びさせて、よごれをはやめに落とします。

また、セーターや毛布などのように、チクチクする繊維は皮膚への刺激となりますので、直接肌に触れないようにします。いっぽう、薄着にしたり、日光浴をさせて皮膚を鍛えることは、予防と改善に効果的です。

アレルギー(アトピー)体質を改善する食べもの

ドクダミ

ドクダミの煎じ汁

ドクダミにも体内の血液をきれいにする働きがあります。乾燥させたものを生薬では十薬(じゅうやく)といい、市販されています。

ドクダミ(十薬)10～15gを水600mℓで煎じ、お茶がわりに飲ませます。

ハトムギ

ハトムギ茶

ハトムギの実には腎臓の機能を活発にさせる働きがあり、酵素の働きによって新陳代謝を活発にし、体内の血液をきれいにする作用があります。

ハトムギの実を殻のついたまま砕いて、2分の1カップほどを焦げない程度に炒めます。それを600mℓの水で煮出して飲ませます。市販のハトムギ茶を用いてもよろしいでしょう。

ルイボスティー

ルイボスティー

南アフリカ原産のルイボスティーには、すぐれた抗酸化力があり、アレルギー体質の改善に効果的です。また、成人病をはじめとしたさまざまな病気の予防、改善にも期待が寄せられています。

一般薬局やスーパーなどで、手軽に購入することができます。クセがないので、麦茶のように飲ませるとよいでしょう。

モロヘイヤ

モロヘイヤ

エジプト生まれのモロヘイヤは、カロチンをはじめとしたビタミン、カルシウム、ミネラルを豊富に含んでいます。新陳代謝を活発にして、アレルギー体質の改善に役立ちます。

スープをはじめ、おひたし、グラタン、かきあげなどにもよく合います。

食事の取り方

卵、牛乳、大豆が3大アレルゲン。食事に気をつけて、体質改善をはかる

からだのなかに入ってアレルギーを起こす異物(抗原物質)をアレルゲンといいます。口から入る食物のほとんどすべてが、体質によりアレルゲンとなる可能性を持っています。

とくに卵、牛乳、大豆は3大アレルゲンと呼ばれていますが、青魚、畜肉、えび、かになどのほか、米や小麦といった主食から、チョコレートや清涼飲料水といった子どもの大好きな食品までもが、アトピーの原因となることがあるのです。

小さな子どもが対象となるだけに、食事(食品)制限はたいへんなことです。しかし、最近では、アトピーっ子向けの食品やお菓子なども普及してきましたので、症状の様子をみながら、医師と二人三脚で治していきましょう。

子どもの成人病

子どものライフサイクルを見なおし、食事の取り方と運動不足に気をつける

子どもの成人病とは、本来おとなに発症するはずの慢性的な疾患が子どもに発症したり、発症しやすい状態になったりすることです。小児成人病ともいいます。代表的な病気は、高脂血症、高血圧、糖尿病（インスリン非依存型）、脂肪肝などで、いずれも肥満と密接に関係しています。

子どもの成人病の予防や改善には、子どものライフサイクルを見なおし、毎日の食事の取り方に十分気をつけることがたいせつです。また、運動不足におちいらないよう、外で元気に遊ぶ習慣をつけさせることも重要です。

◆子どもを成人病から守る食事の取り方

1．肥満児にしない

子どもの成人病は、肥満児に多発する傾向があります。ですから、バランスのよい食事を基本に、適正な量をよくかんで食べる習慣をつけさせ、まず肥満にならないようにすることがたいせつです。また、体を動かすことは、消費カロリーを高めるばかりか太りにくい体質をつくります。

2．あぶらっこいものはひかえめに

フライドポテトやフライドチキン、ポテトチップスなどは、おやつとしてたいへん人気がありますが、これらの脂肪は高カロリーのうえに体脂肪になりやすい性質をもっています。食べ過ぎないように、日ごろから注意します。

3．甘いものはひかえる

砂糖はインスリンの分泌をうながす食品の代表で、取り過ぎると中性脂肪をふやし、高脂血症や脂肪肝の原因となります。とくに、ケーキやクッキーのように砂糖と油がいっしょになった食べものは、中性脂肪を増大させます。また、炭酸飲料、ジュースなどのソフトドリンクにもかなりの糖質（5～10％）が含まれています。

4．薄味に慣れさせる

塩分の取り過ぎは、高血圧症の原因となります。子どものときから、薄味で食べる習慣をつけることがたいせつです。

5．食物繊維をたっぷりと

食物繊維は、塩分、脂肪、糖質などの吸収をおさえる働きがありますので、子どもの成人病の予防や改善にたいへん効果的です。

6．ゆっくり食べる習慣を

食事はゆっくりよくかんで食べる習慣をつけ、早食いやジュースで流し込むような食べ方はやめるべきです。

発熱

機嫌がよければ心配ない。体を温め、栄養と水分補給を十分に

子どもは、おとなより新陳代謝が活発でしかも体温調節機能が未熟なので、よく熱を出します。発熱した場合は、様子をよく観察し、食欲があって機嫌もよいようならあわてなくても大丈夫です。消化しやすい食事を用意し、とにかくゆっくりと休ませましょう。

ただし、発熱がひどく汗をかく場合は、脱水症状を起こさないよう湯ざましや、子ども用のスポーツドリンクをあたえてください。

食事のメニューとしては、ビタミン、ミネラル、タンパク質の豊富な、のどごしのよいものを考えましょう。

クズ

砂糖入りクズ湯

クズの根には、解熱・発汗作用がありますので、かぜのひきはじめの熱に効果的です。また、滋養・強壮作用で体力の回復も助けます。

クズ粉大さじ5杯に砂糖などの甘味を加え、大さじ6杯の水でよく溶き、さらに熱湯をすこしずつ加えながら、適当なかたさになるまで練ります。

梅干し

梅干しの黒焼き

梅干しには、疲労を回復させ新陳代謝を活発にする働きや発汗・解熱作用があり、かぜによる発熱をやわらげるために用いられます。

梅干し1～2個をアルミホイルで包み、熱したフライパンで黒焼きにします。それを茶碗に入れて熱湯をそそぎ、梅肉を箸などで少しほぐして飲ませます。

しょうが

ハチミツ入りしょうが湯

しょうがのもつ芳香成分には発汗・解熱作用があります。しょうが湯は、かぜの初期症状としてみられる寒けや鼻づまりなどの不快な症状をしずめる働きがあります。

しょうが1片ほど（約10g）を水洗いしてからすりおろします。

↓

すりおろしたしょうがを湯飲み茶碗に入れて熱湯をそそぎ、子どもが飲みやすいようにハチミツを適量加えてから、かきまぜます。

↓

これを1回量として1日3回くらい、温かいうちに飲ませます。

ひきつけ

けいれんは、ほとんどが数分でおさまる。あわてず、落ち着いて手当てを

ひきつけは、脳がなんらかの刺激を受けたサインと考えられます。2歳くらいまでの子どもによくみられ、突然からだを硬くして倒れ、手足をふるわせたり、歯を食いしばったりします。熱の有無や子どもの年齢によって、ひきつけの種類は異なりますが、顔面がそう白になり唇が紫色になったり、一時的にせよ呼吸が止まるような場合は、大至急病院に運んで、医師に発作の様子を説明してください。

覚えておくと便利

ひきつけの手当て

ひきつけを起こしたら、子どものそばを離れないことです。あわてて人を呼びに行ったり、抱きかかえて病院に行ったりするのはよくありません。

まず周囲にある倒れやすいものなどを片づけ、寝かせたまま衣服をゆるめて呼吸を楽にさせます。抱き上げたり、呼びかけて体をゆすったりしてはいけません。吐き気がありそうなときは、顔を横に向け、あごを上にあげます。歯をくいしばっていても舌をかむことはまずありませんので、無理に口を開けさせたりしないことです。

ひきつけがおさまったら熱をはかり、高ければ氷まくらなどで冷やします。

ユキノシタ

ユキノシタのしぼり汁

ユキノシタは塩化カリウムや硝酸カリウムを含み、ひきつけの応急処置に用います。方法としては、数枚の生の葉を塩水で洗ってから、しぼった汁を飲ませます。

梅

梅酢

梅酢というのは、未熟な青梅を塩漬けしたときにできる液のことです。この梅酢をさかずきに半分ほど取り、すこしずつ飲ませます。

にら

にらのしぼり汁

にら100gほどを細かくきざみ、すり鉢ですりつぶしたのち、ガーゼに包んで汁をしぼります。この汁をすこしずつ飲ませます。

せき・たん

せきやたんをしずめる食べものをあたえ、安静と保温を保つ

せきやたんが出る子どもの病気には、かぜやインフルエンザをはじめ、気管支炎、小児ぜんそく、乳児肺炎、小児結核、百日ぜきなどがあります。したがって、激しいせきやたんが長く続くときは、かならず医師の診断を受けるようにしてください。

せきやたんが出るときは、のどごしと消化のよい食事を基本にして、栄養と水分の補給をはかりながら、安静と保温に心がけてください。

たんがからむようなせきが出るときは、薄めの番茶や湯ざましなど、水分をたっぷりあたえましょう。

かりん

かりん酒

かりんは市販ののど飴などにも用いられるように、せきをしずめる働きがあります。また、疲労回復効果にもすぐれていますので、保存のきくかりん酒がおすすめです。

保存しておくびんの大きさにあう分量のかりんを適当な大きさに切って、アルコール度35パーセントの焼酎に1～2か月漬けておけばできあがりです。

子どもには、必ず水などで薄めたものを飲ませるようにします。

ナシ

ナシの蒸し汁

水分の多いナシは体にうるおいをあたえて、のどの渇きをいやします。のどが渇きやすく、せきやたんの出やすい場合に、それらを止める作用もあります。

皮をむいたナシを半分に切ってどんぶりに入れ、蒸し器で20～30分蒸します。そのどんぶりにたまった蒸し汁を飲ませます。ナシの上に生薬の貝母（ばいも）をのせて蒸すのも効果的です。

大根

大根あめ

大根にはジアスターゼをはじめとした消化酵素やビタミンCが含まれ、内臓の調子をととのえるとともに、かぜによるのどの痛みや炎症を抑える働きがあります。

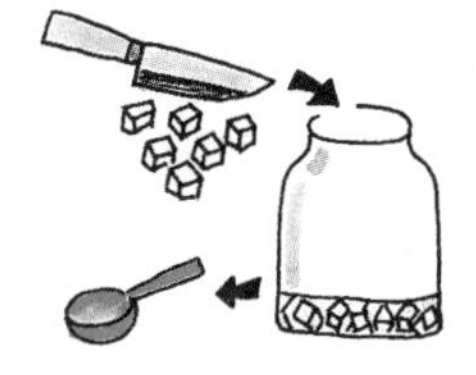

水飴を入れた広口びんに、皮をむいた大根をさいの目に切って入れて、ひと晩漬けておき、1回にスプーン1～2杯与えます。冷蔵庫に入れて保存しておきます。

腹痛、嘔吐

消化のよい食べものをあたえ、しばらく安静にして様子をみる

子どもは、自分からは腹痛を訴えないので、日頃から便の状態を気にかけてください。便秘なら、野菜やくだものを十分にあたえ、下痢の場合は、消化のよいものをあたえて様子をみます。

嘔吐も、乳幼児にはよくあるものですが、胃腸の病気が原因とは限りません。神経性のものや感染症など、原因はさまざまです。ただ、吐いてばかりいて体重があまり増えなかったり、せき・発熱・ひきつけをともなうような場合は、何か他の病気がかくれているケースもあるので、医師の診察を受けてください。

りんご

おろしりんご

りんごに豊富に含まれる食物繊維ペクチンが腸に働き、乳酸菌をふやして、大腸菌など下痢を起こしている細菌の働きをおさえます。刺激も少なく消化もよいので、下痢止めに最適です。

水洗いしたりんごを適当な大きさに切ってすりおろします。なお、ペクチンは皮に多いので、皮ごとすりおろして食べるようにします。

梅

梅肉エキス

おにぎりなどに使われるように、梅が胃腸によいことは知られています。これはウメのすっぱさのクエン酸が疲労回復に作用し、殺菌効果ももっているためです。

青梅をすりおろし、ねっとりしてくるまでかきまぜ、その汁をしぼって弱火で約2時間煮ます。黒褐色の粘りがでれば完成です。1日に3gくらいをコップ1杯のお湯で溶いて飲ませます。

センブリ

センブリ茶

センブリは日本全国に自生する野草で、苦みの強いリンドウ科の二年草です。その特徴的な苦みの成分が胃の働きを活発にし、胃痛、腹痛や神経性の下痢にも効果があります。

乾燥したセンブリを2～3cm折って湯飲み茶碗に入れ、熱湯を注ぎます。

これを数分間おき、冷めてから飲ませます。このほか、薬用アルコールにセンブリの全草を漬けたセンブリエキスを1～2滴、湯で割って飲ませてもよいです。

夜尿症

体を温める食べものをあたえ、叱ったりしないで気長になおす

2～3歳までの夜尿症は、あまり神経質に考えないでよいでしょう。ほとんどの子どもは、小学校入学までには治ってしまいます。

しかし、5～6歳を過ぎても頻繁に起こるようなら、腎臓や膀胱の機能に問題がある場合もあるので、一度医師に診てもらってください。

機能的に問題がなければ、精神的な原因を考えてみる必要があります。とくに多いのが、下に赤ちゃんが生まれたりして、親の愛情が自分だけに向けられていないと感じたり、環境が急に変わり、心配や不安にかられたりするケースです。このような場合は強く叱らず、水分を取りすぎないよう注意し、愛情をもって接してください。

柿

柿のへたの煎じ汁

柿のへたは昔からしゃっくりや夜尿症によく効くといわれていました。夜尿症の防止のためには柿のへたの煎じ汁がよいでしょう。

乾燥させた柿のへた15gほどを600mℓの水で半量になるまで煎じ、これを1日3回に分けて、空腹時に飲ませます。

オオバコ

オオバコの煎じ汁

オオバコは全国に見られる多年草です。漢方ではその全草を車前草といい、消炎、利尿、整腸作用などがあり、体内の余分な水分を出すので、夜尿症にも効果的です。

乾燥したオオバコの全草10～20ｇを、600mℓの水で半量になるまで煎じます。

この煎じ汁を1日分とし、2～3回に分けて、夕方くらいまでに飲ませます。

ぎんなん

炒りぎんなん

ぎんなんには排尿をおさえる働きがあり、夜尿症の特効薬としてもよく知られています。ただし、中毒を防ぐため、かならず火をとおし、多食は避けてください。

フライパンなどでぎんなんをよく炒り、1日5個以内を限度に食べさせてください。

夜泣き、かんの虫

腹もちのよい食べものや、寝る前の入浴でリラックスさせる

赤ちゃんの夜泣きは、昼夜の生活のリズムがつくられていくときにみられる現象の一つです。時期がくれば治るので、親が気にしすぎないことがいちばんですが、昼寝をしすぎて眠れないような場合もありますので、昼間よく遊ばせることがたいせつです。

かんの虫は、精神状態が不安定だったり、興奮しやすい子どもに起こります。夜泣き、歯ぎしりなどの症状があり、漢方での治療が向いています。

ナツメ

甘麦大棗湯

ナツメの乾燥させた果実である大棗（たいそう）と小麦、甘草とをまぜて煎じたものを、甘麦大棗湯（かんばくたいそうとう）といい、夜泣き、かんの虫に効果があります。

乾燥させたナツメの実３ｇと小麦10ｇ、甘草２ｇをまぜ、600mℓの水で半量になるまで煎じます。

こうしてできた甘麦大棗湯を１日３回くらいに分けて、お茶がわりに飲ませます。

黒砂糖

黒砂糖入りホットミルク

黒砂糖には、ミネラル、カルシウムが豊富に含まれ、脳や神経の興奮をしずめ、リラックスさせる働きがあります。ホットミルクとの組みあわせは、夜泣き、かんの虫に効果的です。

寝つきが悪く、夜泣きやかんの虫の強い子どもには、温めた牛乳に少量の黒砂糖を加えて、寝る前に飲ませるようにします。

カキドオシ

カキドオシ茶

カキドオシは生薬の連銭草（れんせんそう）として知られています。夜泣きやかんの虫を取りのぞくのは、その鎮静作用で、血糖を下げる働きがあるからです。

４～５月の開花時期にカキドオシの全草をとり、よく水洗いしてからかげ干しにして乾燥させます。あとは普通のお茶と同様に飲みます。甘みを加えてもよいでしょう。

食欲不振、偏食

調理法にもひと工夫して、楽しい食卓を演出することがたいせつ

大人と同じように、子どもの食欲にも個人差があり、食べたいときとそうでないときとのむらがあります。体重の増えかたがすくなくても、機嫌がよく元気があるなら、気にすることはありません。

ただ、好き嫌いから食欲不振を招くことはよくあります。

偏食は離乳期の食材の選びかたや調理のしかたにより、味や香りなどに対する生理的な嫌悪感が原因で生じます。

偏食のある子どもは食事に苦痛を感じていることが多く、無理強いは逆効果です。形や口あたりを変えたり、においを消すなど調理法にひと工夫し、さらに、盛りつけや見た目の楽しい雰囲気を演出することがたいせつです。

しょうが

黒砂糖入りしょうが湯

しょうがには食欲増進、保温作用などのすぐれた薬効があります。日ごろから食が細く、体の弱い子どもの食欲不振の改善にとても効果的です。

生しょうが10gをすりおろし、そのしぼり汁を飲みやすい濃さまで湯で薄めて、黒砂糖などを加えます。肉や魚料理のかくし味としても利用できます。

玄米

玄米のおも湯

稲からもみ殻をとったものが玄米です。玄米は精白米と違って胚芽が除かれていませんから栄養価も高くなっています。成分としてはビタミンB_1やビタミンB_2、ビタミンEなども多く含んでいます。

なべにたっぷりの水を入れて20〜30gの玄米を40〜50分間煮て、なべの上にできたおも湯を茶碗にとります。

↓

このおも湯を、1日3回、スプーンに1〜2杯ずつあたえます。塩を軽くふってもよいでしょう。

ナツメ

ナツメとクコのスープ

ナツメの乾燥させた果実を生薬名で大棗（たいそう）といい、滋養・強壮のほか、胃腸を丈夫にする薬効があります。気長に続ければ、胃腸の調子がよくなって食欲もわいてきます。

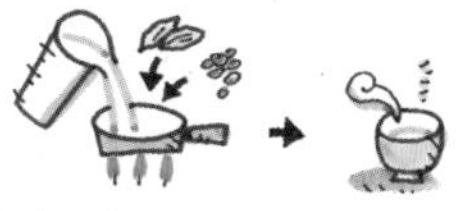

大棗5個にクコの実（生薬名：枸杞子／くこし）小さじ1杯を加え、水600㎖で煎じ、沸騰したら弱火でさらに30分間ほど煮つめます。これを1日3回に分けて飲ませます。甘みがあるので、そのままあたえてよいでしょう。

虚弱体質

栄養バランスのよい食事を基本に、丈夫な体質に改善する

虚弱体質といわれる子どもの多くは、顔色が悪くて疲れやすい、食が細く、発育不良や栄養不良、貧血ぎみといった特徴をもっています。また、頭痛や腹痛、下痢を起こしやすく、ふだんから神経質だったりもします。

食事のかたよりや精神的なものが原因となっている場合が多いので、食生活を見なおし、栄養バランスのよい食事を取らせ、乾布摩擦やスポーツで体力を養い、自信をつけさせましょう。

かぼちゃ

かぼちゃ入り野菜スープ

かぼちゃにはカロチンが豊富に含まれ、ビタミンB_1やB_{12}、ビタミンCもあり、優れた栄養価を備えています。また、かぼちゃだけでなく大根やにんじん、玉ねぎなどを加えてスープにすれば、虚弱体質の子どもにはとくに効果的です。

かぼちゃ、大根（葉と根）、にんじん、玉ねぎ、白菜、じゃがいも、セロリ（好みで）を細かくきざむ。

↓

これらの野菜をなべに入れて、600mℓの水にコンソメスープの素１～２個を加え、アクを取りながら１時間ほど煮込みます。

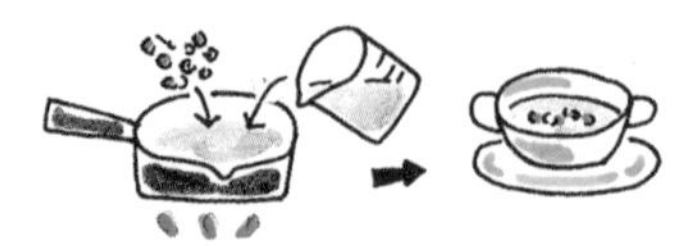

できあがった野菜スープを２～３日に分けて、適量をそのつど温めて飲ませます。

にんじん

おろしにんじん

にんじんにはカロチン、ビタミンB類、C、カルシウム、鉄分、リンなどが豊富に含まれています。内臓を温め、体を丈夫にする働きに優れています。

にんじん25gほどの皮をむき、そのまますりおろします。これをほかの料理と一緒に食べさせます。そのまま食べるときには甘味を加えてもよいでしょう。

カキドオシ

カキドオシの煎じ汁

かんの虫封じにももちいられるカキドオシは、胃腸が弱く、食の細い子どもの体質改善にも有効です。しばらく続けるとよいでしょう。

乾燥した全草（生薬名：連銭草／れんせんそう）10ｇを水600mℓで半量まで煎じ、１日数回に分けて飲ませます。甘みを加えてもよいでしょう。

◆む◆

◆め◆

◆も◆

◆や◆

◆ゆ◆

◆へ◆

◆ほ◆

◆ま◆

◆み◆

◆に◆

◆ね◆

◆し◆

◆す◆

◆さ◆

◆く◆

◆け◆

◆こ◆

◆き◆

さくいん

◆監修者紹介◆

中村丁次（なかむら　ていじ）

1972年徳島大学医学部卒業後、新宿医院、聖マリアンナ医科大学病院勤務。85年東京大学医学部より医学博士号を取得。87年より聖マリアンナ医科大学横浜市西部病院勤務。同病院栄養部長・内科講師を勤めるかたわら、厚生省や労働省、農林水産省の専門委員などを歴任。主な著書に、『栄養指導論』、『新版 食事で病気を治す本』などがある。

山ノ内愼一（やまのうち　しんいち）

1951年東京薬科大学、54年明治学院大学(英文科)、61年日本獣医畜産大学卒業。医学博士(久留米大学)、薬剤師、獣医師。杏林会、日本漢方医学研究所、千葉大学東洋医学研究会、日本漢方協会などで漢方医学を学び、73年より藤門会（藤平健博士指導）で漢方古典を研究し、現在に至る。漢方専門薬局の経営を行うかたわら、日本漢方協会会長を務める。主な著書に、『よく効く漢方と民間療法』『アロエ（健康を守る万能の薬草）』などがある。

家庭でできる　食事療法事典

1998年1月15日　初版発行
1999年10月15日　第4刷

監修　中村丁次
　　　山ノ内愼一
発行者　富永弘一
印刷所　公和印刷株式会社

発行所　東京都台東区台東4丁目7　株式会社 新星出版社
〒110-0016 電話(3831)0743 振替00140-1-72233

ISBN4-405-09644-9